LE CHIEN DE MAO

LE CHEMIN DE MAO

LUCIEN BODARD

LE CHIEN DE MAO

roman

LE GRAND LIVRE DU MOIS

Tous droits de traduction, de reproduction et d'adaptation
réservés pour tous pays.

© *Editions Grasset & Fasquelle, 1998.*

« J'étais le chien de Mao. Je mordais qui il me disait de mordre. Avant de battre le chien, adressez-vous à son maître. »

Jiang Qing en 1980 lors d'un interrogatoire.

Pour Marie-Françoise

AVERTISSEMENT

Ceci est un roman. Certains noms ont été changés, d'autres pas ; certains caractères, certains événements ont été rêvés, d'autres pas... c'est, je crois, le privilège du romancier.

Les noms chinois qui figurent dans ce livre sont, pour la plupart, écrits en pinyin. Toutefois j'ai gardé pour les plus célèbres d'entre eux la transcription ancienne. Ainsi ai-je écrit Pékin plutôt que Beijing, Tchang Kaï-chek plutôt que Jiang Jieshi, Tien-tsin plutôt que Tianjin... Question d'habitude sans doute, d'émotion parfois.

L. B.

Prologue

Dans l'Ouest lointain, dans la vallée perdue de Yanan où les communistes se sont installés, est née une tendresse entre Mao et Pomme Bleue, la petite théâtreuse au passé douteux. Yanan est une plaie, une béance de glaise rouge que surplombent des parois percées de grottes. Lorsque la nuit panse les blessures de la terre, Mao s'enferme dans une de ces cavités transformées en logis. Solitude, austérité... trois pièces rugueuses sans autre ameublement qu'une table, quelques sièges, une bibliothèque, des bat-flanc ; des gardes à l'entrée ; pour le servir une ombre habituée à ne pas parler, à ne pas exister. Des heures durant il écrit. Vers deux heures du matin l'ombre lui apporte du porc braisé, à l'aube il s'endort pour ne réapparaître que vers midi.

Mais, voici trois mois, Mao a engagé une secrétaire, Pomme Bleue. En la recrutant, il a pris son aspect le plus redoutable d'enfant quadragénaire à la bonhomie faussement avenante : qu'elle travaille sans jamais être fatiguée et qu'elle se taise, car elle connaîtra tous les secrets. Et depuis trois mois au crépuscule Pomme Bleue rejoint Mao.

Chaque nuit, ils sont ensemble, face à face. Désormais, quand Mao écrit, Pomme Bleue devine la teneur du texte à quelques mimiques, à des moues de colère, à des sourires fins et mauvais. Elle est gracieuse et belle, aussi délicate que possible dans ce Yanan grossier, mais Mao perçoit-il ses raffinements ?

Il dicte, ou bien il trace des milliers et des milliers de caractères qu'elle retranscrit. Elaboration de la doctrine, ordres sanguinaires n'intéressent pas Pomme Bleue, ce qu'elle guette c'est un signe d'amour, de l'immanquable amour qu'il doit éprouver pour elle. Tous les hommes qu'elle a voulus, elle les a séduits. Pourquoi Mao ne se manifeste-t-il pas ? Il a eu des femmes, des maîtresses qu'il a

LE CHIEN DE MAO

abandonnées. Mais avec elle, le lien sera indissoluble. Elle sera capable de comprendre Mao, Mao qui pour le moment ne cesse de l'engueuler :

— Je vais vous renvoyer. Vous êtes trop bête, vous vous trompez en me recopiant. Vous me faites dire n'importe quoi, à moi qui crée la nouvelle loi.

Parfois Mao semble se perdre dans ses pensées. Sombre, muet, le visage renfrogné, il se tasse en lui-même comme pour s'examiner, ou pour s'apaiser, on ne sait, puis brusquement il sort de cet état transi, tapote la tête de Pomme Bleue ou lui caresse l'épaule. Mais toujours il se reprend. Un autre homme, elle le tisonnerait. Avec Mao, ce serait un crime de lèse-majesté, elle reste donc déférente, en attendant que lui vienne l'étincelle décisive, si elle lui vient jamais. Pourtant il est proche de capituler, elle le mesure à sa brutalité quand au milieu de la nuit il lui enjoint de déguerpir sous la garde d'un soldat qui l'escorte jusqu'à son logis, en ville. Là, dans le dortoir, elle devine, perçant la torpeur diffuse, des regards hostiles. Elle s'en moque.

Enfin, une nuit, Mao jette son stylo. Il se lève, prend Pomme Bleue dans ses bras, l'enlace, l'attire, se colle contre elle. Avec une magnifique obscénité, il plaque ses lèvres épaisses, avides, lèvres comme des sangsues, sur la bouche de Pomme Bleue, ses mains s'emparent des seins, les palpent furieusement, les dénudent, il crie :

— Tout de suite. Je te veux tout de suite.

Et d'un filet de voix :

— Mais pas ici, pas ici, dehors.

Victoire, immense victoire ! Peu importe que par une dernière peur, une dernière honte, dans la crainte d'être surpris par Chou En-lai ou Liu Shaoqi qui parfois surgissent au cours de la nuit pour quelque décision grave, Mao refuse les ébats dans sa caverne, peu importe qu'il la cache dans la nature, Mao est un génie, Pomme Bleue est sa chose. Et elle sera sa maîtresse.

Mao ordonne que personne ne les suive et il plonge dans la nuit, traînant derrière lui Pomme Bleue, en un interminable cheminement à travers le paysage nu et gelé. Par des écorchures zigzaguant au flanc de la montagne ils vont jusqu'au sommet du mont Phénix qui domine Yanan. Contre la nuit et ses gouffres, Mao brandit une lampe qui n'éclaire pas. Sentiers abrupts, piste obscure, Pomme Bleue devine l'abîme qui guette, elle tremble, trébuche, des pierres roulent qui font dans leur chute un interminable

LE CHIEN DE MAO

fracas. Pomme Bleue se fige sur place, décomposée par l'angoisse. Alors Mao la serre contre lui, et elle se sent enlevée par un fauve aux muscles puissants ronronnant le chant du monde, la musique de la jubilation.

Il y a une heure qu'ils marchent. La lune qui s'est levée et les étoiles de l'hiver, fichées comme des clous dans le firmament, diffusent une lumière pâle mais précise, qui rend la cime indiscrète. Mao et Pomme Bleue sont obligés de poursuivre, loin, plus loin, jusqu'aux ruines d'un temple que jadis les superstitions avaient rempli de dieux. Mais la pagode est un chaos qui ne peut servir ni à la prière ni à la volupté. Les dieux d'antan sont morts, tués par Mao que le peuple a promu dieu et qui ce soir, très humainement saisi par la concupiscence, cherche un endroit favorable à ses desseins.

Ils marchent. A la longue, toujours remorquant Pomme Bleue, Mao trouve un recoin propice, un creux noir et moussu. Ce sera là... Il étale son manteau sur le sol, éteint la lampe, tous deux s'allongent côte à côte, et, un instant, ils attendent.

Pomme Bleue et Mao, dans cette retraite ombreuse, s'entrevoient à peine. Cependant elle discerne son profil brutal, elle sent peser son regard, et surtout elle entend sa respiration oppressée. A tâtons ils s'effleurent, s'étreignent, s'explorent et se dévêtent à peu près. Enfin, malgré l'embarras des étoffes, Mao écarte les jambes de Pomme Bleue, il se hisse sur elle, et il la chevauche, titan forcené, douloureux et jouisseur, dans une mélasse de grognements. Comme elle l'écoute, comme elle le sent... C'est la répétition de ce qu'elle a déjà fait avec tant d'hommes, le rituel si connu, et pourtant c'est différent. D'habitude elle est experte et impudique, reine et putain, elle se donne la peine de rendre fous ses amants, quitte ensuite à les haïr et à les détruire. Ici, ce n'est pas son jeu : parce qu'elle souhaite garder à jamais ce lourd pantin tressautant sur elle, elle se soumet. Elle se livre à ce Mao insatiable, ingavable, qui ne cesse de darder, de bander, qui la besogne toujours, la charroie comme un malade en proie à un empoisonnement lascif. Il vient d'eux des claquements humides semblables à la complainte de pierres battues par la vague, ils sont enfouis dans leur baisage, étrangers au reste du monde et presque à eux-mêmes. Ils souquent. Pas de fatigue, pas un mot, à peine de temps en temps se dessoudent-ils que déjà ils s'accointent pour un nouvel assaut. Mao est abîmé dans une rage érotique qu'il prolonge tel un dément. Mais Pomme Bleue ne faiblit pas : il ne pourra pas la détruire, elle sera toujours là, la percée, la trouée qui de cette guerre fera un adoubement. Et dans une extraordinaire extase, elle, qu'il fout si mal, se répète :

— C'est Mao, c'est le Président qui se scelle en moi !

Chapitre premier

— Te souviens-tu de notre bon temps, quand j'affrontais la police secrète de Tchang Kaï-chek ? A l'époque, tu m'amusais, tu m'excitais, j'avais peur que tu trahisses. D'ailleurs tu as trahi. Mais, chérie, je ne t'en veux plus, c'est dans ton caractère.

Plus de deux ans s'étaient écoulés depuis qu'à Shanghaï Kang Sheng avait tenu ce langage heureux à Pomme Bleue. Kang Sheng, le chef des comités d'assassinat, le maître espion des Rouges à Shanghaï, Kang Sheng le maigre, le mielleux aux allures de lettré, le dur aux tremblements saccadés, Kang Sheng l'inquisiteur avait été l'homme de la vie de Pomme Bleue. Né dans la même province qu'elle, le Shandong, mais plus âgé, il avait joué pour elle tous les rôles... protecteur, instituteur, amant. Il lui avait donné le goût des jolies choses. Puis il l'avait entraînée à Shanghaï, dans la guerre des meurtres, au grand bal des tués. Pomme Bleue n'était pas une héroïne.

Au bout de cette guerre dans les métropoles, les communistes, vaincus, s'étaient réfugiés dans les campagnes. Avait surgi Mao. Mais Kang Sheng, au lieu de se donner à lui et de participer à la Longue Marche, avait rallié Staline. Il avait dit à Pomme Bleue qu'il partait pour Moscou afin d'y apprendre le travail sérieux. Qu'elle se divertisse, qu'elle fasse sa nymphette, qu'elle songe aussi à sa carrière d'artiste.

Les allées et venues de Kang Sheng se prolongèrent et se multiplièrent. A chaque retour, il trouvait une Pomme Bleue plus jolie, plus légère. Des amants, et même des maris, Kang Sheng se moquait. Ce qui l'intéressait, c'était Moscou, c'était d'y loger à l'hôtel Lux, l'antre des agents du Komintern, d'y fréquenter le NKVD, d'observer les géniales méthodes de Staline :

17

LE CHIEN DE MAO

— Encore plus que des ennemis, il faut savoir se débarrasser des mous et des incertains, la tiédasserie est la menace la plus grave. Et il faut toujours flairer des espions partout, toujours créer des coupables, de façon que la peur se répande, que chacun se sente une proie. Museler, niveler, tout est là.

Il y eut d'autres confidences. La grande politique... Staline redoutait que les forces japonaises n'envahissent la Sibérie si jamais l'URSS était happée dans quelque conflit en Occident. Il voulait donc que les armées nippones, qui avaient déjà empiété sur la Chine, s'y enlisent profondément, qu'elles y soient retenues par une vraie conflagration. Dans ce but, quelques mois auparavant, Kang Sheng s'était entremis pour imposer aux Chinois de se réconcilier et de faire front commun contre les colonnes du Mikado. Le Kuomintang et les communistes unis... devant pareille impudence les amiraux et les généraux japonais ordonneraient sans nul doute l'assaut sur ce qui avait été le Céleste Empire, et ils se jetteraient sur la Chine riche, sur Shanghaï.

Le fer et le feu, la mort sur la cité, un déchaînement de cruauté japonaise, c'est ce que souhaitaient Kang Sheng et les Russes, car l'horreur, au lieu de mater les Chinois, leur donnerait du courage, un courage immense pour résister à travers tout le pays. Et les Japonais seraient piégés.

Flottes et troupes du Soleil Levant s'amassent autour de Shanghaï, qui attend le carnage. Kang Sheng se prélasse dans son importance, ses discours prophétiques et ses conseils :

— Sous peu commencera un gigantesque exode de la population, une ruée sous les bombes, dans la faim et les épidémies. Ce sera la grande peur, l'épouvante, mais ne crains rien, j'ai tout préparé pour toi. Tu gagneras Hankeou (Wuhan) par bateau, et de là on te transférera à Yanan.

— Tu ne viens pas avec moi ?

— Je repars pour Moscou. Je ne veux pas me compromettre avec Mao. Staline ne l'aime pas, lui et son communisme exotique, rempli de dragons ridicules. A tout prendre, il préfère Tchang Kaï-chek qui, au moins, est un chef d'Etat classique, avec de nombreux régiments. En matière de communistes chinois, le Kremlin ne les supporte que soviétisés, sous sa coupe, à sa botte, avec le dénommé Wang Ming comme chef. Je suis agrégé à ces gens-là, plus tard on verra.

— Mais je croyais que tu admirais Mao...

LE CHIEN DE MAO

— Je t'ai raconté beaucoup de choses que tu n'étais pas obligée de croire. Tu devrais savoir que j'ai toujours plusieurs fers au feu.

— Quand même, pourquoi m'envoies-tu à Yanan?

— Et où irais-tu? Tu ne peux pas rester à Shanghaï, sauf si tu veux finir putain pour Japonais. Hankeou n'est qu'une étape, la guerre y sera dans quelques mois. A ce moment-là tout le monde se repliera sur Chongqing, au-delà des gorges du Yang Tse-kiang. Tchang Kaï-chek en fera sa capitale. Ça grouillera, il y aura des seigneurs de la guerre, des aventuriers, des voyous, des milliardaires, tout ton cher Shanghaï reconstitué dans la défaite se remplira encore plus la panse. Mais tu n'es pas taillée pour cette foire aux mercantis. Dans l'immense concussion, tu ne seras rien, juste une fille perdue que personne ne protège.

— Et selon toi je serai mieux dans le Yanan de la vertu rouge? Sans toi qui plus est...

— J'y viendrai. Ecoute-moi. Tu prends le bateau jusqu'à Hankeou où tu retrouveras la camarade Fu qui t'emmènera à Yanan. Cette radasse sera une mère pour toi, elle me doit bien ça. Tu vas rire, c'est devenu un tas tout enfourné de graisse. Mais c'est un tas subtil, elle sait qu'avec moi tout s'arrange au mieux. En revanche, méfie-toi du mari, il est acquis à Mao. Mais je le tiens par quelques affaires anciennes, du temps qu'il travaillait pour moi, ce démerdard.

— Tu ne m'as pas répondu. Que ferai-je à Yanan?

— Tu m'attendras et je te marierai. D'ailleurs avant que j'arrive, tu te seras sans doute mariée, peut-être même plusieurs fois, avec les excellents camarades bien moraux, bien hypocrites, et barbouillés de lubricité. Tu les feras juter. Après toutes ces années de guerre dans la pestilence des jungles, ils veulent de la qualité, du délicat, de la chair sentant le jasmin. Ils sont las de leurs antiques rombières, des héroïnes qui ont fait la Longue Marche avec eux et qu'ils appellent – quel programme! – les « amazones ». Ils louchent sur les princesses, sur les « fées », sur les mignonnes qui comme toi accourent des villes, délicieuses et coquettes, cherchant la bonne affaire, le bon parti. Ils ont raison, note bien, vous offrez plus d'attraits que leurs hallebardières aux dents sales, aux yeux chassieux, aux rides militaires, aux aspérités de vertu décapante. Ces commères sont prêtes à bouffer les jolies filles dans ton genre, mais ne tremble pas devant ces militantes rouillées, il ne te faudra pas longtemps, malgré elles, pour te payer une « montagne », je veux dire un cadre important.

LE CHIEN DE MAO

— Mao ?

— Pourquoi pas.

Et Kang Sheng disparut vers un Kremlin ou un autre, dans l'exigence du grand jeu.

L'été 37, tout se passe comme Kang Sheng l'avait prédit : le ciel gronde, au-dessus de la ville s'accumulent les nuées de la mort, la peur fouaille le sol. Et puis l'Apocalypse. Et l'orgie de la fuite. Putridité du monde, floralies des cadavres, ventres crevés, intestins qui défèquent encore... L'Innommable. Emportée dans cette panique, Pomme Bleue atteint Hankeou, le grand port intérieur du Fleuve Bleu. Elle n'y trouve pas la camarade Fu. Semaines d'attente... Les Japonais, saouls de joyeuse fureur, progressent lentement, perdent un peu de temps à massacrer, ils passent au fil de l'épée quatre cent mille habitants de Nankin, l'ancienne capitale de Tchang Kaï-chek, qui lui aussi a décampé. Hankeou se gonfle de réfugiés, Hankeou est un énorme chancre qui va éclater dans le pus et le sang. Pomme Bleue loge dans une hutte vermineuse, perdue dans un entassement d'êtres, et elle se morfond. Toujours pas de camarade Fu. Les gens bien s'apprêtent à rejoindre Chongqing en faisant remorquer leurs jonques à travers les gorges du Fleuve Bleu par des hordes de coolies, c'est dangereux, cela coûte cher, mais à Chongqing ces notables, pullulant comme les vers dans une blessure, se referont richesse et santé. Malgré tout ce qu'a rabâché Kang Sheng, Pomme Bleue est tentée de les suivre. Elle est presque décidée lorsque la camarade Fu apparaît et l'emmène hors de la cité excrémentielle qu'est devenue Hankeou.

La camarade Fu, Mme Fu des Jeunesses communistes de Shanghaï... La voir dans ce pandémonium est pour Pomme Bleue une chape de réconfort. Pas question de valise, un baluchon suffira, et la camarade l'entraîne dans la gare où siffle un dernier train – il y a toujours un dernier train qu'on a l'angoisse de manquer, jusqu'à ce qu'il n'y en ait plus. Le hall est déserté, affiches en loques, à peine une odeur de fumée : l'ultime convoi, celui vers Xian, s'ébranle. La camarade Fu et Pomme Bleue arrivent à y monter. Autour d'elles, presque personne...

Et dans la campagne, personne non plus. Le vide. Ce vide qui annonce la catastrophe : toute la population est cachée dans des abris souterrains ou tapie dans les forêts. Parfois on aperçoit des colonnes de fuyards qui s'entrecroisent cherchant la sécurité et ne

20

LE CHIEN DE MAO

sachant où aller. Fourmis affolées. Dans le ciel planent des vautours en quête de charognes. La guerre viendra-t-elle jusque-là ? La nuit tombe quand le train s'engage entre des collines moutonneuses et verdoyantes, qui brutalement s'élèvent, se hérissent en massifs déchiquetés, en pics et en ravins. Tiré par une locomotive asthmatique, le convoi pénètre dans un univers oppressant de longs tunnels et de ponts jetés sur des abîmes. Une certaine crainte envahit Pomme Bleue, mais la camarade Fu la rassure :

— Nous traversons les chaînes qui séparent le bassin du Fleuve Bleu de celui du Fleuve Jaune. Sur la ligne, on va détruire les ouvrages d'art, les Japonais ne pourront pas passer. Au vrai, c'est une région trop pauvre pour qu'ils s'y intéressent... Demain soir nous serons à Xian, le dernier poste nationaliste. De là un camion communiste venu chercher des sacs de riz nous emmènera en zone rouge, à Yanan.

Xian. Pendant quelques jours les deux femmes attendent en vain le camion. Elles ont choisi un bon hôtel et s'étourdissent dans l'infamie capitaliste. Dernières balades, derniers gueuletons, derniers plaisirs... Pomme Bleue éprouve comme des regrets, elle pense aux grandes cités qu'elle a connues, au Tsinan (Jinan) de sa jeunesse, à la saveur raffinée de l'existence dans la vieille Chine, elle se souvient des inventions de la jouissance, de la merveille de la prostitution dans les ruelles grouillantes, de la fortune des restaurants aux mille plats et aux dix mille parfums, du hurlement des kampés, elle se rappelle le mah-jong des repus – ah, le roulement des pions d'ivoire, les murailles ouvertes, le brassage des dominos, la vague des bonheurs et des dragons... Dans les repaires de la joie artistiquement corrompue, de gros magots offrent des banquets salaces ; gémissent les gitons, chantent des femmes aux voix sirupeuses, on célèbre les noces d'un vieillard qui emporte dans ses mains rongées une gamine maquillée en rouge. Demain, la jouvencelle prendra une tête de renarde et deviendra la bourrelle de son antique acquéreur qu'elle conduira rapidement à la mort par ses caresses ou avec du poison. Tant pis, tant mieux, la vie est une gloutonnerie. Règnent le stupre et l'injustice, et que les pauvres crèvent !

Les délicieuses saletés de ce monde-là, Kang Sheng les avait enseignées à Pomme Bleue comme il lui enseignerait plus tard les arcanes de la pureté rouge. Il était souillé ; Mao l'est-il ? La cama-

LE CHIEN DE MAO

rade Fu a raconté de drôles de choses sur l'hypocrisie qui répare et sauve tout...

Quand même Pomme Bleue se demande si la camarade est une maquerelle d'importance suffisante pour la faire accepter, elle et son passé tavelé de fautes, dans ce Yanan qui cache si bien mensonges et crimes sous les oripeaux de la vertu. Si on allait la poursuivre ? La traquer ? Toute sa vie est gangrenée : n'a-t-elle pas fricoté avec le Kuomintang ? N'a-t-elle pas, par deux fois, d'abord dans sa province natale du Shandong, puis à Shanghaï où elle gambadait sur les tréteaux, dénoncé des communistes ? Et cela sans être véritablement acculée, juste pour s'épargner des tracas... Sa règle n'était-elle pas de s'arranger par tous les moyens pour ne pas subir le désagréable, le fastidieux ? Et tout pouvait lui devenir fastidieux, l'amour d'un homme en particulier.

Son bonheur, c'était de grignoter plaisamment tout ce qui a bon goût, l'exquis, le délectable, puis de rendre encore plus fortes ces délices, en les gâtant, en y mettant de la méchanceté. La méchanceté, le miel de sa vie... Pour elle, séduire n'était pas assez, le meilleur venait ensuite : c'était de faire ramper, d'abattre, que l'amant vous lèche de la langue et du cœur, qu'on le trompe et qu'il le sache, qu'il le voie, qu'on l'amène au bord du suicide, pas plus pas moins. Elle se connaît bien. Elle n'a pas honte de ce qu'elle a été, au contraire, même si elle a fait jaser, et si son comportement a laissé des traces indélébiles, désormais regrettables : Pomme Bleue est une sacrée salope, disait Kang Sheng, qui, lui, appréciait la vraie saloperie. Rien à voir avec la vulgaire malveillance ou la sordide mesquinerie, la vraie saloperie est une somptuosité où le mal se troue d'éclairs de générosité et d'esprit. Par cet apanage Pomme Bleue arriverait. Kang Sheng avait toujours pensé qu'en travaillant sa personnalité, sans même qu'elle s'en aperçût, il parviendrait à faire d'elle un chef-d'œuvre de dégueulasserie.

Ce serait le parachèvement. Car Kang Sheng n'avait cessé de former Pomme Bleue depuis son enfance. « Chiure de mouche, chiure de mouche, je ferai de toi une princesse », lui chuchotait-il du temps où il la façonnait à tout, au baisage notamment... Comme il avait forniqué avec elle ! Leur couple était beau et terrifiant, il l'avait aimée, tant aimée, elle lui avait été tellement soumise... Mais quand il disparaissait, elle n'était plus grand-chose. Dès qu'il revenait, il se remettait à la modeler, il lui montrait que le succès était toujours le fruit de la ruse, que celle-ci commandait

LE CHIEN DE MAO

dans tous les camps, et que lui en était le maître suprême. Il l'avait marquée, et puis chacun avait suivi sa voie. A Shanghaï, elle s'était gâchée dans les petitesses de la banale ignominie. Enfin était venu le moment de l'utiliser dans l'un quelconque de ses stratagèmes. Il l'avait rattrapée, probablement pour la vendre au meilleur prix. Songeait-il à la livrer à son ennemi Mao, qu'il savait disponible et cochon? Cela fait, et si cela lui convenait, il mangerait dans la gamelle du ménage...

Kang Sheng n'a rien dévoilé de ses éventuels desseins à la camarade Fu mais, sans doute, lors d'un de ses passages à Shanghaï, l'a-t-il plongée dans les conjectures, intoxiquée : dans leurs bavardages, elle a répété cent fois, mille fois à Pomme Bleue que Mao est libre, que son épouse est devenue folle et qu'on va l'expédier au diable.

Ces confidences fardées ont provoqué une nausée chez Pomme Bleue. Signifient-elles que Kang Sheng veut la fourguer à ce Mao dont il est en train de promettre la peau au Kremlin? Mais Yanan ne se méfiera-t-il pas d'un pareil cadeau? Déjà la camarade Fu doit se battre pour obtenir à Pomme Bleue un visa d'entrée en territoire rouge : elle raconte que Pomme Bleue a enseigné dans un foyer de jeunes ouvrières, qu'elle a mis son talent d'actrice au service de la Cause, elle garantit qu'elle aime le Parti, elle la déguise en prolétaire, veste et pantalon de toile bleue, mais l'a-t-elle vraiment dédouanée? A Yanan, Pomme Bleue ne sera-t-elle pas condamnée à ces rites dont elle connaît de réputation l'horreur : la critique, l'autocritique, le jugement par les camarades? Ne devrat-elle pas sans cesse battre sa coulpe et s'adonner au repentir? Comment Kang Sheng, tellement expert en ces vertueux supplices, a-t-il pu prendre le risque de la soumettre aux accusations, aux hurlements, aux poings brandis, à la condamnation? Avec lui, grâce à lui, s'il l'avait fallu, elle aurait su afficher un bon remords, aussitôt accepté, et cela aurait suffi pour désarmer les « purs » les plus montés contre elle. Mais il l'a confiée à la camarade Fu et à son inquiétant mari : sont-ils assez haut placés pour assumer un fardeau aussi précieux?

Pomme Bleue s'encolère, et puis elle s'apaise : Kang Sheng, dans ses louvoiements, ses cafardises et ses intrigues, arrive généralement à la meilleure solution. S'il pense à Mao pour elle, pourquoi pas Mao? Mao sera désormais le Séraphin, le Parfait dont elle exaspérera les sens. Une fois envoûté, il se moquera bien de ses petites tares, de son tralala de vices. Mais comment l'aborder?

23

LE CHIEN DE MAO

Kang Sheng est absent, hélas ! Il lui aurait montré les voies et les moyens pour taper dans le mille avec Mao. Le faire bander, tout est là, lui aurait-il assené. Mais que Mao baise ne suffit pas, il faut qu'il soit rongé par une fièvre aphrodisiaque, et ce durant des mois et des années ; que Pomme Bleue capture l'empereur par une étreinte qui en annonce des milliers d'autres. Qu'elle prenne exemple sur les impératrices Wu et Lü, qui à quelques siècles de distance ont eu la même histoire magnifique : créatures de la lie, elles sont parvenues à la toute-puissance, anéantissant pour la conserver toutes les parentés et les progénitures, y compris les leurs. Mais qui pourrait recréer les splendeurs des annales au XXᵉ siècle et dans Yanan la rouge ? Auprès de Mao, Pomme Bleue ne sera qu'une servante, son chaume et sa paillasse.

Enfin arrive le camion, bien vieux, encroûté d'un limon jaune sale, et rempli de sacs de riz. Pomme Bleue reconnaît le chauffeur, un ancien tueur de Kang Sheng à Shanghaï, un colosse à la chevelure blanche, qui la salue avec une grosse joie. Pour couper court, la camarade Fu, rayonnante, se lance dans d'interminables explications sur le riz, comment on n'en trouve pas dans la région de Yanan, comment pour les grandes occasions on envoie le camion, car il n'y en a qu'un, en chercher à Xian où le chemin de fer en apportait jusqu'alors depuis la vallée du Fleuve Bleu, comment ce chargement sera très probablement le dernier, et combien sa valeur sera symbolique puisqu'il sera servi au banquet que Mao va offrir en l'honneur de la délégation nationaliste qui s'installe en permanence auprès de lui.

Tout en parlant, les deux femmes se sont hissées à l'arrière et assises sur les sacs de riz. Bientôt l'engin démarre, passe en crachotant sous la porte et s'engage en territoire communiste. Le paysage est lugubre. Chaos lancinant. Plateaux tabulaires et effondrements. Dominance d'une matière jaune qui s'entasse en collines de boue, d'un magma qui se fragmente en millions de particules, qui devient vent desséchant, nuages décapants... Pays sans vie... Pourtant il y a quelques champs de sorgho ou de millet, des champs exténués qui semblent des moisissures, une lèpre. Le sol est toujours traître, et le ciel n'est pas moins perfide : en quelques

LE CHIEN DE MAO

secondes sa pureté peut n'être plus qu'un brouillard aveuglant, un horizon de crasse dissimulant des tourbillons et des rafales d'une force irrésistible.

Dans cette brume qui est sable la détresse fond sur Pomme Bleue. Et comme pour se défendre lui revient la nostalgie d'une autre Chine, d'une vie dans laquelle Kang Sheng n'était pas un marchand de mort, mais un professeur qui lui enseignait le maniement de l'éventail, la délicatesse des brocarts et des soieries, les douceurs impérieuses du chant. Là-bas les paysages étaient des œuvres d'art. Les rizières entrecoupées de diguettes formaient un immense damier, les murets des terrasses dansaient au flanc des montagnes, le vert profond des jardins de thé était une exaltation, le blanc des fleurs de coton une neige bénie. Là-bas, dans les pays de son enfance, tout était luxuriance. Joie de replanter les boutures dans la bonne bouillasse! Bonheur de surveiller les épis chargés de graines! Délectation de voir les enfants accroupis sur le dos des buffles! Douceur de partager les longues veillées sur les places de village autour d'un banian aux racines monstrueuses, magnifiques serpents de la prospérité. Les vieux et les vieilles s'abîmaient dans l'extase d'une vie prolongée. Les vents de l'est apportaient des nuages aux ventres veloutés de pluies. Beauté, éternelle fécondation, germinations prodigieuses, roue de la vie... Là-bas, l'univers avait un sens.

Avec quelle poignance Pomme Bleue regrette Kang Sheng! Il la conforterait, la divertirait, l'amènerait à son zénith. Dire que tout l'avenir repose sur l'étrange confiance qu'il a accordée à la camarade Fu, à cette dondon, à cette énorme femelle aux avantages croulants, à cette intarissable bavardeuse qui maintenant se répand sur le génie de son époux!

Pomme Bleue a un instant de gaieté à l'idée que cette maritorne est soudée à un gnome, à ce minuscule bonhomme qui était autrefois agent double à Shanghaï, en plein temps des macchabées. Il espionnait pour Kang Sheng auprès de Chen Lifu, le chef des services secrets nationalistes. Et Kang Sheng croyait, ou voulait croire, que ni lui ni le Parti n'étaient roulés par ce Fu mais que les autres, en face, ceux du Kuomintang, l'étaient. Quoi qu'il en soit, ce nabot a bien réussi auprès de Mao. C'est le modèle des apparatchiks, ce petit, si petit que sa femme, son excellente femme, le chef du conjungo, pourrait le faire disparaître entre ses seins. Mais il est là, plus que jamais là, et à Yanan il traite de pair à compagnon avec Liu Shaoqi et Chou En-lai.

25

LE CHIEN DE MAO

Dans le déluge de ses louanges, la camarade Fu ne s'oublie pas. Elle raconte comment elle a « fait » son gringalet de mari, un patachon nerveux et agité, les yeux trop pleins de pétulance, la voix comme un crin-crin. Elle lui a appris à rendre service, car les bons services, les plus mignons, sont de fameux placements, apportant crédit et reconnaissance. Grâce à elle, il est capable de se retourner d'un coup contre un personnage qu'il flattait la veille. Si l'individu tombe dans la défaveur du Peuple et s'il est condamné à toutes les simagrées de la repentance, le camarade Fu, avec à ses trousses la camarade, est le premier à crier « à mort! » à propos de ce compagnon dont l'haleine sent soudain la réaction. Et un « à mort! » bien placé, bien ajusté, vaut autant pour la promotion que mille amabilités et galanteries.

La promotion, le petit mari l'a obtenue : un strapontin au Comité central le récompense d'être un bon chef du ravitaillement, le roi de l'alimentation. A ce poste il doit en permanence se défendre contre l'appétit mauvais des autres, contre leur désir d'avaler le gâteau. Heureusement Fu le mirobolant écoute les avis, conseils et recommandations de sa femme. Laquelle ne manque pas de dons, surtout pour trouver au sommet du Parti des oreilles complaisantes où jeter des calomnies mêlées de vérité contre les affameurs du Peuple qui ont surtout le tort d'encombrer le chemin.

La camarade Fu parle, parle, empiffrée qui prêche la sobriété obligatoire pour les gens du commun et les imbéciles. Elle déblatère, elle postillonne, dans un flot de riche salive elle renchérit sur les aptitudes techniques et psychologiques du camarade Fu, son mari. Malgré la paresse des culs-terreux de la région, des brutasses primitives qui préfèrent crever plutôt que de cultiver, malgré la maigreur des récoltes dissoutes dans la poussière des sécheresses ou noyées dans la gadoue des orages, il arrive à faire subsister les gens de Yanan. Dans la cité, la distribution des vivres est réglée par lui, qui établit les rations selon les mérites, du moins fixe les critères d'attribution, en dessous de lui les commissaires politiques peaufinent à la tête du client.

Et le panégyrique continue : M. Fu n'est pas seulement le maître de la nourriture, mais aussi le coadjuteur de la bonne pensée. A Yanan, grâce à lui, on a remplacé la hideuse famine par une répartition équilibrée des denrées, par une valeureuse disette. Personne, pas même les dirigeants, n'est nourri jusqu'à satiété. Qui ne travaille pas ou se trouve interdit de travail, jeûne. Et la doctrine clame : « Fainéants, penseurs avariés, délinquants de la

LE CHIEN DE MAO

cervelle, vous ne mangerez que si vous devenez bons.» Ainsi le Parti assure la pâture, le zèle et la vie, ainsi les êtres se multiplient et se métamorphosent en Peuple. Dans la joie bien sûr, l'omniprésente joie.

Saisie d'un délire épique, la camarade Fu raconte qu'à Yanan tous se sont mis à cultiver ; même Mao se démène sur son lopin, mitonnant la terre, la bêchant, la retournant, y semant des graines. Cette terre, ils la fertilisent de leurs gentilles crottes luisantes, et au bout de ces efforts patriotiques ils obtiennent quelques choux et des espèces de salades pour améliorer leur ordinaire.

La camarade grinçaille avec une allégresse furibarde :

— Mes mains étaient douces, Pomme Bleue, du temps lointain où j'étais jeune et jolie, aimée des hommes et les aimant. Mais je suis devenue une Rouge, et voyez mes battoirs... Hélas! à Yanan, malgré tous mes efforts pour vous, vos mains qui ne sentent pas la besogne seront bientôt calleuses et moches, et ce sera un bienfait, vous prouverez ainsi que vous êtes une travailleuse, pas une réactionnaire.

Explosion d'hilarité :

— Kang Sheng ne sera pas encore revenu de son séjour soviétique, alors je vous loge dans la grotte qui nous a été attribuée à mon mari et à moi. Vous connaîtrez le luxe rouge, le luxe des cadres chevronnés. Comprenez-moi, c'est très simple chez nous, mais vous y serez bien, vous aurez une bonne paillasse, je ferai le ménage et vous préparerez la nourriture. Le gruau, qui sera notre plat principal, je l'enrichirai d'un peu de légumes et parfois de quelques morceaux de viande de porc. Nous nous éclairons avec de vieilles lampes à huile, mais nous arrivons à lire et même à écrire des rapports. Nous recevons beaucoup de camarades avec lesquels nous parlons politique, comment faire autrement? J'offre du thé, nous nous mettons à discuter, toujours des mêmes choses, de la ligne du Parti et de la pensée correcte. Mais là, entre nous, l'atmosphère est détendue, on rit, on plaisante quand on s'aperçoit qu'il faut dénoncer un des convives. C'est tout. Cela n'empêche pas l'amitié. Chaque matin à six heures et chaque après-midi, à cinq heures, vous ferez de l'exercice avec moi, à l'extérieur de la grotte, et vous verrez toute la population, hommes, femmes et enfants, en pleine gymnastique quelle que soit la température. Et puis vous jardinerez. Mon mari et moi nous nous acharnons à battre tous les rendements : dans notre situation nous nous devons de surclasser les autres, d'arriver à produire des légumes gigan-

LE CHIEN DE MAO

tesques. Nous avons offert des potirons à Mao, et à chaque fois il nous a dit qu'il s'était régalé, c'est le plus grand des compliments possible. Bien sûr, notre potager pue. Vous qui êtes une Shanghaïenne habituée à d'autres parfums, vous serez sans doute offusquée par cette odeur, mais c'est celle de la Chine, l'odeur d'une matière qui a fécondé l'Empire Céleste, et à laquelle le communisme a rendu toute sa valeur philosophique et morale. Le communisme, c'est le produit des entrailles. Donc, ma chère Pomme Bleue, même si la merde vous effraie, vous vous y habituerez, vous ne la sentirez plus. Une dernière recommandation : pas de flirts, pas d'amours, pas de petits amis, les liaisons sont souvent meurtrières. Ou alors visez haut, très haut.

En offrant l'hospitalité à la dulcinée de Kang Sheng, les bajoues de la camarade Fu se sont embrasées, sa tignasse balaie une figure piquetée de points noirs, sur sa joue coule une sueur bienveillante. Prendre Pomme Bleue chez elle, elle l'a promis à Kang Sheng. Ainsi lui éviterait-elle les infectes promiscuités et les périls du Centre d'accueil. On parque là les femelles surgies à Yanan, du moins celles, très nombreuses, qui ne sont pas connues comme Rouges et qui arrivent après d'extraordinaires fuites et des aventures incroyables. Pourquoi accourent-elles ? Certaines pour échapper au joug de la famille, à des mariages avec des vieillards, d'autres par peur des Japonais qui enferment les filles dans des bordels à soldats. Peu de prolétaires, la plupart sont des bourgeoises, têtes de linottes et petites poules qu'on traite comme de la racaille. Mais parmi ces femmes il y a des espionnes, et même de véritables agents formés par la Kampétaï, la police secrète des Japonais, ou par les polices secrètes du Kuomintang désormais allié et pourtant ennemi. Celles-là on les pourchasse jusqu'à l'obsession. On en découvre toujours.

Pomme Bleue dans un Centre d'accueil, ce serait trop risqué : si un ennemi de Kang Sheng, profitant de son absence, enquêtait sur elle, sur son passé... En de pareils endroits, l'ambiance est épouvantable : mystérieuses fermentations, hantise d'être accusée de sabotage, d'être battue à mort ou envoyée au défrichement de déserts torrides. Si l'on vous traite en ennemie du peuple, il est impossible de se justifier, toute dénégation accroît la liste de vos forfaits. On ne sait jamais pourquoi et comment les choses surviennent, comment on distingue les pures et les impures, tout est tellement complexe dans le jeu des grâces et des disgrâces... Sans protection, c'est la chiennerie, toujours la chiennerie, aboie-

LE CHIEN DE MAO

ments et crocs, la soumission à l'argumentation rouge qui, à partir d'un rien, d'un minuscule détail, vous entraîne dans les anneaux des serpents de Laocoon, à moins qu'elle ne vous découpe au scalpel.

Pomme Bleue n'entend plus rien. Brusquement une tempête s'est levée qui racle le monde et le transforme en un enfer mugissant. A moitié enseveli sous une avalanche qui s'est détachée d'une crête et a glissé jusqu'à la route, le camion s'arrête. Terrorisées, les deux femmes se réfugient dans la cabine, tandis que le chauffeur saute dans l'ouragan et commence à dégager l'éboulis avec une pelle. Il y passe des heures, puis à grands coups de manivelle il arrive à faire repartir le moteur, qui vibre, tremble, enfin se met à ronfler : l'engin redémarre dans une obscurité plus terrifiante que jamais. On dirait que la nuit hurle comme une énorme bête, que les ténèbres sont pleines de dents, de griffes et de tentacules. La tourmente s'exaspère, s'exacerbe, des vagues de vent donnent l'assaut, des grêlons s'abattent. A chaque moment le camion risque d'être entraîné dans un ravin ou absorbé par un tertre. Le sol qui s'écharde et s'écroule est une débauche de bosses molles, de chancres engloutissants, la moindre fissure peut s'ouvrir en précipice dévorant, le moindre muret peut se dresser en bastion vertigineux. Le chauffeur, arc-bouté sur son volant, paraît lutter contre les éléments qui parfois se taisent quelques instants comme pour mieux reprendre leur clameur. Dans cette nuit de décombres, c'est mètre par mètre qu'il retrouve son chemin entre les parois et les abîmes. Heureusement, les phares, des loupiotes vermoulues et branlantes, arrivent à accrocher les rebords de la route. Au plus profond de la noirceur, ces lampes, si faibles soient-elles, reconstituent un monde, permettent d'imaginer une issue.

Enfin l'on aperçoit dans une petite dépression quelques huttes de boue détrempées. Ces cabanes misérables forment, à ce que dit le chauffeur, le village de Luochuan, un relais pour les conducteurs. Il y a même une auberge.

Mais tout est vide dans le hameau. Pas une lueur, personne. Cependant le chauffeur frappe avec acharnement contre des planches qui barricadent une porte, jusqu'à ce qu'elle se rabatte, laissant voir une entrée puante où se tient une vieille à l'aspect de terre cuite, une vieille si tannée qu'elle semble sortir du fond des âges, fripée pour l'éternité. Sa voix s'entend à peine, mais ses yeux sont comme de grands charbons noirs, qui observent intensément pendant qu'elle annonce :

LE CHIEN DE MAO

— Je peux vous donner à manger, et j'ai des bat-flanc si vous voulez dormir...

L'ancêtre marmonne encore quelques mots. Là-dessus sort d'un cagibi voisin une femme enceinte. On entend piailler des marmots et ronfler un homme. L'antique vieille et la femme grosse se mettent à la cuisine : le repas est délicieux. Et puis Pomme Bleue et la camarade Fu s'endorment, malgré les fracas du cyclone qui tarde à s'éloigner.

Tout à coup leur parviennent des rumeurs étranges, qui persistent, qui ne sont pas des rêves, qui les éveillent. Bruits de véhicules qui se rangent, lueurs de phares. Des gens marchent en direction de l'auberge et la dépassent en silence. La camarade s'écrie avec ravissement :

— Ce ne peut être que le Comité exécutif. Lorsqu'il y a de graves décisions à prendre, les grands dirigeants se réunissent loin de Yanan, dans des villages comme celui-ci, par mesure de sécurité. Même dans les pires patelins on trouve toujours une maison confortable, en général celle d'un propriétaire terrien récemment expulsé ou fusillé. Les débats dureront longtemps, Mao préfère travailler la nuit.

Pomme Bleue s'enquiert :

— Vous pensez que Mao est là ?

— Sans doute. Mais moi, ce qui m'intéresse, c'est de savoir si mon mari a été convié.

Le jour semble hésiter à se lever, tant le ciel est imprégné de suint et de saleté. Tout est grisâtre, comme mort. En face de l'auberge on distingue le yamen annoncé où peut-être se joue le sort de la Chine. Curieux décor pour cette chose effrayante, le Pouvoir, le Grand Pouvoir. Pas de cérémonie, pas de chants, c'est un office mystérieux, sans dieux ni mains qui les implorent. Plus tard on apprendra que dans cette jaunasserie souillée des paroles ont été prononcées qui cisèleront la vie de millions d'hommes...

Peu à peu un soleil blême s'est montré. Quelques craquements, des vapeurs qui sortent de la terre... le village se réveille, mais pas dans l'agitation ordinaire : toute une population pouilleuse, gens, chiens et cochons mêlés, attend. Personne n'ignore plus la présence de Mao et une vénération se dégage de cette foule.

Enfin, vers dix heures, un remue-ménage. La porte du yamen s'est ouverte. Emergent les pontes rouges en livrée démocratique. Ce qu'ils paraissent vétilleux, vaniteux, jaloux, chafouins, les camarades ! Ce qu'ils ont dû argumenter, ce qu'ils ont dû être im-

LE CHIEN DE MAO

pitoyables les palabreurs de la nuit ! Pomme Bleue a un frisson : les êtres aussi menus et aussi ternes sont toujours dangereux. Tout à l'arrière, presque le dernier, marche le camarade Fu qui adresse à sa femme un tout petit signe, comme pour lui signifier qu'elle commet une inconvenance. La camarade Fu caquette, fanons déployés :

— Qu'est-ce qu'il lui prend à ce fayot ? Attendez que je le remette à sa place.

Décidément cette bonne femme est brave et rigolote, la meilleure personne du monde, ce qui ne l'empêche pas d'être fourbe, d'une exorbitante fourberie le cas échéant. Pomme Bleue soudain choisit de lui faire confiance : la camarade Fu sera la grande chamelle qui l'introduira à Yanan. Pour commencer elle se redresse, se mord les lèvres, fixe l'homme qui vient de surgir du yamen, plus grand, plus beau, les cheveux rejetés en arrière, l'homme ivre de lui-même qu'elle devine être Mao. Il ne la voit pas, quoiqu'il lui décoche un sourire. Mais ce n'est pas un sourire inspiré, c'est un sourire professionnel, mécanique, passe-partout, plus une défense qu'une séduction, un sourire neutre, celui qui cache les vapeurs, les humeurs, les fantaisies, les impatiences d'un génie qui se veut impavide. Désenchantée, Pomme Bleue ? Devant tant de méchanceté bonasse, elle ne s'est pas posé la question.

Une fois Mao et son aréopage entassés dans leurs bagnoles minables, Pomme Bleue et la camarade Fu sont remontées dans leur camion, et à nouveau l'engin tapine, s'échine sur le lœss, l'étendue infinie du lœss dont la tempête de la nuit dernière a accentué les aspects ruiniformes. Dans ce sabbat géométrique, dans ces murailles innocentes, Pomme Bleue distingue parfois le reflet blanc d'un crâne ou d'un os : les squelettes enfouis reviennent à la surface du monde pour quelque temps, jusqu'à ce qu'ils retournent dans les profondeurs, en un étrange voyage. Ici le lœss vous emporte et vous rapporte, éternellement.

Mais ce spectacle de mort ne trouble pas la camarade Fu, qui, extatique, décrit le bonheur que les communistes ont amené dans les contrées du lœss. Gloire à Mao, qui est même venu à bout des derniers brigands égorgeurs de la région, une fulgurante horde équestre issue du désert de Gobi, de l'immensité fabuleuse où fleurissent quelques oasis, au pied des monts enneigés du Tianshan. Ces nomades appartenaient au général Ma, un Seigneur de

31

LE CHIEN DE MAO

la guerre musulman rallié au Kuomintang. Quel effroi n'inspirait-il pas, ce descendant des Tamerlan et des Gengis Khan, dont les hommes, du haut de leurs coursiers, semblaient fendre l'univers avec leurs cimeterres! L'illusion dura longtemps, jusqu'à ce que ces prestigieux centaures se heurtent à une simple ligne de mitrailleuses communistes. C'est hallucinant, la mort des chevaux, comme ils se dressent, comme ils hennissent, comme ils s'écroulent, écrasant leur cavalier sous eux, comme ils pleurent... Et puis le lœss recouvre tout.

Dans cette mornerie Pomme Bleue songe à Mao. C'est un voleur d'âmes, un bâtisseur de religion, un empereur, mais le goût de la volupté est inscrit sur ses traits. Convoitise du commandement qu'il assouvit à plein, convoitise des sens qu'il brûle, elle en est certaine, de satisfaire...

Cependant le camion, à bout de souffle, s'efforce de grimper une dernière côte et s'arrête au sommet, épuisé. Pomme Bleue descend pour contempler le paysage et tressaille : Yanan, la capitale de Mao, est étendue sous elle.

Ce n'est rien d'extraordinaire : une vallée aux reflets rouges et bruns, une auge cernée de falaises où l'on remarque les bouches noires des grottes. Au fond, une petite rivière, une végétation misérable, des remparts de boue séchée et beaucoup de baraquements, un monde bien ordonné que domine l'élégance inattendue d'une pagode. Le paradis rouge est sinistre, mais il fait baver d'admiration la camarade Fu.

Jadis Yanan était une forteresse qui devait contenir les hordes de l'Asie centrale. Ville de garnison et caravansérail, elle avait été anéantie par les ans, par la nature, par toutes sortes d'ennemis. Régulièrement revenaient les temps noirs, la population était décimée par un massacre ou une calamité. A la longue l'antique cité tellement pillée, tellement mise à sac, enfin délaissée, était morte. De solide n'était restée que la carcasse momifiée par l'âge d'une chapelle nestorienne, construite voici plus de mille ans par des chrétiens arrivés de Perse par la route de la soie. Mao en a fait une Ecole du Parti.

Les anciens malheurs de Yanan relancent l'ivresse oratoire de la camarade Fu. A la fin du siècle dernier, une cinquantaine de millions de musulmans s'étaient soulevés sur les confins de la Chine, dans les montagnes et les déserts infinis. Du cœur du Turkestan jusqu'au Shaanxi et jusqu'aux marches du Sud, les fanatiques de l'Islam, entraînés par les muezzins, avaient déferlé et tout saccagé.

32

LE CHIEN DE MAO

Meurtres gigantesques, carnages et supplices, hommes enterrés vivants, villes incendiées, la grande brûlerie, la grande tuerie, les champs de macchabées... Mais la régente Ts'eu Hi avait jeté ses troupes sur les révoltés, qui avaient été exterminés. Millions de morts, millions de têtes coupées... Et Yanan, qui avait été dévastée par un camp puis par l'autre, n'avait plus été qu'un cimetière calciné. Dans ce charnier étaient pourtant réapparus quelques miséreux, un bout de vie s'était réorganisé. Mais la famine guettait. Sur la vaste région du lœss, un soleil implacable avait tout grillé : plus d'eau dans les puits ni dans les oasis, les fleuves étaient taris et les champs détruits. Des jours et des jours, des semaines et des semaines de sécheresse avaient provoqué une disette atroce, une immense agonie : le gros ventre des enfants, les peaux écailleuses, racornies, les os saillants annonçaient l'inexorable. Quatre ou cinq millions de gens étaient morts, sans que l'univers s'en souciât. Yanan avait été vidée.

Dix ans après, à la fin de la Longue Marche, Mao s'y était installé. Ces destructions successives l'arrangeaient : il décida que ce lieu où le néant avait succédé au mal et aux miasmes, désormais sain, serait son laboratoire.

Tout à son enthousiasme, la camarade Fu quête l'approbation de Pomme Bleue que le sanctuaire voulu par Mao paraît rendre soucieuse :

— Vous en faites une tête ! Dans le communisme, on se contrôle ! Pour chaque circonstance, il y a une façon juste de parler, de se conduire. On s'y habitue, cela devient même un jeu. Entre ma maison et l'Ecole du Parti où je vous ferai admettre, vous apprendrez. L'Ecole, ça c'est indispensable, la clef de tout.

— La clef, c'est Kang Sheng...

— Parce que moi et mon mari, nous ne comptons pas ?

Et Pomme Bleue de s'aviser que les leçons ont débuté. Premier point : faire croire à la camarade Fu qu'elle est heureuse de son hospitalité, de la chaleur d'une amitié qui l'aidera à être acceptée à l'Ecole du Parti. En articulant ces mots de velours, Pomme Bleue a la fureur au cœur. Fureur devant cet avenir de si puante vertu, devant ces cadres qui sont des satrapes, devant Mao et son air de glorieux faux jeton, fureur... Quelle erreur de ne pas être allée à Chongqing, parmi les vrais salauds, parmi les truands qui s'affichent ! Là-bas, il n'y a pas de honte – une armée, ça sert à faire de l'argent puis à écrabouiller le monde pour en faire encore plus.

LE CHIEN DE MAO

C'est franc. A Yanan, on se proclame bon et l'on explique à tout un chacun qu'il est mauvais, pour le pressurer au nom du Parti. Comme elle aurait été mieux à Chongqing, auprès de Tchang Kaï-chek et de sa cour, une sacrée cour, un bordel de cour ! Un coup de klaxon, le camion a refroidi, le chauffeur est prêt à redémarrer. Dès les premiers mètres l'engin donne l'impression de vouloir basculer dans le gouffre. Le chauffeur ne cesse de braquer, de faire crisser les freins sur l'étroite rampe qui contourne les aspérités, les dents de l'à-pic, les rocs qui saillent. Parfois, sur le côté, comme accroché au vide, un jet de rhododendron, des lys... Le véhicule avance avec une lenteur effrayante et Pomme Bleue est prise d'une telle angoisse qu'elle en a le cœur soulevé. La camarade tente de la rassurer, elle lui tapote le dos, les accidents, dit-elle, sont extrêmement rares. En vain.

Soudain la route s'élargit. On passe devant d'étranges demeures, des trous qui s'enfoncent dans le cœur de la montagne et que gardent des sentinelles armées. Une ouverture en arche, des portes laquées noires, une fenêtre tendue de papier de riz, derrière, Pomme Bleue le sait, une pièce ou deux... tels sont les gîtes où Mao et les dirigeants se consacrent à la pensée.

Ces habitations troglodytiques sont-elles d'origine naturelle ? Ont-elles été creusées par l'alchimie des sols et des eaux ? Ou bien ont-elles été conçues par une population inconnue pour en faire des logis faciles à défendre ? Toujours est-il qu'elles avaient été abandonnées et que, souillées par la prolifération d'une sale végétation, à moitié bouchées par les éboulis, elles étaient devenues refuges pour les bêtes – royaumes de chauves-souris, de serpents et de tigres. Les communistes avaient détruit cette faune et cette flore issues du laisser-aller et de la longueur du temps, pour aménager ces antres sauvages en lieux de méditation, de réflexion et de travail : là seraient les modestes palais des dirigeants, les bureaux du Parti, et même un hôtel, l'hôtel du Nord-Ouest, pour accueillir les visiteurs de passage. Ces grottes constituent, hors la ville et à l'abri des bombes, une ville, un mystérieux labyrinthe, un cerveau avec ses circonvolutions, ses zones sensibles. A l'intérieur des alvéoles toutes semblables, une banalité qui empoigne et inquiète, une pauvreté un peu prétentieuse, quelques meubles, quelques images patriotiques sur les murs chaulés et, à la place d'honneur, le portrait de Mao. Il y fait frais l'été, chaud l'hiver, et toujours vous prend à la gorge l'odeur chinoise, l'aigre-doux qui est à la fois exquis condiment et ordure.

LE CHIEN DE MAO

La camarade Fu montre du doigt la cavité dans laquelle dort le Président Mao. Alentour, aucune agitation : Mao se repose et il ne sortira que pour cultiver dans le jardinet attenant à son repaire des tomates et du tabac nourris de ses déjections. Au-delà, il y a d'autres grottes, des marches, des escaliers et des sentiers où déambulent en tenue Sun Yat-sen de jeunes vieillards allègres : les grands cadres vaquant à leurs affaires. Le camion s'est arrêté sur un palier et la camarade Fu salue respectueusement un Chou Enlai tel qu'en sa réputation : merveilleuse beauté, merveilleuse allure et, surtout, merveilleux sourire. Pourtant, quand la camarade lui présente Pomme Bleue son sourire s'efface, et lui-même disparaît, si benoîtement que ce ne saurait être une injure.

On repart et enfin l'on débouche dans la vallée, parmi des arbustes rachitiques et des étendues d'herbes malsaines annonçant la steppe toute proche. Une muraille, une porte sur laquelle Pomme Bleue lit une inscription, « Calmez les vagues », et l'on entre dans la décourageante capitale du communisme chinois. Il n'y a pas à proprement parler de monuments ni de magasins, à peine quelques échoppes, sans peinture, sans ornements, sans rien qui éveille la concupiscence. Partout s'étale la vertu haïssable : les organisations du Parti prodiguent les activités heureuses pour le peuple, pour son manger économe, pour sa stricte hygiène physique et morale, pour son coucher dans des dortoirs jonchés de grabats où il est conseillé de ne pas songer, en tout cas de ne pas parler pendant que l'on songe.

La guimbarde avance difficilement par des chaussées défoncées, pleines de gravats et d'ornières, à travers une foule extraordinaire de gens perdus dans l'uniformité, tous si semblables qu'à première vue on distingue mal les hommes des femmes. Plus d'individus, mais une masse composée d'automates engoncés dans leur veste ouatinée, qui vont, qui viennent, se pressant, se bousculant, courant presque mais sans se saluer, sans s'apostropher, sans échanger une phrase, encore moins bavarder. Où est la rue chinoise avec ses richesses, sa rutilance, ses voitures, ses coolies, ses prostituées, ses boutiques, ses marchés, ses cadavres, ses policiers ? Où sont les bagarres et les altercations ? Où sont les chevrotements des mendiants, les lamentations des pleureuses, les chantonnements des sing-song girls, les klaxons des automobiles de milliardaires, les hululements des bonzes, les appels des marchands de soupe, le claquement des pièces de mah-jong ? A Yanan tout est terne, pesant, engourdi dans un bourdonnement monotone, tout est étouffé, maté.

LE CHIEN DE MAO

Au-delà des baraquements dans lesquels on encage la masse, s'élèvent les hangars du service d'approvisionnement. La camarade Fu entraîne Pomme Bleue dans un bâtiment vermoulu qui contient tout ce dont le peuple a besoin – peu de choses, et qui sentent le moisi, des céréales germées, des légumes à l'agonie, quelques bouts de bidoche suspendus à des crocs. Elles se faufilent jusqu'à un bureau si étroit qu'il paraît conçu pour une souris grignoteuse. Et en effet s'y trouve une bestiole, le camarade Fu. Pomme Bleue le reconnaît, ce nabot qui à Shanghaï tenait pour Kang Sheng la comptabilité des têtes à couper, et qui maintenant, à Yanan, pour Mao, comptabilise les rations. Le foutriquet, dès qu'il aperçoit son épouse en compagnie de Pomme Bleue, la bouche nerveuse, grince :

— Vous en avez mis du temps.

Il se rehausse de deux ou trois centimètres, ses lunettes brillent, et lui, si magnanime d'ordinaire, du moins lorsqu'il est en position de faiblesse, se met à puer la malice : la vérité lui revient, une vérité nouvelle, durable et sûre. L'état de son homme inquiète la camarade Fu, elle l'attire contre elle, le pouponne, le baisote, l'asphyxie en lui murmurant des « chut, chut », mais lui se débat et crache en grumeaux des mots enragés :

— Kang Sheng est un traître... Il est vendu aux Soviétiques... Mao le sait !

La camarade blêmit : parler ainsi est dangereux, mortellement dangereux si la situation n'est pas mûre, si l'on n'a pas atteint la « solution correcte ». Mais lui s'acharne dans ses imprécations et ses accusations ; quoique à moitié étouffé, il gueule des bouts de phrases empoisonnées et persiste tellement dans ses criailleries qu'elles finissent par ébranler la résolution de sa femme : le programme aurait-il changé ? Jusque-là il était d'obéir à Kang Sheng, de faire plaisir à Kang Sheng et d'amener sa dulcinée à Yanan. Mission accomplie, Pomme Bleue est là, elle l'a récupérée à Hankeou, dans le capharnaüm des événements, et l'a convoyée à Yanan pour Kang Sheng, ou pour Mao si Kang Sheng la lui donne. Elle s'attendait à des louanges et voici que son mari vitupère et chante pouilles.

Son explication... La nuit précédente, dans le village de Luochuan, Mao a lu aux grands cadres un rapport sur les activités de Kang Sheng à Moscou. Menant à l'hôtel Lux la vie confortable de chien couchant de Staline, il s'était imprégné d'ignominies.

36

LE CHIEN DE MAO

Lorsque le Petit Père des Peuples avait commencé son nettoyage, il avait vu disparaître sans émotion, au cours de procès et de purges gigantesques, tous les chefs du communisme international dont les chambres étaient voisines de la sienne. Rien de bien grave. Mais ce qui pour beaucoup était un cauchemar s'était révélé une jouissance pour Kang Sheng. Alors qu'à peu près tous les autres résidents de son palace étaient broyés par la machinerie de l'abattage, lui prospérait. Et il apprenait, non pas les techniques de la torture, qu'il connaissait déjà, mais celles de la terreur : qu'on dise un nom, qu'on donne un motif, n'importe lesquels, et aussitôt un homme, des milliers d'hommes peuvent être annihilés, où qu'ils soient. Cela non plus n'était pas trop sérieux, cela pouvait même être une initiation utile. Le hic, c'est qu'à cette époque vivaient à Moscou des Chinois de toutes provenances et que Kang Sheng s'était fait la main sur eux ! Il avait fait liquider des partisans de Mao qui ne juraient que par la révolution paysanne quand lui et ses maîtres soviétiques encensaient le prolétariat ; il s'était débarrassé de réfugiés dont le seul tort était de l'avoir naguère approché à Shanghaï. Il lui suffisait d'accuser quelqu'un de trotskisme ou d'espionnage, de prévenir le NKVD, et l'importun s'évaporait comme en un rêve. Pis, l'impatience l'avait gagné, il avait créé un « bureau pour l'élimination des contre-révolutionnaires ». Discrétion, disparitions... des dizaines de Chinois, des Rouges surtout, qui, pour ceci ou pour cela, ne plaisaient pas à Kang Sheng, s'étaient évanouis de la surface du monde. Dès que son œil s'abattait sur un Jaune, celui-ci était perdu.

Il y a plus désastreux encore selon les grands camarades : Kang Sheng s'est jeté dans l'éloquence, il participe à toutes les discussions, à tous les débats importants, il est merveilleux de prolixité, il insinue, il ricane, il stigmatise, il tue. Traître, mille fois traître, il fait l'apologie de Staline et de l'Union Soviétique, il sait que Staline trouve Mao ridicule avec ses utopies, trop indépendant, trop chinois en somme, et il l'approuve.

Jusqu'où ne va-t-il pas ? Il se reconnaît en tout l'humble vassal de Wang Ming, le chef du clan soviétique au sein du Parti communiste chinois, l'ennemi de Mao et le chouchou de Staline. Wang Ming est un dadais, beau garçon au demeurant, presque toujours installé à Moscou où il tire très habilement les ficelles de la faucille et du marteau. Peu importe à Staline qu'il soit un lâche, comme il l'a montré lorsque les Soviétiques l'ont envoyé à Shanghaï dans le

37

LE CHIEN DE MAO

terrible temps de la guérilla urbaine contre Tchang Kaï-chek et le Kuomintang. Capturé, il avait gémi de soumission, ce qui n'avait pas empêché les Russes de le faire libérer par l'intermédiaire de leur ambassade, toujours accréditée auprès du Kuomintang. Et puis la femme de Wang Ming avait été ramassée par la police nationaliste. Wang Ming n'était plus qu'une larve, il pleurait comme un veau, versant des larmes si bruyantes qu'elles constituaient un danger pour tout le Parti clandestin. Lequel avait payé pour que l'épouse soit relâchée. Malgré cette pleutrerie, ou à cause d'elle, Moscou n'avait pas pipé. Wang Ming, retourné en URSS, était resté le champion des Russes, leur prétendant, l'homme qui assurerait leur mainmise totale sur le communisme chinois après l'éviction de Mao. Et Kang Sheng était leur affidé.

Tant que ce micmac n'était que soupçonné, on pouvait feindre de l'ignorer, mais maintenant que Mao l'a dénoncé le camarade Fu en bouillonne de rage :

— Le sais-tu, le sais-tu, madame la camarade Fu, c'est un complot, une conjuration. Tout est préparé à Moscou pour que dans quelques semaines ou quelques mois Wang Ming et Kang Sheng soient déposés ici par un avion soviétique, sous couvert de venir prêcher le renforcement du front uni antijaponais. Tu parles d'une propagande ! Appuyés par les agents du Komintern incrustés à Yanan, ils arrêteront Mao et ce sera le grand procès... Mais Mao connaît ces desseins. Et il se fera un plaisir de recevoir à sa façon les messagers du Kremlin : on leur recommandera une petite séance de repentir et ils ne manqueront pas de crever à force de regrets.

Pomme Bleue sent son cœur se dissoudre et son visage devenir un gribouillis de chagrin. Que Kang Sheng ait poussé ses manigances aussi loin achève de la démonter. Encore une fois, pourquoi l'a-t-il envoyée à Yanan ? Que va-t-elle devenir dans cette mêlée affreuse ? Pas grand-chose, et même rien si Kang Sheng est vaincu.

Mais le riquiqui continue à couiner et à gesticuler. Alors la commère le projette dans un recoin où le bas du cul, avec une sorte de débilité tenace, s'obstine en grommellements. Le couple s'engueule, mais soudain la querelle perd de son aigu, devient chuchotements. En Chine rouge, une pareille scène de ménage, c'est rare, c'est indécent, c'est obscène, bien plus, c'est inconcevable si la dispute porte sur la politique et ses hauts personnages. Brutalement, la raison est revenue aux camarades : si on les avait entendus, si on

38

LE CHIEN DE MAO

allait les moucharder... A voix basse, ils se mettent d'accord et la camarade rejoint Pomme Bleue, s'empare de son bras, et l'entraîne dehors pour lui susurrer qu'ils ne peuvent pas la loger, qu'elle en est désolée, mais que son mari n'a pas complètement tort quand il dit qu'ils risqueraient trop.

La camarade rabâche que le cas Kang Sheng n'est pas clair, qu'il est parfois pour Mao, qu'il est encore plus souvent contre Mao, qu'il est le seul dans le Parti à mener en même temps des jeux contraires :

— Mais maintenant, mon mari croit que Kang Sheng, dans son ébullition, est allé trop loin.

Pomme Bleue l'interrompt avec vigueur :

— Kang Sheng voulait que vous soyez ma providence à Yanan, et vous m'abandonnez. Vous écoutez trop votre époux.

Agitation de la camarade. Ce n'est pas sa faute si son mari s'est laissé abuser par les apparences, il n'a pas son flair femelle à elle, surtout il a oublié de quoi est capable ce Kang Sheng qui se rue dans tous les pétrins, dans des sables mouvants qui engloutiraient vif tout autre que lui, mais dont il sort le poil sec et l'œil pétillant, en conquérant.

Pomme Bleue sourit avec une délicieuse cruauté :

— Effectivement Kang Sheng multiplie manœuvres et intrigues, sauf contre qui lui est sacré. Et je le suis pour lui. De plus, il se venge si on le lâche ou si l'on n'exécute pas ses ordres.

A ces mots, la pauvre grosse entame un lamento : elle geint que le communisme est toujours fluctuant, qu'il faut sans cesse deviner la bonne route et qu'à la moindre erreur la sanction est terrible. On sait des choses, pas assez pour agir à coup sûr, on s'use les narines à renifler, cependant qu'au-dessus de vous les chefs suprêmes s'affrontent dans des tragi-comédies, sanglantes avant tout pour les subalternes. Enfin la camarade se gonfle de bienveillance et elle pateline Pomme Bleue :

— Je vais vous conduire au Centre d'accueil. Vous n'y serez pas trop mal, je vous recommanderai aux gardes. Dans les interrogatoires, servez-vous du nom de Kang Sheng, c'est encore un nom redoutable. Et puis parlez de Yu Qiweï, votre ancien mari. S'il le veut, vous serez admise à l'Ecole du Parti.

— Il le voudra.

Yu Qiweï, voilà la solution, Yu Qiweï que Pomme Bleue n'a pas revu depuis des années, Yu Qiweï si beau, si amoureux d'elle, qui hante les parages de Yanan et qui est, paraît-il, un remarquable

LE CHIEN DE MAO

militant. Quel gâchis elle a fait de leur romance ! Kang Sheng avait organisé leur mariage et ensuite il avait pris plaisir à salir et humilier l'époux, et elle avait été complice. Elle a outragé Yu Qiweï, elle l'a trahi, elle l'a dénoncé comme Rouge lorsque la police du Kuomintang l'a questionnée. Quand Yu Qiweï se morfondait en prison, pour passer le temps et avec l'approbation enjouée de Kang Sheng, elle a pris une foultitude d'amants. Mais par une extraordinaire disposition de son esprit, Pomme Bleue a oublié ces félonies. Ne compte que leur dernière nuit, qui avait été très tendre : Yu Qiweï, libéré grâce à l'intervention de sa riche famille, avait reçu du Parti la mission de mener la guérilla dans les marécages de l'embouchure du Fleuve Jaune, et il était venu lui dire adieu. Des années de cela... Pourtant, si elle s'adresse à lui, il se prodiguera pour elle, elle en est certaine.

Pomme Bleue se sent tout exaltée. Le passé, les mauvais souvenirs n'existent pas, les soupçons sont volatils, elle a confiance en elle, en ses capacités, en sa volonté. De nouveau, elle va atteler ensemble à son char Yu Qiweï et Kang Sheng. Ainsi les éléments de ce rébus qu'a été sa vie s'ajustent bien aux circonstances présentes ; de toute évidence elle gagnera, et ce ne sera pas un miracle, mais le résultat du cours naturel des choses, comme l'effet de la loi de la gravitation.

Que les Fu la traitent comme un rebut, la jettent dans cette poubelle qu'est le Centre d'accueil ne signifie rien. Pomme Bleue n'a plus peur et même elle s'amuse de voir la camarade Fu assaillie par les morves de l'incertitude. Après avoir cédé aux injonctions de son mari, lequel est toujours persuadé de la nécessité d'en finir avec Kang Sheng et tout d'abord avec sa protégée, la camarade a des palpitations, et n'est plus qu'un mastodonte échoué en plein salmigondis. Tant mieux ! Pomme Bleue exploitera cette angoisse. En attendant l'important est d'être arrivée à Yanan et d'y jouer sa partie au milieu des « montagnes ».

A la nuit tombée, la camarade Fu accompagne Pomme Bleue jusqu'au Centre d'accueil. Le flot humain s'est tari, à peine devine-t-on quelques ombres qui se dépêchent vers leur bercail. La camarade Fu se rembobine dans ses explications :

— A l'entrée, des commissaires politiques posent quelques ques-

LE CHIEN DE MAO

tions, respirent l'odeur de chacun et de chacune, jugent à la gueule et à l'attitude. Ils sont entraînés à détecter les mauvais instincts sous les sourires de bonne foi, à tendre les nasses, à découvrir des culpabilités grâce à un mot malavisé ou à une expression inopportune. Mais vous ne serez pas vraiment inquiétée. Au pire vous retrouverez un ami, le bonze qui secondait Kang Sheng à Shanghaï, son assistant à la tête du Tewu... A Yanan, il a repris son bâton de pèlerin. Il est le grand juge qui condamne suprêmement, mais vous, à peine vous aura-t-il entrevue qu'il interviendra pour vous.

Pomme Bleue ne se souvient que trop de ce bonze à l'aspect si pieux, le crâne rasé, marqué des stigmates sacrés, borgne de l'œil droit, mais qui de l'œil gauche scrutait et décortiquait. Il avait l'air bénin du vrai serviteur de Buddha qu'il avait été et que, devenu Rouge, il feignait d'être encore pour échapper à la police du Kuomintang. Autant qu'un bourreau, c'était un psychologue de la torture qui triturait l'âme et faisait parler la chair de façon exquise, débonnaire, infernale. Il se satisfaisait de toutes les façons sur ses proies, surtout les jeunes gens. L'homosexualité avait beau être dans le Parti un crime puni de mort, lui, le tortionnaire, on le laissait tranquille, il était trop précieux et Kang Sheng lui confiait les besognes les plus délicates, les plus sinistres, tout en lui recommandant de ne pas trop s'abandonner.

— A Yanan, raconte la camarade Fu, il est au paradis. Il entraîne chez lui les garçons qui l'ont émoustillé, pour mieux les interroger prétend-il. S'il dit qu'ils sont suspects, ils le sont, et il en fait ce qu'il veut. C'est, paraît-il, le meilleur dépeceur de Chine. Mais la protégée de Kang Sheng ne risque rien.

La camarade Fu et Pomme Bleue approchent d'une bâtisse banale, plantée au milieu d'un terrain d'où monte une formidable odeur d'excréments. Telle une grosse oie barbotant dans des détritus, la camarade Fu continue d'avancer, mais elle s'arrête net devant la porte d'entrée où est peint un Mao grave et souriant qui offre l'hospitalité patriotique : pas question d'aller plus loin, de se compromettre avec Pomme Bleue ni bien sûr de la recommander :

— A bientôt. En attendant, bon courage! Tout se passera très bien.

Pomme Bleue, qui s'attendait à ce lâchage, pousse la porte sans répondre. Déjà l'interpelle une voix de femme lui ordonnant de se présenter dans le bureau à sa droite. A l'intérieur, une table, des cendriers, des chaises. Là, elle se heurte à la Parque qui l'a

41

LE CHIEN DE MAO

apostrophée et dont les lèvres remuent encore. A côté d'elle, une autre Parque, identique, mais la bouche close. Pomme Bleue se tient debout face aux deux gorgones à la cinquantaine tranchante, qui sont assises et qui fument. Yeux-griffes, le nez comme un poignard, l'une laisse deviner de gros seins, l'autre, d'une maigreur de famine, n'en a pas. Elles ont l'échine mauvaise, leurs os piquent, leurs voix grincent. Ces vieilles peaux vont être coriaces, se dit Pomme Bleue qui dès le premier instant se sent haïe, à cause de sa jeunesse et de sa beauté. La Parque mamelue l'assaille :

— Avez-vous de l'argent? Nous le confisquons, cela paiera votre nourriture.

Pomme Bleue ouvre son baluchon et en tire quelques pièces enroulées dans une robe à décor de fleurs peintes, un vestige de l'ancien temps. L'autre Parque, celle qui ressemble le plus à un oiseau de proie et qui jusqu'à présent était restée muette, s'empare de la robe et invective Pomme Bleue :

— Vous n'aurez pas besoin de ça. Ne gardez que votre linge, des affaires de toilette et des sandales. Les filles comme vous, les pécores qui fricotaient avec le Kuomintang, nous savons les mettre au pas. D'abord, comment êtes-vous parvenue jusqu'à Yanan?

— Grâce à la camarade Fu, à laquelle mon protecteur Kang Sheng avait donné l'ordre d'aller me chercher à Hankeou. Ce qu'elle a fait. De là, nous avons pris le train jusqu'à Xian, puis le camion que son mari y avait envoyé pour rapporter du riz.

Stupéfait, l'oiseau de proie balbutie :

— Le camarade Kang Sheng est votre protecteur...

— Nous sommes de la même bourgade du Shandong; il a été mon instituteur et, depuis lors, il a guidé ma vie.

Les deux femmes se regardent, saisies par la même peur d'avoir commis une erreur. Enfin elles se reprennent et ensemble crient :

— Mais Kang Sheng est à Moscou.

— C'est pourquoi il m'a confiée à la camarade Fu. Sinon il m'aurait amenée lui-même... Mais il sera bientôt ici.

A-t-elle convaincu? Non. Il reste chez les deux Parques quelque chose de dubitatif, peut-être de vénéneux. Aussi Pomme Bleue s'empresse d'ajouter qu'elle a également été l'épouse de Yu Qiweï à Tsingtao (Qingdao).

— Nous avons divorcé, mais nous avons l'un pour l'autre la plus grande amitié.

Yu Qiweï, lui, est le dirigeant parfait, le dirigeant modèle, inattaquable. Du coup, les deux sorcières sont assommées. Rien

LE CHIEN DE MAO

qu'à voir Pomme Bleue qui se dandine, souriante, elles sont sûres qu'elle ne ment pas et qu'elle a, en tout cas, approché ces deux « montagnes ». Cependant la harpie en chef poursuit son enquête. Il y a un mystère :

— Comment se fait-il qu'avec de tels protecteurs on vous retrouve en pleine nuit dans un centre de tri? Vous n'êtes donc pas inscrite au Parti...

— Négligence... Avec ces deux hommes dans ma vie, j'ai fini par me croire affiliée d'office. Naturellement, cette situation va être immédiatement réparée.

L'explication est un peu crasseuse, mais les deux femmes n'essaient pas davantage de larder Pomme Bleue de questions, persuadées qu'elles n'ont rien de plus à en tirer. Pomme Bleue regarde avec amusement ces membres du phalanstère vigilant des « amazones » qui s'habillent de leurs mérites, une tenue dans laquelle elles ont été héroïques tant d'années... Hélas, l'héroïsme enlaidit. Pomme Bleue se sent toute rigolote, toute victorieuse, elle est en train d'écraser ces vieilles qui la détaillent, qui la détestent, elle et ses semblables, les créatures de la luxure soudain converties à la vérité rouge. Mais que peuvent-elles faire, hormis lui dire d'entrer?

A la suite de l'oiseau de proie, Pomme Bleue traverse le hall, puis une cour sordide où sont alignées des baraques. A la lueur vague d'une torche, elle aperçoit des gens accroupis au-dessus d'une fosse d'aisances, des culs suspendus, un très long bac en zinc où dégoutte un robinet... L'oiseau de proie désigne une porte, s'efface pour laisser entrer Pomme Bleue et disparaît. Une seconde, Pomme Bleue s'attend à trouver l'ignominie. Ce n'est que la banalité, à peine éclairée par quelques lampes, d'un immense dortoir. Là-dedans, trois ou quatre cents femmes allongées sur des nattes dans des espaces délimités à la craie, juste à la mesure d'un corps. Des champs de femmes sur trois étages... Puanteur âcre des chairs mal lavées, rumeur du sommeil déchirée parfois par un cri ou des gémissements, par les murmures d'un beau rêve ou le hurlement de quelque cauchemar... Pomme Bleue imagine la faune, le monde qui aboutit là avec ses abruties, ses folles, ses lâches, ses désespérées. Enjambant les corps, dans un concert de grognements, elle finit par trouver un emplacement libre et elle s'allonge très vite à même le sol de ciment, avec son baluchon pour oreiller. Les yeux grands ouverts, l'oreille aux aguets, elle épie. Il lui semble entendre des rires perlés, des voix qui galan-

LE CHIEN DE MAO

tisent, des hommes ont dû se glisser dans le dortoir. A côté d'elle, sa voisine s'agite, se retourne, lui touche le bras et aussitôt lui explique les usages du lieu :

— Seules les imbéciles dorment sans penser au haut-parleur qui demain les réveillera et aux condamnations qui vont s'abattre. Celles qui s'amusent sont sans doute des donneuses, les autres se rongent : pour les filles normales, les chances d'être admises sont nulles.

Pomme Bleue marmonne un acquiescement. Ces terreurs ne la concernent pas, mieux vaut dormir.

A l'aube, toutes les formes ressuscitent dans un morne brouhaha. Misérables résurrections... La plupart de ces femmes ont des visages d'angoisse, des traits taraudés, les cheveux tignasseux, les yeux rouges où la nuit a laissé sa gale. Et tous ces corps décharnés par la faim sont presque nus dans leurs haillons empestés. L'heure du destin approche. Attente affreuse, secondes de plomb... pourtant ces créatures, au lieu de s'effondrer, retrouvent une dignité, l'impassibilité de la face devant les supplices.

Soudain un haut-parleur de sa voix métallique prononce trois noms, les répète plusieurs fois. Trois femmes s'avancent et quelques gardiennes qui ont pris place dans le dortoir les entraînent. Vers quel néant ? Le haut-parleur aux éclats rauques retentit à nouveau : une trentaine de hurlements suivent qui sont trente noms aboyés. Les gardiennes rassemblent dehors les infortunées, les forment en deux colonnes qui s'ébranlent vers les chantiers du désert où elles subsisteront si elles ont le cœur gai et plein d'amour pour le Président Mao. A la vérité beaucoup mourront d'épuisement.

Une fois les condamnées disparues, les rescapées se constituent en un magma où l'on se bouscule sans violence, par peur d'entendre encore le haut-parleur, qui cette fois éructerait des menaces contre les fauteuses de désordre. Ne pas entendre son nom, c'est l'obsession, même si cela signifie qu'on va mariner indéfiniment dans ce dépotoir avant d'être reconnue comme un bon élément. On se démène donc dans une douceur feinte, en fait on bataille pour arracher de quoi survivre, pour approcher d'une marmite afin d'obtenir sa louche de soupe quand il y flotte encore quelques légumes, pour se faufiler jusqu'à l'unique robinet avant qu'il râle et se tarisse. La soif... Ne parlons pas de la défécation... Et tout cela se passe sous les yeux de quelques vigiles armés de bâtons, qui, pour un rien, cognent.

Pomme Bleue, au milieu de ce chaos, n'a pas bougé. Le haut-

LE CHIEN DE MAO

parleur crachote encore, et c'est son nom qu'elle entend. Que lui veut-on ? Il lui est indiqué de se rendre dans le bureau des commissaires politiques, là où la veille au soir elle a été questionnée par les deux chouettes haineuses. Mais les cadres masculins censés reprendre l'interrogatoire sont toute bienveillance, toute politesse, ostensiblement charmés. On lui apprend que Yu Qiweï sera là très bientôt. En attendant que cet éminent camarade se manifeste, elle restera au Centre d'accueil, mais dans les meilleures conditions. On lui accorde quelques privilèges : elle pourra utiliser les robinets d'eau et les cabinets réservés au personnel d'encadrement, elle aura droit à leur menu et surtout elle sera autorisée à circuler librement dans Yanan. Bientôt Pomme Bleue se lave avec délice et dévore un bol de gruau de millet qui, aussi grossier et détestable qu'il soit, lui paraît succulent, enfin elle le proclame. Tout est bon, tout est merveilleux.

Le comble c'est qu'une semaine plus tard, la camarade Fu, plus cordiale que jamais, enluminée de bonté, ose venir la chercher dans le Centre. Avant que Pomme Bleue n'ouvre la bouche, elle glapit son immense remords : son mari a commis une erreur monumentale en croyant Kang Sheng en disgrâce. Comme elle le soupçonnait, il avait mal compris ce qu'avait dit Mao à Luochuan : celui-ci se félicite de la prochaine visite de Kang Sheng et de Wang Ming. Il a même fait savoir à Moscou qu'il les attendait avec impatience :

— Cela signifie que le Parti juge nécessaire de proclamer son unité. Quant à vous, Pomme Bleue, ne parlez pas de la sottise de mon mari. Ayez confiance en moi, je vous rendrai tous les services possibles.

Politesses. Les deux femmes montent jusqu'à la grotte des Fu, et Pomme Bleue, après la pouillerie du Centre, retrouve avec volupté la propreté bien astiquée de la demeure, son carrelage de brique rouge, ses meubles robustes, sa vaisselle, tout le confort rudimentaire qui annonce ce péché, la vie privée. Un instant la traverse l'idée d'exiger de la camarade Fu qu'elle la garde dans sa jolie caverne, mais non, il serait maladroit de l'obliger à se désavouer si ouvertement. Mieux vaut rester au Centre jusqu'à son admission à l'Ecole du Parti, la grosse n'en culpabilisera que mieux.

L'Ecole du Parti est le domaine de Li Fuchun, une longue chose maigre qui semble toujours sur le point de s'effondrer. Le visage mutilé par des éclats d'obus, d'une voix mal assurée, il chuinte des mots d'entre ses débris de dents cassées, et il sourit, il sourit tout le

LE CHIEN DE MAO

temps et ne cède jamais sur rien. C'est un vieil ami de Mao, un Hunanais comme lui, et surtout l'un des meilleurs communistes de Yanan, un de ceux qui en France avec Chou En-lai ont mis sur pied une section de la ligue de la jeunesse socialiste chinoise. Li Fuchun est un juste, très ferré sur la doctrine, bon mais sectaire, entendez qu'il ne transige pas avec le mal.

— Vous n'êtes pas le mal, loin de là, reprend la camarade Fu, en versant du thé à Pomme Bleue, mais ne vous présentez pas à lui, évitez même de le rencontrer. Il y aurait toutes les chances qu'il vous rejette, excusez-moi de vous le dire. Il vous interrogerait, constaterait vos ignorances, se rappellerait votre vie, car vous vous êtes un peu connus autrefois à Shanghaï, si je ne me trompe...

— A peine. Il est venu une fois nous donner l'alerte, à Kang Sheng et à moi, dans la chambre où nous nous cachions.

— Certes. Mais il sait, nous savons tous qu'en ce temps-là Kang Sheng vous a sacrifié sa compagne, une excellente militante. Et cela Li Fuchun n'est pas homme à le pardonner. Donc, j'insiste, ne sollicitez pas de rendez-vous. Il faut d'abord qu'on le chambre, qu'on le dispose bien à votre égard. Je vais le faire entreprendre par mon mari.

— Vous croyez qu'il acceptera ?

— Il ferait beau voir. A Yanan, autant il est bon de trancher vite, autant il est dangereux de paniquer à tort et à travers. Mon mari aurait dû mieux regarder les nœuds de serpents : les reptiles sifflent, paraissent sur le point de se dévorer, mais en fait ils sont englués, enlacés comme amoureusement. Et cela dure, cela dure... Impossible de prévoir comment tourneront les relations entre Kang Sheng et Mao, leur génie commun étant l'inattendu. En conséquence, j'obligerai le camarade Fu à y aller.

— Cela prendra du temps ?

— Pas trop je pense. Nous allons nous démener. Et si les choses traînent trop, on actionnera Yu Qiweï.

C'est ainsi que Pomme Bleue se met à attendre. Chaque jour ou presque, la camarade Fu vient à elle pour l'inviter à de véritables agapes dans sa grotte, et surtout lui détailler les interventions du camarade Fu auprès de Li Fuchun. A plusieurs reprises il a parlé de Pomme Bleue, mais Li Fuchun remâche une aigreur, s'obstine dans le refus et paraît d'autant plus intransigeant que sa femme, la redoutable Cai Chang, veille au grain.

Car Li Fuchun a une femme. Et pas n'importe laquelle ! Une

46

LE CHIEN DE MAO

révolutionnaire grand teint, la première des « amazones » ! Si Li
Fuchun est le juste, elle a été la sainte de la Longue Marche.
Hunanaise elle aussi, elle connaît Mao depuis son adolescence, depuis les beaux jours de Changsha. Ils ont tout partagé, les élans
intellectuels, les manifestations, l'exaltation des commencements.
Elle est cultivée, elle a séjourné en France, où elle a travaillé avec
Chou En-lai et épousé Li Fuchun, rompant ainsi le vœu que dans
leur jeunesse elle, un de ses frères et Mao avaient fait de ne pas se
marier pour mieux se consacrer à la Révolution. Mao, qui n'avait
pas été plus fidèle au pacte, a pardonné. On pardonne toujours
tout à Cai Chang, la vétérante qui chantait *La Marseillaise* pour entraîner les Rouges dans les passages périlleux de la marche de
25 000 li !

Tout le monde a une histoire à raconter sur elle : alors qu'on lui
avait attribué un cheval, elle le laissait aux blessés ou aux malades ;
elle ne se plaignait jamais ; elle grimpait les pires montagnes chaussée simplement de sandales à semelles de corde... La légende
dorée. Et aujourd'hui, à bientôt quarante ans – la fringante
Pomme Bleue est obligée de le concéder – Cai Chang demeure
séduisante. On vante son inaltérable sourire et son audace : bien
qu'elle soit recherchée et que Tchang Kaï-chek ait fait tuer ou
emprisonner sa famille, elle n'hésite pas à exécuter des missions
secrètes en territoire nationaliste. Comme si cela ne suffisait pas,
elle trimbale partout une photo de sa mère qui, naturellement,
était une héroïne. A cinquante ans, elle avait divorcé de son riche
marchand d'époux, le père de Cai Chang, et elle était allée
s'asseoir sur les bancs d'une école. C'est elle qui avait poussé ses
enfants à devenir communistes, et plus tard, elle les avait accom-
pagnés à Paris.

Là, tout Yanan pleure d'émotion. Et Pomme Bleue écume. Une
sainte, c'est bien sa chance ! Cette Cai Chang, que sait-elle de la
vie ? de la misère ? du vrai peuple ? Que serait-elle devenue si sa
mère avait été une putain comme celle de Pomme Bleue ? Comment se serait-elle débrouillée, sinon en se servant des hommes ?
On l'aurait vue à l'œuvre, la Cai Chang qui clame aujourd'hui
que la présence d'une Pomme Bleue à l'Ecole du Parti serait un
scandale, une hérésie !

En somme, c'est la mistoufle. A les en croire, les Fu s'activent
plus que jamais, mais Pomme Bleue a des soupçons. La camarade
ne lui joue-t-elle pas la comédie du « piston » ? Elle la reçoit chez
elle, mais c'est en catimini, et elle ne l'emmène nulle part. Depuis

47

LE CHIEN DE MAO

près d'un mois elle se vante de débaucher incessamment Li Fuchun et son épouse en faveur de Pomme Bleue, mais rien ne se passe. Et Yu Qiweï est toujours sur le Fleuve Jaune à mener la révolte des paysans pauvres, où il accumule les victoires. Qu'il revienne! qu'il revienne vite, sinon que deviendra-t-elle? Pas de nouvelles de Kang Sheng. Pomme Bleue songe à s'introduire chez Li Fuchun —elle a toujours su s'imposer quand elle le voulait. Mais, pour une fois, elle n'ose pas.

Pauvre Pomme Bleue! Il lui semble qu'au Centre d'accueil on la regarde de travers. Alors elle promène son attente et sa mélancolie dans Yanan. Impressions heureuses. La vieille ville embaumée exhale encore la senteur des souvenirs : monuments en ruine, à l'entrée des maisons des lions sculptés à demi effacés, dans quelques rues des mosaïques de pavés, au loin la rotonde écroulée d'un temple du Ciel affirment que la tueuse pureté n'est pas venue à bout de toutes les fragrances humaines. Civilisation... Il en subsiste toujours un peu, rendant l'existence rouge plus supportable.

En ville, Pomme Bleue côtoie les dirigeants qu'elle n'avait pu approcher à Shanghaï : jamais Kang Sheng ne l'avait présentée à eux, comme s'il avait honte d'elle. Ces illustres, on ne les aborde pas, du moins les voit-on, chacun déambulant à son pas, sans gardes du corps repérables. Ils paraissent vaquer. Même Mao. Souvent elle a croisé sa voiture, une ambulance Chevrolet offerte par l'Association des blanchisseurs chinois de New York. Il est assis à côté du chauffeur, le visage inexpressif, le sourire figé. Elle trouve que Mao, quoique grand et bien bâti, manque de charme. Il y a en lui quelque chose de faux, de calculateur, de péniblement génial qui la dégoûte. Jadis, dans la mer de Chine, elle a marché sur une chair élastique... Mao aussi est une méduse. Ce n'est pas sa méchanceté qui lui répugne, mais qu'elle soit immensément terne : la flamboyante férocité de Kang Sheng, elle, est adorable.

Pomme Bleue a appris à repérer les grands cadres parmi la masse en mouvement dans les artères : les gens du vulgaire ne sourient pas, eux sourient toujours. Mao et Chou En-lai sourient, elle l'a vu; Li Fuchun sourit, on le lui a dit; elle constate que Liu Shaoqi, Deng Xiaoping, Zhu De (Chu Teh), Lin Biao, Peng Dehuai sourient. Le sourire comme l'estampille du bonheur rouge... Peu à peu Pomme Bleue aperçoit les subtilités de ce sourire : autant que persuasion, il est ordre et commandement, malheur à qui ne s'y soumet pas. C'est par le sourire que Mao gouverne la Chine rouge et l'étend, il en a une gamme, il peut forcer son sourire

LE CHIEN DE MAO

comme on force la voix. Chacun des dirigeants cultive son sourire propre : il y a le sourire rhétoricien de Liu Shaoqi l'universitaire, le sourire chafouin de Deng Xiaoping le petit malin qui casse et répare toutes les porcelaines, le sourire militaire avec variantes de Zhu De, le chef de l'armée rouge, et de ses subordonnés Lin Biao et Peng Dehuai. Mais Chou En-lai est le vrai champion des fabricants de sourire : son sourire simple et doux est une arme mortelle. Ces distinguos occupent Pomme Bleue. Désormais elle connaît les visages de tous les dirigeants, elle s'en repaît, elle en rêve la nuit, elle voudrait tant en empaumer un. Mais comment s'y prendre ? Cependant elle est sûre d'elle : ces tout-puissants ont une façon de la regarder en feignant de ne pas la voir qui ne trompe pas. Les hommes... Les grands de Yanan, même baignés dans la sauce rouge, sont restés des hommes, avec leurs passions, leurs goûts, leurs manies. Des « cochons », lui avait dit Kang Sheng. Et en effet ce sont des porcs. La camarade Fu ne raconte-t-elle pas que Li Fuchun avait jadis reçu un blâme officiel parce qu'il avait trompé Cai Chang ? Li Fuchun cocufiant sa sainte, c'est trop drôle.

Chimères... Attraper un homme important se révèle difficile parce que Pomme Bleue n'appartient pas à l'aristocratie du Parti, au cercle très fermé qui mène la danse dans ce pseudo-camp de pionniers qu'est Yanan. A Pomme Bleue et à ses semblables ne reste qu'un terrain de chasse, minable et dangereux, le Centre d'accueil.

Comme des poissons sur un banc de sable, ont échoué là de nombreux intellectuels de Shanghaï, des écrivains, des journalistes, des acteurs, des cinéastes. Ceux-là non plus n'appartenaient pas au Parti, pourtant, avec acharnement, ils ont marché jusqu'à Yanan, croyant trouver une bonne réception. Mais les dirigeants, quoique presque tous issus de l'intelligentsia, dorénavant se méfient des auteurs et des théâtreux à l'imagination vagabonde. Et ces infortunés se retrouvent prisonniers dans un Centre ou un autre, interrogés encore et encore sans qu'aucune décision soit prise à leur sujet.

Ces hommes-là, que Pomme Bleue a connus superbes à Shanghaï et qu'elle aimait casser, à Yanan lui font pitié. Les malheureux... Ils sont arrivés avec des idées tellement bourgeoises et tellement niaises – on se consacre au Bien, on descend au Peuple –, avec des âmes et des costumes impeccables... et aujourd'hui ce sont des loques, de pauvres types déjà mâchonnés par le Parti. Certains essaient d'intriguer, ils s'imaginent avoir quelqu'un dans

LE CHIEN DE MAO

la poche, un progressiste à peu près rouge qu'ils ont aperçu autrefois dans le monde du spectacle, ils s'empressent, sans résultat bien sûr. De plus en plus lamentables, ils s'agitent, s'énervent, et puis ils commencent à lâcher prise doucement. Encore un sursaut, et ils ne sont plus rien.

Pomme Bleue regarde, cela ne l'amuse plus. D'ailleurs, elle en a assez de tout, du couple Fu qui la fait lanterner, de Kang Sheng et de Yu Qiweï les invisibles et même de l'Ecole du Parti qui se dérobe. Elle est prise d'une soif de vie. Ah! alpaguer des hommes qui ne soient pas trop déjetés, des hommes dans son genre, dans sa clientèle, faire l'amour enfin. Alors elle retrouvera ses façons, ses coquetteries, ses clins d'œil, ses langueurs de voix, ses manières de dire « distrayons-nous, oublions le reste! » qui plaisaient tant à Shanghaï. Elle accumule les aventures, et si l'un des élus a peur, elle se moque :

— Où en serons-nous demain? Sans doute mangés par le matérialisme historique et l'autocritique. Profitons tant qu'on peut.

Pomme Bleue embarque dans les voluptés de gentils garçons des arts et des lettres qui sont en train de dépérir. Liaisons brèves et inutiles, presque des passes, dans les fourrés qui garnissent les rives de la Yan, où beaucoup de couples forniquent. Le vent, l'obscurité, les gémissements qui montent des broussailles. Naguère ces amours champêtres étaient considérées comme un crime par le Parti, qui envoyait des patrouilles ramasser les coupables. Mais la chasse aux délinquants s'est beaucoup ralentie. Est-ce faute de troupes? Est-ce pragmatisme – hommes et femmes, s'ils ne sont pas de grands dirigeants, vivent séparés et l'on ne peut en permanence les empêcher de se retrouver. Aussi, quand le soir tombe, toute une foule va se livrer aux bagatelles de la verdure.

Pomme Bleue est lâche, et en même temps c'est une forcenée. Elle ne cesse pas de draguer, de lever tout homme sentant encore les mœurs de Shanghaï. Quel travail que d'entraîner dans ces roseaux une proie qui a encore plus la frousse qu'elle! Mais le péril ajoute une saveur épicée à la jouissance. Et Pomme Bleue multiplie les étreintes, dans l'espoir de conquérir quelqu'un de bien, un cadre du Parti, et au risque de confirmer sa réputation de légèreté. Son succès est immense : il n'y a à Yanan qu'une femme pour dix-huit hommes! Et peu sont aussi désirables qu'elle.

Rester attirante, ne rien perdre de sa beauté, de son charme, ne pas s'avachir... elle s'y emploie avec passion. A tout prix elle engage le combat contre la ride, contre l'effritement du corps. Elle

LE CHIEN DE MAO

passe des heures à se soigner, elle réussit à se laver, à se coiffer, à porter avec un semblant d'allure sa tenue paysanne, surtout elle étudie ses gestes et ses mimiques. Elle aussi, elle met au point un sourire : ravi, confiant, enthousiaste. Ce n'est pas seulement par coquetterie, sa survie en dépend : elle n'a pas vingt-cinq ans, elle a eu des maris, des amants, une amorce de carrière, ou elle est rayonnante ou elle n'est rien.

La camarade Fu a engueulé Pomme Bleue : son comportement est si contraire au dogme... En continuant ainsi, Pomme Bleue n'entrera jamais à l'Ecole du Parti. Ce à quoi celle-ci, de tout son cœur, a rétorqué qu'elle s'en moquait :

—Je ne suis pas une idéologue, je ne suis pas une militante. J'ai beau faire semblant, cela ne mène nulle part. Vous n'avez que le mot progresser à la bouche. Moi, je ne connais qu'une progression, la progression sociale et mondaine. Et par quoi est-ce que je peux progresser ? Ici comme ailleurs, par mes fesses. Avec elles, je finirai bien par atteindre une « montagne ».

En attendant, elle trouve une « colline », un garçon de vingt-sept ans, qui a suivi à l'université de Shanghaï les cours dispensés par Song Minh, l'illustre dramaturge dont elle a été, un temps, la collaboratrice. Bonheur ! Enfin quelqu'un avec qui avoir une conversation amusante ! Le jeune homme a su se faire accepter au service de propagande du Parti, grâce à une comédie satirique où il précipitait dans une mare aux ordures Buddha, Confucius et Jésus, des fondateurs de religion qui avaient escroqué les hommes : cette baignade avait été très appréciée. La triste situation de Pomme Bleue l'émeut et il multiplie les démarches pour elle. Pomme Bleue l'accompagne. Elle est rieuse et désinvolte. Son compagnon l'aime, et elle l'aime. Sans cesse ils bavardent et plaisantent. Paroles de miel... Parfois ils osent se prendre la main. Ils forment un couple. Mais quand ils se présentent ensemble devant une instance, ils se heurtent à une onctuosité qui est le pire des refus. Sans doute sur un avis qui lui est donné de ne plus se compromettre, le jeune homme s'éclipse. Ils n'avaient jamais fait l'amour.

Jours, jours, jours... A défaut d'être le marché aux héros promis par Kang Sheng, Yanan apparaît de plus en plus à Pomme Bleue comme un marché aux hommes ordinaires qu'elle choisit, non selon les critères rouges, mais d'après les lois éternelles de l'amour. Elle va partout, elle furète, elle fait de plus en plus connaissance, elle a retrouvé ses manières d'accrocher et les a mises au goût de

51

LE CHIEN DE MAO

l'endroit. Quelques aventures encore, mais jamais plus dans les fourrés, uniquement dans les grottes de camarades célibataires qui sont au moins cadres. Enfin elle se fait sauter par une « montagne » qui, la fornication terminée, lui conseille de ficher le camp et de ne jamais revenir. Il y a aussi des salauds chez ces braves communistes. Cela ne la décourage pas.

De circonvolutions en manœuvres, au bout de quelques mois, Pomme Bleue est presque devenue une personnalité de Yanan. Elle jette alors son dévolu sur un dirigeant sérieux, le chef du département des Frontières qui enseigne à l'université « Résister au Japon ». Il a cinquante ans, il est suffisamment important pour disposer d'une maison chauffée à la lisière de la cité. Dommage qu'il soit marié, mais sa femme est en voyage. Ce camarade, c'est Zhang Guotao, un des douze fondateurs du Parti communiste chinois, longtemps le rival déclaré de Mao. Pomme Bleue se souvient vaguement des récits de Kang Sheng, d'un Zhang royal qui avait constitué au Sichuan une armée magnifique et qui, à la fin de la Longue Marche, lors de leur jonction avait défié Mao et ses troupes de gueux. Zhang ne voulait pas aller vers le Shaanxi, vers ce berceau de la Chine où Mao prétendait édifier sa nouvelle base, son paradis. Selon lui, il fallait marcher vers l'Himalaya ou mieux vers les déserts du Xinjiang, tout près de la chère Union Soviétique, qui, à la première alerte, ne manquerait pas de voler au secours des pauvres communistes chinois. Abomination... C'était pour Mao une politique de lâche, de rampant, de Seigneur de la guerre plus préoccupé de ses pavots et de ses uniformes rutilants que de révolution. A l'époque, le Parti avait failli éclater. Puis Zhang était parti vers ses confins avec Zhu De, Mao avait continué avec Peng Dehuai et Lin Biao vers ce Nord chinois qui l'obsédait, vers Yanan.

Ce qu'avait été la suite, Pomme Bleue l'apprend par bribes, au Centre ou chez la camarade Fu. Zhu De, le valeureux Zhu De, s'était retrouvé quasiment prisonnier de Zhang qui toujours reculait vers le Tibet. Le pays est inhospitalier, ses habitants hostiles... Plus de belle armée victorieuse, les massacres, la faim, les désertions... chaque jour des hommes disparaissaient, comme avalés par la steppe ou les sables. A la fin Zhang avait renoncé et Zhu De l'avait ramené, lui et ce qu'il restait de son armée, à Yanan. Là Zhang avait été jugé, mais le Peuple, dans sa bonté, l'avait absous : le Comité central lui avait octroyé de hautes fonctions, en stipulant simplement qu'il devait étudier et se réformer.

LE CHIEN DE MAO

Quelqu'un de moins ignorant que Pomme Bleue éviterait Zhang Guotao. Est-ce bêtise ? Est-ce goût du défi ? Elle persévère et passe à l'attaque, mais avec des nuances car elle sent que Zhang est attaché à son épouse et qu'il craint le scandale. Ses cartes ? La jeunesse, le désir d'apprendre, la ferveur. Zhang est grisé. Sa porte est toujours ouverte pour Pomme Bleue, qui profite de ses absences pour amener dans son lit l'une ou l'autre de ses conquêtes. Zhang s'en doute-t-il ? En tout cas, il ne dit rien, Pomme Bleue lui plaît trop, elle serait capable de se mettre en colère et de ne plus revenir. Et lui ne se lasse pas de la regarder quand elle l'écoute avec émerveillement.

Le vétéran et la petite théâtreuse sont demeurés sages. Heureusement pour eux : l'épouse, rentrée inopinément, les surprit qui se faisaient des déclarations tendres mais encore chastes. La chasteté sauva tout. L'épouse était une gaillarde qui se borna à répandre à travers Yanan que Pomme Bleue était une putain.

Ainsi Pomme Bleue folâtre. Jusqu'à ce que la camarade Fu, comme en passant, lui souffle une confidence, presque un message :

— Li Fuchun traîne parce qu'il vous croit coupable de trahison, mais qui dans le Parti, à un moment ou à un autre, n'a pas trahi ? On doit distinguer la vraie trahison, la traîtrise, de ce qui n'est que débrouillardise ou habileté. L'essentiel n'est-il pas de s'en tirer ? C'est ce qui est arrivé à Kang Sheng et à bien d'autres. Tout comme vous à Shanghaï, j'ai été jetée en prison, et pour être libérée, j'ai renié par écrit le communisme. Vous n'êtes pas plus coupable que moi ou que les autres, c'est ce qu'il faut faire comprendre.

Deux jours après, Pomme Bleue est convoquée par Li Fuchun pour interrogatoire. Li Fuchun... Son visage est un labour, mais que son regard, la seule survivance de l'homme qu'il a été, est donc aigu ! De ses lèvres minces, il grésille avec une moue pauvre :

— Vous avez la réputation d'avoir des mœurs relâchées. Ma femme Cai Chang me l'a confirmé.

Pomme Bleue se lance dans l'entreprise difficile de vanter sa vertu. Longs développements sur la noire misère de ses débuts qui, peut-être, explique quelques erreurs. Très vite, elle arrive à Shanghaï, où elle a acquis des mérites en partageant les dangers de la vie d'un Kang Sheng traqué, circonstances qui se prêtent mal, il en conviendra, à la galanterie. De plus, jamais Kang Sheng ne se

LE CHIEN DE MAO

serait intéressé à elle si elle n'avait été qu'une « couche-toi là ».

Non, il a fait d'elle une militante, une révolutionnaire qui, devenue actrice, a su choisir des rôles propres à instruire le Peuple : avoir été Nora, l'héroïne de *Maison de poupée*, témoigne pour elle, en jouant Ibsen, elle a appris à haïr l'esclavage. Li Fuchun croit-il qu'une comédienne engagée dans toutes les luttes, de l'émancipation de la femme à la résistance antijaponaise, pouvait avoir l'entrecuisse accueillant? L'idée même, rien que l'idée, la révolte. Ou plutôt la fait sourire.

Tandis qu'elle se démène, Li Fuchun la contemple avec stupéfaction. Enfin, il bredouille :

— Vous n'êtes quand même pas une vierge rouge. Vous avez été mariée plusieurs fois...

— Oui, et mal mariée. Sauf avec Yu Qiweï. Mais nous étions tous deux trop jeunes, trop idéalistes, et, en ce qui me concerne, de caractère trop entier. Je comprenais mal la profondeur de son engagement politique, j'étais encore égoïste. Mais il a préparé le chemin pour Kang Sheng.

Ce qu'elle débite, ce margouillat de Li Fuchun semble l'avaler. Pomme Bleue continue à dérouler son roman : la voici en bras droit, en muse décente d'un écrivain célèbre, Song Minh; la voici en épouse victime d'un obsédé, Tang Na, qui vendait leur vie conjugale à la presse du cœur, qui l'a salie, harcelée, martyrisée.

Evidemment le pauvre Li Fuchun qui à l'époque s'épuisait dans la Longue Marche n'a des aventures de Pomme Bleue starlette qu'une connaissance très limitée. Il reprend doucement :

— Passons sur le cinéma, une femme peut être contrainte au pire pour s'imposer dans ce monde où, par parenthèse, vous n'avez pas vraiment triomphé. Venons-en à Yanan. Vous vous y êtes montrée très douée pour la guérilla indisciplinée...

— Je ne vous comprends pas.

— Allons, allons... Une militante aussi concernée que vous par la lutte des femmes sait forcément que notre chère Ding Ling, votre écrivain préféré je pense, a ainsi baptisé les jeux auxquels vous et vos semblables vous livrez dans les fourrés près de la rivière. Nous n'ignorons rien de ce qui s'y passe, de même que dans tout Yanan : pas une maison, pas une grotte, pas une anfractuosité, pas un creux, pas un recoin n'échappe à notre regard. Mais laissons... Contre vous, il y a beaucoup, beaucoup plus grave : à Shanghaï, vous avez eu des relations avec les nationalistes. Vous avez été arrêtée, puis relâchée. Vous avez trahi.

54

LE CHIEN DE MAO

Petit grelot aigre dans la voix de Li Fuchun, bientôt étouffée par les hurlements de Pomme Bleue, des gueulements aigus et indignés qui mettent presque une minute à se terminer en piaillements corrosifs. Sa libération, une infamie? Elle, une moucharde? Alors qu'elle n'a fait que suivre les instructions de Kang Sheng. Il lui avait ordonné de plaire à son geôlier, un horrible bourreau, pour collecter des informations sur la prison et son fonctionnement. Elle s'est dévouée sur ordre, elle s'est compromise, elle a trompé les nationalistes qui l'ont libérée en la croyant retournée, ses renseignements ont permis à Kang Sheng de monter un attentat qui a décapité la police de Shanghaï, et voilà comment le Parti la récompense!

Gadoue, interminable discussion. Li Fuchun maintient que le rôle de Pomme Bleue a été pour le moins incertain. Nouveaux braillements :

— Je ne suis pas coupable, absolument pas. Tout ce que j'ai fait, c'est de signer une renonciation à ma foi communiste. Comme l'ont fait tous ceux que le Kuomintang a arrêtés puis libérés et qui tiennent ici le haut du pavé. Les nationalistes sont des bureaucrates, ils veulent des papiers, des signatures, on les leur donne, mais cela ne signifie rien. Demandez à la camarade Fu si elle n'a pas signé? Et Kang Sheng, vous êtes sûr qu'il n'a pas signé?

Pomme Bleue a marqué un point et Li Fuchun grommelle. Sa position est délicate. D'un côté, il est persuadé que cette fille est une gourgandine, peut-être pis, une alliée du Kuomintang, un réel danger pour Yanan. Mais d'un autre côté, la traiter comme elle le mérite risque d'irriter Kang Sheng qui, quoi qu'il ait pu faire dans le passé, à Shanghaï, ou dans le présent, à Moscou, est pour le moment déchargé de tout blâme par Mao.

Mieux vaut changer de terrain. Li Fuchun commence à interroger Pomme Bleue sur ses connaissances doctrinales. Pour compenser la pauvreté de son arsenal idéologique, celle-ci fait étalage de grands mots et de clichés, elle parle autocritique, solution correcte, peuple... elle rabâche le mot peuple, mais elle démontre que ses connaissances sont nulles et qu'elle confond tout. Elle n'a jamais lu Lénine, ni Staline, ni même Mao, elle ne connaît aucun texte de lui, rien de sa pensée. Tout se résume pour elle au vaste problème du Bien et du Mal. Elle s'efforce d'agir selon le bien et elle hait le mal, la réaction, la contre-révolution, elle voudrait effacer tout ce qui est néfaste dans le monde, même si cela doit

55

LE CHIEN DE MAO

coûter des millions et des millions de vies, il y a tant et tant de coupables...

Par bonheur, les grands camarades sont là, tous merveilleux pour le Peuple. Zhu De qui s'est guéri de l'opium, He Long qui était bandit, Liu Bocheng, Lin Biao, Peng Dehuai, Liu Shaoqi, Chou En-lai, Deng Xiaoping, et lui, Li Fuchun, que Pomme Bleue admire tellement, juste un peu moins que Mao. Et les femmes! Quelles compagnes parfaites! Qui ne rêverait d'être aussi fidèle, aussi dévouée, aussi méritante que Deng Yingchao, l'épouse de Chou En-lai? Qui ne voudrait être aussi courageuse, aussi inébranlable que Cai Chang? Toutes ces femmes ont souffert, ont été blessées, ont persisté. Pomme Bleue continue à lancer feu et flammes, tirant de sa corne d'abondance noms et exploits, jusqu'à ce que Li Fuchun, pâle, épuisé, murmure :

— Je vais réfléchir. N'y comptez pas trop.

Ces quelques mots marmottés avec gêne ont frappé Pomme Bleue au cœur. Auparavant, à travers les hauts et les bas de sa vie, elle n'avait jamais vraiment cru qu'elle s'enliserait dans la médiocrité; elle pouvait s'amuser, se galvauder, elle sortirait grandie de ses jeux et de ses caprices, l'étonnant surviendrait quand même. Mais à Yanan tout s'effiloche, les jeux sont misérables, les caprices miteux et rien d'essentiel n'arrive.

Pomme Bleue est à bout de nerfs : si elle n'entre pas bientôt à l'Ecole du Parti, elle sera très vite une jolie décatie qu'on chassera. Proclamer encore sa vertu pour être admise ferait rire, elle ne peut décidément compter que sur son cul, son fameux cul, son gagne-plaisir, son gagne-gruau, son gagne-vie. Mais qu'elle cesse d'avoir le popotin triomphant, qu'elle insiste dans l'enjouement mélancolique, dans l'accommodant désenchanté, dans l'humilité même. Exciter en se montrant prude, l'exercice est difficile... Peut-être que le fin du fin serait de tout laisser aller avec talent...

Et puis se profile le temps heureux. Il est annoncé par de grands gestes tournoyants de la camarade Fu : Yu Qiweï est là, on l'a logé à l'hôtel du Nord-Ouest, il l'attend. Quelques minutes plus tard, Pomme Bleue est dans ses bras. Mais où est le jeune homme efflanqué, si poli, si charmant, le gosse de riches dégingandé qui

LE CHIEN DE MAO

jouait les progressistes à l'université ? Désormais il est tout bouffi, tout flétri de graisse mandarinale, un poussah à la moue vaniteuse, qui l'embrasse sans passion :

— J'ai l'impression que tu m'inspectes.

— Tu as beaucoup changé, tu es un personnage maintenant...

— Tu te demandes comment le lard m'est venu ? Je vais te l'expliquer. Te souviens-tu qu'à Tsingtao, je t'avais dit que la révolution m'effrayait, parce qu'elle exigeait trop de sang ? A cette époque, auprès de toi, je n'en avais pas versé, maintenant j'en suis couvert, je m'en repais. Le sang m'a trop nourri...

Et Yu Qiweï chuchote :

— Tu as fais de moi un monstre. Je tue, je brûle les cadavres, c'est mon travail, j'y prends même du plaisir. Pas de quartier, mes paysans affolés de vengeance n'en veulent pas. Si j'ai des captifs, ma main tendue les accuse, je dirige leurs cantates de remords, vaines cantates, puisque de toute façon on les fusillera. Le Parti m'apprécie parce que, sur les embouchures du Fleuve Jaune, personne n'a été plus rusé, plus cruel que moi, moi, votre si doux mari.

Et Yu Qiweï de raconter les régions affamées du delta, les embouchures trop salées, instables, divagantes, envahies par le sable, une Chine de pestilence et d'égorgement aux mains de propriétaires rapaces et d'armées mercenaires à leur solde, une Chine qu'avec ses gueux il détruit. Il frappe, il frappe le monde ancien, ses beautés et ses scories, les bonzes et les bonzillons, les filles galantes et les concubines qui sur leurs pieds bandés ondulent d'une ignoble manière lascive. Il frappe les ancêtres et les douairières encombrés de progéniture, de fils, de filles et de servantes. Pas de pitié pour les vieux, même ceux dont les visages sont sillonnés par les rides de la sagesse, ce sont des tigres ; pas de pitié pour les hommes et les femmes dans la force de l'âge, ils sont par excellence l'ennemi à abattre ; pas de pitié pour la descendance de la descendance, pas même pour les marmots accrochés au sein de leur mère ; pas de pitié pour le clan ; pas de pitié pour les vassaux et les sbires :

— Avec mes loqueteux, je fais une guerre d'embuscades et de guets-apens, je surveille, j'espionne, je racole, je soudoie, je suscite la trahison. Et dire qu'il s'en faudrait de si peu pour que je sois la victime du Peuple ! Tu connais mes origines, mes affreuses origines bourgeoises...

Pomme Bleue est stupéfaite, cependant elle esquisse un sourire. Mais Yu Qiweï se remet à parler :

LE CHIEN DE MAO

— On tue, on est tué, c'est la vie. Toute ma noble famille, toute ma parenté, rasibus. Un massacre complet, comme j'en perpètre moi-même. Imagine-toi que tout près de mon terrain de chasse, un meneur de va-nu-pieds comme moi a donné l'assaut à la propriété de mon père. Exit le grand bourgeois du Shandong. L'extermination, le feu, des corps carbonisés. On a crevé les yeux de mon père et sa femme si jeune, notre jolie belle-mère, on l'a éventrée. Je me suis rendu sur les lieux, j'ai vu l'ordonnateur du massacre. Que pouvais-je lui reprocher ? C'était mon semblable. Il m'a dit qu'il ne savait pas, qu'il avait procédé très vite parce que les Japonais de la garnison voisine pouvaient arriver, qu'il était désolé. Le salaud... Je me suis tu. Pourtant je suis persuadé que le camarade chef de guérilla n'ignorait pas que les richards, les capitalistes qu'il allait exterminer étaient mes parents. Il a pris plaisir à cette tuerie, et je ne peux pas me venger car ce serait contre-révolutionnaire. Oui, elle est exigeante, la révolution.

— Tout le monde est mort ?

— Non. Une petite fille que mon père a eue de sa dernière épouse a été sauvée. L'amah a caché l'enfant, et elle a réussi à s'enfuir avec elle à Tsingtao : la ville était occupée en force par les Japonais et les communistes ne s'y risquaient pas. Elle a remis la fillette à ma sœur aînée, la précieuse qui tenait un salon littéraire. Là aussi il y a du changement : mon beau-frère le recteur qui t'appréciait tellement est mort et ma sœur n'a plus un sou. Cette pauvre vieille bête, terrorisée, s'est réfugiée à Shanghaï avec la gamine sur les bras. Finalement, j'ai fait traverser les lignes à l'enfant et je m'en suis chargé. Elle a sept ans et j'en ferai une vraie communiste.

Pomme Bleue croit discerner dans sa voix un velouté. Certes, des bajoues lui sont venues, un ventre lui a poussé, un suint l'a recouvert, mais à mesure qu'il parle l'ancien Yu Qiweï réapparaît. Ne serait-il pas judicieux, dans la situation où elle est, de recommencer l'amour ? Comme elle se rappelle leur vie charmante dans la splendide demeure offerte par le père de Yu Qiweï ! Et la suavité de leur dernière nuit... Maintenant tous deux font affluer le passé : « Tu te souviens... », « Et toi, tu te souviens... » Vieilles palabres, vieilles fleurs d'une mémoire qui a choisi d'être délectable. Yu Qiweï a beau n'être plus amoureux, ces réminiscences sont comme des nuages roses auxquels il s'abandonne. Qu'importe que Pomme Bleue l'ait dénoncé et qu'il n'ait dû son salut qu'à son oncle le général, si proche de Tchang Kaï-chek.

58

Pomme Bleue et Yu Qiweï se revoient chaque jour. Lorsqu'elle lui narre ses embarras, il l'arrête d'un petit geste de ses doigts boudinés : qu'elle ne s'inquiète pas ! Les nuages roses... Yu Qiweï n'a plus de ressentiments, il se dilate dans un contentement qui s'étend jusqu'à Pomme Bleue. Les jours suivants, il commence le siège de Li Fuchun. Mais celui-ci demeure réticent, vinaigré, même sous la menace :

— Camarade, vous êtes obstiné. Pomme Bleue a été mon épouse, à Tsingtao elle a été inscrite au Parti, j'en suis témoin. Et je suis sûr qu'à Shanghaï, elle s'est toujours comportée en excellente communiste. Ma parole devrait vous suffire.

— A l'époque vous étiez divorcés.

— Nous étions restés amis, et je me porte garant d'elle. Votre intérêt est de me croire.

Li Fuchun ne se laisse pas convaincre. Il bougonne de gros arguments :

— Vous n'étiez pas à Shanghaï, vous ne pouvez pas être informé de tout. Nous avons reçu les pires renseignements sur elle.

— Comment osez-vous me contredire ? Je vous l'ai déjà dit, je me porte garant d'elle.

Et ainsi de suite jusqu'à ce que Li Fuchun annonce à Pomme Bleue qu'elle a été admise sur les instances et après une vraie colère de Yu Qiweï.

Joie... Malheureusement pour Pomme Bleue, Yu Qiweï part pour Chongqing où il est délégué par le Parti auprès de Tchang Kaï-chek. On l'a choisi à cause de son oncle, le terrible général, qui est devenu le chef d'état-major des nationalistes. Cette précieuse parenté, il s'agit maintenant de l'exploiter en grand. Dans ce rôle d'« arrangeur », Yu Qiweï n'aura qu'un seul chef, le très subtil Chou En-lai, le roi de la diplomatie, le seigneur des bonnes manières meurtrières qui fera des allers et retours entre Chongqing et Yanan. Un instant Pomme Bleue souhaite que Yu Qiweï l'emmène dans le saint des saints du Kuomintang, dont les forces lui paraissent supérieures à celles du communisme. Mais Kang Sheng ? Elle n'est pas capable de lui désobéir.

LE CHIEN DE MAO

L'Ecole, où elle arrive après tant d'efforts, est sordide. Dans l'ancienne chapelle nestorienne, on dit la messe rouge, on débite du catéchisme rouge, on chante les cantiques rouges. Dix filles, trois cents garçons, autant de cloportes et de cancrelats. C'est bien cela, les autres élèves, caparaçonnés de vertu, dans leur application constante, sont des insectes aux élytres trempés dans les raffinements du conformisme. Tous ont la même tête, les mêmes mines insignifiantes confites en petites ruses, en minuscules atrocités, en surenchères camouflées. Sur tout règne un relent d'hypocrisie dans la recherche du bien-faire, du bien-dire, selon la science du fanatisme dévot, insidieux. Permanente magouille bien-pensante... Les élèves s'ébattent dans une hargne douceâtre et fielleuse, à qui sera le mieux noté par les professeurs, des pions aussi moches qu'eux mais portant beau, les maîtres de la cafardise pieuse.

Pour la première fois de sa vie, Pomme Bleue apprend les techniques de la discussion, de la dialectique, de la critique et de l'autocritique, elle s'imprègne des bons arguments et ingurgite les textes sacrés, de Lénine à Mao. Elle est très studieuse, mais si grandes sont ses lacunes qu'elle ne progresse pas rapidement dans la connaissance. En revanche elle observe et comprend vite que comptent surtout le ton, une certaine manière de parler, un certain maintien. Là, l'actrice Pomme Bleue réussit bien. Trop bien même : comme souvent, elle en fait trop. Son zèle paraît suspect.

C'est que Pomme Bleue détonne. Avec elle, la théorie devient sensuelle. Même attifée vertueusement, elle reste une beauté à côté des autres filles, laides à faire peur ; coquette, elle charme, elle aguiche, presque malgré elle. Entre eux, les élèves l'appellent la putain et Li Fuchun ne cesse de la réprimander :

— Camarade Pomme Bleue, j'ai remarqué tes efforts méritoires. A mon sens, ils demeurent théâtraux, tu agis toujours comme si tu voulais attirer l'attention sur toi. La séduction n'est pas une qualité rouge, en tout cas pas celle que tu pratiques.

Mais Pomme Bleue ne peut pas faire autrement que d'envoûter ; alors, dans le grand amphithéâtre de l'Ecole du Parti, Li Fuchun la montre du doigt et, de sa voix blette, il la « dénonce ». Sarcasmes et huées... tous ces gestes menaçants, toutes ces imprécations, elle découvre que le Peuple peut être cette marée accusatrice qui déferle. Enfin Li Fuchun, après l'avoir mise en garde contre les relents capitalistes dont elle est imprégnée, oblige Pomme Bleue à se confesser. Harcelée de questions, elle reconnaît

LE CHIEN DE MAO

qu'elle a été une femme fatale, que l'esprit de Shanghaï l'a marquée, elle se repent, elle pleure. Mais ses larmes sont jugées insuffisantes, une nauséeuse parodie de remords. Pour Pomme Bleue, la situation est d'autant plus grave qu'elle ne peut momentanément compter sur la protection d'aucune « montagne », Yu Qiweï étant parti et Kang Sheng toujours pas arrivé. On va la rabaisser, lui confier quelque tâche pénible, sordide, humiliante, on se contente de la condamner à l'exercice militaire dur, avec un vrai fusil qu'il lui faut démonter, graisser, nettoyer avec amour comme si c'était son bébé... Se jeter à terre, ramper... Pauvre Pomme Bleue.

Cela commence par un bourdonnement, un ronflement qui peu à peu emplit la nuée : dans le ciel mangé de brume un avion invisible semble décrire des cercles. Est-ce un bombardier japonais isolé ? Est-ce un avion de reconnaissance qui annonce une grande offensive aérienne ? Tous ou presque scrutent le plafond des nuages. Rien. Et le vrombissement continue qui ne peut être celui d'un appareil ami : aucun avion n'a encore atterri à Yanan. Dans la panique, les plus peureux se ruent vers les grottes. Mais là, extraordinaire surprise, Mao et Chou En-lai sautent dans la Chevrolet et se font conduire vers le champ de manœuvres et la piste de terre battue qui n'a jamais été utilisée. Rassurée, la foule les suit tandis que le bruit éclate. L'avion a surgi au ras des crêtes, il se met dans l'axe de l'étroite vallée, descend, touche le sol, rebondit, s'arrime enfin. Un cordon de soldats maintient les gens à l'écart et les grands dirigeants s'avancent avec, à leur tête, Mao qui arbore sa figure la plus avenante. La porte du Tupolev s'ouvre, une échelle est apposée et de la carlingue sortent les deux envoyés de Moscou, Wang Ming et Kang Sheng.

Kang Sheng apparaît et Pomme Bleue s'en gave les yeux. Son élégance au fin fond de cette Chine perdue, sa moustache fine – une moustache en Chine ! –, ses lunettes cerclées d'or, ses bottes de cuir... C'est tout de même autre chose, Kang Sheng, que ces bouseux de Yanan avec leurs pantalons informes et leurs vareuses tachées ! C'est un seigneur ! S'approche de lui et de Wang Ming un Mao ravi. Dans son costume de drap gris, Pomme Bleue le trouve épaissi, vaguement efféminé. Il congratule, félicite, empoigne des

61

LE CHIEN DE MAO

mains, s'attarde avec Wang Ming en lui montrant une extrême considération. Il remercie aussi les frères soviétiques, les pilotes qui ont amené les deux camarades. La foule, qui n'entend rien, a compris qu'elle doit applaudir, en rythme et interminablement. Le soir, fête officielle à la Maison du Peuple, selon le protocole de la Grande Amitié. Outre les « montagnes », il y a là Otto Braun, le délégué du Komintern, une vieille connaissance de Kang Sheng, un Allemand mâtiné d'on ne sait quoi, qui a survécu à tout ; il y a là des nationalistes représentant Tchang Kaï-chek le honni désormais allié, en particulier deux ou trois seigneurs de la guerre avec fourragères et décorations. Au fond, sur une estrade, on a installé les merveilleux cadeaux du Petit Père des Peuples à ses amis de Yanan : un émetteur-récepteur et des batteries anti-aériennes.

Les convives prennent place autour d'une table en forme de U couverte de mets, ils s'engoncent dans des fauteuils de bois noir et entament la chanson des panses, le rite de la grande bouffe, comme s'ils se délectaient d'être ensemble. Une fois assis, Mao paraît plus redoutable : il a pris la corpulence de la réussite, mais sa graisse n'est pas un lard vulgaire, un signe d'abandon, elle est dure, elle masque, elle cache, c'est la cuirasse d'un chef. Et qui trône.

Cependant le moment des kampés est arrivé et les vétérans de la Longue Marche se disputent l'honneur de célébrer les planqués de Moscou : grâce à eux le Parti chinois est un grand parti, un des fleurons de l'Internationale. Dérision... Mao se lève, tout bénisseur, poupin, un peu rubicond. Il boit à la santé du camarade Staline, le sauveur de l'humanité, le bienfaiteur de la Chine. On remplit les gobelets d'alcool de riz, tous, debout, cognent leurs verres minuscules dans une salve fraternelle, et aussitôt, cul sec. Mais Mao continue : hommage au camarade Wang Ming qui en 1935, lors du VIIe Congrès du Komintern sut faire jaillir la source d'où naîtrait une autre Chine, la politique de Front uni antijaponais ; et honneur au camarade Kang Sheng, l'autre sourcier, l'homme de la concorde qui défera l'envahisseur nippon. Mao montre une trogne béate, il est là, il vit, il palpite, il agrémente, il brode. Alors l'assistance s'enfonce dans la forêt des vivats : délire d'acclamations pour le chef du prolétariat mondial, et pour ses agents, ses épigones, ses valets chargés d'on ne sait quelle mission. Wang Ming se redresse, à côté de lui Kang Sheng hurle son enthousiasme pour Staline. Ah ! comme il se félicite d'avoir choisi

LE CHIEN DE MAO

l'homme des villes, le bolchevique plutôt que ce paysan de Mao qui n'a jamais mis les pieds à Moscou et ne comprend pas la grande politique ! Ce plouc peut-il imaginer dans son patelin ensablé qu'il y a quelques jours à peine Wang Ming et lui étaient reçus par l'incomparable Staline en personne ?

Au milieu de cette liesse, Mao, imperturbable, poursuit son discours. Il a baissé la voix et peu à peu le tumulte s'est apaisé, chacun guettant les phrases que maintenant il murmure presque. Et Kang Sheng, qui s'y connaît en manipulation, malgré lui admire la performance. Faut-il que Mao impressionne les gens pour les mater ainsi ! Et faut-il qu'il soit maître de lui pour porter si calmement des kampés à l'homme qu'il déteste le plus au monde, Tchang Kaï-chek ! Face à lui, le principal délégué nationaliste se démène, lui aussi transi de ferveur : des millions d'envahisseurs nippons sont empalés, la Chine qu'ils croyaient conquérir est leur champ des supplices, et cette moisson de macchabées se fait sous l'autorité du Généralissime, qui dirigera la guerre et présidera la paix victorieuse. Les missi dominici du Petit Père des Peuples approuvent cette logorrhée et Wang Ming, à son tour, porte un kampé à Tchang Kaï-chek. Mao laisse ces déclarations glisser sur lui, comme s'il ne les remarquait pas, comme s'il ne les réprouvait pas. Il ne se commet pas, mais d'un petit geste, il lance Chou En-lai sur le pavois. Chou En-lai dans toute sa flamme... Quel amour ne ressent-il pas pour le général Tchang Kaï-chek, chef des armées et sauveur de la patrie, pour cet ami qui avec lui à Canton forma les élites militaires de la Chine dorénavant unies dans un même combat, pour ce brave qui s'est jeté avec résolution contre les hordes japonaises déferlant sur les côtes et dans la vallée du Fleuve Bleu...

Dans l'euphorie, un autre camarade s'est levé pour faire admirer les batteries envoyées par le Kremlin. Et d'ajouter :

— Ce n'est qu'un début. Maintenant que la ligne aérienne est ouverte entre Moscou et Yanan, Staline veillera à ce que nous ne manquions ni d'armes ni de munitions.

Wang Ming s'est dressé, furieux :

— La ligne n'est pas ouverte et le camarade Staline ne fournira d'armes qu'à Tchang Kaï-chek. Quelle que soit la propension du camarade Mao à ignorer les directives de Moscou, il doit s'incliner. Il ne peut y avoir qu'un seul commandement politique et militaire en Chine.

Mao s'épanouit dans son meilleur sourire :

63

LE CHIEN DE MAO

— Nous serons heureux d'assister le Généralissime dans sa mission. Dommage tout de même, s'il y a tellement d'armes, que nous ne puissions en recevoir quelques-unes.

La fête a continué et ses rumeurs tiennent Pomme Bleue éveillée jusqu'à l'aurore. Tout ce temps elle est martelée par l'idée que Kang Sheng est là, Kang Sheng dont chaque apparition a modifié, propulsé sa vie. La première fois, elle avait dix ans, sa mère, la triste Lotus, était une servante traitée en putain, elle-même était battue et avait faim. Un beau jeune homme était arrivé, le fils d'un ami de la maison et, incroyablement, il avait été attiré par ces deux souillons, avait parlé. Peu après, elles partaient habiter chez lui.

La nuit durant, dans le bruit de la fête, Pomme Bleue se souvient : Kang Sheng qui court l'univers et qui resurgit à chaque tournant de son existence pour lui éviter la déchéance et la pousser en avant, Kang Sheng qui lui apprend la musique et les livres, qui lui enseigne la beauté du monde et ses horreurs, Kang Sheng qui lui montre tous les tours et détours du cynisme, qui espionne, qui tue et s'en vante auprès d'elle. Qu'est-elle pour lui ? Quelque chose de très important et de très difficilement définissable, entre l'élève et l'amante ? Ou un simple pion dans ses intrigues ? Mais non, leur passion est dure, plus forte que la passion amoureuse.

Kang Sheng, Kang Sheng, où en est-il ? Quel est son jeu du moment ? Sur sa paillasse, Pomme Bleue s'agite. Une scène abominable la hante : trois fois ce jour-là elle s'était offerte à Kang Sheng et trois fois il l'avait repoussée en hurlant qu'il ne coucherait plus jamais avec elle, que désormais il la tenait et qu'elle n'avait plus d'autre destin que de lui obéir. Il est vrai qu'elle venait de sortir de prison après avoir donné quelques noms. Cela avait-il vraiment pu déranger Kang Sheng ? La suite prouvait que non, mais il ne l'avait plus jamais touchée.

Comme Pomme Bleue l'avait espéré, le lendemain matin on vient la chercher. Elle se moque bien des regards narquois de ses condisciples : Kang Sheng l'attend. Elle a envie de courir mais elle se borne à marcher rapidement derrière le messager, à toiser les sentinelles qui gardent la grotte et elle entre. Dans la lumière laiteuse, un homme siffle et rit. Kang Sheng... Il n'a pas changé puisqu'il ne change jamais, tout juste si ses rides se sont un peu creusées, si une pointe de calvitie dénude le sommet de son crâne, mais comme d'habitude il respire le bonheur de vivre, la gaieté, l'ironie. Il est content, il va la lacérer de sa gouaille :

LE CHIEN DE MAO

— Bravo! Tu continues à rester baisable dans cette immonde tenue communiste et avec tes cheveux coupés n'importe comment. Je savais que pour ça au moins je pouvais te faire confiance.

— Arrête! Le monde rouge n'est pas rigolo et tu as été vache de me laisser tomber. Tu n'imagines pas comme je t'ai attendu, depuis des mois je ne pense qu'à toi.

— N'en fais pas trop, s'il te plaît. Ton fameux pouvoir sur les hommes, tu as bien dû l'exercer ici aussi. Ne me dis pas que tu ne t'es pas trouvé une « montagne », à la fête hier soir on m'a raconté que Zhang Guotao louchait sur toi. J'espère que tu ne lui as pas cédé, il est foutu. Un jour ou l'autre, il va craquer et se tirer.

— Zhang Guotao, non. Quant aux autres, c'étaient des amuse-gueule. Je t'attendais. De toute façon, tu n'as pas dû t'embêter à Moscou.

— Des filles superbes, mais toutes flics. Ça limite les échanges. Mais assez parlé, viens ici, j'ai envie de toi.

— Tu m'avais dit que nous ne coucherions plus jamais ensemble.

— J'ai changé d'avis.

Ils se déshabillent mutuellement comme ils l'ont fait tant et tant de fois. Les mains explorent, repèrent, retrouvent les chemins anciens, les formes, les caresses. Comme ils s'emboîtent, comme ils s'ajustent, en vieux partenaires, en vieux complices pour qui l'amour est une merveilleuse habitude! Comme leurs corps se reconnaissent! Plaisir du familier, du consacré... Une douceur entre eux...

Enfin Kang Sheng allume une cigarette :

— Ne m'interroge pas, je vais tout te dire. Pourquoi suis-je allé à Moscou? Parce que je n'avais pas confiance en Mao et que l'avenir de la Chine me paraissait être au Kremlin. Pourquoi ne t'ai-je pas emmenée avec moi? Parce que tu étais trop jeune et trop naïve pour affronter le Komintern en pleins règlements de comptes. Pourquoi t'ai-je expédiée à Yanan? Parce qu'il n'était plus question de Shanghaï et pas question de Chongqing et que j'étais sûr à un moment ou à un autre d'y être envoyé. Pourquoi suis-je ici aujourd'hui? Parce que Staline veut que Wang Ming et moi nous contrôlions Mao.

— Mais on ne contrôle pas Mao. C'est le patron à Yanan, et un patron révéré.

— En effet. Hier soir, au dîner, je l'ai bien observé, rien ne le désarçonne. Il y a eu un petit accrochage avec Wang Ming à pro-

65

pos de livraisons d'armes par les Russes, Wang Ming s'est emporté. Il a eu tort. Surtout j'ai observé que Mao ne bronchait pas sous l'insulte. C'est une force.

— Il t'impressionne?

— Ce n'est pas rien de créer un communisme chinois éloigné du culte du prolétariat urbain et des leçons de la révolution d'Octobre. Staline a raison de se méfier de lui : c'est son propre empire que Mao veut édifier. Je dois en tenir compte. Je vais essayer de me rapprocher de lui, sans m'éloigner du Kremlin.

— Même pour un tricheur-né, c'est un grand risque. Comment penses-tu procéder?

— C'est là que tu entres en piste. Mao est seul, tout à ses passions et aux calculs qui lui permettent de les assouvir. Il jouit de conquérir la Chine, d'entraîner le peuple avec lui, d'exterminer les riches qui l'ont méprisé, d'anéantir les dirigeants communistes après s'être servi d'eux. Il prêche la morale et il est immoral, il n'aime personne, absolument personne, il est terrifiant dans sa vie privée, il a détruit ses épouses, il a abandonné sa progéniture, il n'a pas pleuré son frère tué à la guerre. Eh bien, cet homme de fer a besoin d'une femme, d'une sulfureuse digne de lui, capable de le servir et de lui résister. Une femme comme il n'en a jamais trouvé, quelqu'un comme toi.

Et Kang Sheng se met à raconter ce qu'a été l'existence sentimentale de Mao. Tout d'abord, dans la ferme familiale, ses parents lui avaient imposé selon la coutume une « bonne » épouse inculte, mafflue, rougeaude, qui apportait en dot quelques arpents de terre. C'était une fille parfaite pour charrier les seaux d'engrais humain et le répandre sur les champs, parfaite pour repiquer les plants de riz, parfaite pour tenir l'humble foyer. Les noces avaient été célébrées selon les rites anciens, le palanquin, l'autel des ancêtres, l'encens. Mais cette épouse si excellente répugnait à Mao. Il s'était révolté contre le système traditionnel et contre son père, le modèle odieux du petit propriétaire exploiteur. Il s'était enfui à Changsha, la capitale de la province du Hunan, loin du domaine paternel, de la Chine de la culpabilité et de l'avarice que par la suite il s'acharnerait à détruire. Plus tard, il prétendra n'avoir même pas honoré sa première épouse, si intolérables lui étaient sa présence, sa personne, son odeur, son honorabilité, tout ce qu'elle dégageait de fruste et de soumis. En fait, avant de décamper, il l'avait mise enceinte et il en a eu un fils dont il a toujours nié l'existence, et qui vit sans doute dans l'anonymat de la plèbe.

LE CHIEN DE MAO

Novice perdu dans Changsha, il y exerça beaucoup de métiers, il fut même soldat avant d'entrer à l'Ecole normale. Dans cette cité grouillante, livrée aux vices et aux superstitions, il s'était imposé comme le démiurge des étudiants qui réclamaient un monde nouveau. Il leur prêchait les plaisirs de la violence, de la destruction, et serait devenu un écumeur sans la rencontre d'un lettré à l'air très doux qui était un confucéen adonné aux idées progressistes. Celui-ci s'enticha de Mao et lui fit lire tous les livres, les anciennes épopées comme les textes de la fureur rouge.

Cependant Mao serait probablement demeuré une brute primitive, s'il n'avait pas été touché par la grâce, le charme tendre de Yang Kaihui, la fille de ce professeur. Toute menue, une beauté fragile et délicate, le teint pâle, de grands yeux comme de sombres étangs ombragés de longs cils, elle parlait dans un souffle, d'une voix suave, elle regardait le monde d'un air étonné et semblait avoir peur de tout. Pourtant elle était aussi une marxiste convaincue, elle ne croyait pas aux dieux et elle avait détruit l'autel des ancêtres. Ce rustaud de Mao la séduisit. Le père, qui n'aurait peut-être pas apprécié l'idylle, ayant eu le bon goût de mourir, ce furent les épousailles : au cours des années, elle donna deux, peut-être trois enfants à Mao et surtout elle le dégrossit. C'est alors qu'il prit son aspect de tribun inspiré.

Il était l'un des fondateurs du Parti communiste chinois et, quand celui-ci fut défait dans les villes, il se lança avec quelques centaines d'hommes dans l'aventure de la création d'une république soviétique en Chine méridionale. Dans les montagnes et les forêts sauvages ravagées par les fièvres, il avait fondé, constamment frôlant la défaite et la mort, la République de Juling (Ruijin) – bientôt cernée par les troupes suréquipées et toujours plus nombreuses du Kuomintang. L'épouse trop frêle, d'une santé trop incertaine, n'avait pas pu suivre Mao. Elle était restée à Changsha, enfermée dans sa demeure, sans cesse redoutant d'apprendre la mort de son époux. Elle sut qu'il était malade, traqué, condamné, enfin qu'il avait échappé à ses ennemis, que sa République prenait force et consistance, qu'il se révélait un meneur d'hommes. Les jours passaient, elle se sentait de plus en plus menacée : à défaut de supplicier Mao, les contre-révolutionnaires la supplicieraient, elle, en ce Changsha où ils étaient les maîtres.

Les sbires de Tchang Kaï-chek se sont emparés d'elle et ils lui ont demandé de renier son mari. Elle a refusé. Alors la hache du

LE CHIEN DE MAO

bourreau s'est abattue sur le cou de Yang Kaihui. Ses enfants, des garçons, ont survécu en mendiant.

Mao n'avait rien tenté pour la sauver. Que pouvait-il? Et puis l'exécution de Yang Kaihui le libérait : depuis trois ans il avait une nouvelle compagne, He Zizhen, une splendeur aux yeux de jais. Dix-huit ans, vigoureuse, l'allure fière, le corps solide, elle était apparue à Mao à la tête d'une délégation de « paysans riches » qui craignaient pour leur vie. A cette époque Mao et sa bande faisaient régner la terreur et ces paysans apportaient des offrandes pour les amadouer. He Zizhen était-elle la principale de ces offrandes? Elle avait joué son rôle, assisté à une réunion de propagande animée par Mao, tenu les propos nécessaires sur le communisme. Mao, enthousiasmé, l'avait gardée pour un souper de poulet et de vin. Le lendemain matin, il annonçait à ses hommes que « la camarade He et lui-même étaient amoureux ».

Jours de délire, Mao ne sort pas de la hutte où il est enfermé avec He Zizhen. Une chanson nouvelle emplit la vallée : « Le commandant Zhu De travaille dur à transporter du riz à travers les fossés ; le commandant Mao travaille dur à faire l'amour. »

La guerre tire les amants de la volupté. Il faut fuir, échapper aux troupes du Kuomintang qui menacent la première base communiste – pauvre base de deux mille à trois mille hommes en haillons, souvent sans armes, parfois d'anciens bandits capables de toutes les trahisons. Une retraite vers le sud est décidée. Marche abominable, qui prélude à tant d'autres marches, à tant d'autres combats, à tant d'autres morts. He Zizhen s'y révèle une guerrière. Elle connaît les chemins, elle connaît les « seigneurs des forêts vertes », elle peut amadouer, ou faire occire, elle peut affronter toutes les situations, surmonter toutes les fatigues, elle conseille Mao, elle le soigne, elle est indispensable. Et cela va durer des années...

Mais à Yanan, Mao est las d'elle. Elle l'a trop servi, elle s'est trop sacrifiée, elle s'est flétrie, sa beauté a disparu. L'épuisement, et tant d'accouchements dans l'âpreté de la nature et des hommes... Quand a commencé la Longue Marche, on l'a contrainte à cacher ses enfants chez des paysans, elle en souffre, elle pense qu'on ne les retrouvera jamais. La Longue Marche, elle l'a faite à pied, loin de Mao qu'on portait sur une litière. Au cours du terrible périple, elle a accouché une autre fois, et un obus a explosé tout près d'elle, perçant son corps de mitraille. Epuisée, blessée, dévastée par l'indifférence de Mao qui l'utilisait comme

68

LE CHIEN DE MAO

une commodité, elle a pourtant continué à suivre la colonne. A l'arrivée à Yanan, sentant que Mao lui échappait, elle s'est transformée en harpie, malade de jalousie et de fureur. Elle a des absences, lorsqu'elle revient à elle, c'est pour glapir ou pleurer. La glorieuse He Zizhen est devenue un épouvantail. Pour comble de malheur, Mao, lui, se sent dieu. Il a besoin d'un songe, d'une créature céleste, comme il s'en forme dans les brumes de l'imagination. Yang Kaihui a eu ce chatoiement, il croit qu'il l'a aimée, il la retrouve et la célèbre dans ses plus beaux poèmes, il l'appelle son « fier peuplier ».

Mao-dieu rêve de sensualité charmeuse, il veut des sentiments, la passion et l'amour, il désire des femmes-fleurs, des filles de jade, des créatures légères comme des nuées. Au lieu de cela, il fait ses choux gras d'Agnes Smedley.

Et Kang Sheng éclate de rire, emporté une longue minute par un spasme de gaieté :

—Je l'ai bien connue autrefois. C'est une journaliste américaine du Colorado, une extravagante qui se moque de son apparence et qui adore la vie. Une vraie, une bonne virago, pas si moche au fond, dans le genre costaud. Avec ça, plutôt douée. Mais l'imaginer avec Mao... Ça a fait rigoler jusqu'à Moscou.

Pomme Bleue sourit. L'anecdote, tant de fois évoquée par la camarade Fu, dans la bouche de Kang Sheng va devenir bien plus qu'un scandale ou qu'une épopée burlesque, un moment décisif de la chronique maoïste.

Sans appartenir à aucun parti communiste, Agnes Smedley s'était jetée dans toutes les révolutions de la terre. Sa nature, c'était d'aimer le chaos, les grands soirs, les soulèvements et les tourmentes des peuples en révolte. Elle avait lutté pour l'Allemagne spartakiste, dans l'Inde de Gandhi elle avait été mise en prison par les Anglais, à Moscou elle était devenue l'égérie de tous les conclaves rouges. Le temps venu, elle s'était immergée dans la Chine, était allée partout au cœur des événements, dans le Shanghaï de la Terreur Blanche, dans le Xian du kidnapping de Tchang Kaï-chek, avant d'apparaître à Yanan. Son don, c'était l'écriture, la célébration des fastes révolutionnaires. Elle était la soldate de la plume, le témoin engagé, le reporter partial dont les ouvrages étaient diffusés dans tout l'univers. Et puis elle aimait les hommes. Elle s'était unie à un Malabar très noir qui toujours l'accompagnait, jusqu'au jour où il avait disparu.

Elle avait poursuivi son chemin seule. Corpulente, trapue, tassée

LE CHIEN DE MAO

sur elle-même, elle s'était déguisée en combattante populaire. Une énorme casquette, un uniforme verdâtre, un ceinturon de cuir, des godillots, elle avait parfaitement atteint l'inélégance pédante des cadres chinois, ainsi équipée, elle ressemblait à un boudin blanc. Dès qu'elle surgit à Yanan, flanquée de sa secrétaire, on lui donna une grotte d'honneur, une très belle grotte, bien aménagée, et Mao lui rendit visite. La conversation fut aisée, Smedley parlant le chinois et étant naturellement volubile :

— Camarade Mao, vous menez une vie trop austère. Vous avez déclaré que la révolution n'était pas un dîner de gala, moi, je crois que ce doit être la plus grande fête du monde.

Elle amusa Mao. Ils se revirent. Malgré ses accoutrements et sa grosse figure, Smedley jouait la séductrice – c'était aussi un de ses rôles, la matrone au charme exubérant. Elle prêchait Mao, elle lui montrait une vie conçue autrement, dans laquelle les spasmes et les tempêtes de la révolution s'accompagnaient de passions plus douces.

Smedley caressait Mao de ses yeux bleus :

— Buvons du vin, récitez-moi un poème, vous en composerez plus tard pour moi. Il est bon qu'un homme comme vous, le maître de la révolution, ait un sens romantique du destin humain. La révolution que vous décrivez, c'est la nuit des peuples qui recule, c'est l'aube, c'est l'aurore du monde, mais vous devriez aussi célébrer l'amour d'une créature. Avez-vous jamais connu l'amour ?

Mao s'est mis à murmurer des vers, ceux de l'élégie où il pleurait Yang Kaihui :

— C'était ma deuxième femme, ma nymphe, ma compagne. Je lui dois tout, je l'ai laissé supplicier, et pourtant je l'aimais.

Agnes Smedley lui a effleuré le visage et elle a senti des larmes :

— Moi aussi j'ai aimé. Des années j'ai traîné avec moi Chatty, mon Indien d'ébène. Je crois qu'il m'aimait aussi, mais c'était un lâche : quand les Anglais m'ont emprisonnée à Delhi, il s'est enfui. Je ne l'ai jamais revu. Personne ne l'a vraiment remplacé.

Mao ne quitte plus Smedley. Il veut apprendre d'elle ce qu'est l'amour. N'est-ce pas une illusion ? Aime-t-on vraiment quand on croit aimer ? Existe-t-elle réellement cette passion que les Occidentaux dépeignent dans leurs romans ? Comment se manifeste-t-elle ? Peut-elle durer sans conduire à des drames et des déchirements ? Et Smedley parle de Byron, de Shelley, dont Mao a lu des traductions. Mao ne cesse de questionner Smedley avec une curiosité infinie. Le jeune Werther ne s'est-il pas suicidé ?

LE CHIEN DE MAO

Ils glissent dans les bras l'un de l'autre. Mais Smedley s'aperçoit que Mao n'est au mieux qu'entiché d'elle, alors elle lui ménage une surprise. Un jour, dans la grotte, Mao découvre auprès de Smedley une Chinoise ravissante, les cheveux longs, maquillée et vêtue d'une robe de soie. Elle a seize ans, c'est un bijou de Shanghaï, une comédienne qui joue du luth et chante. Smedley la présente :

— Voici Lily Wu, ma secrétaire et ma compagne.

Smedley donne le ton. On rit, on boit, on s'adonne à tous les bavardages de la tendresse. Mao demande à Lily de chanter, le visage de Lily se dissout dans l'acceptation. Et puis Smedley décide que Mao doit apprendre à danser. Elle a un gramophone et des disques de fox-trot : Mao gambade de son mieux, mais il est maladroit. Tout éperdu de Lily, il lui compose une églogue :

« Lys embaumé, fleur de la montagne
Le soir descend, les corolles se ferment
Ton esprit flotte autour de moi
Je sens la douceur de ta chair. »

Smedley a son plan : elle installe Lily dans une petite pièce séparée – Lily est ainsi offerte à Mao. Une nuit que la caverne entière est livrée à l'obscurité, Smedley s'aperçoit que Mao, au lieu de s'en aller, s'est glissé près de Lily. Et bientôt elle entend des gémissements. Elle est contente d'avoir assuré la félicité de celui qu'elle appelle « le roi Arthur de la Chine ».

Mais les « amazones » constituées en un corps combattant veillaient. Plusieurs d'entre elles avaient été répudiées par leur époux au profit de jeunes créatures, aussi ne lâchaient-elles pas d'une semelle ces satanées princesses. Un jour l'une d'elles rapporta à He Zizhen que Mao, non content de passer des heures dans la grotte d'Agnes Smedley, avait accepté Lily comme cadeau.

Le soir même, alors que Mao et Lily sont ensemble, Smedley est réveillée par un vacarme de porte claquée. Dans la lueur d'une lampe, elle reconnaît He Zizhen qui se précipite dans la chambre du couple en hurlant des injures :

— Bâtard, salaud, porc, fils de porc !

Mao s'est levé. Vêtu de son manteau, un bonnet sur la tête, d'une voix calme, il ordonne à He Zizhen de se taire et de sortir, qu'elle respecte son chef.

Mais He Zizhen se jette sur Lily et la roue de coups en la traitant de putain. Elle, tellement déprimée, a retrouvé une vigueur,

LE CHIEN DE MAO

celle de la démence. Elle se porte contre Smedley qui riposte à coups de poings. La bagarre, la confusion, la rixe... Mao, dans sa souveraine majesté, se tient très au-dessus de cet enchevêtrement de corps. Soudain He Zizhen se redresse, reprend sa torche, et dans sa fureur elle commet l'immense sacrilège : elle frappe le Président. Celui-ci se borne à remarquer qu'elle se conduit comme une femme riche dans un film américain. Grotesque... Les gardes qui ont enfin osé entrer se saisissent de He Zizhen et bientôt l'emportent, toujours hurlante et gesticulante. Au loin Yanan, miraculeusement au courant, regarde et se gausse. Mao, resté dans la grotte, présente ses excuses à Smedley. Pour Lily il a quelques mots suaves et très prometteurs.

Sur ses ordres, les soldats ont déposé He Zizhen à la « Maison des femmes » – il se trouve qu'elle est la secrétaire générale de l'Union des femmes...! Le lendemain, larmoyante, elle trouve la force d'aller dénoncer son mari aux instances supérieures du Parti. Quant à Lily, elle l'accuse de « détournement d'affection ». Le Comité central se réunit à sa demande. Visages malins, visages de respect et de crainte, visages de sévérité et d'hypocrisie... Les grands camarades vont-ils saisir l'occasion de stigmatiser Mao ? N'est-il pas coupable d'un crime bourgeois, l'adultère ? N'est-il pas devenu un instrument des impérialistes en se faisant l'esclave d'une Américaine réactionnaire et de sa complice, une putain de Shanghaï ? Ne dit-on pas que là-haut, dans la grotte de la Yankee, il dansait ? Mao, debout, droit, comme figé dans la sérénité, se contente de rappeler qu'il est le Secrétaire et que quiconque l'attaque doit être châtié, quels que soient ses liens avec lui.

L'assistance se tait, paralysée devant la décision à prendre. Et c'est Mao en personne qui tranche : que la respectée camarade Smedley se rende auprès des armées communistes en campagne où toutes les facilités lui seront accordées auprès du général Zhu De pour recueillir les éléments d'un nouveau livre ; que Lily Wu l'accompagne comme secrétaire-interprète. En ne parlant pas de He Zizhen, Mao semble l'avoir acquittée.

Mais celle-ci, de plus en plus déchaînée, enragée, exige pour lui pardonner que le Président se reconnaisse coupable et lui présente des excuses. Inconcevable. Mao demande qu'on la conduise dans une infirmerie où on la soignera ; pour ne pas être chassée, He Zizhen prend les devants : elle part en criant sa haine.

Et He Zizhen se retrouve à Xian, au centre d'accueil de la 8ᵉ Armée de Route. Dans son égarement, elle attend que Mao apparaisse mais il ne vient jamais. Il lui écrit cependant, c'est elle qui ne répond pas. De temps à autre, une « amazone » vient la voir pour lui conseiller de céder. On parlera à Mao... Mais il est trop tard. C'est la fin convulsive et ordinaire d'une histoire qui fut belle. He Zizhen n'est plus qu'un déchet.

Décidément, Kang Sheng est un merveilleux conteur ! Pomme Bleue s'esclaffe :

— Ton Mao mange les femmes. La première, la bobonne, il l'a écrabouillée, la deuxième, la toute charmante, il l'a laissé décapiter, la troisième, la soldate, il l'a rendue folle. C'est une place en or que tu m'offres, près d'un ogre que tu détestes.

— A la vérité je ne l'ai jamais détesté ; c'était pire, je pensais qu'il serait un vaincu. Et puis si je m'amuse à travailler dans les villes, à jouer au terrorisme comme d'autres au mah-jong, j'abomine la campagne, la forêt, les paysans, tout le tintouin rustique de Mao.

— Côté rustique, ici tu vas être servi.

— Je sais. Mais vois-tu, j'ai quarante ans et pour le pouvoir je suis désormais prêt à faire quelques sacrifices. Même à rester chez les bouseux.

Les jours suivants, Wang Ming et Kang Sheng répandent la bonne parole soviétique à Yanan. Congrès, réunions, élection d'un nouveau bureau politique dont les deux compères font évidemment partie. Wang Ming, bouffi d'importance, se conduit en maître et Kang Sheng bat le tambour devant lui. Au passage, ce dernier récupère un certain nombre de charges et de positions, il est nommé à la Sûreté, il commence à faire, comme à Moscou, la chasse aux suspects, aux traîtres et aux trotskistes qui à l'en croire seraient innombrables à Yanan. Il vient même à l'Ecole du Parti vanter les mérites de Wang Ming et de Staline. Mao ne bronche pas, les figures de ses fidèles s'allongent, sauf celle de Chou En-lai qui pressent une ruse. En effet... Peu de temps après, Wang Ming, persuadé que Yanan n'est qu'un poste gonflé dirigé par un rustre présomptueux, part vers les splendeurs de Chongqing où l'ambassadeur d'URSS l'attend. Il est tranquille, son fidèle lieutenant Kang Sheng défendra ses intérêts.

Que fait Kang Sheng ? Tout d'abord, il se redonne une beauté. Pour se distinguer du peuple de coton bleu, il prend l'allure et l'habillement d'un hobereau : un treillis militaire auquel il n'a pas droit, de hautes bottes de cuir, une veste d'officier, une longue

LE CHIEN DE MAO

écharpe nouée avec désinvolture, une casquette de motard en feutre. Sa moustache est plus arrogante, sa voix plus mordante que jamais, il grimace avec ironie sauf quand il veut charmer. Et il charme Mao, du moins quelquefois, cet homme qui ose tout : déambuler en ville avec quatre gardes du corps, aller à la chasse avec des molosses, louer les services d'un ancien cuisinier de l'empereur Pu Yi, recevoir somptueusement alors que la disette règne.

Souvent Mao convoque Kang Sheng dans sa grotte pour l'examiner, le soupeser, le renifler, le faire parler. Mao a sa figure de douceur matoise, son bon sourire, il sort le thé, il croque des cacahuètes, il anéantit quelques puces... un paysan qui se frotte à la ville, aux cités fantastiques, Shanghaï et Moscou. Mao est mal vêtu, crasseux, sa voix haut perchée et ses petites mains sont vaguement ridicules mais il se moque de Kang Sheng le dandy :

— Qu'est-ce qui vous prend de faire le mirliflore dans ce pays poisseux ? Chaque jour vous exhibez une tenue nouvelle, à qui voulez-vous plaire ? A une femme ?

— J'ai plus important à faire, contrecarrer Wang Ming, par exemple. A Chongqing il fait une cour effrénée à Tchang Kaï-chek. Je sais bien que Moscou est favorable au Généralissime, mais il y a déjà auprès de lui un ambassadeur soviétique qui le traite en génie, il est comblé de faveurs de toutes sortes par Staline et ses hommes liges, cela suffit. Wang Ming va trop loin. Et il ne voit pas que Tchang Kaï-chek est un imbécile.

— Au Kremlin, on le croit intelligent.

— Staline sans doute. Mais Staline fait trop peur : tous ses agents lui tiennent le langage qu'il désire. Et Wang Ming, qui veut prendre la tête du Parti communiste chinois, se distingue dans cette lècherie. Moi je ne veux pas lécher. Ni dire la vérité : que les immenses armées de Tchang Kaï-chek pourrissent dans la corruption et la brutalité et qu'elles ne sont plus que des bandes de brigands. Politiquement, Chongqing est un bordel gardé par une buse aveugle. Et la femme de Tchang Kaï-chek, dont on fait si grand cas, toute fille de Sun Yat-sen qu'elle est, n'est qu'une pécore prétentieuse. Evidemment vous saviez tout cela, moi je préférais l'ignorer.

— Pourquoi ne pas aller à Moscou éclairer Staline ?

— Il me ferait fusiller. Il fait beaucoup fusiller, ce que j'avais admiré. Mais il ne faut pas se tromper, un génie qui se trompe, c'est terrible. Vous, Camarade Mao, vous ne vous trompez pas.

74

LE CHIEN DE MAO

Les deux hommes se sont tus. Ils évitent de se regarder, ils s'entendent respirer, exister. A nouveau, Mao sourit :

— Manifestement, vous n'aimez pas Wang Ming.

— Je vous concède qu'il m'exaspère, mais il ne compte pas, c'est un subalterne. Mon choix est ailleurs, entre Staline et vous. Et j'ai tranché. En faveur de la Chine.

— Pourquoi vous ferais-je confiance ?

— La suite parlera pour moi.

— En attendant, que tout cela reste discret. Une certaine entente avec Moscou m'est nécessaire.

Mao a son ton le plus suave, celui des grandes matoiseries. Il s'est attaqué à un plat de piments que Kang Sheng refuse de partager.

— Trop rustique pour vous ? lui demande Mao. C'est vrai que vous êtes un gandin moscovite... Il va falloir vous réhabituer. Mais votre merveilleux cuisinier vous aidera.

Kang Sheng ne relève pas. Il a compris qu'il pouvait se permettre d'être élégant, c'est l'essentiel. Il a compris aussi qu'il devait accepter les plaisanteries balourdes de Mao, en rire mais sans s'attarder, et parler, toujours parler :

— Une certaine entente, bien sûr... Mais dites-vous que le Kremlin ne vous aimera jamais, qu'il redoute un communisme chinois spécifique, qui ne serait pas un simple décalque. Question de saveurs... Ils n'aiment pas les nôtres. Et Staline, croyez-moi, ne se fera jamais à notre piment et à notre alcool de riz. La vodka inonde le monde, vous ne l'appréciez guère, moi non plus. Toutefois, je garde de Moscou certains principes utiles, qui me serviront pour nettoyer Yanan de la racaille qui y pullule.

— Je me suis laissé dire que vous avez entamé la besogne, camarade Kang Sheng. Après tout, je ne vous ai pas nommé à la Sûreté pour rien. Vous avez les pouvoirs, servez-vous-en à bon escient.

A mesure que les semaines passent, Kang Sheng cisèle son image d'opposant à Wang Ming et de séide de Mao. Mais il lui apparaît que servir Mao comme inquisiteur, comme porte-glaive, en le délivrant de Moscou et de ses affidés ne suffit pas, il faut mettre en route la seconde phase du plan : fourrer une femme dans le lit du chef, devenir le proxénète qui fabrique et contrôle l'Histoire.

Avec une gueule de requin jubilant, Kang Sheng annonce enfin à Pomme Bleue qu'il a accroché Mao pour elle. L'affaire n'a pas

75

LE CHIEN DE MAO

été simple. D'abord il s'est arrangé pour se rendre indispensable à Mao, pour s'instituer le bon compère qui évite les corvées, le guide omniscient qui l'accompagne dans ses tournées. Ensuite, connaissant les itinéraires et les horaires de Pomme Bleue, il s'est débrouillé pour que Mao l'aperçoive. En même temps, il a glissé dans son numéro de courtisan un rien d'intime, un soupçon de salacité. Parler littérature érotique, offrir quelques livres, évoquer les grandes concubines d'antan, flatter le Président. Et là, comme par hasard, il a montré du doigt cette Pomme Bleue qu'ils avaient déjà croisée, insisté sur sa beauté, sur son intelligence, fait miroiter son côté Shanghaï, et avoué qu'il la connaissait depuis vingt ans.

— T'a-t-il demandé si nous avions couché ensemble ?

— Je lui ai dit la vérité, ou presque. Cela n'a pas paru le gêner. J'ai ajouté que depuis longtemps nos relations étaient chastes. Et je te signale qu'elles le seront désormais si, comme je le crois, il est attiré par toi. On ne va pas tout faire rater maintenant pour un coup de plus ou de moins.

Et Kang Sheng de répéter que Mao est séduit, que Pomme Bleue qui est une actrice aussi délicieuse et raffinée que Lily Wu peut se l'adjuger, qu'elle ne sera pas renvoyée après usage parce qu'elle a beaucoup plus de caractère, qu'elle est quelqu'un, et que lui Kang Sheng ne cessera pas de la soutenir. Incantation. Qu'entend Pomme Bleue ? Que voit-elle ? Une inaccessible « montagne » soudain offerte... Le pouvoir... Le merveilleux pouvoir... Tout ce qu'il y a de fou en elle est soulevé, bouillonne, l'entraîne. Elle a le vertige, elle conquiert. Etre à Mao, dominer Mao, c'est l'extase... Déjà Kang Sheng s'éloigne un peu de son horizon.

Et lui de rire, de rire éperdument. Jusqu'à ce que là, dans sa grotte, il saute Pomme Bleue :

— Une dernière fois, ma belle, une dernière fois. Pour te faire ressouvenir que je suis le patron.

Et rien ne change. Toujours l'Ecole et ses cloportes, toujours la promiscuité du dortoir, parfois une visite à Kang Sheng désormais le plus farouche opposant à Moscou, parfois un bavardage avec la camarade Fu, Pomme Bleue est sage, elle attend le signe qu'elle seule saura comprendre.

LE CHIEN DE MAO

Un jour est annoncé de façon sibylline et sans plus de détails qu'un camarade éminent viendra faire une conférence à l'Ecole. Et aussitôt Pomme Bleue se frénétise en elle-même, tout en gardant une apparence calme : serait-ce Mao en personne ? Mao venu pour elle, Pomme Bleue ? Les élèves sont rassemblés dans une salle, figés dans l'uniforme du respect et de l'attente. Et c'est bien Mao qui arrive, sobre, impassible, pétri de l'autorité d'un maître du monde. L'assistance se dresse d'un coup et, debout, l'acclame éperdument. Pomme Bleue, qui s'est mise au premier rang, hurle de toutes ses forces. Quand enfin se dissout ce tonnerre d'ovations et qu'un silence sacré s'établit, Pomme Bleue continue de battre des mains quelques secondes... Seule... Mao la regarde attentivement puis il se met à parler : il a une façon prenante, envoûtante, de scander ses phrases. Il dépeint le bon communiste, celui qui détruit ses passions personnelles, qui s'arrache à la gangue de l'égoïsme, qui sans cesse se corrige, s'améliore pour devenir un homme nouveau, une femme nouvelle. Mais Pomme Bleue a la sensation que Mao, durant ce sermon qui condamne toutes les impuretés de l'être, pose sans cesse les yeux sur elle, comme s'il voulait se remplir toujours plus du désir qu'il a déjà d'elle. Elle exulte, elle pressent que Mao, au bout de sa harangue, viendra auprès d'elle pour échanger quelques mots qui seront la clef de l'avenir.

Effectivement. A la fin de son allocution, lorsque le long fracas des applaudissements s'est éteint, Mao, au lieu de s'en aller, s'approche des élèves et, à la stupéfaction générale, s'arrête auprès de Pomme Bleue, la regarde, lui sourit, lui demande qui elle est. Elle répond carrément :

— Je suis Pomme Bleue, j'ai beaucoup de défauts, je voudrais que vous m'aidiez à les corriger.

— Ecrivez-moi, camarade Pomme Bleue.

Le monde se renverse, le destin se joue, c'est l'événement incroyable, et tellement espéré... Comme toujours, Kang Sheng avait vu juste. Aussitôt Pomme Bleue se rend près de lui :

— Mao m'a remarquée, il veut que je lui écrive.

— Tu vois, je suis un bon apparieur, pas un proxénète. Il ne s'agit pas de te prostituer comme n'importe quelle petite pute, mais de faire de toi une élève ardente, une disciple. Nous allons rédiger cette lettre ensemble.

Kang Sheng gamberge un texte, Pomme Bleue le recopie. Ce qu'elle demande ? Que le Président Mao l'aide à combler ses la-

77

LE CHIEN DE MAO

cunes, car elle est ignorante et faible, mais elle a soif de progresser dans la bonne pensée.

La lettre a été portée à Mao. Un jour s'écoule, puis deux, puis une semaine, et la réponse n'arrive pas. A l'Ecole du Parti, on se moque de Pomme Bleue. On a observé ses petites manœuvres, bientôt le bruit court que cette idiote au passé souillé, avec une prétention inouïe, s'attaque au plus illustre des dirigeants. La disgrâce va s'abattre sur elle.

Kang Sheng la réconforte et lui dit de patienter. Mais un matin, elle est saisie d'une pulsion irrépressible, d'une de ces pulsions qui tout au cours de sa vie ont été sa force et sa victoire : elle veut surgir auprès du camarade Mao, dans sa grotte du mont Phénix. Hardiesse éblouissante, audace fantastique. Elle osera... Sans parler de son extraordinaire décision à Kang Sheng qui pourrait s'y opposer – et elle ne veut pas être dissuadée –, elle part, avec une sorte de confiance mystique, de gaieté essentielle qui lui monte des entrailles. A peine un peu d'effroi. Elle s'est préparé la voix la plus séduisante, le sourire le plus délicieux, l'allure la plus attirante. Que son corps soit là comme un trésor, et qu'en même temps elle paraisse immatérielle !

A l'entrée de la caverne de Mao, elle amadoue les gardes du corps en disant qu'elle est attendue. Et son aplomb est tel qu'ils ne se risquent pas à lui barrer le passage.

Dans l'ombre fraîche éclairée par des chandelles, Mao écrit. Il est seul, entouré de dossiers et de livres, totalement absorbé par son travail. Il ne voit rien, il n'entend rien, il est enfermé dans la vérité, dans sa vérité, que le peuple entier étudiera. Une longue minute s'écoule, Pomme Bleue reste là, pétrifiée. Enfin Mao la regarde et il marmonne :

— Camarade, comment vous appelez-vous ?

— Pomme Bleue... Je me permets de me présenter à vous afin que vous m'instruisiez.

Mao se borne à grommeler, le visage froid, la mine rébarbative :

— Etes-vous sûre de ne pas me déranger ? Vous deviez attendre ma réponse à votre lettre. Enfin, puisque vous êtes là, interrogez-moi.

Elle est comme une volaille vidée, elle ne sourit plus, elle n'a plus de cervelle. Alors elle demande stupidement ce qu'elle doit lire. Mao égrène des titres, des noms, les mêmes noms qu'à l'Ecole, Marx, Engels... et il se replonge dans ses écritures.

78

LE CHIEN DE MAO

Pomme Bleue qui n'a que faire du marxisme voudrait que Mao s'intéresse à elle, au moins qu'il se plaigne de sa solitude. Elle s'enquiert du sort de He Zizhen, mais Mao l'interrompt aussitôt :
— Je suis marié avec elle, il y a trop de bavardages.
Mao n'a pas été ferré. Pomme Bleue, qui aperçoit sur une étagère son « Rapport à propos d'une enquête sur le mouvement paysan dans le Hunan », croit intelligent d'affirmer que les paysans sont le sel de la terre, l'avenir de la Chine. Mao, sans plus relever la tête, profère avec ennui :
— Je sais, je sais. Lisez mes œuvres, je suis très occupé. Maintenant sortez.
Pomme Bleue déguerpit. La déroute... pourtant elle croit avoir discerné une lueur de convoitise entre les lourdes paupières de Mao, et malgré sa déconvenue elle est toujours persuadée qu'elle atteindra son but, avec l'aide de Kang Sheng. Celui-ci, quand elle lui raconte sa mésaventure, la rabroue et la console tout à la fois :
— Tu as compromis nos desseins, mais tu ne les as pas tués. Faut-il que tu lui plaises! Sinon il aurait été beaucoup plus brutal, il t'aurait fait jeter dehors par ses gardes.

Peu après, à l'Ecole du Parti, le bonze l'accoste. Le regard impudent et le sourire carnassier, il l'invite à déjeuner dans sa retraite qui, dit-il, en ce printemps est un paradis champêtre. Il s'esclaffe :
— Je veux m'assurer que vous n'êtes pas une espionne.
Et il psalmodie qu'il la connaît, qu'il ne connaît qu'elle et qu'ils vont beaucoup se divertir ensemble.
Affolée, Pomme Bleue court s'ouvrir de cette invitation à Kang Sheng, qui reste calme :
— Sans doute essaie-t-il de savoir ce que nous mijotons au sujet de Mao. Je pourrais t'avoir donné l'ordre de le séduire et de l'empoisonner, en application de consignes venues de Moscou.
Pomme Bleue sursaute, décontenancée, mais Kang Sheng poursuit :
— Dans son grand déroulement, le monde est plein de choses. Suppose que je sois toujours l'agent de Staline et qu'il m'ait enjoint de le débarrasser à jamais de Mao... Que pourrais-je faire? Te donner quelque poudre que tu verserais dans son thé, lorsque vous seriez plus intimes?
— Pour qui me prends-tu?
— Tu ignores le poids contraignant de la nécessité, tu aurais fait

LE CHIEN DE MAO

ce que je t'aurais dit de faire. Mais n'aie pas peur, c'est auprès d'un Mao bien vivant que je veux te placer, d'un Mao qui te déguste. Et je déjouerai tous les complots contre lui et contre votre bonheur. Persuades-en le bonze. C'est un vrai politique et un artiste, il comprendra.

Le jour d'après, le bonze se présente, tout duveteux de religiosité, onctueux, ruisselant de charme. Est-il un vrai bonze ? Quoi que lui ait raconté la camarade Fu, Pomme Bleue n'arrive pas à y croire. C'en est un, il raconte même sa vocation et sa carrière. Enfant tout joli, il avait pu entrer en religion dans un temple près de Shanghaï. Il était attiré par le Buddha, il savait aussi quelle succulente vie menaient les moines, gavés de victuailles, de douceurs et d'attentions par les fidèles dévotes, et n'ayant pour tâche que d'assumer une routine sanctifiante. Ces hommes sacrés étaient très sages et gardaient la pureté des mœurs en attribuant à chaque religieux confirmé, à chaque apôtre vieillissant un disciple qui était aussi son giton. Lui donc, comme le prescrivait la règle, s'était voué à Çakyamuni et à ses servants avec un amour qui comportait l'usage de son fondement. Mais il s'enlisait dans la monotonie de cette existence, et, quand le communisme était venu jusqu'à lui, il s'était présenté à Chou En-lai, lequel l'avait envoyé à Kang Sheng. Il était resté bonze dans ses atours, même à Yanan, pour montrer que la révolution ne hait pas les moines « démocratiques », ni leur religion, à condition qu'elle soit un peu peinturlurée de doctrine marxiste. Et Kang Sheng avait exploité son don de clairvoyance : le bonze lisait dans les âmes sales, démêlait les écheveaux d'assassins, reniflait tous les desseins. Ainsi était-il devenu le chargé des meurtres délicats. Il y prenait plaisir.

Ce scrutateur du mal vit dans un temple minuscule qu'il a fait rénover, un temple pourvu de cloches et de toits vernissés, avec ses dieux dûment représentés et ses images de démons brandissant des crânes dans une folie lubrique. L'encens y règne... bâtonnets grésillant sous un Buddha de jouissance tripailleuse et sous un Buddha d'ascèse squelettique. Comme le bonze l'a annoncé, un jardin nimbe le sanctuaire d'iris et de tubéreuses. Un paradis... n'étaient ces petits tertres de gazon, d'innombrables petits tertres. Le jardin est un cimetière.

Le bonze ayant frappé un gong, apparaissent deux adolescents, vêtus à l'ancienne de longues robes de soie, qui se prosternent : « Ces deux-là, dit le bonze, je les ai depuis plusieurs semaines, ils

LE CHIEN DE MAO

ont reconnu leurs crimes, ils se repentent, ils sont à point. Maintenant ce sont mes chérubins. »

En même temps que les éphèbes a surgi la gouvernante de la maison, en quelque sorte la mère du bonze, qui l'aime d'un amour immense, qui l'adule même quand elle est témoin de ses délires et de ses atrocités. Grâce à elle, tout est à la joie : la table est couverte de porcelaine translucide et de mets nombreux et délicieux. De la vapeur monte d'un grand plat de riz, on emplit les gobelets d'alcool. Le bonze se lève :

— Kampé au Président Mao, notre maître.

Les deux garçons ont une expression inquiète, ils mangent peu, parlent encore moins. Le bonze les contemple avec délectation. Caressant l'épaule du plus âgé, un jeune homme aux yeux très noirs, aux sourcils épais, aux traits aristocratiques, il s'extasie :

— Celui-ci appartient à la dynastie impériale, c'est un cousin de Pu Yi. A l'entendre, il a été emporté par la honte et le désespoir quand celui-ci a accepté les propositions des Japonais. Son père est à Moukden, c'est un ministre collabo. Lui s'est enfui et a rejoint Yanan. Je lui ai fait avouer qu'il mentait, qu'il n'était qu'un espion en mission. J'ai eu du mal à lui faire dégobiller des aveux convenables, mais je me suis acharné, et j'ai été récompensé. Il vous plairait ? Vous pourriez vous joindre à nous pour une petite sauterie.

Le bonze est tentateur, melliflu, engageant, prêt à bénir les accordailles générales. Son sourire s'attarde à la perspective d'un chevauchement où toute licence sera accordée à l'invention des accouplements. A cela il ajoutera l'enjolivement de mauvais traitements, de coups et de blessures, il suffit que Pomme Bleue en ait envie.

Stupéfaite, Pomme Bleue sent tomber sur elle cette promesse de sabbat pleine d'outrages, de violence et de meurtres. La noire luxure l'enveloppe... Elle se tait... et le bonze continue de sourire, jusqu'à ce qu'il morde :

— Je n'ai jamais pensé à vous contraindre à ces réjouissances, je voulais seulement voir si vous vous laisseriez entraîner dans une orgie sans savoir où cela vous mènerait. Peut-être êtes-vous légère, mais vous êtes moins stupide qu'on ne me l'a dit. Je me pâme d'admiration devant votre vertu.

Pomme Bleue s'ébroue :

— Merci pour ma vertu. Vous me preniez donc pour une pute ?

— Si vous n'étiez pas une pute, Kang Sheng ne vous appré-

81

LE CHIEN DE MAO

cierait pas, vous ne seriez pas sa chose. L'étant, je dois vous connaître mieux.

C'est de la démence, mais, dès lors que plane l'ombre de Kang Sheng, Pomme Bleue est rassérénée. D'ailleurs le bonze se montre charmant, à sa manière. Il vante les qualités du deuxième garçon, sa tête d'écureuil joliment chiffonnée, sa langue si douce, son sexe étonnant.

Pomme Bleue fait sa mondaine :

— Où l'avez-vous trouvé, cet ange des fornications ?

— Un cadeau de Tchang Kaï-chek. Il a été envoyé à Yanan très officiellement comme agent de liaison. C'est un petit informateur, je l'ai accusé d'être un grand espion et amené ici pour mes jeux et mes ris. Aux nationalistes qui s'étonnaient de sa disparition, on a raconté qu'il était tombé aux mains des Japonais !

La matrone couve les convives de ses gros yeux tendres. Un vrai tableau de famille. Au dessert, on renvoie les garçons et la gouvernante, les « parents » ont à parler. Pomme Bleue continue de jouer le naturel :

— Que faites-vous de vos mignons quand vous en êtes saturé ?

— Trois ou quatre fois par an, je renouvelle mon sérail. J'adore chercher d'autres frimousses, d'autres mines, désirer d'autres corps. Lorsque je suis attiré par un garçon, je m'en empare en démolissant sa personnalité par la peur et je le ressuscite en tant que mignon.

— Mais vous vous rassasiez vite.

— Une liaison durable serait périlleuse. Et puis les êtres trop embrassés, trop câlinés, une fois dépouillés de leurs mystères et connus le goût de leur semence et le son de leurs râles, ne sont plus que des carcasses, presque des cadavres. Alors je leur donne la mort bête et sans jouissance, je leur fais avaler une pilule qui les envoie aux Fontaines Jaunes.

— Les jeunes gens qui ont déjeuné avec nous sont-ils condamnés ?

— Je ne sais pas. Je verrai. J'avoue avoir laissé vivre quelques-uns de mes garçons. Ils ont fait de bons soldats.

Pomme Bleue ne se sent plus vraiment de répulsion pour ce crapaud qui coasse sa monstruosité en frétillant. Elle aime les ivrognes du pouvoir, et ce bourreau luxurieux en est un. Aussi se montre-t-elle tout enjouée, provocante :

— Pourquoi tant me décrire votre façon de fabriquer des espions ? Je pourrais parler...

82

LE CHIEN DE MAO

— Si je ne vous tue pas... Les raisons abondent.
Euphorie embarrassée. Comment Pomme Bleue a-t-elle pu oublier, même une seconde, les secrets de sa vie ? A quelle complicité croyait-elle ?
Le bonze est hilare :
— Je sais tout, je sais tout, je vous l'ai dit... vos arrestations, vos bavardages. Mais ne vous inquiétez pas, vous n'êtes pas seule dans ce cas. Votre grand ami, notre grand ami Kang Sheng lui-même...
— Vous n'allez pas déblatérer contre lui ?
— Déblatérer ? Quel mot ! Mais les faits sont irréfutables. Vous ne vous souvenez pas de votre angoisse quand il a été appréhendé à Shanghaï ? Ni de votre soulagement lorsqu'il vous a rejointe ? Il a beaucoup parlé à cette époque. Mais son génie, c'est d'obtenir le silence autour de ces cafouillages. La terreur qu'il inspire, une certaine façon d'agir qui lui est propre font oublier son passé. Ensuite, il se permet tout. Si quelqu'un qui a suscité son ire a été arrêté et relâché, il le flétrit, le blâme, l'abat. C'est une excellente méthode. Vous devriez la retenir et éviter de perdre vos nerfs pour un oui ou pour un non.
Le visage du bonze s'illumine d'un sourire énigmatique, l'esquisse d'un sourire qui est comme un baume, comme une effusion :
— Vous ne parlerez pas de mes petites fantaisies, cela ne rimerait à rien. En attendant, je suis triste de constater que vous ignorez mon vrai divertissement : ma chère, je n'aime que la traque. Mais je n'ai pas encore déterminé si vous êtes ou non une belle pièce. Les grands dirigeants attirent les espions que c'en est un bonheur... ou alors ils suscitent de formidables vocations. Tenez, que je vous raconte ce qui est arrivé au général Zhu De...
Et de s'ébaudir sur Zhu De, l'ancien Seigneur de la guerre, l'ancien prébendier, l'ancien fumeur d'opium qui, après s'être converti au communisme, se régénéra complètement. Lorsque Mao fut acculé dans les jungles, il le sauva, se révélant son indestructible général, le maître de la guérilla, un homme encensé à l'égal de lui, au point même que la rumeur voulut un temps qu'ils ne formassent qu'un seul être, le formidable Zhu-Mao. Mais dans son ascèse Zhu De fut mal suivi par sa femme qui s'était lassée de l'existence tumultueuse. Le couple avait rompu et elle, toujours Rouge, s'était retrouvée secrétaire d'une section à Shanghaï. L'ambiance de l'immense cité, toutes les promesses de luxe et de luxure l'avaient grisée. Elle fut emportée par le désir de la grande vie, de la richesse.

LE CHIEN DE MAO

— Moi, je la humais, poursuit le bonze. Elle avait une odeur de jouissance suspecte, elle sentait la fièvre avide. Un matin à l'aube, accompagné de deux hommes, je suis allé chez elle. Elle dormait avec un amant. On fouilla, on découvrit une liste de trois cent cinquante communistes avec leurs adresses qu'elle s'apprêtait probablement à remettre à la police. Un de mes hommes est allé dans la rue tirer des pétards en prétextant je ne sais quelle réjouissance. Pendant qu'ils crépitaient, nous tirions sur le couple. L'amant fut tué, la femme en réchappa par miracle. Ratage malencontreux... Toujours est-il qu'à peine rétablie, elle alla proposer ses services aux autorités nationalistes. J'avais eu vent de la chose et j'ai contacté cette tigresse – le mieux n'était-il pas d'en faire un agent double, à notre profit ? Mais elle a eu peur de ma bonté et elle a disparu dans une lointaine province, comme désintégrée.

Pomme Bleue avale une gorgée d'alcool de riz et trouve la force de plaisanter :

— Pauvre Zhu De. Trois cent cinquante noms...

— ... et subtil Kang Sheng. Vous n'auriez jamais pu en rassembler autant, car il a toujours évité de vous frotter aux gens du Parti. Du moins à Shanghaï.

— En tout cas, je vous connaissais. Si j'étais l'espionne que vous dites, je vous aurais dénoncé.

— Vous m'aviez aperçu, sans plus, Kang Sheng était prudent. Maintenant, assez plaisanté. Kang Sheng que, par parenthèse, je sers toujours, est au courant de mes manies et les tolère parce que sans cesse je pêche d'authentiques espions, à la façon d'un cormoran qui rapporte toujours du poisson. J'en avais capturé à Shanghaï, j'en capture encore plus ici, des hommes et des femmes tout à fait résolus, des gens de métier. J'arrive à en découvrir à l'intérieur du Parti, même dans les organes dirigeants. Ce sont des durs, mais une fois entre mes mains, ils dégorgent leurs secrets. Regardez là-bas, au fond du jardin : dans l'épais des glycines on distingue une petite maison, c'est celle des supplices dont je suis le prêtre officiant. J'y ai mes instruments, une admirable panoplie où la rouille des vieilles lames se mêle à l'éclat des scalpels, une profusion de choses en bois, en fer, de toutes natures, fines ou épaisses, terrifiantes ou semblant anodines, et qui toutes déchirent, déchiquettent, broient, scient, écrasent. J'y ai un petit fourneau pour porter mes pinces au rouge. Quand je travaille, je me fais assister par deux sourds d'une force herculéenne. Ils maintiennent ma victime, qu'elle soit immobile en ses convulsions réprimées, qu'elle

LE CHIEN DE MAO

puisse juste ouvrir la bouche pour gueuler d'intolérables douleurs et ainsi me guider dans ma méticuleuse besogne. Venez, je vais vous montrer.

Le jardin, un emmêlement touffu de plantes et de fleurs folles, est une turbulence de vie : les frelons bourdonnent et les oiseaux paraissent ivres, les tombes ont pris, malgré les squelettes enfouis, des aspects heureux. Tout est effervescence mystique, le ciel et la terre, le soleil dans son ardeur, le vent qui souffle de caressantes brises, les branches qui se frôlent, les herbes qui crissent, les pistils et les étamines qui s'enlacent et là-haut les petits nuages, les jolis nuages qui moutonnent. Remuance des choses... Tout vibre, et rien ne se consume. Illusion. Ce poème de félicité est souillé par la dévoration. Ce doux paysage porte le meurtre : tout s'entre-tue, tout s'entre-mange, tout s'extermine.

A mesure que l'on s'approche du bâtiment, on sent une odeur fade qui s'épanouit en puanteur et affole un grouillement de mouches. Elles noircissent l'air, avides, ignominieuses, bourdonnant, battant des ailes dans l'impatience de se poser sur la magnifique ordure qui, tout près, est en train de mûrir pour elles. Une colonne de fourmis, une armée de mandibules en ordre parfait, passe indéfiniment sous la porte du pavillon. Telle est la réalité inscrite dans ce décor paradisiaque : le monde est une guerre, le monde est une faim.

Pomme Bleue a pénétré dans la pièce. Les outils des interrogatoires sont là : rabots, couperets et poinçons. Une forme recouverte d'un drap est allongée sur une table. Le bonze arrache le linge. Ce que Pomme Bleue découvre n'est pas un cadavre dans la solennité funéraire, dans le repos d'éternité, c'est à peine une dépouille, plutôt une charogne, un chaos mutilé, décomposé.

Et le bonze entonne son péan :

— Que n'ai-je pas dû faire pour dompter cette créature ? Je lui ai brûlé la peau avec des cigarettes, je lui ai coupé le bout des seins, et tout cela pour rien. Elle s'empêchait d'avouer en glapissant incroyablement d'une voix magique, pareille à celle d'une cantatrice au sommet de son registre, avec cela elle gémissait et pleurait des sanglots cristallins, comme si elle appliquait des leçons apprises jadis pour résister à la question, et surtout arriver dans le paroxysme de ses cris à mourir sans avoir parlé. Mais moi, je voulais qu'elle parle... Il ne fallait pas qu'en la tourmentant trop, je la fasse expirer... délicat problème. Ce n'est qu'après l'avoir vaincue

LE CHIEN DE MAO

par une douleur bien mesurée que j'ai pu m'en donner sur son corps désormais inutile. Et je m'en suis donné à satiété. Je lui ai crevé les yeux, je l'ai déchirée avec des pinces, je l'ai empalée au fer rouge, je l'ai éviscérée.

Toujours l'odeur fade, toujours cette charpie suintante sur laquelle s'acharne le ballet des insectes... Pomme Bleue vomit. Elle vomit le déjeuner, elle vomit les garçons, elle vomit la matrone, elle vomit le temple, elle hoquette, elle tremble, elle est sur le point de s'écrouler, pauvre chiffe effrayée par cette viande étalée à cru, par le spectacle de la Camarde triomphante. Le bonze essaie de la soutenir, elle le repousse :

— Vous êtes abominable.

— Ne me décevez pas. Si vous vous croyez un destin, soyez capable de tout affronter, même les événements à glaire, à pus, à chancre. Prenez modèle sur cette femme que j'ai dû dépecer avant de lui arracher sa vérité. C'était la plus formidable espionne des Japonais, supérieure à tous leurs autres agents et émissaires, une professionnelle parfaite, entraînée à fond. Soyez sans faiblesse, comme elle.

— Excusez-moi. J'ai été stupide. Comprenez toutefois que j'ai pu être saisie d'effroi devant ce cadavre ciselé par vous. Mais comment une pareille technicienne s'est-elle laissé prendre ?

— Un hasard. Récemment est arrivée à Yanan une femme hallucinée : sa famille entière, des communistes clandestins demeurés dans Shanghaï occupée, avait été exterminée par les Japonais. Elle avait survécu par miracle. Ce massacre était l'œuvre d'une camarade qui s'était montrée particulièrement zélée lors des réunions de cellule. Un soir, les policiers avaient surgi et s'étaient emparés d'une centaine de Rouges. Interrogatoires, supplices, la procédure habituelle, avec, présidant aux cérémonies, souriante, la camarade qui, en fait, appartenait à la Kampétaï. Et voici que la rescapée la reconnaissait dans Yanan. Elle est venue à moi, ensuite tout est allé très vite.

Ainsi donc le bonze avait torturé la tortionnaire, et il lui avait soutiré son histoire... C'était une jeune bourgeoise de Shanghaï, moderne, jolie, courtisée, et patriote. Elle était tombée amoureuse d'un étudiant chinois qui osa lui révéler qu'il était un agent de la Kampétaï, et même la recruta, en lui expliquant que la grandeur de la Chine passait désormais par le Japon et sa flamboyance. Les Japonais allaient anéantir les communistes, rétablir l'empire chinois, remettre sur le trône la dynastie des Qing, instaurer dans tout

LE CHIEN DE MAO

l'Orient une sphère de co-prospérité : la jeune fille fut éblouie par ce programme.

Cela se passait à l'époque où l'armée et la marine du Mikado s'apprêtaient à envahir la Cité. La Kampétaï voulait d'abord faire assassiner discrètement les gêneurs, en particulier les communistes . qui subsistaient dans Shanghaï. Elle avait quelque notion de leurs réseaux : la jeune fille fut chargée de les prospecter et de s'y infiltrer. Pour ôter toute méfiance et provoquer le choc décisif en sa faveur, elle apporta des têtes aux Rouges : elle dénonça des Chinois qui étaient des agents japonais, de mauvais agents dont les Nippons voulaient se débarrasser. Par mesure de sécurité, elle dénonça également son amant, un geste qui plut à la Kampétaï parce qu'il révélait une bonne moralité. Tous les gens qu'elle avait désignés furent aussitôt exécutés. Inutile de dire qu'elle fut ensuite admise dans le Parti. Quand les Japonais entrèrent dans Shanghaï, les rafles et les arrestations de Rouges se multiplièrent. Ceux-ci ne suspectaient aucunement la jeune fille, d'autant moins qu'elle continuait à donner des noms de Chinois vendus. Après de tels exploits, ses maîtres décidèrent de l'envoyer à Yanan.

Le bonze présente son museau le plus gourmand :

— La garce, je l'ai attrapée juste à temps. Elle préparait un coup dont nous ne nous serions pas relevés.

A Yanan, elle avait été accueillie comme une héroïne et, dans un concert de louanges, nommée cadre de l'Union des femmes. Acharnée à la dialectique, fanatique de travail, elle était aussi toute joliesse. Comme prévu, elle déploya ses attraits avec un art savant, cuisinant son falbala à grand feu. Elle ne tarda pas a être invitée aux parties de danse que Mao avait institutionnalisées après le passage d'Agnes Smedley et de Lily Wu. La jeune fille éclipsa immédiatement les autres femmes. Dès sa première apparition, Mao la prit dans ses bras et ne cessa de la faire tourbillonner, elle si légère alors qu'il s'embrouillait les pieds. Il s'enquit de son nom et puis il ne lui parla plus, comme muet d'admiration. Et cela recommença lors des séances suivantes. S'apprêtait-il à l'inviter dans la cave impériale ?

— Je venais de lancer une enquête sur elle, comme il se doit pour toute personne qui approche le Président, lorsque la miraculée de Shanghaï m'a contacté.

Le bonze a la mine malicieuse d'un bon ours apprivoisé, d'une brave bête qui pavoise et se régale. Et de raconter son plaisir à Pomme Bleue...

LE CHIEN DE MAO

Il a amené la jeune fille dans son temple, où il lui offre du vin jaune et des douceurs. Bavardages, convivialité, anecdotes. On évoque Shanghaï et les dangers qu'elle y a courus. Soudain le bonze susurre :

— Croyez-vous en Buddha? Priez-le pour que votre prochaine vie soit meilleure, pas infâme comme celle-ci. Vous êtes découverte.

— Mais de quoi parlez-vous? Je suis une camarade cadre très estimée. Je me plaindrai, au Président Mao s'il le faut.

— Le Président Mao a dit et répété que le plus grand criminel pouvait obtenir son pardon s'il se repentait. Confessez-vous et commencez par me dire ce que vous savez de la Kampétaï qui vous emploie, de ses ramifications, de vos acolytes et de vos émissaires.

— Je n'appartiens pas à la Kampétaï. Vos accusations sont grotesques.

Elle a les yeux coupés par un tranchant d'angoisse, ses mains tremblent. Elle est atteinte mais elle se tait. Le bonze commence donc à travailler. Alternance de paroles tiédasses et de menaces, exhibition des instruments. A aucun moment il ne quitte sa victime du regard : la Kampétaï qui sait qu'aucune créature au monde ne résiste à la torture bien pratiquée a dû lui fournir du cyanure. Une bonne agente se tue. Quand la jeune fille se décide à partir d'elle-même pour les Fontaines Jaunes, le bonze en alerte happe sa main... Après... Après il y a le découpage savant, et puis des hurlements, et d'autres supplices, et d'autres cris. Des promesses aussi. Cela a duré des jours. Enfin la jeune fille avoue. Elle confesse le formidable forfait qui se préparait. Tout d'abord ces messieurs de la Kampétaï l'avaient formée au baisage, science essentielle pour une espionne. Ils l'avaient livrée à tant d'hommes, en public, dans des bordels, de manière grossière et même de manière raffinée, que ça – exciter, s'accoupler en conquérante ou en sujette –, n'avait plus pour elle d'importance. Une fonction comme une autre.

— En ce qui concernait Mao, continue le bonze, le plan était simple et vieux comme le monde. Sans doute, un soir, il l'aurait entraînée dans son royaume troglodyte. Elle l'aurait enveloppé dans la gamme des grandes voluptés, elle aurait dévoré ses sens. Ensuite, elle devait faire tomber chaque jour dans les mets et les vins quelques gouttes d'un liquide incolore, inodore, sans aucun goût, un poison préparé par la Kampétaï, dont on lui avait remis un flacon.

LE CHIEN DE MAO

Le bonze se délecte :

— Nous avons trouvé le flacon chez elle, et je le garde soigneusement... C'est une merveille que ce poison. Je l'ai expérimenté ici même sur un jeune homme que j'avais enfermé dans le pavillon avec ma jeune fille. C'était, je crois, mais je n'en suis pas certain, un de ses contacts. Au début, le poison n'a aucun effet visible, mais au bout de quelques jours et en quelques heures, tout explose : le sang noircit, la peau s'écharde en plaies, les organes tombent en pourriture. Dans des douleurs épouvantables, le cœur s'arrête, comme si un mal mystérieux l'avait frappé, comme si un cobra caché dans l'herbe s'était dressé pour planter ses crocs. A mon avis, ce poison est un mélange de venins...

Les mouches, le bruit des horribles mouches aux reflets verdâtres couvre la voix du bonze. Pomme Bleue regarde la dépouille, ce crâne, ces orbites vides, ces os auxquels s'attachent des bouts de chair. Elle s'imagine entre les mains du bonze, nue sur la table, elle sent les cisailles chauffées au rouge, elle n'est plus qu'une chose tailladée et toujours vivante... A nouveau une nausée la submerge, et c'est à peine si elle entend le bonze qui poursuit son récit triomphant :

— Si Mao avait été un peu plus libidineux, il aurait succombé à une grande pestilence. L'espionne se serait enfuie avant l'éruption du fléau : la Kampétaï avait introduit à Yanan des guides qui l'auraient convoyée à Xian ; là, elle était sauvée... Mais je l'ai eue. Et je vous ai eue aussi, Pomme Bleue, je sais maintenant ce que je voulais savoir : je vous ai vue livide et épouvantée, je sais comment à la place de cette femme vous auriez avoué aussitôt, comment dans votre peur vous en auriez dit plus, toujours plus, comment vous auriez inventé même. Vous n'avez rien d'une héroïne, si Kang Sheng voulait faire tuer Mao, ce n'est pas vous qu'il utiliserait. Soyez tranquille, la comédie est finie, je suis votre ami. Le Président Mao, que j'avais informé de la capture de l'espionne de la Kampétaï, m'avait suggéré d'avoir un petit entretien avec vous, car il se méfiait des intentions de Kang Sheng. Je lui assurerai que celui-ci souhaite seulement vous tirer de son lit pour vous mettre dans le sien. Rien de plus louable. Mes respects, madame Mao ! Méditez quand même sur les pouvoirs de séduction de la grenouille vénéneuse que j'ai disséquée ! Faites mieux qu'elle, soyez irrésistible ! Et transmettez mes amitiés au camarade Kang Sheng !

Le bonze a frappé juste. Une flambée de haine s'empare de

Pomme Bleue. De retour auprès de Kang Sheng elle éclate de colère, elle joue la sensitive, elle est heurtée, bouleversée, elle gémit, elle maudit, mais Kang Sheng ricane :

— Reconnais que le bonze a fait du bon travail. Son espionne, par exemple, ce n'est pas du chiqué. Moi aussi j'ai mes informateurs. Si j'ai un cuisinier qui vient de chez Pu Yi, ce n'est pas uniquement pour ses talents ! Ce type-là me raconte tout sur le Mandchoukouo... Et il prétendait avoir vu cette fille avec des Japonais à Moukden (Shenyang). Quand j'ai appris que le bonze s'en occupait, je n'ai pas été étonné. Il a fait fort avec toi, dis-tu ? Mais ce qui est bien, c'est qu'il t'ait reconnue lâche, tellement lâche. Désormais il nous fichera la paix : comme il dit, tu n'es pas capable de tuer de ta main. En tout cas, Mao sait maintenant que je ne suis pas venu pour lui faire la peau, mais pour que tu frottes la tienne à la sienne. Je te le répète, c'est l'essentiel. Et excuse le bonze : rappelle-toi qu'au temps des empereurs on ne leur fournissait de femme que nue et enroulée dans un tapis pour qu'elle ne puisse pas cacher un poignard ou du poison. A sa manière, le bonze t'a mise à nu. Tu ne vas quand même pas te choquer pour si peu. Ou alors, on arrête tout.

— Arrêter quoi ? Tu n'as même pas réussi à me faire inviter aux soirées dansantes que donne Mao. L'espionne, elle, y allait.

— Normal, elle était cadre du Parti. Mais calme-toi, tu danseras avec Mao, tu seras la reine du guinche.

Le soir, Pomme Bleue, allongée sur sa paillasse, est saisie d'une fièvre chaude, hallucinatoire. Autour d'elle, dans une lumière très sombre, elle distingue d'étranges reflets. Nuages, ruines, formes obscures, menaçantes... Elle pénètre dans un temple démantelé, à moitié écroulé. Des buddhas y sont assis en rang et ils la regardent avec une malévolence ironique. Ils n'ont plus de lèvres, plus de nombril béni, plus de mains, ils sont dédorés et percés d'énormes échancrures, de fentes, de crevasses, ils sont lépreux les Çakyamunis de la sagesse, des mannequins rouillés qui ne renferment plus que du vide et des animaux repoussants. Des rats, des rats tout gras, aux babines retroussées, aux yeux rouges, des rats qui approchent... Mais au-dessus de Pomme Bleue, dans le chaos noir qui tient lieu de plafond, de grands oiseaux au bec acéré s'ébrouent avec une joie funèbre. Une horrible odeur emplit l'air... Les oiseaux tiennent dans leurs serres des morceaux de viande. Qu'ont-ils dépecé ? Voletant dans la pénombre, ils décrivent des cercles autour d'elle comme si elle était une charogne bien mûre,

LE CHIEN DE MAO

bien coulante, bien appétissante. Les rats ont disparu... Et soudain les oiseaux s'évanouissent aussi. Ont surgi d'immenses chauves-souris, peut-être des vampires prêts à saigner Pomme Bleue. Elle crie, se débat, tourne dans le temple en cherchant une issue : devant chaque porte, une énorme araignée a tissé une toile impénétrable. Et voici que rampe vers elle un serpent gigantesque, cuirassé d'écailles gluantes, un python qui entraîne derrière lui une coulée de reptiles. Animaux mouvants, têtes triangulaires, sifflements, colère luisante, la mort scintillante...

Alors vient le moment où toutes les créatures d'horreur s'abolissent et Pomme Bleue entre dans le grand secret. Il n'y a ni paradis ni enfer, ni démons ni buddhas, il n'y a pas de résurrection, pas de métempsycose, pas de roue du destin, tout cela n'est qu'illusion. La vérité de toute chose, c'est le gouffre.

Et Pomme Bleue plonge dans ce gouffre. Des minutes, des heures de chute. Quantité de gens tombent en même temps qu'elle, sans un bruit, sans un murmure, dans un silence absolu, pour aboutir enfin à un nouvel abîme géant. Pas d'erreur possible, il s'agit d'une bouche humaine, une seule, incommensurable, dont les lèvres charnues s'étendent sur des lieues. Les dents brillent, Pomme Bleue aperçoit une monstrueuse langue rouge, le précipice de la gorge. Cette bouche existe par elle-même, détachée de tout visage et rien ne la prolonge qui ressemble à un estomac ou à des entrailles. Cependant, lorsqu'elle a enfourné suffisamment d'êtres, lui vient un flot de salive et, d'un déglutis, elle les chasse dans l'intérieur de ce corps qui n'existe pas. Que deviennent les hommes, les femmes, les enfants qu'elle a avalés ?

Pomme Bleue tournoie à l'entrée de la bouche. Elle voudrait résister au courant qui l'entraîne, s'agripper à un éperon, à une anfractuosité, mais le vide l'aspire irrésistiblement...

Son cri la réveille, son cri de détresse dans le rien, dans le blanc de l'inexistence des choses. Elle est moite, hagarde, puis, lentement, elle s'aperçoit qu'elle vit. Lui vient une gaillardise, son éclipse dans les chimères de l'effroi est déjà loin. L'envahit, magnifique, la conscience d'exister, d'être Pomme Bleue, une femme promise à toutes les grandeurs. Qu'aurait-elle de commun avec l'espionne, avec cette vicieuse amoureuse de sa Kampétaï ? Mao est là, à portée de sa main. Elle va s'emparer de lui, s'ajuster à lui, le faire frire dans la joie. Ses traits frémissent dans une grimace de convoitise allègre. Le néant ? Il est trop tôt pour le néant.

LE CHIEN DE MAO

Rêves... Pomme Bleue imagine des sourires de gratitude, des mains qui se tendent, une pléthore d'admirateurs et de courtisans autour d'elle. Elle plane, orgueilleuse, euphorique. A l'Ecole du Parti, on ricane, elle ne s'en soucie pas. Mao ne donne pas signe, elle n'en est pas abattue. Puisque le Président semble l'oublier, elle trouvera une autre voie pour atteindre les sommets où elle doit triompher. Jadis Kang Sheng lui avait enseigné la beauté du chant et du théâtre et là, en interprétant les complaintes anciennes, en recréant le merveilleux des situations, le tragique et le bénéfique, elle s'était révélée à elle-même. Elle voulait la scène, elle voulait une caméra qui s'attarde sur elle, et un public à captiver. Elle les avait obtenus et cela demeurait le plus exaltant de ses souvenirs. Cette lumière sur elle, quand elle était Nora, qu'elle interprétait les victimes accablées par l'injustice des temps, quand elle exaltait la colère d'un peuple vengeur, c'était son apogée. Oubliés les échecs, les humiliations, le grouillement répugnant de Shanghaï lorsqu'elle était une starlette plus illustre pour ses coucheries que pour son talent, Pomme Bleue se consacre star. Donc elle sera star à Yanan.

Il y existe une académie des arts et des lettres, l'Académie Lu Xun, du nom du grand pamphlétaire mort en 1936, qui n'avait jamais appartenu au Parti et que les communistes s'étaient empressés de récupérer. Sa célébrité venait de la vigueur avec laquelle il avait dénoncé la misère des pauvres gens, des meurt-la-faim, de tous les opprimés. Il se moquait, il ferraillait, il broyait... Pour Pomme Bleue la Shanghaïenne qui se pique d'idées avancées, Lu Xun est un phare, et l'Académie qui lui est dédiée un sanctuaire.

Alors, comme autrefois à la porte des universités, Pomme Bleue s'agite devant celle de l'Académie. Elle intrigue, elle manœuvre, elle tambourine, elle s'exaspère, elle crie qu'elle est une immense actrice, mais personne ne l'entend. On ne la recrute même pas pour le studio de cinéma qui vient d'être créé, elle, une vedette de Shanghaï! Persuadée qu'on la jalouse, que les garces qu'elle a naguère évincées essaient de prendre leur revanche... elle tempête, elle se vitriolise, se déploie tellement qu'elle est enrôlée dans une de ces petites troupes que les Rouges ont multipliées pour toucher les populations illettrées. Elles jouent un théâtre de propagande, qui explique le communisme et diffuse les bons sentiments, grâce à des saynètes percutantes, à des chansons, des danses, entrecoupées de numéros comiques et d'exhortations pathétiques. La pièce dans laquelle se produit Pomme Bleue s'intitule *Les Piétinés*, elle émane du Groupe théâtral antijaponais et conte l'histoire de Chinois

LE CHIEN DE MAO

martyrisés par la soldatesque nippone qui, excédés, se soulèvent en brandissant pioches et couteaux. Hélas, Pomme Bleue n'y tient qu'un petit rôle, on la juge trop maniérée pour inspirer la ferveur. Emportée comme elle l'est, elle ne s'en rend pas compte. Pis, elle est supplantée par une ravissante actrice de dix-huit ans, qui a été formée à Moscou. Selon Pomme Bleue, ce n'est qu'une poupée qui prend de grands airs rouges et qui prodigue ses fesses, une rien du tout dont la gloire ne sera qu'un feu de paille. Elle, elle est une militante passée par l'Ecole du Parti et elle vient de prouver qu'elle était une véritable artiste. Tout lui est ouvert, tout l'attend.

Le lendemain de la représentation, elle rassemble ses affaires, étudie quelques mimiques intéressantes dans la glace et, valise à la main, elle court se présenter à l'Académie Lu Xun, dont le directeur, Chen Yun, ne va pas manquer de l'admettre. Dans la cour de l'établissement, les pensionnaires se poussent du coude en la voyant arriver : voilà l'hystérique qui s'apprête à un nouveau tour! Qu'a-t-elle inventé? On va bien rigoler. Impavide, Pomme Bleue longe ce mur de visages goguenards, traverse ses ricanements, avise un appariteur, se retrouve enfin dans les bureaux de la direction où elle mène un tel tapage que Chen Yun accepte de la recevoir.

Dans son égarement, elle oublie qui est Chen Yun, certes un acolyte de Kang Sheng pendant la guerre secrète à Shanghaï, mais, beaucoup plus dangereusement, un ancien aide de camp de Wang Ming et un théoricien prosoviétique que Mao a casé dans ce collège où il ne nuira pas trop. Chen Yun n'apprécie plus Kang Sheng et il ne peut apprécier une de ses protégées, mais il cache ses réticences : que la créature se perde elle-même! Comme il est obligatoire et comme Pomme Bleue a préféré ne pas l'envisager, il l'interroge sur la doctrine. Pomme Bleue répond avec joie sans s'apercevoir qu'elle patauge dans les concepts. La vanité coule dans le torrent de ses phrases, elle erre, elle se trompe, elle étale une nullité effrayante. Chen Yun est stupéfait, et plus encore lorsque son regard tombe sur sa valise : cette idiote pensait s'installer dans l'instant! Il se lève et la congédie : qu'elle progresse, qu'elle progresse bien et elle sera admise.

Le cauchemar, c'est de retrouver la cour, avec tous ces comédiens et écrivains qui la narguent. Ils ne se moquent pas d'elle outrageusement, ils ne rient pas, c'est plus subtil... un dédain raffiné qui se marque par un léger sourire, quelques propos ironiques : Pomme Bleue, au fond, n'est qu'une pauvre fille, une

LE CHIEN DE MAO

mendigote du succès qu'on devrait plaindre. Rien ne peut susciter davantage la colère de Pomme Bleue. Elle toise, elle scrute, elle inscrit en elle toutes ces gueules, elle imprime dans sa cervelle tous les noms qu'elle connaît. Plus tard, elle les retrouvera, elle les exterminera ces jocrisses.

Mais que dès à présent elle reprenne sa marche vers la gloire, qu'elle acquière une autorité supérieure et jubilante. Seul Kang Sheng peut accomplir la métamorphose. Quand elle se présente à lui, l'amusement pétille dans son regard et il la gronde gentiment :

— Je t'attendais. Ma mignonne voulait décrocher la lune et elle a négligé l'échelle, alors elle est tombée. Mais tout cela est réparable. Prévoyant tes débordements, j'ai approché Mao pour qu'il me nomme directeur adjoint de l'Académie Lu Xun. Ainsi je pourrai surveiller ce Chen Yun de malheur et m'occuper de ta carrière. Tu m'as pris de vitesse en te découvrant comme une écervelée, sans rien préparer. Maintenant, reste calme, les choses avancent.

Pomme Bleue s'égaie :

— Tu vois que je parviens toujours à mes fins.

— Mais jamais seule, ma chère. Et parfois, j'ai bien du mal à t'aider. Ne l'oublie pas.

Quelques jours plus tard, Kang Sheng entre à l'Académie. Avec Chen Yun, son supérieur hiérarchique, il est enjoué, charmant, d'une politesse qui écrase absolument. Lui le lettré, le musicien, l'amateur d'opéra, le collectionneur de livres et de rouleaux anciens, il submerge de ses dons et de ses connaissances Chen Yun, l'ancien syndicaliste issu des faubourgs ouvriers de Shanghaï. Il est le prince qui badine et qui s'honore de l'amitié du Président, Chen Yun n'est qu'un tâcheron. Mais ce tâcheron connaît son passé moscovite et il est prudent de le domestiquer. Kang Sheng redouble d'amabilité et de menaces voilées : le Président Mao, il n'a que ce nom, que ce titre à la bouche. A la longue, Chen Yun comprend qui est le maître. Il le comprend si bien qu'il accepte Pomme Bleue, et même lui offre un poste de professeur assistante à la section théâtre moderne. Sa voix de rage froide... Pomme Bleue pavoise.

S'écoulent quelques semaines heureuses. Comme si Pomme Bleue avait occulté Mao et tous les desseins de Kang Sheng. Elle est grisée, elle fait sa grande spécialiste, sa technicienne, elle assomme ses élèves avec Stanislavski dont elle ne connaît que le

94

LE CHIEN DE MAO

nom, elle se croit amoureuse d'un professeur en titre, un bel homme intelligent, adulé par les étudiants, qui lui rappelle ses amants prestigieux de Shanghaï. Mauvais hasard, ce brillant personnage se prend de passion pour la poupée de retour d'URSS qui, elle, sait qui est Stanislavski. Comme d'habitude incapable de se contenir, Pomme Bleue se répand en scènes, en empoignades, en calomnies. Cela n'empêche rien, au contraire : le professeur et la poupée se marient.

Drames... Kang Sheng engueule Pomme Bleue : il lui a laissé la bride sur le cou et, immédiatement, elle s'est jetée sur l'inutile, le caprice, les charivaris. C'est trop de temps perdu à singer l'amour quand elle n'a jamais aimé personne, même pas lui. C'est se comporter en midinette, en petite poule ballottée par les humeurs au lieu de forcer le sort. C'est alimenter les ragots, ce dont elle n'a vraiment pas besoin. Une dernière fois, il va tenter de la sauver : qu'elle travaille son personnage de communiste ardente, il lui envoie Mao.

Et, comme naguère à l'Ecole du Parti, on annonce bientôt à Lu Xun une conférence de Mao sur les liens de l'art et de la politique. Applaudir, se faire remarquer, poser quelques questions... Pomme Bleue connaît son rôle, elle y a songé des heures, elle a appris le bon ton communiste en matière de théâtre, elle hait le pur divertissement et connaît les vertus de la propagande, tout cela elle n'aura pas le temps de le dire mais elle saura faire sentir qu'elle le sait, elle a peaufiné un sourire fervent et une mine enthousiaste, elle est à point. Mao est-il averti ? Au moment de quitter la salle, il s'approche de Pomme Bleue et, sans plus de précautions, il lui murmure :

— Venez me rejoindre dans ma grotte, demain, au crépuscule. J'ai besoin d'une secrétaire.

Pomme Bleue, toute fière, croit son heure venue, Kang Sheng, à nouveau, lui recommande la prudence :

— Ne le viole pas... Attends qu'il te viole, cela viendra. Sois-lui utile. Et réponds toujours franchement à ses questions. Autre chose, il est insomniaque et il n'a aucun horaire. Prépare-toi à de longues nuits austères.

Chapitre II

Une lueur s'est glissée sur la terre, une lueur qui peu à peu a blanchi, est devenue la lumière incertaine de l'aurore. Le disque du soleil est monté à l'horizon et le monde a ressuscité, baigné dans l'or pâle. Un zéphyr s'est levé, un vent pur et sec qui chasse les songes. Yanan est revenu à la vie.

Là-haut, les amants forniquent toujours. Mais ils sont bien obligés de s'entrevoir, de se reconnaître. Pomme Bleue est sortie de son éblouissement effaré et une pensée la hante : a-t-elle suffisamment accroché le Président Mao ? Ne faudrait-il pas montrer un peu de sentiment ? Maintenant qu'il doit être rassasié, n'est-il pas à la recherche d'un moyen de se débarrasser d'elle, de la rejeter dans la catégorie des machines à faire jouir ? Enfin il lui paraît congru de gémir d'une voix épuisée. Elle espère arracher un satisfecit, une bonne note au milieu des raclements de la respiration, une bouffée de reconnaissance même. Mao rit :

—Je vaux bien, je pense, tes anciens amants. En as-tu eu un meilleur que moi ?

Et sur cette question, il se remet à l'ouvrage, mécanique qui fouaille et martèle, qui oublie la procureuse de son plaisir inouï, et la réduit à un mannequin dans lequel il se satisfait. Pomme Bleue devrait être folle de colère, insulter ce porc, ce goinfre. Mais non, elle se tait. Et même elle se lance dans des caresses qu'apparemment il ne connaît pas. A elle de le rééduquer dans l'art de la coucherie, sans cependant le retirer complètement de son état bestial : c'est en animal qu'il s'est entiché d'elle, qu'il soit juste un animal du meilleur cru ! Enfin Pomme Bleue en vient à se féliciter de ce corps à corps interminable à même le sol gelé et

LE CHIEN DE MAO

nu, de l'abrutissement qu'elle a su créer : tout cela asservira le Président.

Mao jouit une dernière fois et il hurle. Cri d'assassin, de boucher, de victime... Il ne peut plus rien entendre, plus rien voir, emporté par son beuglement triomphal et plaintif. Mais parvient à Pomme Bleue le bruit de pas qui se rapprochent. Elle réussit à dégager sa tête de dessous l'épaule de Mao qui l'emprisonne, un Mao tombé en faiblesse, suant et livide. Elle distingue un homme et deux gardes qui fouillent avec insistance les buissons et les bas-côtés du chemin. Cet indésirable est Chou En-lai.

A deux heures du matin, Chou En-lai s'était présenté à la grotte de Mao : le « mandarin rouge » devait porter à sa connaissance un message radio de Tchang Kaï-chek qui exigeait une réponse immédiate, la décision commandait l'avenir. On lui avait indiqué que le Président était parti dans la nuit et qu'on ignorait quand il rentrerait ; il n'avait pas été question de Pomme Bleue.

Longtemps Chou En-lai a attendu. Il a fait demander Mao chez les autres dirigeants, dans les instances du Parti, à l'état-major... Rien. Une crainte s'insinue en lui et le poigne : que de Mao on ne retrouve qu'un cadavre. A moins qu'on ne l'ait enlevé. Malgré le bonze et la police secrète, nombreux sont encore les agents ennemis infiltrés à Yanan, des agents capables de tout. Mais donner l'alerte, la grande alerte, n'est-ce pas s'exposer au ridicule ? Il est connu que Mao lorsqu'il a trop travaillé et que la tête lui tourne aime se promener dans les ténèbres.

Avec deux porte-flambeaux armés, Chou En-lai descend vers la bourgade assoupie dans une phosphorescence trompeuse. Il sent la masse des falaises, le poids des murailles crénelées, la présence crasseuse des bâtiments ; tout est paix et pourtant tout inquiète, jusqu'au silence troublé parfois par quelque ronflement ou par le mot de passe qu'échangent deux sentinelles. Chou En-lai arpente les rues recouvertes d'une croûte de lœss et de verglas. Il frappe à des portes, il réveille des camarades, il questionne, évidemment il ne parle pas de disparition. Ces interrogatoires discrets ne donnent aucun indice. Alors, à la pauvre lumière des torches, il explore les terrains vagues, il inspecte les berges de la rivière, il ratisse les fourrés qui pourraient receler un macchabée. Rien, rien, rien.

Le jour pointe. Les coqs chantent, des rumeurs de lever sortent des maisons. Des lampes s'allument, quelques ombres apparaissent dans les artères glissantes. Au loin des trompettes sonnent la diane, tout le peuple est debout et l'idéologie remonte en chacun. Quantité de gens font cette gymnastique tant prêchée par Mao pour l'assouplissement des corps et le bon graissage de la pensée. Ensuite le premier gruau de millet. Ainsi commence une nouvelle journée collective, conforme aux prescriptions de Mao, mais sans Mao.

Avec ses deux gardes en alerte, Chou En-lai grimpe des escaliers, escalade des chemins de plus en plus raides, arrive au sommet du mont Phénix, mais il ne repère pas la bauge où Mao s'ébat avec Pomme Bleue. Curieusement, il n'entend pas les bruits de l'amour. Il sillonne la montagne, toujours plus angoissé, prêt à lancer le Parti et le Peuple à la quête de Mao. Soudain, en repassant devant un endroit déjà visité, il distingue dans une excavation un mâle et une femelle qui gigotent, à moitié nus, haletants, hoquetants, les yeux clos sur leur paroxysme.

Chou En-lai examine ce tas mal emmitouflé qui grouille et il comprend aussitôt. L'homme, c'est Mao, sa partenaire est sans doute la fille qui tournicote autour de lui depuis un certain temps, jouant la secrétaire docile, mais avec des mines et des chatteries. C'est une coureuse, une actrice de Shanghaï, une pas grand-chose. Faut-il que Mao ait envie d'elle et qu'il en ait honte, pour qu'on le trouve dans la nature en pleine galanterie ! Chou En-lai s'approche, il entend Mao crier, il voit la fille se libérer... Mao a-t-il deviné sa présence ? Il se détache, il se retourne et montre une tête sale, fourbue, tachée de poils de barbe, et qui sent la noce.

Cela se déroule en une fraction de seconde : le regard de Mao rencontre celui de Chou En-lai, l'homme parfait aussi bien dans les petits tracas que dans la grande politique et qui ne semble pas étonné de surprendre le Président dans cette débauche grotesque. L'accord entre eux, le non-dit... Chou En-lai revêt sa figure d'un sourire qui absorbe et efface toutes les fâcheuseries du monde et il se tient là, dans son meilleur comportement, flibustier angélique soutenu par la foi rouge. Il est le grand acrobate de la raison d'Etat, cet impératif qui gouverne sa vie de négociateur et d'acteur ; nul ne manipule la vérité mieux que lui, nul ne charme et n'émousse mieux son monde. Il est le maître des mensonges, au profit de ce Mao qu'il a choisi comme souverain, despote et empereur. Mais comment le secourir au mieux dans l'actuel embarras ? C'est ce qu'il se demande à une allure folle. Devrait-il déguerpir comme s'il n'avait rien vu ?

Mao se redresse. Il a pour principe de refuser la fatigue et ses

LE CHIEN DE MAO

marques, que ce soit la fatigue héroïque de quelque Longue Marche ou celles des Longues Paillardises, et, s'accordant tous les droits, jusqu'au droit à l'orgie, il retrouve toujours sa vigueur. Pas de honte en lui, mais le pressentiment d'un gâchis... Debout, il flamboie de mécontentement, en pleine forme, et s'apprête à éructer quelques insultes, manière de châtier l'importun tout en lui confiant l'affaire. Mais Chou En-lai a disparu. Lui qui toujours pèse et soupèse a déjà choisi le rôle de fantôme.

Devant ce qui est plus qu'une fuite, un jugement, Mao s'apoplectise comme un seigneur de l'opéra chinois qui braille sous le masque incarnat de la colère. Il sait qu'il vient d'offusquer le Parti, ce maudit Parti qui osera lui montrer les dents et qui soutiendra sa femme, cette He Zizhen aux yeux de cristaux et qui avait le goût de miel, cette He Zizhen maintenant calamiteuse, qui croupit à Xian. Qu'elle y crève! Qu'elle crève, même si tout Yanan l'adore! Qu'elle laisse la place à Pomme Bleue! Pomme Bleue, Pomme pourrie, trognon venimeux... Celle-là, il la hait aussi, mais sa violence le captive. Ce qu'il apprécie en elle? Son impudence, sa « mauvaiseté », cette façon de se laisser malmener au clair de lune en attendant mieux, sa ruse et sa naïveté, sa fantastique crapulerie, sous son air de bacchante rouge, petite fille modèle qui remue son croupion marxiste... Ah, ce cul! Ce cul précieux qui a excité Shanghaï... Comme Pomme Bleue est dangereuse, comme elle est rare! Ses lieutenants ne comprennent pas sa valeur, la fraîcheur enjouée, poétique, de son ambition. Lorsqu'ils l'aperçoivent le soir dans sa grotte, ils ne reniflent en elle qu'une putréfaction contagieuse. S'il garde cette princesse lépreuse, ils le traiteront, lui le grand Président, avec pitié. La racaille des dirigeants, ses sous-fifres, ses esclaves le réprimanderont. Ce sera l'épreuve. Et pour quoi? Pour cette sottise qu'est une femme.

« Saloperie de saloperie », crie-t-il. Et cette saloperie s'étend au Parti, au Peuple, à Tchang Kaï-chek même, car lui seul peut avoir propulsé Chou En-lai dans cette gambade de nuit. Au diable le Généralissime, cette raclure humaine dont les intrigues le piègent, peut-être pour toute sa vie.

Mao en est sûr, Chou En-lai ne parlera pas. Mais les gardes? Il y aura trop d'indices, trop de rumeurs, et bientôt son équipée sera connue de tous. Se lèveront les grandes houles hostiles. Pour les prévenir Chou En-lai prétendra rogner les griffes de la tigresse, l'envoyer dans quelque géhenne ou la confier au bonze. Et cela Mao ne le veut pas.

LE CHIEN DE MAO

Pendant quelques minutes il scrute Pomme Bleue. Il hésite. Réfléchir, réfléchir encore... Il la voit toute crispée, comme amincie par l'angoisse, mais belle. Belle. Agenouillée dans leur lit de noces caillouteux, elle se tait : sa vie et sa mort sont en jeu. Et soudain, la mine maussade, Mao se décide :

— Il est grand temps de rejoindre nos étables. Chacun la sienne. Retourne à l'Académie, assiste au cours comme si de rien n'était. Ensuite repose-toi un peu, tu dois être épuisée. Ce soir viens travailler comme à l'ordinaire, mais avec ton barda. Dorénavant tu dormiras chez moi. Ton ami Kang Sheng sera prévenu, lui au moins sera content.

Recommencer à l'aimer en pleine nature, ce n'est pas possible. Mais rompre son commerce avec elle l'est encore moins. Alors assez de dissimulation, de palinodies, de vaines manigances. Assez de jouer le magister avec une ignare qui fait semblant de s'intéresser à la doctrine quand n'est en jeu que le cul. Assez de la regarder se sucrer de mignonnesse pour le séduire quand ne le charme que ce qu'ils ont en commun, ce fond brutal, meurtrier même, qu'exige l'art du succès. Qu'importent ses sales accointances, ses dégoûtantes simagrées, son passé de retournements et de perfidie, puisqu'il la veut elle, et plus encore la douceur chaude et un peu rugueuse de son con.

Qu'elle soit donc reconnue, couronnée, et tous les mal-parlants, les dénonciateurs, les complices de mauvaise haleine, les blablateurs visqueux, il les terrassera !

Avec des gestes gauches, Mao aide Pomme Bleue à se rhabiller. Lorsqu'elle a revêtu ses loques, il la contemple comme pour conserver en lui sa joliesse, puis il l'attire à lui et ses doigts errent sur son visage, sur ses lèvres, sur ses pommettes. Il ne voit pas les traits fripés, la chair fatiguée, les cheveux en cordage, il ne sent pas les sueurs de cette nuit écumeuse, il est devenu un bon Mao, un Mao à viscères, un homme qui l'aime, qui l'embrasse tendrement et qui enfin soupire :

— Je t'ai tirée pour te faire grimper cette pente, maintenant je vais te soutenir pour la descendre. Au milieu du versant, tu iras de ton côté, moi du mien, vers ma grotte où Chou En-lai doit m'attendre avec sa pire tête de devoir. Si l'hostilité des autres ou l'affaiblissement de nos sentiments devaient nous séparer, tu jouiras de mon amitié et de mon soutien, même si tu commets des crimes, comme il paraît que tu en as commis. Tu m'es chère de toute façon.

LE CHIEN DE MAO

Pomme Bleue ne proteste pas. Ne vaut-il pas mieux qu'il soit attaché à elle, tout en la devinant coupable ? Et même s'il prend des précautions et, dans sa versatilité, envisage déjà une rupture, elle s'en moque : il ne se lassera jamais d'elle.

Mao et Pomme Bleue s'engagent sur le chemin qu'au temps des caravanes tant d'hommes, de coolies et de muletiers ont tracé, un instant il accroche le doigt de sa main droite au petit doigt de la main gauche de Pomme Bleue, à la manière des amoureux, ceux de l'antique amour défendu à Yanan.

Ils sont arrivés à la bifurcation. Seconde d'espérance : s'il l'entraînait vers sa grotte ? Mais il s'est contenté de lui tapoter la joue et Pomme Bleue a continué seule vers Yanan. Brusquement, dans ce matin limpide, les brouillards l'ont envahie. Après avoir assouvi tant de concupiscence chez Mao, et même fait éclore sa sentimentalité, elle se sent usée, saccagée : cette partie hygiénique ne peut qu'avoir magnifié sa belle et grande réputation de salope. Et si maintenant Mao allait reculer ? La rejeter ? Envoyer les deux gardes au front et se tenir pour quitte envers elle, assuré qu'il est du silence de Chou En-lai ?

A cette idée, une fièvre la prend. Ah, non, elle ne rentrera pas discrètement à l'Académie, le peuple entier la verra, toute déchirée, toute souillée de boue, la femme galante, la putain de Mao ! Elle a atteint les premières maisons et elle affronte la multitude. Avec ses cheveux comme une étoupe malsaine, une floraison insane, avec ses vêtements en capilotade, on dirait une pauvresse, une débile. Mais son demi-sourire et les pointes de feu dans ses yeux proclament ce qui a été, cette nuit des rois où Mao a officié dans son ventre. Elle reluit de défi et d'orgueil, et les gens, qui s'écartent sur son passage, la contemplent comme une apparition. Elle est si différente cette femelle qui refuse le masque communiste, celui de la décence en toutes choses !

Au fur et à mesure qu'elle avance, Pomme Bleue croit voir les visages se creuser des rides de la dérision, comme si ces Rouges ordinaires pressentaient un forfait. Parmi ces dévots, il est enfantin de faire circuler un bruit profane, une rumeur mauvaise : Chou En-lai aurait-il, dans un murmure, déjà soufflé une trame arrangée pour ne pas porter atteinte à Mao ? Une « criminelle », Pomme Bleue, a profité de la bonté du Président pour tenter de l'avilir ; que s'exerce contre elle la haine, la haine excellente, comme cela, spontanément, avant même que l'ordre de haïr ne soit donné par

LE CHIEN DE MAO

le Parti. Pomme Bleue sent monter autour d'elle la marée des rictus, elle entend des chuchotis, des quolibets, elle distingue des grimaces affreuses, il lui semble qu'on marmonne un nom : « He Zi-
hen, He Zizhen, He Zizhen. » Le mépris de la populace, son cri...
roulure, fille de roulure, qu'on la chasse, qu'on la tue. C'est toujours la même scène, le même refus... et la peur à nouveau plante
ses griffes en Pomme Bleue. Mais personne n'est là pour pousser la
masse à la dénonciation. Et même, le silence est revenu, qui enveloppe Yanan comme un linceul. Stupéfaite, Pomme Bleue regarde
autour d'elle : les gens se hâtent, l'air morne et zélé, égarés dans
leur béatitude, inaccessibles. Personne ne prête attention à elle.
Aurait-elle rêvé ?

L'Académie des arts et des lettres est installée dans un bâtiment
ancien, à cinq kilomètres du centre de Yanan. Une fois franchies
les murailles, Pomme Bleue retrouve la grande solitude. Elle
marche comme un automate, l'esprit vide, toute illusion cassée.
Ne lui reste qu'une pensée, celle de sa chute : elle n'est pas la putain de Mao, juste le cadeau d'une nuit qu'on ne prend même pas
la peine de conspuer.

Au Collège, une sérénité insultante. Tous les étudiants, les con-
teurs et les bateleurs, les joueurs de luth et les joueurs de pipa, les
interprètes de l'opéra ancien et les acteurs du théâtre moderne, les
jeunes premiers et les charmantes poupées, les mémères à la poitrine généreuse et les futurs génies à la longue barbe, les danseurs,
les acrobates, les clowns, les voltigeurs, les écrivains qui font scintil-
ler la vie et ceux qui en font une pâte noirâtre, ceux qui l'enjouent
et ceux qui la moralisent, et surtout ses chers précieux de Shanghaï, poètes exquis et scénaristes militants avec lesquels, hier encore, elle pratiquait la guérilla indisciplinée, tous l'ignorent. Crottée,
harassée, elle traverse une cour, puis une autre, et encore une
autre. Au moment où elle va se glisser dans le dortoir, Chen Yun,
le directeur, s'approche d'elle et crache à ses pieds en hurlant :

— Où étiez-vous cette nuit ? Et avec qui ? Nous allons faire faire
une enquête exhaustive sur vous. Je ne veux pas que l'Académie
soit déshonorée par une traînée.

Quelques étudiants qui passaient par là se mettent à rigoler :
cette vieille Pomme Bleue n'en fera pas d'autres ! Elle est encore
allée s'user les fesses dans la caillasse. La pauvre ! Quelle décadence depuis Shanghaï !

Soudain un rire cingle l'assistance :

— Ainsi, messieurs les artistes, on se moque d'une femme ?

103

LE CHIEN DE MAO

Faites attention, elle est de l'espèce qui se venge. Décampez tous ! Quant à vous, camarade Chen Yun, je vous verrai plus tard.

Et Kang Sheng, les traits de glace, le regard noir de fureur, entraîne Pomme Bleue dans son bureau :

— Qu'est-ce qui t'a pris de passer par la ville ? Tu es cinglée ou quoi ? Que croyais-tu prouver en allant t'exhiber ? Tu passes la nuit à faire la bête à deux dos avec le Président et tu te comportes comme une conne. Dès ce soir, tu seras Madame Mao, tu l'es déjà, alors apprends l'arrogance, qui n'a rien à voir avec tes défis minables et tes manières teigneuses. Apprends la hauteur.

— As-tu vu Mao ? Lui as-tu parlé ?

— Je l'ai entr'aperçu. Il est dans sa grotte avec cet imbécile de Chou En-lai auquel tu dois ta promotion. Que je t'explique : sous couvert d'éviter aux populations l'horreur de l'occupation japonaise, nous volons des territoires à nos chers amis nationalistes. Nous sortons de nos bases, Tchang Kaï-chek s'est énervé et nous a envoyé un ultimatum : que nos armées évacuent dans les deux heures ou bien, lui, le Généralissime les ferait attaquer et détruire. Evidemment il fallait se retirer à la minute même, nos bandes de va-nu-pieds ne peuvent pas résister à des forces modernes suréquipées. Chou En-lai aurait dû avoir l'intelligence de câbler une réponse obéissante et respectueuse, mais il n'a pas osé, il voulait l'accord de Mao, qui avait disparu, qui était sur ton ventre. Le temps gaspillé, et là-bas l'offensive qui commençait... Tu peux te vanter, tu débutes par un paquet de tués au champ d'honneur de ton con. Mais tu vas avoir besoin de moi, parce que tes accordailles avec Mao vont faire un sacré raffut ! En attendant, va te laver et dors, tu as l'air d'une sorcière.

Sommeil, sommeil lourd de bonheur. Envolés les craintes, les peurs, les fantasmes, Pomme Bleue dort. Au crépuscule, elle sent une main lui caresser les cheveux. Et aussitôt, elle est dans l'emprise d'une douceur oubliée. Elle reconnaît cette tendresse qui l'avait depuis si longtemps désertée : c'est Kang Sheng, le Kang Sheng tant aimé de son enfance. Lui vient comme une nostalgie des temps où ils rêvaient ensemble. Mais la voix d'aujourd'hui se borne à murmurer qu'il est l'heure.

Kang Sheng lui prend la main : c'est le grand appareillage, le chagrin et l'exaltation, se sacrifier et se sublimer dans l'accomplissement du seul projet qui vaille, contrôler le lit de Mao. Pour cela, avec Pomme Bleue, retraverser la cité qui entre dans la nuit, mon-

104

LE CHIEN DE MAO

ter les marches qui mènent à la grotte, et là, être le suprême maquereau, celui qui donne une impératrice à la Chine.

Les noces... A peine Kang Sheng et Pomme Bleue sont-ils arrivés devant la grotte que Mao apparaît. Dans son uniforme étriqué, il semble gros de félicité. Pomme Bleue le regarde : le dirigeant suprême de la zone des frontières, le Président, est donc à elle. Que Kang Sheng à jamais soit remercié qui lui offre la couche du Dragon ou ce qui, chez les communistes, y ressemble le plus. Mais qu'il la serve, qu'il la serve bien.

D'un geste Mao congédie Kang Sheng et les deux gardes, et il entraîne Pomme Bleue dans son gîte. En quelques secondes ils sont nus, l'un sur l'autre, l'un dans l'autre, mais cette fois ils émaillent leurs ébats des fleurs de la tendresse. Au-dessus d'eux, l'obligatoire portrait de Tchang Kaï-chek les surveille.

Est-ce cette photo ? Pomme Bleue est en proie au cauchemar dès qu'elle ferme les yeux. Elle s'éveille la figure embrumée d'angoisse et elle gémit :

— Je vois un fleuve immense, des hommes poussés dans l'eau, jetés dans le courant qui les emporte et les noie. J'en vois d'autres sur lesquels s'abattent le fer et le feu. Il y a tant et tant de dépouilles gonflées qui salissent les flots...

Mao sourit :

— Kang Sheng a dû te parler des événements de la nuit passée et ils t'ont troublée. Tu as eu tort. Pour tout te dire, j'ai provoqué cet éclat. C'est moi qui ai pris la décision de conquérir un maximum de territoire et de défier Tchang Kaï-chek. Et puis de me soumettre. Je veux le rendre fou. Tout à l'heure, avant que tu arrives, je lui ai envoyé un message d'excuses, lui affirmant que je ferai fusiller les responsables qui, en dépit de mes ordres, ont envoyé des troupes au-delà des zones qui nous sont imparties. Bien sûr, ils sont innocents. Mais je dois donner des têtes en attendant de reconstituer une armée meilleure qui reprendra ces jeux.

— Qui choisira les victimes ?

— Chou En-lai. Mais ne te préoccupe pas de ces bagatelles, je veux ces nuits et ces jours me consacrer entièrement à toi, et puis je te présenterai au Parti comme ma compagne, bientôt comme mon épouse.

LE CHIEN DE MAO

Et dans un ricanement joyeux :

— Baisons ! N'entends-tu pas les salves qui me débarrasseront des médiocres et des incapables qui s'étaient glissés dans nos rangs ? Réjouis-toi de ces rafales, il y en aura beaucoup d'autres et je prendrai ton ami Kang Sheng comme chef bourreau. La guerre en Chine sera longue, très longue, pleine d'événements imprévisibles et de surprises extraordinaires, les armées de Tchang Kaï-chek se dissoudront dans la veulerie, tandis que les forces populaires ne cesseront de s'accroître. Et le temps viendra où, moi et mes hommes, nous écraserons les Japonais, nous éliminerons Tchang Kaï-chek, nous exterminerons les tyrans. Crois-moi, tout l'Orient sera rouge.

A écouter Mao, la situation lui est favorable. Les Japonais sont terrés dans leurs nids, occupés à faire suer « la Chine utile », celle qu'ils possèdent, côtes et métropoles. Le reste est trop vaste et les soldats du Mikado s'y diluent comme des serpents gavés. Contre eux, le harcèlement suffit : infliger quelques pertes, en subir, pas trop, juste quelques morts pour que s'aigrisse la rancœur, ce ciment. Le véritable ennemi, désormais, c'est le frère, le Chinois du Kuomintang auquel on a juré amour et assistance. Lui a des armées, des maréchaux, un immense matériel, la reconnaissance du monde, le soutien de l'Amérique et celui de l'URSS. Comment combattre ce héros qui veut imposer son joug aux Rouges au nom de la guerre antijaponaise et d'abord les confiner dans les lointaines régions du Nord en attendant de les détruire ?

Cependant, un calme pesant accable la Chine et l'univers entier. La grande veulerie... Depuis la guerre civile en Espagne, où les idéologies se sont affrontées si violemment, on n'entend qu'à peine le bruit du canon à travers le globe. Mais des noms terrifiants se sont propagés : Hitler, Staline, Tojo et même Mao luisent comme des comètes de mort, comme les augures de l'épouvante. La conflagration est proche. Pour le moment, tout est immobile, comme dans l'œil d'un cyclone, mais les nuées se déchireront bientôt en charpies de sang.

Pas grand-chose en Chine, donc. Mao recommande de ne pas affronter directement le Généralissime, de ne pas se laisser entraîner dans des batailles ouvertes contre lui, de subsister de stratagèmes en stratagèmes, en en inventant toujours de plus ingénieux et de plus traîtres. Qu'à Chongqing, Chou En-lai prenne les allures d'un ami, bon convive et négociateur complaisant, mais qu'à partir de Yanan on frappe le sol du sceau rouge. Que des pèlerins

LE CHIEN DE MAO

et des commissaires se répandent dans les villages, qu'ils accusent les nationalistes de pactiser avec les Japonais, qu'au besoin des agents provocateurs commettent des exactions et les attribuent à ces mêmes nationalistes, que la vérité se propage en cercles de feu, de plus en plus de vérité pour épurer les masses et lever des partisans. L'homme, la femme, l'enfant, tout le monde est recrutable. Et tout le monde surveillera. Espionnage général pour la grande œuvre de pacification, de bonheur et de mort. Que les partisans se rassemblent en groupes, en patrouilles, en détachements qui se heurteront aux insoumis de toute espèce, nationalistes égarés ou vulgaires brigands et qu'à chaque fois l'incident soit bien exploité. Il y aura mille formes d'opérations, de rencontres, de ruses, de bons et de mauvais hasards, avec de plus en plus de cadavres dans un camp et dans l'autre, de plus en plus de supplices et de cruautés calculés : là il sera déterminé qu'il faut couper des têtes, là qu'on doit enterrer vivants tant de gens. Et au fur et à mesure que le pouvoir rouge s'étendra autour de Yanan et gagnera des provinces entières, se lèveront d'immenses armées enthousiastes et disciplinées.

— Tout cela, continue Mao, nous le ferons sans hésiter à reculer devant Tchang Kaï-chek, si c'est opportun. Et sans oublier que les Japonais pourraient se réveiller et se remettre à cisailler la Chine. A moins qu'ils ne concluent un accord avec le Généralissime et ne s'associent avec lui pour nous exterminer. Je pressens à travers le monde entier et dans des délais très proches des séismes et des convulsions fantastiques qui se répercuteront jusque dans notre pays. Que fera Tchang Kaï-chek ? Que feront les Soviétiques ? Je ne sais. Mais rien ne m'empêchera de poursuivre notre expansion lente et muette. Nous alliant, nous désalliant, tantôt séduisant par la douceur, tantôt effrayant par la rigueur, nous nous glisserons parmi les périls. Et toujours nous resurgirons des décombres, jusqu'à la complète victoire du Peuple. Alors je commanderai le peloton d'exécution qui fusillera cet excrément de la terre qu'est Tchang Kaï-chek, je le regarderai agoniser, je lui donnerai moi-même le coup de grâce, et j'entrerai dans Pékin.

Aussitôt Pomme Bleue se voit dans la grande parade, en sublime concubine instruite de toutes les situations, de tous les dilemmes, de tout le fourchu de la haute politique. Elle imagine Mao ahanant sur elle, mais peu à peu bourdonnant de petites exclamations, de petites réflexions, et chassant avec elle les préoccupations qui harcèlent sa cervelle. Tant de queueries pour

LE CHIEN DE MAO

devenir la confidente qui soupire de courtes phrases judicieuses et dissipe les noires pensées sur le gouvernement des hommes, ces insectes rétifs... Plus tard elle donnera, avec modestie et comme par inadvertance, quelques avis. Et elle deviendra non seulement l'hétaïre combien troussée mais aussi la compagne émérite, le compagnon d'armes qui assistera Mao dans les allées et contre-allées du pouvoir, qui l'influencera. Les années s'écouleront. Elle résistera à la lassitude, aux intrigues, aux disgrâces, elle s'incrustera dans un personnage d'épouse à la bonté terrible. Et puis Mao tombera dans le filandreux de la vieillesse. Alors ce sera elle, tellement plus jeune et tellement mieux conservée, qui sera Mao.

Ainsi Pomme Bleue chevauche-t-elle les nuées. Egarée, folle qui pour percer la poche de ses derniers doutes demande à Mao si un jour elle participera de son génie. Mao éclate de rire :

— Prends garde, je ne suis pas un souverain qu'on évince. Et ne me fais pas renifler l'odeur de ma mort. Sois patiente, très patiente, contente-toi d'être aimée.

Aveu incroyable. Pour le Parti l'amour est une mare nauséeuse, un étang pestilentiel où, sous les nénuphars rouges, les cœurs se meurtrissent et se déchirent. L'amour tue, d'une mort réactionnaire Seule est tolérée la conjonction des corps, dans des unions approuvées par le Parti. Encore les accouplements doivent-ils être rares et chiches, que jamais la sensualité, cette dévoreuse d'hommes, ne puisse l'emporter. Et voici que Mao, le grand Mao qui a tant condamné le sentiment et l'élan des âmes, est au bord du gouffre...

Et Mao s'enfouit dans la luxure. Cloîtré dans sa grotte, il jouit. Il ne se rassasie pas de Pomme Bleue. Elle est là, à sa portée, et il ne perd pas son temps à soupirer, à languir, à se pâmer, il se jette sur elle et elle le reçoit dans des transes de plus en plus exaspérées. Parfois, la nuit, il fait semblant de travailler et comme auparavant elle recopie ses textes. Mais cette collaboration est souvent interrompue par des fornications. Un regard entre eux, la connivence, et aussitôt la fornication. Une existence de fornication.

Ainsi, des jours et des nuits durant, Mao se consume. Il est marqué par la fatigue, il est pâle, il maigrit. Il se met à boire. A l'entrée de la grotte, les gardes repoussent les responsables du Parti qui se présentent : « Le Président est occupé. » Occupé à saillir Pomme Bleue, tout le monde le sait... Sourires de pitié. Enfin, Mao, comme pour braver la réprobation générale, nomme Pomme

LE CHIEN DE MAO

Bleue archiviste à la Commission militaire du Parti, et il apparaît en sa compagnie devant l'aréopage des camarades chargés de la direction de l'armée. On débat de la stratégie à appliquer contre l'allié Tchang Kaï-chek. Mais Mao, au lieu de planifier les moyens de la victoire, contemple sa garce et reste enfermé dans un silence impudique. Alors tous se taisent, effrayés par son état.

Quand ils se retrouvent entre eux, les dignitaires ratiocinent sur le « cas » Mao, puisque maintenant il constitue un cas : comment peut-il descendre à ce degré d'abaissement ? S'attacher avec une telle lubricité à une actrice à la réputation si souillée, c'est un crime. Or, Mao ne peut pas commettre de crime. Les camarades ne cessent d'argumenter – si elle n'est pas criminelle, la passion de Mao pour cette fille est maladive, meurtrière même. Lorsque Mao se traîne aux réunions du Comité central, auxquelles Pomme Bleue n'est pas admise, c'est presque pire. La face abrupte, les yeux égarés, il est hanté, habité par l'ombre de cette putain. Et l'assistance, gênée d'être confrontée à l'inavouable et de ne rien pouvoir faire, s'enlise dans le malaise. Un autre que Mao, on l'accuserait, on le critiquerait, on l'amènerait à la confession et au repentir, mais avec lui c'est impossible, il ne faut pas l'affronter, risquer d'ébranler le Parti. Pourtant une intervention est indispensable. Afin de la préparer, on demande à un camarade de Shanghaï d'enquêter sur le passé de Pomme Bleue et de faire un rapport. Le résultat est terrible.

Cependant le désir de Mao pour Pomme Bleue ne s'apaise pas, au contraire. Leur lit, c'est leur sanctuaire. Mao l'empereur est enfermé dans sa Cité Interdite, avec sa concubine, et toute la Chine se réduit à cette couche, celle du Dragon dans la salle du Divin Repos. Parfois, après l'extase, il se redresse, portant sur le visage cette expression intransigeante qui peut signifier la mort de tant d'êtres, et il adoube Pomme Bleue :

—Je suis Mao, j'ai le pouvoir de condamner et celui de pardonner au nom du Peuple, et toi je te pardonne... Quant aux cochons qui reniflent les errements et les remugles de tes anciennes vies, ce sont des félons. Car ils s'opposent à ma volonté, qui est sacrée, et ma volonté est de faire de toi, telle que tu es, telle que tu as été, la compagne qui marchera avec moi le long du sentier des années.

Pomme Bleue s'inquiète quand même des tempêtes qu'elle déchaîne :

—Promets-moi que tu ne m'abandonneras jamais. Sans toi, je serais mise à mort par le Parti.

LE CHIEN DE MAO

— Ne t'angoisse pas, je suis le Parti.

Mais le Parti tout entier se rallie à He Zizhen, qui est toujours l'objet d'un culte. Réfugiée à Xian, dans une modeste petite chambre peinte à la chaux, Zizhen pleure, elle se désespère, elle se sent abandonnée, elle songe à se tuer. Le Parti décide malgré tout de se servir de cette pauvre chose accablée pour écraser Pomme Bleue. Un jour, Deng Yingchao, l'épouse de Chou En-lai, surgit dans sa cellule, la prend dans ses bras et la presse de retourner auprès de son mari. Une prostituée, une vulgaire comédienne du nom de Pomme Bleue, est en train de le séduire. Qu'elle retourne à Yanan pour reconquérir son époux ! Longs gémissements de He Zizhen, elle ne peut pas, elle ne veut pas, elle a été trop humiliée, elle préfère dépérir dans son chagrin :

— J'ai arraché Mao à la grosse Américaine et à Lily la chanteuse – l'affreux résultat que ça a donné – ... Maintenant je préfère disparaître.

Que l'épouse légitime se dérobe n'empêche pas Pomme Bleue d'être toujours considérée comme une salissure qui entache le glorieux Mao. Sa réputation empire encore, au point que ses anciens condisciples de l'Ecole du Parti, les futurs cadres rouges, se mettent en grève et manifestent contre elle. Avec des cris et des banderoles, ils défilent dans Yanan en dénonçant la sorcière. Une caricature la représente en virago luisante de méchanceté, d'avidité, de gloutonnerie. Alentour de ce cortège, les gens applaudissent ; ils exècrent cette Pomme Bleue, ce vampire prêt à sucer le sang et la moelle de leur chef.

C'est alors que Kang Sheng lance la contre-attaque. Il n'y a que lui dans tout Yanan, dans toute la Chine pour mener à bien une telle entreprise. Qui d'autre pourrait parler de l'enfance de la jeune femme dans le Shandong ? N'a-t-il pas été son professeur de chant ? Ne lui a-t-il pas enseigné les mélodies et les gestes les plus envoûtants de l'opéra ? Là-dessus Kang Sheng organise une représentation à laquelle les dirigeants doivent assister. Pomme Bleue interprète son rôle favori, celui de la princesse condamnée à mort par un père barbare. Surprise, Kang Sheng l'accompagne au xiaogu et le fait que cet homme-là joue du tambour pour cette fille-là est un camouflet et une menace pour toute l'assistance. Mao se pâme, on applaudit... Cela ne suffit pas.

Kang Sheng a beaucoup mieux. Il raconte qu'à Shanghaï lorsqu'il était traqué par la police secrète de Tchang Kaï-chek, Pomme Bleue l'a sauvé. Enfermé dans une planque misérable, il aurait été coupé du monde si elle n'avait pas pris tous les risques pour lui. Elle surveillait les environs, repérait les têtes suspectes, lui apportait nourriture et informations, elle était animée d'une ardente foi communiste. Qu'on ne retrouve pas son nom sur les listes d'inscription du Parti à Shanghaï n'a rien d'étonnant : il lui avait demandé de rester un agent souterrain, une actrice et rien d'autre en apparence. Et Kang Sheng produit une série de témoignages : celui de la mère Fu, celui du bonze et d'autres miraculeusement parvenus de Shanghaï.

Encore plus fort ? Kang Sheng s'abouche avec les deux fils que Mao a eus de Yang Kaihui, l'épouse qu'il a laissé massacrer. Ces garçons, livrés à la mendicité et à la faim, avaient survécu en vendant des journaux dans Shanghaï. Ensuite ils s'étaient installés dans un temple en ruine et s'étaient faits raconteurs d'histoires : un récit contre une piécette. Retrouvés par extraordinaire – à la différence de ceux de He Zizhen, Mao les avait fait rechercher –, ils ont été placés chez des paysans de la région de Yanan. L'un d'eux, Mao Anqing, est légèrement débile ; l'autre, Mao Anying, est un superbe adolescent qui brille de beauté et d'intelligence. Tous deux détestent He Zizhen, la femme qui selon eux a causé la mort de leur mère.

Kang Sheng n'a aucun mal à attiser cette rancune. Quelques phrases choisies, quelques souvenirs cruels... et les deux garçons entament une violente campagne contre He Zizhen. Ils ne parlent d'elle qu'en termes affreux et l'accusent des pires forfaits : n'at-elle pas empêché Mao de venir au secours de Kaihui ? N'aurait-elle pas organisé son assassinat par les nationalistes ? En tout cas, elle a interdit que Mao les recueille. C'est une idiote, une folle, une énergumène qu'il faut enfermer. Eux, ils adorent Pomme Bleue, la femme qui apportera le bonheur à leur père, la seule digne de succéder à Kaihui.

Apporter le bonheur ? Ils ne croient pas si bien dire : Pomme Bleue est enceinte. Mais cela lui déplaît souverainement. Elle se sent alourdie, épaisse, une outre pleine d'une vie qui croît goulûment aux dépens de la sienne. Elle se regarde dans la glace et elle se trouve horrible, les traits tirés et en même temps envahis par une répugnante bouffissure. Comme sa beauté, son charme, son irrésistible grâce sont loin ! Cet embryon en elle, cette ordure qui a déjà sa propre loi, qui est à elle et qui lui est étrangère, elle l'exècre. Pomme Bleue est d'autant plus enragée que cette chose

LE CHIEN DE MAO

en elle la rend malade, elle est sujette à des évanouissements, à des vomissements, à tous les écœurements des femelles fécondées. Comment se peut-il qu'elle, Pomme Bleue, n'échappe pas au sort commun ? Lorsqu'elle annonce à Mao qu'il va être père, lui non plus ne déborde pas de joie. Engrosser les femmes, il l'a toujours fait avec indifférence. C'est juste un phénomène animal : ce fruit qu'on cueille au milieu des tripes, des jus et des déchets, Mao s'en fout. Sera-t-il troublé cette fois ? Non. Il farfouille dans son nez pour en extraire quelques crottes qu'il contemple longuement et il éclate de rire :

— Je te félicite, tu as trouvé la solution correcte ! Ton ventre, c'est de la bonne politique, c'est la stratégie qui te mènera à la victoire. Quand les grands camarades seront informés, ils seront obligés de s'incliner. Même au Parti il y a des convenances, et ton utérus gravide en est une. Ton bébé, c'est ton salut, ton triomphe, ta gloire. Ces épouvantails seront contraints d'accepter notre mariage. Nous nous épouserons dans quelques mois, lorsque tu auras gagné ta guerre, que tu seras près de ton accouchement.

Pomme Bleue reste alitée. Elle se dégoûte de plus en plus, au point de dire à Mao qu'elle souhaite arracher d'elle ce parasite. Il s'exclame :

— Si tu veux, mais tu me déçois. Je te pensais ambitieuse, de la trempe des concubines avides qui sont arrivées jusqu'au trône grâce au bon fonctionnement de leur tuyauterie et en acceptant la dilatation de leur matrice et de leurs chairs... C'est même un procédé classique.

Mao est tout gai, d'autant plus qu'il impose à Pomme Bleue la continuation de leurs ébats. Plus elle grossit, plus elle se voit comme un tas purulent, plus Mao prend de plaisir à la baiser, et il ne manque jamais de faire la même plaisanterie :

— Il faut que je me rapproche de mon enfant, qu'il me connaisse !

Si Pomme Bleue essaie de se refuser, en prétextant un malaise, Mao est furieux :

— Ne sois pas malade, je déteste qu'on soit malade ! Prends exemple sur He Zizhen qui était enceinte pendant la Longue Marche. Elle allait à pied alors que j'étais porté sur une litière et je la rejoignais le soir à l'étape pour coucher avec elle. Toujours prête, toujours écartant les jambes, même quand son ventre était une montagne. Et elle a accouché sans faire d'histoires. Alors toi, sois en bonne santé et reçois-moi !

112

LE CHIEN DE MAO

Quand, dans le Xian de son exil, He Zizhen apprend que Pomme Bleue est grosse, la rage noire la saisit, une rage bien plus effrayante que celle qu'elle a éprouvée envers Lily Wu, une rage assassine. Cette Pomme Bleue, elle l'avait d'abord ensevelie sous son mépris : une fille de rien, une poule que, même accablée, elle était arrivée à supporter. Maintenant l'envie la dévore de crever le ventre qui se gonfle. La lame d'un couteau... Heure après heure, son dessein prend consistance et elle part pour Yanan. Immense joie des amazones qui l'accueillent avec ferveur : malgré les manœuvres de Kang Sheng, elle est toujours l'épouse révérée et Yanan n'est que flatteries et hommage. He Zizhen s'est faite toute douce, mais elle s'endurcit dans son projet : se soumettre, s'incliner, faire acte d'allégeance et, cachant une arme, s'introduire dans la grotte, surgir devant Pomme Bleue et la frapper là où elle porte une nouvelle vie. Ainsi sera-t-elle vengée... Démence. Cependant He Zizhen parvient presque à ses fins : elle persuade les sentinelles de la laisser passer, elle pénètre dans l'antre, se glisse dans la chambre où Mao et Pomme Bleue gisent sur le lit dans un épuisement heureux, elle lève le bras qui tient la lame mais Mao la réduit à l'impuissance :

— Tu n'as rien fait. Tu n'as rien fait, sache-le ! Va-t'en ! Je t'écrirai.

Ce dérisoire attentat doit rester secret, pourtant la rumeur s'en propage dans la cité et la réputation de He Zizhen s'effondre. Sous bonne garde, elle retourne dans sa chambre de Xian, où désormais on l'enferme. Elle est devenue insensible, une matière brute, au-delà de la douleur. Pas de lettre de Mao, arrive simplement l'ordre de l'évacuer à Moscou. Mao Anying est chargé de la convoyer là-bas avec sa fille née pendant la Longue Marche. On la dépose dans un hôpital psychiatrique, loin de Mao, loin de la Chine, loin de tout.

Cette brutalité épouvante Pomme Bleue : elle sait maintenant comment Mao se lasse d'une femme, quelque belle, attirante, utile qu'elle ait été. Décidément l'aimer est une rude tâche. Ce n'est qu'un paysan sale, mal vêtu, qui sent mauvais, un être inaccessible au raffinement. Dormir à ses côtés n'est pas ragoûtant... Il est fou, littéralement fou d'envie érotique. Pomme Bleue continue de transiger : il est Mao, fût-ce un Mao désacralisé par ses rots, ses pets, ses dents sales, ses manières grossières, son allégresse à s'épucer. Et même si dans sa concupiscence il se révèle un homme

113

comme les autres, elle ne se risque toujours pas à se conduire avec lui comme elle s'est conduite avec tous les mâles qu'elle a subjugués. Impossible de le maltraiter, inconcevable de le désespérer... c'est lui qui l'anéantirait. Jamais il ne pardonne et son caprice est roi. Se saoulerait-il de volupté avec elle, il peut à tout moment s'imprégner d'un autre désir et la congédier.

Pomme Bleue se dit que par contraste avec He Zizhen, cette femmasse dont il s'est fatigué, elle doit se montrer délicate. Pas trop cependant pour que Mao puisse toujours se satisfaire. Se satisfaire... Elle, jadis coquette, capricieuse, insolente, cruelle, est obligée de se soumettre, de complaire, de s'accommoder de toutes les humeurs de Mao, même les plus exécrables. Elle est sa catin, il l'oblige à se faire servante, et de toutes les façons. Elle jusque-là incapable de cuisiner, sue aux fourneaux pour concocter des plats huileux et pimentés dont il se régale, mais qui ne sont pour elle qu'une infecte ragougnasse. Elle a remporté une victoire en obtenant qu'il débarrasse la grotte de la vermine – elle était déglutie vive par des insectes infâmes. Un triomphe, car il n'est pas facile de lui faire changer ses habitudes, dans les petites comme dans les grandes choses. C'est le seul. Elle essaie de lui parler de sa santé, il la rembarre, la renvoie à sa lessive ou la culbute. Et tout cela dans l'austérité communiste, sans domestique mais avec des gardes du corps, des brutes qui sont soudards, spadassins et espions. Elle n'est pas seulement une soubrette au gros ventre, une cuisinière et une femme de ménage, elle est prisonnière, séquestrée dans la grotte, loin des gens, des grands camarades. Aime-t-elle Mao ? Vient le moment où elle ne se pose plus la question. L'aime-t-il ? Elle l'ignore. Ils s'adorent. Mais l'adoration, qu'est-ce que c'est ?

Cependant, pour devenir Madame Mao, que ne supporterait pas Pomme Bleue ? Des semaines s'écoulent, et toujours elle enfle, excitant plus le désir que la tendresse de Mao. Elle est une panse, elle est pleine, comme habitée, et elle continue d'abominer ce quelque chose de vivant qui en elle soubresaute, se manifeste, réclame et donne des coups de pieds. Parfois Mao pose la main sur l'abdomen pyramidal de Pomme Bleue pour sentir cette larve tyrannique qui ne demande qu'à sortir. Ce qui apparaîtra, ce têtard, de quel sexe sera-t-il ? Mao préférerait un garçon, pas Pomme Bleue. Déjà, elle calcule, elle se souvient que les grandes impératrices, celles qui se sont emparées du trône, ont toujours fait tuer leurs fils.

Comme si elle était pestiférée, personne ne lui rend visite hormis Kang Sheng, toujours fouinard, complimenteur et plein d'entrain. Apparemment Mao se moque de son ancienne amitié avec Pomme Bleue, et même il les laisse souvent seuls pour qu'ils puissent bavarder à leur aise. Kang Sheng fait l'aimable, se tortille, dit des mignonneries après avoir bien contemplé la proéminence de Pomme Bleue :

— Ça s'agite là-dedans, n'est-ce pas? Eh bien, à cause de ce remue-ménage, le Parti s'agite et se remue aussi! Ton imminent lardon, ma chère Pomme Bleue, est la plus grande affaire de la Chine soviétique. Ton ventre si plat, ta fente si jolie autrefois...

— Tais-toi, sois décent!

— Je le suis, ma pauvre Pomme Bleue, je le suis. Mais n'essaie pas de me faire croire que tu apprécies ta grossesse, je te connais trop. Pourtant c'est comme ça, par le ventre, que les femmes prennent le pouvoir. Pomme Bleue, tu seras l'Impératrice rouge, enfin la femme de l'Empereur rouge, et toutes les ambitions te sont permises. Avoue que je t'avais prédit depuis longtemps ce sort grandiose... Il ne faut pas que tu haïsses ton bébé, dis-toi que c'est un capital inestimable. Ne permets pas à Mao, même s'il te prend en grippe, de se débarrasser de l'enfant en le plaçant chez des culs-terreux. Protège ton rejeton. Tant qu'il te sera utile.

— Encore une fois, arrête. Tu as quelque chose de particulier à me dire?

— Essaie de comprendre, au lieu de prendre de grands airs. Si Mao veut t'épouser, il devra se battre, jeter tout son poids dans la balance, tu entends, tout son poids. Et même comme ça, je ne suis pas certain que tu obtiennes entière satisfaction. On lui imposera des conditions. Tous les grands camarades sont contre toi, y compris Chou En-lai, Liu Shaoqi et Zhu De. Sans parler de Chen Yun et des autres. J'ai eu beau faire, tous te considèrent comme une calamité.

— Mais j'ai toujours été une bonne communiste.

— Epargne-moi ta leçon, c'est moi qui te l'ai enseignée... Es-tu sûre de Mao? Il devra se démener, il sera en posture d'accusé... Si ce n'était pas lui, il serait jugé et condamné. Mais c'est lui. Encore une fois, es-tu sûre de lui?

— Oui... Quoique avec lui on ne sache jamais.

— C'est sa force d'être déroutant, toujours le contraire de ce qu'on attend qu'il soit. Mais passons. En l'occurrence, il te veut pour femme, son désir est ton atout, et pour quelque temps encore tu peux compter sur lui. Il y a tes amants, lui ne s'en soucie pas mais

LE CHIEN DE MAO

le Parti en a établi la liste et il essaiera de s'en servir. D'autre part, même si, par prudence, ils m'ont omis de cette liste, ils savent que nous avons couché ensemble et cela m'empêche de t'aider autant que je le voudrais. Vraiment, il est essentiel que Mao se déchaîne. Et vite.

Kang Sheng... Tant de passé entre lui et elle, et peut-être tant d'avenir, s'ils se rejoignent dans les étreintes du pouvoir. Avant de partir, il glisse un dernier conseil :

— Ne reste pas enfermée ! Va montrer ta grossesse dans Yanan, ta juteuse et superbe grossesse ! Que tous te voient enceinte des œuvres de Mao, prête à mettre au monde un enfant de lui, et puis surgis au Comité central lors d'une réunion à laquelle Mao n'assistera pas, et là, déclare que lui et toi vous avez décidé d'unir vos vies.

Le soir, Pomme Bleue fait part à Mao des avis prodigués par Kang Sheng. Va-t-il se fâcher ? Il sourit et caresse gentiment le ventre de Pomme Bleue :

— Ça a bien marché vos bavardages ! J'étais sûr qu'il risquerait son va-tout sur toi, c'est-à-dire sur moi. Franchement, ce voyou m'amuse plus que les freluquets du Parti qui détestent notre mariage. Il a raison, je vais me battre et je gagnerai.

Et Pomme Bleue descend à Yanan. Elle est à son huitième mois, lourde, si lourde, avec ce ventre comme une bénédiction et un défi, et les gens la regardent, et ils se taisent, craignant ce ventre, qui est enjeu, source de discorde dans le Parti, un ventre qui promet grâces à ceux qui auront bien misé et disgrâces aux autres, un ventre dangereux.

Lentement, pas après pas, s'appuyant sur une jambe, puis sur l'autre, se tenant les reins, Pomme Bleue remonte jusqu'à la grotte où siège le Comité central. Elle est énorme. Enorme. Elle pénètre dans la salle de délibération, ils sont là, les grands camarades, le mandarin Chou En-lai, le moine rouge Liu Shaoqi, l'ancien Seigneur de la guerre Zhu De, le solide général Peng Dehuai, le gnome Deng Xiaoping, Chen Yun, Li Fuchun... ses ennemis. Comme prévu, Mao est absent. A l'entrée de Pomme Bleue le silence s'abat, un silence gêné, poisseux, comme s'ils étaient pris en faute. Sans doute discutaient-ils d'elle et du fruit de ses entrailles... On lui offre un siège mais elle reste debout, massive, impressionnante, et elle se borne à annoncer :

— Nous sommes résolus, le Président et moi, à nous marier avant mon accouchement.

Encore le silence, à peine un murmure diplomate. Tous ces

LE CHIEN DE MAO

visages hostiles, toute cette fausseté... Seul Kang Sheng applaudit bruyamment. Là-dessus, Pomme Bleue se retire. A jamais, elle haïra cette lie.

Elle retrouve un Mao furieux, qui, déjà, sait l'incident. Si grande est sa rogne qu'elle se retourne contre Pomme Bleue. Il lui reproche sa légèreté, sa facilité, ses anciens contacts avec le Kuomintang. Pomme Bleue essaie de nier, elle est décomposée. Mao tape du poing sur la table :

— Tout cela m'est indifférent. Mais j'en ai assez qu'on me jette à la figure – oh! doucereusement, par des allusions obliques – le fumier de ton passé, tes orgies, tes trahisons, un certain Tang Na. Il y a là-dessus des rapports accablants. Tu n'as qu'un soutien, Kang Sheng, mais lui aussi a été ton amant.

Pomme Bleue tente de se disculper à l'aide de vieux arguments troués :

— C'était mon protecteur, je ne me rendais pas bien compte.

Mao hurle :

— Je m'en fous. Je me fous même que tu aies eu un petit goût de revenez-y avec lui ici dès son arrivée. C'est encore plus fort de sa part de t'avoir donnée à moi. Mais j'ai l'air d'un imbécile dans vos magouilles et ça, ça m'emmerde!

Mao souffle, geint, se cure les dents avec les ongles, gesticule, s'absorbe en lui-même, enfin proclame :

— Le Parti t'acceptera, je te le jure! Dussé-je en crever!

Sa tactique, ce sera la pénible douceur. Le lendemain, au lieu de fulminer ses ordres devant l'aréopage des dirigeants, Mao prend son bâton de pèlerin et va de grotte en grotte essayer de persuader chaque camarade. Spectacle extraordinaire, spectacle désolant. Il est là à prier, à quémander, à supplier, à implorer. Dans chaque caverne, il ploie devant un de ses féaux qui bredouille, se noie en circonlocutions, mais ne cède pas. A l'exception de Kang Sheng qui déborde d'enthousiasme. Le plus poli est Chou En-lai, mais même lui n'approuve pas. Le plus rugueux est Wang Ming, l'ancien associé de Kang Sheng, de retour de sa mission de Chongqing. Le chef des prosoviétiques qui sont encore puissants à Yanan, l'ennemi avoué de Mao, clabaude ignominieusement :

— Tout le temps que j'ai dirigé le Parti à Shanghaï, je n'ai jamais entendu parler d'une militante nommée Pomme Bleue. Il existait bien une actrice de ce nom, qui se débrouillait à sa façon dans le milieu douteux du cinéma, mais c'était, disait-on, une agente du Kuomintang.

LE CHIEN DE MAO

Par ces phrases, Wang Ming se condamne à mort. A peine a-t-il fini de parler que Mao prévoit pour lui et ses séides une inexorable déchéance se terminant par un massacre. Kang Sheng y pourvoira. D'ailleurs la dissolution de la secte de Wang Ming soutenue par les Russes, leurs agents et leur argent, est inscrite dans la marche de Mao vers le pouvoir total.

Mais Wang Ming est quand même peu de chose dans le dégoût qui déferle sur Mao. Les vrais traîtres, ce sont les grands camarades qui repoussent sa demande. Et lui qui toujours garde la face, en vient à la perdre : lors d'une réunion plénière, il se met à proférer des menaces stupéfiantes, il évoque, il annonce presque son renoncement :

— Sans Pomme Bleue, sans son amour, je n'aurai plus la force de me consacrer à la Révolution. Si vous m'interdisez de l'épouser, je me retirerai dans mon village, je redeviendrai paysan et je cultiverai ma terre.

Commence le procès de Mao, Mao qui affronte le Parti, Mao le verbe haut, Mao dans son orgueil, Mao gémissant qui renouvelle ses imprécations et ses objurgations... Les camarades sont accablés, car, sans lui, le Parti décapité ira à vau-l'eau. Pourtant, céder est impossible, ce serait être vaincu par la pourriture : Pomme Bleue est une honte. Interminables conciliabules entre les compagnons de l'épopée. Mao gronde, mais il se heurte aux longues mines de ses affidés. Argumentations sans fin. Les visages sont embrumés, renfrognés ou pleins de mimiques harcelées, les voix sont timides, les mots défaillent... Les débats durent des heures et des heures sans apporter de résultat.

Pomme Bleue s'est armée de confiance, attendant un prompt retour, le retour en vainqueur de Mao qui aura imposé sa décision. Mais à mesure que le temps s'écoule, que les minutes et les heures succombent avec monotonie, dans le silence de la grotte viennent les doutes. Elle se dit que Mao tarde trop, qu'il négocie, qu'il capitule. Pourtant lorsqu'il apparaît, il semble rasséréné, presque content :

— Tout va bien. Les camarades se résigneront, mais à condition que tu en rabattes sur tes prétentions.

Et soudain, il l'insulte :

— Tu en veux trop! Qui es-tu après tout? Tu n'as pas fait la Longue Marche, tu n'as rien fait. Contente-toi d'un bonheur domestique avec moi, c'est déjà beaucoup d'être mon épouse pour une traînée de Shanghaï.

LE CHIEN DE MAO

Pendant deux jours, Pomme Bleue enrage, trépigne, proteste, pleure, au point que Kang Sheng s'alarme :

— Tu te découvres trop ! Assez de scènes. A trop vouloir, tu vas tout perdre.

Une ultime réunion doit avoir lieu dans le Jardin des Dattiers, l'oasis où s'est installé Kang Sheng. Sont convoqués Zhu De, Liu Shaoqi, Chou En-lai et Mao naturellement. Il y a du compromis dans l'air et Pomme Bleue regarde Mao s'éloigner avec anxiété : il lui semble qu'il se détache d'elle, de cette femme mûre qui va éclater comme une vesce, pour revenir à lui et à son seul objectif : se faire dieu. Ce dieu désire-t-il vraiment une déesse à côté de lui ? Pomme Bleue est seule, raidie de crainte, détruite par des pensées tourneboulantes. Enfin un faible bruit de pas. C'est Chou En-lai seigneurial et complice, la parole douce, tout habité de la flamme de l'amitié. Hymen, ô hyménée : le Parti a accepté que le Président Mao divorce de He Zizhen et qu'il l'épouse, elle, Pomme Bleue. Là-dessus, le sourire de Chou En-lai devient encore plus courtois, ses mots sont un velours :

— Le Président Mao a besoin auprès de lui d'une tendresse vigilante. Vous vous consacrerez totalement à lui, à la santé de son corps et de son âme. La tâche sera très prenante.

Tout ce langage de chattemite, ce patelinage, cet étalage de flatteries... c'est bien un piège... Pomme Bleue demande à Chou En-lai de préciser son propos. Ce qu'il fait avec un air suave :

— Le Parti a décidé que vous renoncerez pendant trente ans à toute activité politique.

Pomme Bleue se retient d'exploser, d'une voix maîtrisée elle demande si le Président Mao a accepté.

— Il acceptera. Il est en train de le faire.

Là-dessus, Chou En-lai sort. Alors la démence s'empare de Pomme Bleue. Une coulée de lave noire. Comment ose-t-on la traiter ainsi ? Mao n'a-t-il même pas le courage de venir lui parler ? Dans son égarement Pomme Bleue décide de défier les grands dirigeants. Elle sait bien où se réunissent ces cloportes, et elle s'y traîne, hagarde, ressassant sa rage et ses arguments. Une harpie, une harpie enceinte, un amas de moellons graisseux qui expectore sur l'assemblée des crachats de coolie. Elle les traite d'imbéciles, d'impuissants, de branloteurs, de dégénérés, de coquins, d'assassins, d'hommes sans couilles, de limaces ambitieuses. Ses traits catapultent l'invective. Ah ! si elle pouvait étouffer de ses mains tous ces crapauds baveux... Mais soudain retentit la voix de Mao,

119

LE CHIEN DE MAO

lisse comme une épée, et cette voix répète ce que Chou En-lai avait annoncé :

— Arrête-toi ! Présente des excuses ! La décision est prise, pendant trente ans tu ne te livreras à aucune activité politique. Tu te dédieras à moi, tu seras mon soutien. Cette résolution a été acceptée à l'unanimité, je divorce de He Zizhen et je t'épouse. Pas besoin de cérémonie, dorénavant tu es mariée, tu es Madame Mao.

Ces paroles, c'est à la fois consécration et déchéance. Pomme Bleue touche au pouvoir, elle l'a presque, elle ne l'a pas. Elle se jure que dans trente ans sa haine déferlera sur la Chine. Pour le moment, elle regarde en silence les visages de ces ignobles du Comité central qui la congratulent. Dans une détestation folle, elle s'imprègne d'eux, de leurs traits hypocrites. Elle est tellement convulsée qu'à peine de retour dans la grotte elle est prise de contractions. L'accouchement. Ces élancements affreux, cette douleur... Elle a peur, elle sent des mains sur elle, les mains longues et crochues des sages-femmes. Au loin, elle entend des voix douceâtres, peut-être celle de Mao. L'encouragerait-il ? Avec la dernière énergie elle pousse ce qui lui semble une sorte d'étron, un chancre qui ne s'écoule pas et qui pourtant la déchire. Ecartelée, elle hurle et hurle encore. Et brusquement, c'est le vide. Le monstre, une minuscule créature rougeâtre, ratatinée, a glissé hors d'elle. Elle perd conscience. Lorsqu'elle revient à elle, elle voit le lardon et, penché au-dessus de lui, un Mao qui paraît content. Il déclare à Pomme Bleue que l'enfant est une fille qui reçoit le nom de Li Na. Quant à elle, pour célébrer l'événement, il lui donne un autre nom, qu'il a longuement choisi, et qui sera bien plus heureux et beau. Désormais, parce que le vert est la sublimation du bleu, elle s'appellera Jiang Qing, ce qui signifie « Eaux Vertes ».

Dès le lendemain, Pomme Bleue se plaint d'une souffrance infinie, comme si elle avait été saccagée, démantelée, comme si ses organes avaient été perforés. On appelle quelques médecins, des hommes, une femme, qui se mettent à la fouailler avec leurs instruments. Elle crie, elle est incapable de supporter cette inquisition. Géhenne. Et cependant, au bout de quelques jours, Mao essaie de la posséder. Elle défaille, elle le repousse, ce ne sera pas possible avant longtemps. Mao est ulcéré :

— He Zizhen ne faisait pas tant d'histoires. En avant le bébé ! Et puis elle écartait à nouveau les jambes.

120

LE CHIEN DE MAO

Mais Pomme Bleue continue de geindre, de soupirer, de n'être qu'une dolence. Mao est de plus en plus lointain et froid, il ne lui parle pas, sauf pour lui faire des reproches, le masque toujours sévère. Un jour, il la chasse de son lit :

— Va dormir avec ta fille dans la chambre voisine. Tu es une mauvaise mère, incapable de t'occuper de ton bébé et même de le câliner.

Jiang Qing doit se dévouer à la chose, à ce poupon violacé, étrangement vieux, qui est encore aveugle et qui braille. Elle lui donne le sein, mais elle a peur que la bouche affreuse ne lui abîme la poitrine, n'entame sa beauté à jamais et l'empêche de redevenir séduisante. Elle hait les morves, les excréments, le pipi et le caca, l'obligation de laver l'enfant, de le nettoyer sans cesse, de l'envelopper dans des couches. Il est minuscule ce vermisseau et pourtant c'est un puits d'exigence, toujours acharné à ingurgiter du lait. Et il sent mauvais, il est souillé, la nuit il la réveille. A la fin, elle dit à Mao qu'elle n'en peut plus, qu'il faut une nourrice :

— Allaiter davantage me tuerait, l'accouchement m'a épuisée, je suis anéantie, j'ai la fièvre, mes poumons me brûlent, je me demande si ce n'est pas la tuberculose.

Phrases fatales : Mao ne supporte pas que l'on soit malade, la maladie est une dégénérescence, un crime. Jiang Qing, loin d'être une eau pure et vivifiante, n'est que de l'eau trouble, elle ne cesse de tousser et chaque quinte exaspère Mao :

— Assez de tes simagrées ! Tu t'écoutes trop, tu n'es qu'une mauviette !

En fait, Mao redoute d'être contaminé, car les endémies ravagent Yanan. Le typhus, la variole, la dysenterie, la peste, la tuberculose... Les communistes ont beau assainir, nettoyer, instaurer des règles d'hygiène, on pourrit et l'on meurt. Et lui Mao a encore toute la Révolution à faire. Il interdit à Jiang Qing de le toucher et même de lui parler, de peur qu'un postillon ne l'atteigne... Jamais plus il ne prononce une parole tendre, jamais il ne l'embrasse. Lorsqu'il la présente à un visiteur, jamais il ne dit « ma femme », mais tout sèchement « Jiang Qing, la camarade Jiang Qing ». Et Jiang Qing songe à Chou En-lai, qui, lui, n'hésite pas à prendre la main de son épouse en public, et qui s'arrange pour lui télégraphier chaque jour quand il est loin d'elle.

L'angoisse fond sur Jiang Qing. Elle le sent, sa disgrâce est imminente. En effet, Mao la convoque pour lui parler de sa santé. Il connaît, dit-il, un endroit où ses mains ne seront que du cal et

LE CHIEN DE MAO

son corps une courbature, mais où elle dormira bien et sans pensées pernicieuses. Elle qui n'aime personne, pas même son enfant, y apprendra à aimer le Peuple. Et si elle s'acharne, elle reviendra guérie.

Alors Jiang Qing comprend que Mao, las de la voir crevarde, veut la faire crever. Il a de ces coups d'irritation, d'aversion profonde qui le mènent à toutes les extrémités... L'eau, l'eau pure, qu'elle se tarisse !

Il y a une autre femme, Jiang Qing en est persuadée. Elle s'en ouvre à Kang Sheng qui dément, puis finit par concéder que Mao a peut-être une petite aventure, un rien, en aucun cas une liaison. Ne serait-ce pas avec Ding Ling, la femme que Jiang Qing jalouse le plus au monde, Ding Ling l'écrivain, Ding Ling l'héroïne ? Kang Sheng nie. Jiang Qing l'interroge, le questionne, le harcèle, mais, même devant lui, sa colère s'étrangle tant sa peur est forte. Elle connaît Mao, s'il est pris par les sens, elle ne pourra pas le rattraper. Déjà il commence à lui mentir avec son histoire de séjour réparateur, demain il se dispensera de ces fioritures : ce sera le triomphe de Ding Ling et le début de sa mort à elle, Jiang Qing.

Ding Ling. Aucune créature ne semble plus éloignée qu'elle de Mao et de son prêchi-prêcha : c'est une intellectuelle ivre de liberté qui déteste toutes les dictatures et d'abord celle que les hommes exercent sur les femmes. Mais Jiang Qing ne sait que trop ce qui peut attirer Mao vers Ding Ling, cette vieille de trente-quatre ans. A commencer par le courage, le sens de l'aventure et une ténacité sans pareille. Ding Ling n'a jamais été vaincue. Et pourtant... Son premier mari, un écrivain lui aussi, a été tué à Shanghaï par le Kuomintang. Elle-même a été enlevée en 1933 par les sbires de Tchang Kaï-chek et tenue au secret. On l'avait crue morte. Ensuite la nouvelle se répandit qu'elle était passée à l'ennemi parce que les nationalistes lui toléraient, à la fois pour l'amadouer et la compromettre, la visite d'un amant qui l'avait engrossée. Elle, elle préparait un plan pour s'enfuir. Ce qu'elle fit. Enfin elle était apparue à Yanan. L'extraordinaire, c'est qu'on ne douta pas d'elle : on lui confia des élèves, on lui demanda de superviser le récit officiel de la Longue Marche, d'écrire des pièces

LE CHIEN DE MAO

de théâtre, de les interpréter. Tout au fond d'elle, Jiang Qing révère Ding Ling et l'envie. Dans les années tumultueuses de Shanghaï, elle était un de ses mythes favoris, la femme inégalable et que pourtant elle rêvait d'être. Pourquoi faut-il qu'à Yanan, Mao, son mari, l'admire et la désire ?

Des heures et des heures, Jiang Qing remâche sa rancœur. Toute la vie de Ding Ling lui est un outrage. Elle aussi, elle vient du Hunan, la province de Mao, de Li Fuchun et de sa chère Cai Chang. Elle aussi, elle a eu une mère admirable qui, veuve à trente ans, a entrepris des études, s'est, au prix de souffrances infinies, débandé les pieds, mais surtout, surtout qui a pu initier sa fille à la Révolution. Une fois de plus le souvenir de la pauvre Lotus étreint Jiang Qing : comment Ding Ling se serait-elle comportée devant le cadavre de sa mère bouffé par les rats ? Non, personne n'a jamais vécu ce qu'elle a vécu, personne ne peut la comprendre... Et Jiang Qing s'abîme dans les idées noires. Ding Ling a fréquenté les écoles de Changsha, elle a eu pour condisciple Yang Kaihui, le « fier peuplier » de Mao... Que de souvenirs elle a avec lui ! Comme ils doivent parler ! Les bagatelles, les choses essentielles, les amusements de la vie, la mort, ils peuvent tout partager.

En ces heures d'amertume, Mao envoie Jiang Qing à Nanniwan, à cinquante kilomètres de Yanan, au bout du monde. Elle partira avec un contingent militaire sacrifié à la passion nouvelle qui a saisi les zones rouges : l'autosuffisance. Dorénavant les communistes devront pourvoir à tous leurs besoins sans aucune aide, quels que soient les événements et les conditions de vie.

Car la Chine, celle de Tchang Kaï-chek comme celle de Mao Zedong, est asphyxiée. La source du cataclysme est loin, très loin dans cette Allemagne où un moustachu de médiocre apparence s'est imposé comme le chancelier du Reich et veut conquérir la planète. Il déteste Staline mais dans son ingéniosité il arrive à le convaincre de s'aboucher avec lui : le pacte germano-soviétique est le chiffon brûlant qui allume l'Histoire. L'Europe, à part l'Angleterre insulaire, est envahie et mise à genoux. De leur côté les Soviétiques, sous l'influence des Allemands, s'emberlificotent avec les Nippons : bientôt avec eux aussi ils signeront un accord. Staline délaissera la Chine, permettant aux troupes du Mikado de repartir à l'assaut. Manèges de bêtes féroces qui ne tarderont pas à se prendre par la gorge. En attendant, il s'agit de tenir, et de tenir seuls parce que l'allié-ennemi nationaliste n'est pas fiable.

LE CHIEN DE MAO

La grande idée, c'est de défricher les terres ingrates et sauvages autour de Yanan. Le désert de Nanniwan a été choisi pour mener une expérience : elle sera atroce, mais en cas de succès, toutes les bases communistes voudront s'en inspirer. On est en janvier, à Nanniwan, il gèle à pierre fendre, les stalactites s'accrochent aux arbres nus et rares, le thermomètre descend à moins trente degrés. Mao, dans une de ses fulgurances impitoyables, désigne dix mille soldats pour aller se battre contre la nature, la transformer et la faire fructifier. Parmi eux, son épouse. Avant leur départ, il réunit ces quasi-condamnés pour les encourager : qu'ils ne comptent que sur eux-mêmes, ils n'auront rien, pas même un clou, et nul ne viendra à leur secours. Ou ils réussiront, ou ils périront.

Jiang Qing est une des rares femmes à participer à l'expédition. Dans une charrette, elle suit la colonne de déportés militaires dépouillés de leurs uniformes et de leurs insignes, qui dans leurs défroques ont des allures de prisonniers... Longue marche dans l'immensité effrayante et belle cependant. Sous le ciel sale, le monde est d'une virginité aveuglante. Silence, blancheur, parfois une rafale de vent. Des rapaces noirs planent à la recherche de charognes ; mais s'il y en a, elles sont enfouies sous la neige. Un mètre de neige...

Enfin on atteint Nanniwan. C'est une plaine nue, encadrée par des montagnes et des pics farouches. Pas de villages, pas de maisons. On laisse Jiang Qing dans la charrette avec les femmes où elles se réchauffent les unes les autres tandis que la horde des hommes s'abrite dans des huttes de roseaux construites à la hâte. Cependant, la nuit, le froid pénètre Jiang Qing, et son sang et sa moelle lui semblent se verglacer. Elle est prise de spasmes et de frissons formidables, elle ruisselle de fièvre, elle est un cratère de peur, une hallucination de terreur. Encore une fois elle reconnaît la main de Mao, il a tout arrangé pour qu'elle meure dans cette charrette, au milieu de ces paysannes rustaudes.

Au matin, la raison lui revient. Elle comprend qu'elle ne doit ni gémir ni se plaindre – l'endroit et les circonstances ne se prêtent pas aux scènes –, elle se résout à se conduire bien. Enfin un privilège chasse le gros de ses craintes : on lui attribue une cabane de planches, on lui fait du feu et on la confie à une ancienne soldate qui la soigne tant bien que mal.

Quelques semaines terribles. Une vie misérable et dangereuse. Des sortes de bagnards hirsutes, affamés, les yeux à moitié brûlés par la réverbération, entreprennent de se nourrir. Pour cela, la

LE CHIEN DE MAO

chasse primitive, sans fusil ni munitions, en fabriquant des arcs, en lançant des pierres, avec des pièges. Il s'agit aussi de se débarrasser des léopards des neiges et des loups qui attaquent. On arrive à tuer des cerfs, des mouflons et des lièvres. Si rare est le bois qu'on ne fait pas cuire cette viande. Jiang Qing réussit à en avaler quelques morceaux. Elle survit. Comme elle a survécu dans son enfance misérable.

Au printemps la fonte des neiges révèle un sol qui n'est que de la caillasse, une forêt de cailloux. Les hommes arrachent des millions de pierres, de façon à obtenir un sol arable. Dans les temples abandonnés, ils s'emparent des cloches, des urnes, des idoles, pour forger des socs. Avec de longues herbes, ils fabriquent des cordes, s'attellent par équipes de huit aux charrues et tracent les premiers sillons. Surgis de nulle part des marchands se sont présentés, et l'on a pu troquer de précieuses zibelines contre des pelles et d'autres outils pour creuser des canaux d'irrigation. Jiang Qing s'acharne à piocher la terre mais elle a beau clamer son enthousiasme, elle doit renoncer. Elle est faible, elle se démène pour éviter les travaux exténuants et meurtriers. Personne ne s'inquiète plus d'elle.

Vient le temps des moustiques. Ils s'abattent par nuages entiers, des nuages vrombissants qui font d'elle une plaie. Elle s'abrite le visage derrière un masque en papier et se couvre le corps de boue. La malaria s'empare des êtres, il n'y a pas de quinine, les gens meurent, emportés par des fièvres pernicieuses. On jette les cadavres dans des fosses communes. Jiang Qing va mieux, on dirait que la vue des charniers la fortifie. Chaque jour le même soleil impitoyable étouffe la nature. Les premières récoltes sont maigres, la hantise de la faim sévit encore, mais cette fois on lutte systématiquement contre le désespoir : Nanniwan n'est plus une terre désolée, on l'a organisé en une unité de travail bien constituée. On construit des maisons et des greniers, on enseigne des métiers, on carde, on teint, on tisse des tapis, on crée un artisanat. Jiang Qing, tout ce temps, constate qu'on ne cherche toujours pas à la faire succomber : le filage de la laine étant trop pénible, on l'a mise à tricoter des chandails, deux par mois. Elle reprend espoir, cette existence dans les limbes ne pourra pas durer éternellement.

De nouveau l'automne, les premiers flocons. Que de fois Jiang Qing a écrit à Mao, sans savoir si ses lettres ont été acheminées ! Aucune réponse, aucune nouvelle de lui, le silence. Quand, en grand appareil, le général Zhu De est venu inspecter les hommes et les lieux, à l'instar de Mao il a célébré avec un contentement ly-

LE CHIEN DE MAO

rique et militaire le bétail et les moutons gras, les reines-margue-
rites aussi belles que des fleurs en papier, mais il n'a pas demandé
à voir Jiang Qing. Elle a tenté de s'approcher de lui... en vain, il l'a
fait repousser. Jiang Qing est inquiète, son âme est sombre : combien de temps va-t-elle rester à Nanniwan ? Toute sa vie ? Cette
vie en tout cas sera courte, car elle se suicidera, ou bien elle se laissera aller à la maladie : la tuberculose reviendra.

Elle est au comble du désespoir lorsque apparaît Kang Sheng, le
Kang Sheng des beaux jours dont l'élégance est une proclamation
de foi dans l'existence. Il chevauche une magnifique monture,
cavalier des ironies heureuses entouré de quatre gardes du corps.
Autour de lui gambadent des lévriers. Dès qu'il l'aperçoit, Kang
Sheng crie à Jiang Qing que Ding Ling est lessivée. C'est une
créature trop indépendante, trop émancipée, et qui croit trop en
son talent. Elle tient une vraie cour et ses écrits sont épouvantables
de fatuité. Elle ose critiquer le Parti et ses dirigeants. Demain ce
sera Mao. Déjà elle l'accuse de tyrannie. Elle ne le supporte plus,
elle clame qu'elle veut être libre dans sa vie comme dans ses
œuvres, comme si elle ne le redoutait pas.

Kang Sheng ajoute :

— Ding Ling est imprudente. Mao est devenu méchant comme
à chaque fois qu'on le contrarie. Il a grogné qu'il la ferait rééduquer. C'est le moment pour nous d'intervenir. Mais il ne faut pas
s'en prendre à la femme.

— Alors comment l'attaquerons-nous ?

— La créatrice sera notre cible. Elle prétend que la peinture des
êtres, de leurs sentiments et de leurs passions prime tout et que les
artistes connaissent mieux l'homme que les politiques.

— Elle n'a peut-être pas tort. En tout cas, ce n'est pas une faute
de le dire.

— Nous en ferons un crime. Et nous démolirons toute la soi-
disant intelligentsia de Yanan. Je ne t'apprendrai pas que cette
racaille médit de toi.

Jiang Qing dit doucement :

— On m'a interdit la politique pour trente ans.

— Aussi resteras-tu dans l'ombre. Mao va te rappeler. Vous irez
vous installer au Jardin des Dattiers. Il n'y a pas beaucoup de
palmes mais des fleurs et des fruits à profusion. Là Mao écrira des
textes dont le peuple devra s'imprégner, au milieu des châtiments
et des pénitences nécessaires à sa transformation. La campagne de
la rectification du style commence.

LE CHIEN DE MAO

Kang Sheng a un long râle heureux :

— Et moi je serai à côté de vous, dans une petite maison paradisiaque que tu connais bien. J'ai l'intention de la prendre au bonze qui nous a offensés. Il a un peu trop joué avec toi : te traiter en suspecte, c'était m'insulter. Et puis il est trop bavard, il a trop tendance à rappeler comment jadis à Shanghaï j'ai été arrêté et relâché par les nationalistes. Il va en rabattre, crois-moi, ce pédé. En tout cas, je m'installe chez lui, avec mes hommes et ma garde. Je multiplierai les cellules, les salles d'interrogatoire, les appareils de torture pour servir Mao ; ce sera charmant.

Kang Sheng se frotte les mains :

— Nous allons organiser la grande battue, nous détruirons tout et au milieu des décombres nous élèverons à Mao sa statue. Nous broierons les cervelles, nous écraserons les individus. Il n'y aura plus que Mao, l'immense Mao au-dessus de la plaine. Nous pourchasserons d'abord les gens de l'élite et les intellectuels en les accusant de trahison et de félonie, mais nous n'épargnerons pas les cadres. La première victime sera Ding Ling.

Comment Jiang Qing si accablée, si à bout de tout, qui est restée en vie si misérablement, retrouve-t-elle toute sa vitalité, toutes ses joies bonnes et toutes ses joies méchantes ? Comment ressuscite-t-elle, décharnée certes, mais le regard carnassier et le sourire dévorant ? En elle-même, déjà, elle se gave de revanche.

Peu après, une automobile vient chercher Jiang Qing, et bientôt elle pénètre dans la grotte où Mao l'accueille excellemment. Les retrouvailles... Il n'est pas question de Ding Ling entre les époux. Pas encore. Le surlendemain, Jiang Qing raconte à Mao que Kang Sheng lui a annoncé une campagne contre tous les rebelles qui s'opposent au Parti.

— Oui, répond Mao. Je veux briser tous les orgueilleux, et tout d'abord Ding Ling.

— Ding Ling ? Mais je croyais que tu l'appréciais.

— Ce n'est pas une raison. Elle m'a tenu tête dans nos discussions et défié dans les raisonnements de la politique. Je ne le tolère pas.

Jiang Qing constate que Kang Sheng a vu juste. Désormais

LE CHIEN DE MAO

Mao est fou de lui-même, de la grandeur de sa pensée à laquelle il immolera les hésitants, les réticents, tous les êtres qui croient encore tant soit peu à leur autonomie. Ou à la primauté de Moscou. Chaque soir Mao et Jiang Qing reçoivent Kang Sheng et Chen Boda, un nain baveux tordu de haine, tout bardé d'idéologie extrême ; il est aussi l'homme des écritures, il devient le secrétaire de Mao à la place de Jiang Qing, qui, affectant d'être détachée de la vie publique, ne se montre pas. Pourtant elle est plus qu'une initiée.

Dans ces réunions le ton n'est pas triomphaliste. Le conflit larvé avec Tchang Kaï-chek, le chef du gouvernement central et de l'état-major des armées, a crevé à la surface et malgré ses ganacheries, le Généralissime a marqué des points. Il a pour lui le nombre. Le cauchemar de Jiang Qing s'est révélé prémonitoire : hurlant à la mutinerie, Tchang a attaqué la 4ᵉ Armée Nouvelle qui, une fois de plus, avait malgré les accords franchi le Fleuve Bleu et s'incrustait sur la berge sud. Il en est résulté des milliers de morts, et la dissolution de la 4ᵉ Armée Nouvelle. On a frôlé la guerre civile et puis, cahin-caha, les relations ont repris entre Yanan et Chongqing. Mais les nationalistes ont imposé un blocus de la zone rouge et, comme dix ans plus tôt, ils rêvent d'enfermer les communistes dans une ceinture de dix mille ouvrages.

D'autre part les Japonais ont relancé leurs offensives. « Tout tuer, tout brûler, tout détruire », vociferènt-ils. Et ils le font. Dans la grotte, on reprend la vieille thèse de l'utilité de la barbarie des Nains : au lieu d'effrayer les populations, elle les précipite dans la Résistance. Sous chaque village se créent des réseaux de galeries où les Japonais répandent des gaz asphyxiants. Mais il s'en reconstitue toujours. Contre récompense, les paysans récupèrent des armes sur les champs de bataille, en représailles, les Nains les attaquent, les déportent ou les tuent. Toujours plus de morts, toujours plus de maisons brûlées, et toujours plus de partisans. Vers quel but, dans cette immense Chine où tout paraît sans but ? L'on répète le premier commandement : tenir, tenir, jusqu'à ce qu'un objectif clair apparaisse. Et pour cela, reprendre en main le Parti.

C'est qu'à Yanan, la révolte gronde. Fronde des intellectuels qui, venus de toute la Chine, se sont accumulés là et qui, en naïfs indignés, dénoncent les tares des dirigeants. Fronde du peuple qui rit en écoutant ces bourgeois et en lisant leurs articles incisifs dans *Le Journal de la Libération* dont Ding Ling dirige les pages culturelles. Epoque dangereuse pour les cadres accusés de corruption et de

LE CHIEN DE MAO

népotisme : endormis dans les privilèges, ils ne se réveilleraient que pour courir les bonnes places. La prébende et l'injustice partout.

Mao décide de frapper. Il va se montrer aux intellectuels rassemblés à l'Académie Lu Xun. Moment de volupté pour Jiang Qing : elle accompagne son mari. Assise au premier rang, elle est figée dans son importance, d'autant plus altière qu'elle ne peut rien manifester. La règle des trente ans... Quel plaisir pourtant que d'écouter Mao annihiler les prétentions des écrivassiers et de leurs consorts ! Il a son bon sourire, son expression paisible mais sa voix dans sa suavité est terrifiante. Il ne tonitrue pas, il prononce une causerie paternelle sur ce que doit être l'artiste, « une petite roue et une petite vis » au service de la Révolution. Son modèle ? Sa source d'inspiration ? La vie du Peuple, auquel tout est subordonné. Que l'artiste abandonne les vaines imaginations, le verbiage, l'infect fatras hérité des classes exploiteuses et qu'il s'identifie aux ouvriers, aux paysans et aux soldats.

Jiang Qing jubile.

Encore un meeting... Et Mao se met à tonner. Il s'élève contre le fléau des individus livrés à leur égoïsme, contre la pensée petite-bourgeoise, la pensée médiocre, la pensée bête, la pensée quelconque. Il y a certes des criminels qu'il faut châtier mais la plupart des humains sont seulement de pauvres gens incapables de s'élever jusqu'au Peuple, jusqu'à la prise de conscience de ce qu'est le Peuple. Que ceux-là reconnaissent leurs erreurs et leurs défaillances, qu'ils confessent leur maladie, cette tiédeur et cette veulerie qui sont le propre des êtres ordinaires, et ils guériront !

Dans la grotte, Mao, Jiang Qing, Kang Sheng et Chen Boda délibèrent et conversent des heures, tout à la grandeur des temps. Ils tirent les conséquences des imprécations de Mao. Qu'on rectifie par la douceur contraignante les tares qui souillent les créatures ! Que les êtres se corrigent, tous les êtres ! Parce que personne n'est pur. On organise les modalités de la « campagne » : Kang Sheng, l'excellent directeur du Département des Affaires sociales, le président de la Commission d'investigation des cadres, dirigera les opérations.

Le grand inquisiteur nommé, Mao s'attarde à choisir ceux qui le seconderont. Il soupèse les mérites des camarades dignes de devenir les colonnes de l'édifice maoïste. Le visage grave, les paupières presque closes, avec cet air somnolent qui dissimule une vigilance aiguë, il exprime son opinion sur les quelques hommes qui pourraient être les prêtres de son culte, ceux qui seront les plus

LE CHIEN DE MAO

impitoyables dans la salle des sacrifices et les plus ardents devant les autels de la Rédemption. Six noms sont retenus parmi lesquels ceux de Li Fuchun, de Chen Yun, de Chen Boda, et celui de Liu Shaoqi, qui, dans la rigueur de sa cervelle, saura être le théoricien de l'incendie. Chou En-lai est exclu : son apparence bienveillante est trop précieuse pour qu'on la gâche en le mêlant aux violences à venir ; ni les Russes, ni les Américains, ni Tchang Kaï-chek ne supporteraient de découvrir que le négociateur est un procureur.

Et Mao remet à Kang Sheng les sceaux le désignant comme l'apôtre de la rectification. Il sera ses griffes, il sera ses dents.

Après la réunion où Mao a prononcé ses phrases de feu, Kang Sheng tient un meeting pour dégager les enseignements du maître du monde. Autour de lui sont rassemblés deux mille cadres, novices et vétérans au visage de ferveur et au cœur glacé d'effroi. La foudre va s'abattre, qui seront les victimes ? Car l'expression même de « rectification du style » annonce des ravages, elle signifie que des gens vont être désignés, une quantité de gens. Mais ce jour-là, Kang Sheng n'en est pas encore à la dénonciation des criminels et des fautifs, il se borne à indiquer le traitement magique : s'imprégner de Mao, se remplir de Mao, communier avec Mao. Les livres marxistes et léninistes sont bons, mais combien insuffisants, puisqu'il y a une nouvelle voie, la voie chinoise du communisme, celle de Mao.

Ding Ling, elle, est toujours à ses combats. Le 8 mars, la Journée internationale des femmes lui inspire un commentaire toxique sur leur situation à Yanan, sur toutes ses sœurs insurgées dont on se moque, ces Noras rentrées chez elles comme concubines domestiques et que le Parti méprise. Mais le critique le plus acéré est un certain Wang Shiwei, un communiste intègre qui a jadis traduit Marx et Lénine, un ascète qui vilipende les cadres amateurs de bonne vie et surtout crie que les nouveaux vertueux, les affolés de la rectification sont des salauds et des imposteurs. Ding Ling le publie. C'est une déclaration de guerre.

La grande charge commence : Ding Ling doit être détruite. On la chasse de son journal, on la met en accusation. Pour avoir une belle paire de criminels, on lui adjoint Wang Shiwei, stigmatisé lui comme contre-révolutionnaire, trotskiste, agent des Japonais et du Kuomintang.

Jiang Qing et Mao restent dans la grotte, mais de terribles rumeurs parviennent jusqu'à eux. Oh, l'ineffable bonheur de Jiang Qing ! Comme est loin derrière elle l'époque où elle se piquait de

LE CHIEN DE MAO

féminisme! Somptueusement casée, elle épouse toutes les causes de son mari. Elle s'imagine Ding Ling et Wang Shiwei juchés sur une estrade. On leur a imposé les attitudes de l'humiliation, qu'ils se tiennent comme des coupables, courbés sous le poids de leurs fautes. D'une voix incisive, Kang Sheng leur impute toutes les abominations possibles. Il vrille ses yeux sur Ding Ling et lance l'anathème :

— Tu as trahi le Président Mao.

Elle rit :

— Le Président Mao m'a témoigné sa bienveillance. Récemment j'ai vécu chez lui, avec lui.

Cette réponse sacrilège est noyée aussitôt sous les huées. Kang Sheng crie « Mensonge! », et toutes les bouches de la foule hurlent « Mensonge! ». Le meeting tourne à la curée, avec Kang Sheng comme ordonnateur du spectacle. A son commandement, tout devient clameur, poings tendus, ricanements, aboiements, dénonciations. La peur a saisi les gens : dans la crainte d'être accusés de tiédeur, ils se livrent à tous les paroxysmes. Mais Ding Ling ne s'effondre pas et Wang Shiwei brave Kang Sheng : il demande à quitter le Parti parce qu'il n'y a plus d'accord envisageable entre les vrais révolutionnaires et ce Parti déviationniste qui nivelle et tue. Paroles abominables... Le soir même, dans la grotte, le sort de Wang Shiwei est scellé. Le déchaînement dure des jours et des jours, des jours d'accusations toujours plus exorbitantes proférées par Kang Sheng et Chen Boda et que la masse reprend. La meute. Tous tremblent, tous sont des hyènes auxquelles on jette des procès. Un à un, tous les étudiants, tous les professeurs, tous les romanciers, tous les poètes, tous les artistes sont contraints de se soumettre et de se joindre à la tourbe hystérique. Il n'y a plus d'intellectuels contestataires dans Yanan. Dorénavant ils seront aussi humbles devant le Peuple que le buffle devant le petit enfant qui le conduit. Alors Ding Ling, épuisée, au bout de ses forces, avoue. Elle avoue tout ce que veut le Parti et même elle s'acharne sur Wang Shiwei. Elle est condamnée à quitter Yanan pour aller se réformer auprès des paysans. Quant à Wang Shiwei, expulsé du Parti, il est incarcéré, privé de nourriture, torturé : la théorie officielle précise qu'il se consacre à l'étude de problèmes politiques.

Enfin Kang Sheng annonce la parution de vingt-deux textes de Mao. Que tous se plongent dans leur lecture, qu'ils en découvrent les perspectives, qu'ils adaptent leur existence à leurs mande-

131

ments ! Pour cela chaque jour consacrer plusieurs heures à leur méditation, en discuter avec les camarades, échanger avec eux arguments et hypothèses. Que chacun montre son obstination à pénétrer la pensée de Mao, et peut-être un reflet de cette pensée viendra-t-il bénir les vrais croyants !

Folie toujours croissante. La « campagne » qui était limitée aux intellectuels s'étend aux cadres puis aux masses. Yanan est le chaudron où bout la pensée de Mao. Kang Sheng touille et retouille : que tout Yanan en chœur déclare ses fautes, se flagelle, que chacun cherche en soi les recoins obscurs qui puent ! Que chacun se dénonce, que tous se dénoncent ! Que s'érigent des tribunaux où tous comparaîtront ! Personne n'échappe au Grand Jugement, même les sommités du Parti, au nombre d'une centaine, se succèdent sur une estrade pour se confesser. Kang Sheng reconnaît qu'il a manqué de vigilance, qu'il a cru à sa propre pensée, à sa minuscule et infime pensée, au lieu de s'adonner à la seule pensée qui soit bonne, celle de Mao. Liu Shaoqi, lui aussi, bat sa coulpe et promet de s'amender.

Dans la grotte, on assouvit ses haines. Mao prononce les noms d'individus qu'il décrète hostiles, Jiang Qing en énumère quelques-uns, Kang Sheng en cite d'autres, Chen Boda encore d'autres. Tout cela fait une belle palanquée de traîtres. La besogne de leur extermination revient bien entendu à Kang Sheng. Ils sont arrêtés et enfermés dans des sortes de cages où ils ne peuvent ni s'allonger, ni se tenir debout. Lorsqu'ils sont mutilés d'âme et de corps, ils sont présentés à un Peuple bien préparé qui réclame leur exécution. Kang Sheng est splendide. Comme il a la voix affûtée quand il accuse ces gens de s'être souillés d'infamie, d'être des contre-révolutionnaires, des agents des Japonais, des espions du Kuomintang ! Une bouffonnerie. Certes, Chen Lifu, le chef de la police secrète de Tchang Kaï-chek, a naguère introduit à Yanan des hommes à lui, mais depuis longtemps, et Kang Sheng le sait, ils ont été repérés et liquidés. En reste-t-il encore quelques-uns ? Peut-être, mais Kang Sheng proclame que Yanan en est truffé. En fait, les accusés sont des schismatiques inféodés à Moscou, des rebelles à Mao qu'on flétrit afin de les envoyer sûrement au poteau. Les malheureux... Comme des vagues, les hurlements de la foule qui crie à mort... Ils n'essaient même plus de nier, de lutter contre le déferlement des charges dérisoires et inexpiables, ils sont défaits, décomposés avant la salve qui les percera de balles. Souvent Kang

LE CHIEN DE MAO

Sheng raffine : la victime est sommée de choisir entre la corde, la baïonnette ou le poison. Vertige alors des aveux... qui parfois, au bout d'une longue attente, se terminent par une exécution feinte, suivie d'un bannissement. Chacune de ces cérémonies est un gala, un joyau, un délice.

Il y a des fêtes plus secrètes mais dont la rumeur rampe sur Yanan. La torture, la bonne vieille torture avec ses noms bénins et terrifiants : offrir une boisson à l'invité signifie le gorger de vinaigre, presser de l'encens veut dire qu'on applique de l'encens brûlant sous les aisselles d'un prisonnier pendu par les bras à une poutre, l'aide à la production consiste à obliger la victime à creuser sa tombe avant de l'y enterrer vivant.

Le peuple des abîmes façonné par Kang Sheng est une délectation pour Jiang Qing. Elle contemple le champ des tourments et explose de joie. Comme elle aimerait apparaître en pleine lumière avec Kang Sheng et Mao! Mais il y a la règle des trente ans. Trente ans à se morfondre dans la froideur, loin de la luxure. Lui reste tout de même, lors des réunions dans la grotte, le plaisir de sentir germer l'abomination. Elle ne dit rien, elle sert les hommes, elle les écoute, elle apprend.

Chaque jour, Kang Sheng découvre de nouvelles créatures corrompues, irrécupérables, des serpents dans l'herbe, des espions. Cependant on ne peut exterminer la ville entière : quelquefois, au lieu de tuer, Kang Sheng « sauve » par la douceur, c'est-à-dire par la critique et l'autocritique, en clair par une souffrance purificatrice. Les trois quarts des habitants sont ainsi amenés à leur régénération. Certains ne supportent pas de faire de fausses confessions, ils deviennent fous ou se suicident.

Les camarades doivent continuer à analyser les textes de Mao. Et cette obsession transforme Yanan en un camp de rééducation. Malheur à qui n'étudie pas assez! Il n'y a qu'une situation vraiment délicate, celle de Wang Ming, le fidèle de Staline, l'ancien patron de Kang Sheng qui, lui, ose refuser d'apprendre. Mao le hait souverainement, mais il ne veut pas de conflit avec le Kremlin, il le ménage donc, ce dogmatique qui a encore des partisans. Pas question de se débarrasser de lui par la technique normale, arrestation, jugement et exécution, d'autant plus qu'une mission soviétique vient d'arriver, tout impudente. La largeur des épaulettes, l'insolence de ces Russes...

Dans le Jardin des Dattiers où Jiang Qing et Mao sont désormais installés, on élabore un plan discret pour guérir Wang Ming

LE CHIEN DE MAO

de ses erreurs. Il se trouve que sa santé n'est pas très bonne et que le soigne un certain docteur Jin Maoyue. Ce Jin est persuadé par Kang Sheng de rectifier Wang Ming en l'empoisonnant de manière lente, sa femme bien-aimée et ses protecteurs russes ne devant rien soupçonner. C'est ainsi que chaque matin Wang Ming absorbe des médicaments roboratifs à base de mercure. Plus on le réconforte, plus il dépérit, il n'est plus qu'une ombre, presque une âme errante. L'épouse, alarmée, s'ouvre de ses doutes aux Soviétiques, qui mettent en cause le médecin. Une commission d'enquête est désignée, elle comporte trois membres : Kang Sheng, Liu Shaoqi et Li Fuchun. Ces hauts dirigeants après de longues investigations et des interrogatoires serrés concluent que l'instigateur de l'assassinat est Chen Lifu, le chef de la police secrète de Tchang Kaï-chek. Ses agents, si nombreux à Yanan malgré l'épuration en cours, auraient manipulé Jin. Lequel, fort ébranlé, déprimé, inquiète Kang Sheng : s'il allait dire la vérité, désigner le vrai commanditaire, c'est-à-dire lui, Kang Sheng... Un peu de persuasion et des paroles angéliques sortent de la bouche de Jin, qui reconnaît avoir obéi aux sirènes du Kuomintang, en l'espèce le président de leur Croix-Rouge, de passage à Yanan. Pour complaire aux Russes, on condamne l'esculape à cinq ans de prison. Toutefois afin d'éviter les éclaboussures qui pourraient rejaillir sur lui, Mao décide d'être clément : Jin est laissé en liberté. Affolé Wang Ming le miraculé supplie Moscou d'envoyer un avion pour le ramener en URSS. Mais l'appareil repart à vide : Mao garde Wang Ming. Mao n'a plus de concurrent : Zhang Guotao a depuis longtemps rejoint la Chine nationaliste, Wang Ming est une épave. Dans le monde communiste chinois, il est l'unique. Seul désormais face à Tchang Kaï-chek.

Alors pourquoi détenir Wang Ming? Parce qu'il est un pion dans les ténébreux bouleversements de l'univers.

Toutes les alliances ont craqué et d'autres se sont créées : le chiffon de papier entre les Allemands et les Soviétiques a été déchiré par Hitler, Staline a été déçu dans ses amours avec le chancelier nazi. C'est la colossale surprise, l'attaque japonaise contre les Etats-Unis. L'antagonisme entre l'Empire du Mikado et celui de l'Oncle Sam était depuis longtemps connu mais on croyait qu'entre eux l'immense étendue du Pacifique empêcherait le conflit d'éclater. Cependant les flottes, les armadas nipponnes – tant de bâtiments de guerre, tant de nuées d'avions – ont traversé l'espace sans être détectées. Soudain l'océan et le ciel en ont été

LE CHIEN DE MAO

remplis et les bombes sont tombées en nuages, en flocons sur Pearl Harbor endormi dans la paix coloniale. Ensuite, autre surprise, incroyable elle aussi, les Yankees, écrasés, se sont en quelques mois reconstitués. Ils se sont refait une force formidable qui menace les Japonais. Ils fabriquent en série, comme en se jouant, des « dreadnoughts » aux gueules terrifiantes, leurs canons crachent des obus gigantesques, les vrombissements de leurs moteurs présagent des victoires. Pendant ce temps-là le froid sauve encore une fois la Russie assiégée : les divisions germaniques sont obligées de reculer peu à peu. Et les Japonais, trop occupés à se battre contre les Américains, n'attaquent pas à revers ces Soviétiques si faiblement vainqueurs, pas plus qu'ils ne portent le coup final à la Chine exsangue.

Dans les parties de l'Empire Céleste qu'ils occupent, les Nains pourrissent les grandes cités et ils paralysent le reste à force de petits assauts. Un gouvernement collabo a été formé. Présidé par Wang Jingwei, un fondateur du Kuomintang, un rival de Tchang Kaï-chek, il siège à Shanghaï. Là-bas, plus que jamais, le stupre, les vices, la confusion. Un meurtre ? Ce peut être les Nippons, la Kampetaï, le Dragon Noir, ou le service spécial projaponais du 76, Jessfield Road. A moins que ce ne soit Tchang Kaï-chek dont les séides sont revenus. Ce peut être les communistes qui eux aussi sont là, clandestins. Ou alors la Bande Verte qui s'est réinstallée. Tellement de gens tués dans l'anonymat, tellement de tueurs anonymes... Ce n'est plus de l'horreur, c'est du divertissement, c'est de l'art.

Dans ces jeux de traîtrise et ces geysers de feu, Mao décide d'afficher les plus nobles sentiments, les plus courageux aussi. Il aimera les Yankees qui, là-bas dans le sud, aident Tchang Kaï-chek avec leur fameux pont aérien au-dessus du « hump », de « la bosse » de l'Himalaya ; il fera encore plus la guerre aux Japonais ; il se rapprochera de ce Staline que Roosevelt apprécie tant. Pas question que Wang Ming puisse raconter au Petit Père des Peuples, même si celui-ci ne se fait plus d'illusions, le peu d'amour qu'on éprouve pour lui à Yanan et la propension qu'on y a à estourbir ses fidèles. Donc Wang Ming reste, et on le traite convenablement.

Tout est bien, et pourtant Kang Sheng tombe en défaveur. Il est critiqué. Un doux soir où palpitent les palmes, Mao l'accable :

— Kang Sheng, t'es-tu bien regardé ? Tu as l'air banal et inoffensif, et tu es un démon. La campagne de rectification, je

LE CHIEN DE MAO

l'avais conçue comme une entreprise utile, destinée à fabriquer de bons communistes. Mais toi, tu ne sais que détruire. Tu es un boucher qui instille la panique dans les cœurs. A son retour de Chongqing, Chou En-lai a été épouvanté par tes débordements. Ta folie est connue et elle risque de nous nuire beaucoup. Pars ! Pars très loin, je panserai les plaies. J'ai promu le bonze au sein du Département des Affaires sociales, désormais il est ton second et en ton absence il te remplacera. Je connais ses faiblesses mais c'est un ouvrier hors pair, contrôlable, lui.

Le bonze... Depuis longtemps, il a renoncé à son aspect ecclésiastique aigu et dangereux pour se métamorphoser en un petit bonhomme rondouillard, avenant, glisseur de conseils, qui ne sort pas sans son escorte de jeunes Pionniers de la Révolution délicieusement habillés et que mène un mignon en chef âgé de quinze ans. Cela fait rire. Et pourtant il est toujours aussi redoutable. Les exécutions bien sûr... mais il a développé d'autres industries. Depuis qu'à Shanghaï il courait les bas-fonds, il s'est accointé avec les plus mystérieuses des sociétés secrètes et aujourd'hui son réseau s'étend à toute la Chine. Pour lui on surveille et l'on pille. Pas un mouvement de troupes qui lui échappe. Pas un village où il ne soit le maître lointain et où il ne recrute. Pas un trésor qu'il n'offre à Kang Sheng, l'amateur d'art. Mieux, il organise la culture et le trafic de l'opium, la principale ressource de Yanan. La beauté des champs de pavots... et, dans Shanghaï occupée, où tous les commerces ont repris, la thésaurisation.

Cependant la vraie force du bonze, c'est d'être un homme de Chou En-lai, dévoué à Kang Sheng naturellement, mais soumis au mandarin rouge qui avait été sa première admiration et qui n'a pas cessé de le pousser en avant. Mao apprécie cette concurrence qui le protège d'un Kang Sheng halluciné d'ambition : deux politiques, deux polices, deux chefs de la police qui se jalousent, n'est-ce pas le secret du bon gouvernement ?

Kang Sheng mis à l'écart, l'espérance, la vie de Jiang Qing s'effondrent. Il lui semble qu'elle se désagrège, qu'un sabre siffle au-dessus de sa tête. Si elle n'a plus de soutien, sa figure aux paupières effilées, ses pommettes arrondies de tant de grâce, toute cette beauté pourra être anéantie sur un signe de Mao. Celui-ci, bien sûr, a perçu la panique de sa femme. Et il en jouit, et il fait durer l'entretien.

Enfin, lorsqu'il a congédié Kang Sheng, il console Jiang Qing :

— Ton Kang Sheng a passé les bornes mais je ne le détruirai

LE CHIEN DE MAO

pas. Je ne peux pas déjuger ses bonnes œuvres, tous ces excellents massacres et ces justes confessions, je ne veux pas non plus le faire exécuter, il en résulterait un désordre trop grand. Alors je le mets en réserve. Pour le moment, oublie-le. Après la campagne de rectification, j'entame une campagne de séduction. J'ai besoin de toi à mes côtés, pas trop voyante mais avec tout ton charme.

Et Mao ajoute :

—Je te l'ai déjà dit, la Révolution nécessite une série de masques. Tantôt je porte celui de la Mort Rouge, tantôt celui de l'Aimable Bénévolence, d'autres encore. Mais toujours je suis le Vertueux.

L'amour, l'amour avec toutes ses péripéties, Jiang Qing ne le connaît plus. Où sont les sentiments, les caprices, les gaietés, les perfidies ? Plus de douceurs passionnées, plus d'insolences ré-primées, finies les heureuses méchancetés. Elle n'a que Mao, un époux déjà vieux. Parfois Jiang Qing pense à Tang Na, son mari de Shanghaï, si beau, si séduisant, tellement civilisé, avec lequel elle a connu des jours d'une exquise lascivité, vécu tant de belles scènes, artistiquement construites de part et d'autre, Tang Na qu'elle a pris tant de plaisir à rebuter, à désoler, à tromper et qu'elle a retenu par pure bonté de ce côté-ci de l'existence... Que c'est loin... Tang Na est à Chongqing, auprès de Tchang Kaï-chek, comme tous les gens de qualité, et elle s'ennuie à Yanan avec les arrivistes de la Nouvelle Bonté. Mais même à cela elle s'accoutume. Ne l'exaspèrent vraiment que les deux pisseuses, sa fille Li Na et Li Min, celle de He Zizhen, qu'on a arrachée à sa mère. Ces morveuses, leurs criailleries et leurs exigences... et Mao qui veut que Jiang Qing s'occupe d'elles ! Mao en père attentif ! Une fois elle a giflé Li Na, s'en est suivi une querelle avec Mao, une de plus. L'acrimonie entre eux, leur conjugalité acide.

Pourtant, avec les semaines, Jiang Qing installe son emprise. Campagne de séduction oblige, l'austérité rouge se dilue. Fêtes. Le cinéma, les danses bourgeoises, les chansons d'amour occidentales, l'opéra de Pékin. Se crée peu à peu un Tout-Yanan mondain où sont admis les grands du Parti, les camarades russes et aussi les journalistes yankees qui accourent de plus en plus nombreux de-

LE CHIEN DE MAO

puis Chongqing. Honte à qui n'est pas du Tout-Yanan, la dernière création de Mao! Sans cesse des galas et des bals. Dès qu'il fait beau, dans les jardins odoriférants où une piste a été tracée, on danse à la lumière des torches. Méli-mélo des harmonies, toutes les musiques du monde, du saxophone à la viole chinoise et à l'harmonium. Les dirigeants en pleine galanterie avec les plus délicieux minois de Yanan. La somptuosité des buffets, le ruissellement des nourritures. Fox-trot et valses, des airs de bastringues capitalistes interprétés par des musiciens calamiteux. Il y a tout un grattouillis de gens. Et d'abord les hiérarques qui se font aimables, pratiquent la gamme des politesses, ronds de jambe, salutations, compliments, mais sur le ton de compères qui ne cessent de se frotter entre eux dans les plus hautes instances, pour les grandes décisions. On ironise un grain, sans risquer toutefois une phrase tant soit peu pernicieuse qui pourrait tomber dans une mauvaise oreille. D'accord pour le bal, pour la parade, pour la goguette, si c'est la fantaisie du Très-Haut, de Mao... Ces augustes tout mielleux ont soin de se montrer des patriarches amènes avec les gens de moindre acabit, les simples apparatchiks que les services ont dénichés dans les rouages du Parti. Pourquoi celui-ci? Pourquoi celle-là? On ne sait pas. En tout cas les élus tâchent de luire de leurs mérites et de leur bonne volonté. Mais le clou de ces fêtes, leur ornement, ce sont les jeunes, les très jeunes garçons et filles, certainement bien notés, mais avant tout jolis et charmants. Sans s'adorner, sans colifichets, en tenue démocratique, ils donnent envie de fraîcheur.

Le parfum des glycines, la lueur des étoiles... on plaisante, on rit, on flirte. En pantalon noir et chemise blanche, Mao dandine son corps boudiné. Il dit qu'on doit danser pour bien se porter, qu'on doit être heureux pour mieux affronter les épreuves. Chuchotements à propos de ces paroles énigmatiques: quelles épreuves annonce donc Mao? Veut-il parler de la guerre? Mais pas là, pas au bal. Les dignitaires s'empressent autour de lui. Il salue les camarades ravinés, les monuments sur lesquels il édifie son œuvre, comme il salue leurs épouses concassées. Demain, on s'entre-tuera puisque tout ce qui se construit se détruit, puisque sur le long terme la fidélité n'existe pas, mais maintenant, qu'on danse. Comme l'importunent ces êtres de ruse, qui, même dans la soumission, ne cessent de le juger! Qu'ils dansent, qu'ils dansent, eux qui ne savent faire que cela, tournicoter autour de lui.

Mao a envie de beauté. Et Jiang Qing lui amène des donzelles

LE CHIEN DE MAO

qu'elle a recrutées, mignonnes, graciles, tout un essaim de ravissantes qui racontent comment elles sont arrivées à Yanan et comment, à la suite de quelles critiques et autocritiques, elles sont devenues de bonnes communistes. Et qui dansent.

Mao est lourdaud et Jiang Qing refuse de s'exhiber avec lui : qu'il se trémousse avec ses paysannes, ses institutrices et ses infirmières éblouies, elle s'en moque, elle est la reine de ces soirées. Dans le dancing champêtre où les couples s'appareillent selon le rang, elle est devenue la partenaire attitrée de Chou En-lai. Aucun pas, aucun rythme ne les déconcertent, ils sont élégants, merveilleux. Tout le monde les regarde tourbillonner jusqu'aux aurores. Jiang Qing est grisée. Elle en oublierait presque qu'elle n'est qu'à Yanan.

Chou En-lai, Jiang Qing le hait cependant, car lui aussi a participé à sa proscription, parce que lui aussi a cru qu'elle ne serait pas une bonne épouse pour Mao. Mais maintenant, lorsqu'il la rencontre, il la complimente, il semble la reconnaître comme l'égérie, celle qui donne la félicité à ce Mao aux tâches titanesques.

Pour échapper à l'ennui de sa maison quand Mao est pris par la politique, qu'il rédige quelque rapport avec le nain Chen Boda, Jiang Qing, qui a appris à monter à cheval, galope sur une jument blanche. A Yanan, tout le monde sait que c'est elle la cavalière. Des heures durant, juchée sur sa bête, elle parcourt la nature, ce lœss incohérent, et elle va jusqu'à une forêt aux troncs moussus où, mettant pied à terre, elle cueille des lys. Vision idyllique. Est-ce la réconciliation entre Chou En-lai et Jiang Qing ? Parfois il l'accompagne dans ses randonnées équestres. Il lui tient des propos courtois, cela fait sans doute partie de ses devoirs. Un jour, il la devance de quelques mètres, elle éperonne sa monture pour le rattraper, elle arrive jusqu'à lui, mais les jambes de sa jument s'emmêlent avec celles du cheval de Chou En-lai, qui tombe, se fracturant un bras et s'écorchant le front. La blessure ne cicatrise pas. Est-ce un présage ?

Au Jardin des Dattiers, Jiang Qing mène une existence relativement luxueuse. Si Mao s'évertue à faire pousser quelques légumes – derniers restes de zèle rouge –, elle se comporte de plus en plus en première dame. Arrogante, dominatrice, elle lâche aux gens ce qu'elle a dans l'humeur, elle ne se contrôle plus, elle exige une chère raffinée, qu'elle goûte à peine, elle s'habille presque élégamment : ses tenues sont bien coupées et elle fait acheter à Xian babioles et bijoux. Elle a une domestique, et surtout une cour qui essaie de prévenir ses désirs, nombreux et contradictoires. Un ins-

LE CHIEN DE MAO

tant elle est contente, puis elle ne l'est plus, elle maugrée... simples divertissements ou poches à venin qui grossiront. Elle exaspère, on la supporte, après tout elle a l'oreille du Président. Elle approche de la trentaine, et la maturité lui donne un visage d'une beauté plus classique, un ovale parfait.

Les filles grandissent, elle s'en moque. Mais avec les deux fils de Mao, ceux qui l'avaient jadis soutenue contre He Zizhen, elle commence à avoir de moins bonnes relations. L'idiot, passe encore, mais l'autre, le beau garçon dont Mao est si fier, elle ne le supporte plus. D'ailleurs, lui aussi se méfie de cette belle-mère encombrante, qui risque de se mettre sur son chemin, lui qui se considère comme le véritable héritier. Cette femme, dit-il, est une salope... Mao, qui est devenu un potentat plein de manies, a, lui aussi, ses fureurs, et qui se cognent à celles de Jiang Qing. Des algarades effrayantes, des tremblements de terre. Mais maintenant elle lui répond. A moins que, pour le contrarier, elle ne reprenne l'antienne de sa maladie, elle se vante d'être tuberculeuse, ses yeux brillent, elle a la fièvre. Est-ce de la comédie? Mao est irrité, d'autant plus qu'il a toujours peur d'être contaminé. Mais peut-être ne risque-t-il rien...

Sous prétexte de préserver Mao de ses bacilles, Jiang Qing fait chambre à part. Elle s'endort de bonne heure, se réveille aux premiers rayons de soleil pour jouir de la vie. Kang Sheng, revenu en grâce, fait son sémillant : belle mine au bonze, condamnation sans vergogne des violences passées et, quand il le faut, amabilité avec les Soviétiques. Il continue à veiller à tout, il a même débarrassé Jiang Qing des désirs de Mao, à coups de petites camarades et de pécores bébêtes. Ses sarcasmes :

— Je me suis inspiré de l'exemple du bonze. Quand je voyais une fille qui me tentait, je l'accusais d'être une « coupable » qui devait se repentir. Pour cela, critique et autocritique chez moi, et toujours la fille écartait les jambes sans histoires. Je faisais peur... Ensuite je prévenais mon élue que si elle parlait, ce mensonge énorme, ce crime mériterait des années de prison. Cela a marché, cela marche... Eh bien! Je vais reprendre mes « anciennes » et recruter quelques nouvelles pour notre cher Président. Sans avertir ces demoiselles qu'elles auront affaire à lui. Quand elles seront en sa présence, quelle extase! Mais il s'agira toujours de gourdes incapables de s'imposer, n'aie crainte! Je suis d'abord ton homme. Toi, de ton côté, continue tes manigances dans les soirées. A nous deux, nous devrions suffire comme fournisseurs.

LE CHIEN DE MAO

— Et si Mao se formalise ?
— Ne crains rien. Il a beaucoup changé. Il aime d'abord ses aises, il sera heureux d'avoir son troupeau de petites femelles, tout en conservant son épouse. Mais toi, comment vas-tu résister à la chasteté ? Ne compte pas sur moi, ce serait beaucoup trop dangereux. L'idéal serait que tu t'abstiennes vraiment.
— Ne t'inquiète pas ! Je sais où sont mes priorités.

Depuis que Mao se délecte dans des galanteries arrangées, une entente s'est instaurée entre lui et Jiang Qing. Auprès d'elle, il n'est que projets, plans, intrigues, il lui raconte ses difficultés et manœuvres dans un univers de plus en plus fracassé par les conflits. Un soir, il lui susurre que des militaires américains vont s'établir à Yanan pour les jauger et qu'il est de son devoir de les charmer :
— Ta besogne est essentielle, autant que celle de Chou En-lai, qui vient de repartir pour Chongqing auprès de Tchang Kaï-chek et de ses Yankees.

Jiang Qing se sent emportée, soulevée par l'orgueil. Ainsi le devenir de la Chine dépend de ses appas autant que des attraits de Chou En-lai. La campagne de séduction avec elle prendra tout son sens.

Que s'est-il passé ? Après Pearl Harbor, les Américains ont jeté soixante-dix mille hommes et un matériel gigantesque auprès de Tchang Kaï-chek pour qu'il écrase les Nippons. Vols depuis l'Inde jusqu'à Chongqing ou Kunming, à des altitudes insensées, en bravant les orages magnétiques et les Zero japonais. On a ouvert des aérodromes autour des villes et créé là un monde d'une modernité inconnue. On a aussi envoyé au Généralissime, pour le conseiller, un général américain, Joseph W. Stilwell dit Joe Vinaigre, un ancien de la Chine qui a fait carrière dans les légations et les salons et dont les colères sont célèbres.

Jours dramatiques à Yanan : on prête aux Américains des intentions hostiles aux Rouges. Mao, inquiet, durcit son régime. Jiang Qing, elle, quand se dissipe l'ivresse des meetings, se demande si elle a bien fait de choisir la carte communiste. Etre Madame Mao, c'est extraordinaire, mais si Mao n'est plus rien... avec un Tchang Kaï-chek renforcé, bientôt victorieux, cette hypothèse ne peut être rejetée.

Mais le Généralissime se révèle une providence pour les Rouges : au lieu de lancer ses armées innombrables contre celles des Nains, désormais réduites en nombre et peu actives, il les

LE CHIEN DE MAO

garde précieusement pour lui, autour de lui, toujours plus corrompues et pourries, abouchées même avec les collabos projaponais. La destruction de l'empire du Soleil Levant n'intéresse pas Tchang Kaï-chek, il réserve cette tâche aux escadres américaines combattant sur les immenses espaces du Pacifique. Quand celles-ci auront pulvérisé les cités nippones sous les bombes et que les Nains se seront rendus, alors il lâchera ses forces soigneusement épargnées sur les communistes et il les détruira. A Chongqing, Chou En-lai a compris ce plan, il l'a décrit avec joie à Mao, et Mao s'est promis d'en faire un cauchemar pour le Généralissime. Pourtant, lui aussi n'engage qu'avec parcimonie ses forces contre les unités japonaises : il se contente de quelques maigres succès pour impressionner le président Roosevelt. Toutefois, il ne laisse pas ses troupes se démantibuler par incurie, il ne cesse de les éduquer et de les rééduquer pour les entraîner dans la ferveur et la foi exaltée. Lorsque le Japon se sera effondré, c'est lui qui fera déferler ses divisions sur la Chine et elles tailleront en pièces celles du présomptueux Généralissime.

Peu à peu l'accommodement, tant civil que militaire, entre Tchang Kaï-chek et Stilwell tourne au drame. A la place du grand homme espéré, les Américains n'ont en effet trouvé qu'un maniaque d'une opiniâtreté imbécile, un obtus, un saint qui plane au-dessus des misères et qui enrage si on les lui montre. Tchang, son éternelle « face », sa fierté, son demi-sourire, ses fausses dents, son autorité implacable, son aveuglement... Autour de lui, la Chine dite libre n'est que scandales et pillages, une rafle gigantesque menée par la famille de sa femme, la pieuse Meiling, et il ne s'aperçoit de rien. A moins qu'il ne soit complice.

Stilwell est dégoûté au-delà du possible. Il trépigne, il gueule, il se répand dans les ambassades établies à Chongqing, il surnomme Tchang Kaï-chek « Cacahuète ». Le Généralissime a trois cents divisions, des unités de brutes et de mendiants qui appartiennent à des seigneurs de la guerre ou se sont évanouies dans la nature, de toute façon, il est incapable d'en commander une. Stilwell le contraint à accepter que trente-neuf de ces divisions, les moins nulles, soient formées dans des camps américains par des instructeurs américains. Camps modèles, camps terribles. Des dérapages. On s'évade, on s'entre-tue. Du moins des troupes presque convenables sont fabriquées. Mais Cacahuète continue de taper sur la table et de rognonner.

Pendant ce temps-là, Chou En-lai, si disert, si bien-parlant, si

142

LE CHIEN DE MAO

prometteur, amadoue les Yankees. Ceux-ci commencent à se demander s'ils n'auraient pas dû s'arc-bouter aux communistes, qui respirent le courage, qui sont de bons combattants, des patriotes convaincus, presque des démocrates : leur révolution se bornera à briser l'antique malédiction, le malheur de vivre des Chinois. Cela, grâce à des réformes vertueuses. La vertu, quel attrait pour les Américains.

La tentation. La tentation et la naïveté. Sans abandonner complètement le Généralissime, se rapprocher des Rouges, s'allier à eux aussi, et tout d'abord envoyer à Yanan une mission d'observation. Tchang Kaï-chek se fait prier, tergiverse, menace de son mécontentement, trouve d'abord une astuce – n'autoriser la mission vers le Nord que dans les régions contrôlées par lui, puis il est bien obligé de céder : le vice-président américain en personne s'est déplacé. Chinoiseries... Le Généralissime irrite plus que jamais.

La mission, nommée Dixie, est composée de neuf vétérans de l'Asie, des hommes rudes et boucanés qui, sous couverture militaire, appartiennent à l'OSS, le service secret américain, et qui parlent le mandarin. A eux de discerner ce que sont Mao et ses communistes, s'il est véritablement possible de leur faire confiance, de les soutenir, et même, peut-être, de les armer. A eux de persuader Roosevelt de l'innocuité de Mao.

Mao s'arrête pour sourire, il jouit déjà de la merveilleuse hypocrisie à venir et caresse Jiang Qing de la voix :

— Notre vertu, les gens ignorent ce qu'elle est, ce qu'elle a d'impitoyable. Mais nous jouerons la modération devant ces jobards dont un groupe vivra parmi nous, à Yanan même. Nous allons les combler de délicatesses. Tu auras ton rôle auprès de ces ignares. Trompe-les ! Dupe-les ! Sois si délicieuse que ton image efface celle de Meiling. Il faut que tu la surpasses dans l'opinion mondiale, que toi, Madame Mao Zedong, tu sois plus admirée que Madame Tchang Kaï-chek.

Etre comparée à Meiling, la Madamissima... Jiang Qing est illuminée de joie. Il n'y a pas plus célèbre que cette Meiling qui se sert de son charme auprès des Occidentaux de toute sorte, qui dans le monde entier prêche la croisade en faveur de son mari ! Cette ancienne beauté, élevée dans les meilleures universités américaines, s'est transformée en quakeresse mais elle séduit encore et ne cesse de manœuvrer pour le bien de son époux, l'immarcescible Tchang Kaï-chek qui toujours se trompe. Et il l'écoute, tout

LE CHIEN DE MAO

le monde écoute Meiling, les sénateurs de Washington et les pasteurs yankees de Chine sont à ses pieds. L'influence, c'est elle. Elle que Jiang Qing va contrer. La montée vers les étoiles commence, elle sera aux côtés de Mao une figure d'élégance et d'aménité, elle sera souveraine, la grande souveraine. Et Kang Sheng, son Kang Sheng, demeurera auprès d'elle et il l'aidera. Songe... Puisqu'elle est entravée et le restera longtemps si elle ne brise pas la chaîne à laquelle elle a été attachée par les barbons :

— Comment m'acquitterai-je de ma tâche si l'on continue de me traiter en inférieure ? Je suis toujours interdite de politique par le Parti. Obtiens qu'il renonce à ma quarantaine.

Mao est réticent. A lui aussi cette exclusion convient. Certes Jiang Qing est sa confidente, mais il se méfie d'elle, qui cherche à être plus que Madame Mao, qui est une femme insatiable, d'une cupidité sans fond. Aussi répond-il qu'on ne peut pas braver le Parti :

— Même moi je ne peux t'affranchir de sa décision. Cependant il ne verra pas d'inconvénients à ce que tu te serves de ta séduction auprès de ces barbares. Et à défaut de t'en trouver d'autres, il reconnaîtra tes qualités d'hôtesse.

Soudain Jiang Qing éprouve comme une haine envers cet homme empâté, lourd et dangereux, capable de la répudier pour un rien et qui l'a devinée. Mao mangeur de femmes... Maintenant il la traite en putain qu'il met sur le marché pour appâter les Yankees.

Malgré tout, elle minaude :

— Selon tes ordres, je charmerai donc les Américains. Mais jusqu'où dois-je aller ?

Mao, au lieu de s'énerver, répond très calmement :

— Tu verras. Tu analyseras la situation.

Le ressentiment de Jiang Qing flamboie. Mao se moque d'elle, ou plutôt il la pousse au plus profond de l'abîme. Car si jamais elle accordait ses faveurs à des Américains, ceux-là mêmes qui l'auraient honorée seraient hilares de mépris pour cette pouffiasse qu'est la femme du Grand Président. Le bruit de sa légèreté parviendrait jusqu'aux Etats-Unis, ferait les titres des journaux... Et surtout, ce serait la catastrophe en Chine. Pour tous les Chinois, communistes, nationalistes, et même collaborateurs des Japonais, elle ne serait plus qu'une infâme roulure, une tache de boue tombée de l'Histoire. Parce que tous éprouvent la même détestation des Barbares aux poils roux qui sentent le cadavre et le même mé-

144

LE CHIEN DE MAO

pris pour la femme jaune qui couche avec ces sauvages. Jiang Qing serait réduite à néant. Est-ce cela que Mao veut ?

La mission Dixie, c'est l'incroyable, et pour les Chinois et pour les Américains. Tant de haine, de part et d'autre, tant de calculs sous les apparences bienveillantes... Lorsque le DC-4 aux couleurs américaines se pose à Yanan, il y a la foule comme autrefois quand arrivaient les Russes. Une ombre rôde, celle de Chou Enlai qui a tout cuisiné et qui continue à faire son ambassadeur de grâce à Chongqing. Mao est accompagné de Zhu De, et ils se donnent des airs de braves paysans éberlués ; Jiang Qing a revêtu sa meilleure tenue populaire. Le chef de la mission, le colonel Barrett, serre les mains de Mao et de Zhu De, et baise les doigts que lui tend Jiang Qing. Longues politesses en chinois. Jiang Qing rayonne, Mao est plus bonasse que jamais. Un orchestre militaire joue l'hymne américain, puis le chant de la 8ᵉ Armée de Route, la fameuse 8ᵉ Armée, issue de l'armée rouge. Le choc... Garde-à-vous général pendant ces fanfares. Quand se sont éteints les derniers sons, Mao, d'une voix grave, prononce quelques phrases pour saluer les grands alliés américains, qu'il est heureux de recevoir à Yanan. Enfin les troupes défilent. Ce ne sont ni des soldats de parade ni des loqueteux comme chez Tchang Kaï-chek ; chez Mao, on a de l'allure, un pas rapide, souple et vif, un air de simplicité guerrière d'où rien n'est exclu, même pas la bonté. Il en résulte une impression de force sobre qui entraîne et convainc. Suit un moment succulent, la rencontre de la mission Dixie avec la délégation soviétique stationnée à Yanan. Congratulations. Les Américains, les Russes et les Chinois sont tous frères. Mao est ravi.

Des fleurs ont été offertes à Jiang Qing, elle rit, elle converse avec le colonel américain, qui porte calot et décorations, et ruisselle de sueur. Dans son anglais boiteux, elle dit les phrases convenues, tous les souhaits possibles, l'amour de la Chine démocratique pour le pays d'Abraham Lincoln. Les autres Américains viennent s'incliner devant elle : tant d'hommes, et elle la seule femme, elle, Madame Mao. Elle s'occupe de l'intendance. Il est convenu que les arrivants logeront dans le Palais de la Culture, sur lequel on hissera l'étendard étoilé, jusqu'à ce que soit achevé un bâtiment qui servira de quartier général aux amis américains.

Yanan est un tohu-bohu, la foire aux amabilités, un grouillement de prévenances. Mao n'est que sourires et Jiang Qing qu'agrément, les augures du Parti sont des enjôleurs. Aux gens de

145

LE CHIEN DE MAO

Dixie on montre une cité idéale où toute une population travaille avec enthousiasme à des besognes heureuses. On leur montre des artisans, des tailleurs, des coiffeurs, des forgerons, des médecins, des paysans et des soldats bien nourris. On leur montre Ding Ling, rappelée de son exil pour la circonstance : elle est radieuse, elle bêche son jardin, elle file du coton et elle écrit des nouvelles patriotiques et simples. On leur montre des champs et des vergers. On leur offre des uniformes taillés à leurs mesures, on leur présente des prisonniers japonais guillerets, on leur organise des rencontres avec de bons communistes. Mais qui parle encore de communisme ou de révolution ? Yanan n'est plus peuplée que de réformistes agraires prêts à se battre contre les Japonais sous un commandement nationaliste pour peu que Tchang Kaï-chek lève le blocus des zones rouges et les laisse vivre sous le régime de leur choix, dans les territoires qui leur sont attribués.

Jiang Qing se délecte dans son rôle d'épouse épanouie. Une anecdote l'enchante : Madame Tchang Kaï-chek qui vient de quitter Chongqing ne serait pas partie uniquement pour faire du « lobbying » aux Etats-Unis mais parce qu'elle est trompée. Cacahuète tardait à renvoyer une concubine et Meiling s'est impatientée. Belle occasion pour les Rouges de montrer la simplicité, la clarté de leurs mœurs !

Quoi qu'il en soit, Jiang Qing, qui depuis son mariage n'a plus exercé ses talents de chasseresse d'hommes, se sent revivre. Tout ce qu'elle a de ris et de fossettes, de mines graves et délicieuses, d'accents moelleux, elle s'en sert auprès de ces Yankees. Ce sont des mâles, pour la plupart de belle prestance, et il ne lui déplaît nullement de les appâter. Pas plus évidemment... mais elle prêche la fête, la joie, elle multiplie les représentations théâtrales patriotiques, même si, en sa qualité de dame souveraine, elle ne monte plus sur la scène. Il y a aussi l'opéra de Pékin et ses grands rugissements... Les amis répriment leur envie de bâiller. En revanche ils se délectent aux bals que Jiang Qing multiplie. Qui veut danser avec Jiang Qing ? Elle est la taxi-girl du communisme, l'avenante cavalière qui passe des bras des colonels à ceux de simples lieutenants. Quand Mao offre un dîner, elle préside en face de lui. Et lorsqu'il accorde un entretien à un visiteur important, elle y assiste, maîtresse de maison attentive qui n'intervient jamais dans la conversation.

Un seul petit ennui fait ricaner Yanan : les Américains ne trouvent aucune saveur aux mets chinois, ils mangent ostensiblement

146

quelques bouchées, boivent quelques gorgées de vin jaune et rentrés chez eux ils se jettent sur les conserves et l'eau minérale apportées depuis l'Inde. Toujours cette vieille crainte des microbes, leurs premiers ennemis. Mais personne ne tombe malade. La mission Dixie est un succès complet.

Quelques semaines plus tard, arrive un certain Patrick Hurley, qui vient d'être nommé ambassadeur des Etats-Unis à Chongqing. Là-bas, en effet, continuent la cavalcade, la discutaillerie, l'empoignade entre Américains et Chinois. Pour plaire à Tchang Kaï-chek, Stilwell a été renvoyé et remplacé par le très courtois Wedemeyer qui est chargé d'amadouer Cacahuète. Mais en même temps, la Maison-Blanche prescrit à Hurley de réconcilier ces impossibles Chinois. Hurley est-il l'homme de la situation? Sans doute pas. Tonitruant, le rire énorme, la blague énorme, ce colosse texan, si malin soit-il, manque de doigté. Pourtant l'opération commence bien. Mao bonimente et Jiang Qing complimente, un protocole d'accord est élaboré, mais le Généralissime refuse de le signer. Il en propose un autre. Que Mao récuse. Et ainsi de suite. C'est l'enlisement.

Hurley explose. Il abomine Tchang Kaï-chek mais il beugle à tous les membres de la mission qu'ils se sont laissé berner par la comédie de la vertu rouge :

— Vous êtes des niais. Jiang Qing vous a embobinés avec son minois. Et vous êtes prêts à recommander, à cause des jolies grimaces de cette catin, que l'Amérique finance et arme les communistes. Eh bien, je vous dis non ! Nous continuerons à soutenir Tchang Kaï-chek, dont la Meiling vaut mille Madame Mao. Vous devriez savoir que notre président considère que le Généralissime est un des Grands, le quatrième après lui-même, Staline et Churchill. Quant à Meiling, il la tient pour une sainte. Alors vous comprenez, ce rustre de Mao et sa femme qui a fait le trottoir à Shanghaï...

Est-ce la faute de Jiang Qing si les Yankees ne tombent pas dans le piège de la suavité rouge ? Mao feint de le croire, un soir où il est pris par une de ces colères qui peuvent le pousser à tous les meurtres. C'est même une partie de son génie, cette capacité à annihiler les gens par centaines, par milliers... Mais, ce soir-là, alors qu'il voudrait massacrer tous les nationalistes, il n'a en face de lui que sa femme dont il serre le cou à l'étrangler. Il lui hurle :

LE CHIEN DE MAO

— Quand je te regarde, je ne vois que ton passé, ton sale passé, tes paillardises et tes félonies. Tu me dégoûtes. Et je me dégoûte de ne pas avoir résisté à la dépravation qui se dégage de ton corps pourri. Tiens, fous le camp, je ne veux plus te toucher, je te laisse à ta maladie, qui fera bientôt de toi une folle ou une agonisante. Tu vas crever !

Effectivement, Jiang Qing est à nouveau frappée par son mal. Elle reste allongée, elle maigrit, elle tousse, ses yeux brûlent, sa poitrine est une caverne douloureuse et son ventre une pierre. Mao n'apparaît que rarement au Jardin des Dattiers, il vit ailleurs. Lorsqu'il surgit, c'est pour lui lire un nouveau rapport de police la concernant :

— D'après ce qu'on sait, tu as eu plus de quatre cents amants, tu n'es montée jusqu'à moi que grâce à la lubricité que tu déchaînes. Tu as eu des voyous bien dignes de ton alcôve, mais aussi un Yu Qiweï. Que lui as-tu fait à celui-là pour qu'il te recommande à l'Ecole du Parti ? Et à ce Tang Na, que tu as essayé de pousser au suicide ? Et à Kang Sheng pour qu'il te colle dans mon lit ? Tu n'es qu'une pute, une immonde pute. J'ai hérité d'un trou à ordures qu'a fréquenté la moitié de la Chine, mais sois tranquille je n'y pénétrerai plus jamais.

Monotonie des jours. Plongée éblouie dans les feuillages de l'oasis, dans la brise, dans le rien. Jiang Qing rêvasse, disloquée, comme abolie. Elle n'attend même plus, elle survit. Personne n'ose l'approcher, hormis un officier yankee qui se croit amoureux d'elle et lui apporte des boîtes de lait condensé et du cacao. Le bonheur américain pour une tubarde engoncée dans sa fièvre.

Et puis elle tremble moins, les choses reprennent leur consistance, il lui semble reconnaître Kang Sheng à son chevet. L'insubmersible Kang Sheng... Il fait moins tuer qu'autrefois, mais il corrompt. Son grand œuvre, c'est maintenant de noyauter les armées nationalistes pour qu'elles se décomposent d'elles-mêmes lors de la défaite nippone. Il est plus utile que jamais, aussi peut-il se permettre de se rendre auprès de son ancienne protégée. Il caresse son front moite et il murmure :

— Jiang Qing, je suis là, c'est bien moi. Ecoute-moi, si j'ai fait de toi Madame Mao, c'est pour que tu le restes. Quoi qu'il arrive.

Jiang Qing gémit :

— Mao me hait comme il a haï toutes ses épouses. Pourquoi ne me chasserait-il pas, moi aussi ?

LE CHIEN DE MAO

— A cause de ton passé, des crimes que tu as commis jadis et que, dans sa passion pour toi, il a voulu ignorer. S'il se séparait de toi, il perdrait la face vis-à-vis du Parti.

— Il peut me faire une vie atroce.

— Supporte, subis, ne proteste pas ! Ne fais pas comme He Zizhen, encaisse, quoi qu'il arrive, je te le répète. Le temps sera long, l'épreuve terrible, mais viendra le jour où Mao aura besoin de toi.

Jiang Qing sourit dans sa pâleur :

— Pour une fois, c'est toi qui rêves.

— Non. Mao va gagner la guerre. Mais il est ainsi fait qu'aucun triomphe ne l'apaise jamais, il désirera toujours plus. Alors le Parti se révoltera contre lui, ses compagnons d'armes l'accableront, il connaîtra l'humiliation. Et à ce moment-là il te voudra auprès de lui, avec lui, parce qu'il sera seul, et que sa haine fulgurante, durcie par l'épreuve, aura besoin de la tienne pour s'épanouir. Tu ne sais pas aimer, mais tu sais détester ! Tu l'aideras à soulever la tempête. Ne crois pas que j'imagine, tout est déjà écrit dans ce qu'est Mao.

— Et moi, pendant ce temps-là ?

— Quand on a de grands desseins, le temps n'a pas d'importance. Inexistante est la coulée des secondes, de milliards de secondes, si l'on garde gravée en soi la conscience de sa destinée. Cesse de geindre, reprends-toi. Toute maladie est pour toi une malédiction, non seulement parce qu'elle détruit ton corps et ta volonté, mais surtout parce que Mao ne supporte pas que ses proches puissent être atteints dans leur chair ou leur âme. Il déteste les manquements, les faiblesses, les déficiences, jusqu'aux blessures des héros. Apprends à devenir immortelle, comme il se veut. Crois à l'avenir que je t'annonce ! Et dès ce moment ressuscite et resplendis. Réconcilie-toi avec Mao.

Une énorme flamme lèche l'Empire du Soleil Levant, une lueur comme il n'y en a jamais eu sur la terre. La bombe atomique fracasse le Japon. Immédiatement l'Union Soviétique entre en guerre contre les Nains et envahit la Mandchourie. A Chongqing, le Généralissime hésite : il avait tout envisagé sauf une capitulation aussi rapide. Comment imaginer que l'orgueilleux Hiro-Hito déciderait de survivre dans la honte de la reddition ? A Yanan, Mao, lui, a tout prévu. D'abord une fête : que tous s'embrassent, Yankees et Soviétiques, Nationalistes et Communistes. La nuit entière s'illumine dans les gerbes d'un feu d'artifice gigantesque, un peuple

149

innombrable danse le yankho, c'est la paix, la Grande Paix. Dans l'euphorie, Mao a permis à Jiang Qing de l'accompagner : son absence n'aurait pas été comprise. Et longuement elle s'est préparée comme pour un triomphe. Sa beauté s'est aiguisée, elle est devenue, les observateurs étrangers le remarquent, plus intéressante que Meiling. Mao lui-même la regarde avec une sorte de surprise :

— Tu es toi, en mieux, lui dit-il. Peut-être est-il temps que tu reprennes ton travail de secrétaire particulière. De grandes tâches nous attendent.

Dans un coin, Kang Sheng ricane :

— Qu'est-ce que je t'avais dit ? Allez, ma vieille, remue-toi. Exalte cette paix qui ne va pas durer.

Une drôle de paix commence en effet, celle prêchée par les Grands lors de ces conférences interminables et apparemment souveraines qui ont jalonné le cours de la guerre. Le Caire, Téhéran, Yalta... On s'est parlé, on a créé l'espoir, le projet d'un monde meilleur. Roosevelt, Churchill, Staline, Tchang Kaï-chek se sont distribué les cartes : ils annoncent l'harmonie, même si, en secret, leurs visées s'entrechoquent. De son côté Mao, tout frétillant, tout fanfaronnant, lors du VIIe Congrès du Parti communiste, s'est ébroué dans les principes de la « démocratie nouvelle ». On l'a comblé de présidences, sa pensée sera le phare des années à venir. Pour l'heure, cette pensée préconise la constitution d'un gouvernement de coalition avec les nationalistes après la guerre. Quant à l'arrière-pensée... Mao est persuadé que le vrai conflit est imminent, que l'essentiel est de prendre ses marques et de gagner du temps. Il croit dominer la situation, être l'égal de Tchang Kaïchek, et même plus.

Et c'est la trahison, la grande trahison. Tandis qu'à Yanan se termine la fête et que Mao annonce une contre-offensive générale contre les Japonais, en coopération étroite et efficace avec l'Union Soviétique et les autres puissances alliées, Tchang Kaï-chek et Staline négocient discrètement un traité d'amitié et d'alliance, sous la houlette des Américains. Dans ce jeu, Mao, le chef du Parti communiste chinois, Mao, le président du Comité central du Bureau politique et du Secrétariat, Mao n'est rien, tout juste un épouvantail que les Soviétiques agitent sous le nez de Tchang Kaïchek : s'il n'accède pas à leur désir de récupérer les privilèges du temps des tsars dans le nord-est de la Chine, ils soutiendront Mao et ses bandits. Le 14 août, alors que les Soviétiques sont déjà en

LE CHIEN DE MAO

Mandchourie, le traité est signé et rendu public. L'humiliation est totale pour Mao, une gifle entendue par la terre entière. Tchang Kaï-chek, intronisé unique interlocuteur des puissances, a obtenu de se voir attribuer toute l'aide versée par l'URSS à la Chine. Le 15 août, c'est en triomphateur qu'il invite Mao à Chongqing pour mettre sur pied le fameux gouvernement de coalition.

A la vérité, une meilleure solution hante les conseillers du Généralissime, celle qui supprimerait l'ennemi, l'assassinat, selon l'antique tradition. Il suffirait de moderniser, que par exemple l'avion envoyé à Mao pour le ramener de Yanan à Chongqing explose en plein vol. C'est plus qu'une hypothèse, une possibilité : les Américains, qui redoutent le chaos, choisissent d'assurer la sécurité du chef communiste, ils envoient un de leurs appareils chercher Mao et sa suite, dont Jiang Qing n'est pas.

Sur son éperon rocheux qui fend les eaux du Yang Tse-kiang, Chongqing est une étuve. Jours de plomb. La chaleur suinte, le choléra rôde, la vermine abonde, la cité aux ruelles étroites et aux escaliers vertigineux est une infection. Mais Tchang Kaï-chek a eu la délicate attention d'installer Mao à « Cassia Garden », la fraîche demeure du général Zhang qui a été le chef de la délégation nationaliste à Yanan. Aménités... Pour la première fois, Tchang Kaï-chek et Mao Zedong sont face à face. Le visage crispé du Généralissime et la figure ronde et souriante de Mao. Fantastique comédie. Embûches dans les négociations. La paix, la paix, mais au profit de qui ? Tant de haine, malgré les kampés de l'amitié.

Et puis une surprise : au bout de deux semaines, un appareil yankee amène Jiang Qing. On la conduit auprès de son mari. Aux journalistes, elle explique qu'elle est à Chongqing pour se faire soigner les dents. Personne ne la croit, mais on n'attache pas beaucoup d'importance à sa présence : elle ne participe aucunement aux âpres marchandages de la politique et se confine dans un rôle effacé. Une fois, elle apparaît à une soirée et elle prononce quelques phrases. Toujours son histoire de dentiste.

Pourquoi donc est-elle venue ? Pour mettre fin à une intrigue amoureuse de Mao, une intrigue inconcevable et du plus mauvais

LE CHIEN DE MAO

effet. Car Mao, le grand Mao, négligeant les pourparlers, se donne complètement à la plus surprenante des idylles. Il est envoûté par la fille aînée du général Zhang, il est obsédé par la gamine, il la courtise, il la séduit. Et les parents n'osent même pas s'opposer à cette aventure inconvenante qui se déroule sous leur propre toit. Alors Jiang Qing a surgi, soit qu'elle ait agi de son propre mouvement, soit qu'elle ait été mandée par Chou En-lai.

Mais n'a-t-elle pas surtout été tentée par les splendeurs supposées de Chongqing ? Quel baume et quelles délices cherche dans la capitale du Kuomintang, cette femme rongée par la gaieté rouge, par les fanfreluches d'un plaisir obligatoire, un plaisir triste ? Yanan est un trou et, quoi que Jiang Qing fasse, les galas et les bals y sont embués d'idéologie : elle est là pour se délivrer de cette désolation qui abîme, qui use... Oh ! souvenirs de Shanghaï, de l'agitation, de l'indépendance, du temps où elle frôlait la faune des satrapes adonnés aux jouissances cérébrales et charnelles. Ici, à Chongqing, dans cette puanteur, elle est en quête des effluves de ce temps béni.

Dans le sordide de la cité bombardée, au milieu des ruines, se dressent encore des légations à lambris et des palais tarabiscotés. Là-dedans, un panachage d'humanité acharné à épier, à renifler, à ressentir, à comprendre, à accaparer, à vendre et à revendre, aventuriers d'un magma que, tel un riche purin, ils répandent sur la Chine et de là sur le monde. Chongqing est un caravansérail misérable et magnifique, le gigantesque pot-pourri où se fait l'histoire, la grande et surtout la petite, la bonne, celle que pour le moment veut Jiang Qing.

Elle a envie de ressusciter les émois qu'elle a connus lorsqu'elle osait être une femme. Echapper au génie accablant de Mao, ne plus être soumise... Etre Madame Mao, cette exaltation, est aussi une condamnation. La loi ? Toujours se renier pour éviter la hache du bourreau. Mao le fruste, le sombre, est impitoyable, il le sera avec elle, à moins qu'elle ne s'éclipse. Elle sait que Tang Na est là, et l'envie la brûle de revoir l'homme si charmant qui jadis à Shanghaï était capable de se suicider pour elle. Mais où est Tang Na ? Se cacherait-il ? Elle cherche, elle s'enquiert, elle téléphone. A Chongqing, Tang Na est un assez grand personnage qui se terre, pas dans la frousse de Mao, dans la frousse de Jiang Qing.

Enfin, elle le rencontre lors d'une réception offerte par Tchang Kaï-chek. Il y a foule et des gens font la queue pour être présentés

LE CHIEN DE MAO

à Mao. Parmi eux, elle reconnaît Tang Na, à peine vieilli, toujours beau et élégant. Il arrive à Mao – il n'y a plus que deux personnes avant lui –, il l'écoute, il le contemple, le regard fixe. Mao fait son numéro de douceur affable, Tang Na s'approche encore et soudain il tourne les talons. Jiang Qing, qui observait la scène, court après lui, le rattrape, le happe. Il la salue longuement, avec les égards dus à l'épouse du Président Mao Zedong. Jiang Qing prend sa voix câline :

— On dirait que tu ne me connais pas. Le Président Mao n'est pas jaloux. Viens me chercher demain, nous irons nous promener pendant qu'il délibérera.

Tang Na rougit :

— Je n'oserai pas.

— Tu ne tiens pas à me revoir ?

— Si. Vous êtes toujours aussi belle. Et aujourd'hui, votre amabilité me touche.

— Tutoie-moi ! Je t'attendrai à dix heures, demain matin.

Comme du néant surgissent les êtres d'antan... Ils n'étaient plus rien, engloutis dans le gouffre de l'oubli, et tout à coup ils reprennent forme, ils sont là, vivants, sous vos yeux, suscitant des nostalgies et des regrets infinis. De retour à « Cassia Garden », Jiang Qing ne peut pas s'endormir, elle est à Shanghaï, dans le paroxysme du bonheur avec Tang Na, le merveilleux scénariste, qui lui présente d'autres célébrités, ses amis, ses intimes. Elle vogue. Elle plane.

Le lendemain, leur randonnée à travers les rues grouillantes de Chongqing... Jiang Qing rappelle à Tang Na leur passé, leur passion, leurs déchirements. Mais lui ne se souvient de rien, ne veut pas se souvenir. Il a hâte de déguerpir. Pourtant, il reconnaît sa voix, ses intonations, ses sourires, il la retrouve aussi délicieuse qu'à leurs débuts, il se remémore leurs étreintes, et son désespoir, mais jamais il n'a été autant séparé d'elle que maintenant : le Pouvoir, l'immense Pouvoir, Mao et la Chine entre eux... Est-elle heureuse ? Il ne le croit pas. Enfin il se hasarde à lui dire que ce doit être extraordinaire d'être la femme de Mao.

Elle avoue, comme avec innocence :

— Ce n'est pas facile, et puis le temps a fait son œuvre sur Mao et moi ; nous ne nous aimons plus. A tout instant il est susceptible de me répudier. Grande sera ma chute, je me retrouverai dans un asile psychiatrique, en Chine ou en Union Soviétique, les chefs communistes se débarrassent comme cela de leurs femmes. C'est

LE CHIEN DE MAO

ainsi qu'a été enfermée le dernière épouse de Mao, et je me réjouissais de son malheur qui me laissait la place libre. Désormais j'occupe cette place et j'ai peur.

— Moi aussi, j'ai peur, répond Tang Na. Je ne comprends même pas pourquoi je suis venu ce matin, sans doute pour vérifier que tout est vraiment fini entre nous. Quand je te regarde je n'éprouve plus que de l'angoisse à la pensée de ce que tu pourrais encore me faire subir. Tu es Madame Mao, je ne l'oublie pas.

— Mais je suis seule. Et moi, je t'aime toujours.

— Ne parle pas d'amour, tu ignores jusqu'au sens de ce mot. Tu ne t'intéresses à personne, hormis à toi. Tu ne peux pas servir d'autre cause que la tienne. Tu détruis tout ce que tu touches. Je me demande bien ce que Mao t'a trouvé.

— Comme si tu ne le savais pas! Moi, j'existe. C'est ce qui t'a plu, c'est ce qui lui a plu. Mais il est fatigué de moi. Alors que nous deux nous pouvons encore faire de grandes choses ensemble, au théâtre, au cinéma. La paix est là, tout est possible.

— Arrête, c'est la guerre civile qu'on mitonne ici. Ton illustre mari te l'a peut-être laissé entendre, s'il te parle encore. Au surplus, que ferais-tu avec moi, toi l'épouse suprême? Tu aimais dominer, cela n'a pas dû s'arranger à Yanan. Tu n'as que faire d'un journaliste.

— Il veut ma mort, te dis-je. Emmène-moi.

— Mais non, vous vous entendrez toujours et vous ferez le malheur de la Chine.

Jiang Qing éclate d'une toux :

— Mon pauvre Tang Na... C'est vrai, tu n'es qu'un petit, un fétu, un caprice de ma mémoire. Moi aussi j'ai voulu procéder à quelques vérifications, comprendre à quel point je m'étais égarée avec toi. Tu travailles à l'ambassade britannique, dit-on. Je reconnais là ton âme de traître. Va-t'en. Tu me dégoûtes.

Le soir, Mao interroge Jiang Qing :

— Est-ce pour ce paltoquet de Tang Na que tu es venue ici? On m'a rapporté votre escapade. Je t'avais pourtant demandé de te tenir tranquille, il est clair que je ne peux pas compter sur toi.

— Tu plaisantes? Tang Na m'a distraite, c'est tout. La vraie raison de mon voyage, tu ne la connais que trop. Le bruit de tes débordements était arrivé jusqu'à Yanan et Chou En-lai a préféré que je vienne les contenir.

— Chou En-lai, toujours lui! Mais là, il n'a pas saisi la manœuvre. Je ne suis pas certain que le général Zhang ait été aussi

154

LE CHIEN DE MAO

indigné qu'il a bien voulu le dire par mon aventure avec sa fille. Peut-être même me l'a-t-il donnée ? Ce cher général ne croit plus beaucoup à l'avenir des nationalistes. Une jolie jeune fille, cela facilite les rapprochements... Peu importe, revenons à ta promenade romantique. Je te permets de prendre des amants, mais attends que nous soyons à Pékin, ce sera plus convenable. Et sois bien sûre d'une chose : tes sentiments me sont indifférents. L'essentiel, c'est que tu ne sois pas malade.

Encore des conversations, encore des discussions, encore des mensonges, encore des libations : Mao et Tchang Kaï-chek semblent parvenus à un accord. En fait, ils ne songent qu'à s'étriper. Pendant des mois, le double, le triple jeu de tous. L'inextricable... Jusqu'à ce que la guerre éclate.

On est en mars, le froid est encore terrible, le sol n'est qu'une étendue de neige et de glace. Au-dessus de Yanan vrombissent les avions nationalistes, une cinquantaine, une centaine, qui se détachent sur la grisaille du ciel comme des oiseaux de mort. Le sifflement des bombes, le fracas des explosions, les ténèbres qui s'abattent et que trouent parfois des éclairs de feu. Jiang Qing et sa fille Li Na ont été surprises dehors, elles se sont jetées dans un trou, une ébauche d'abri. Quand enfin les détonations cessent, elles rampent jusqu'à une grotte où elles s'affalent, livides. Vers minuit, surgit un Mao tout enjoué, qui affirme avec bonne humeur que cette attaque aérienne n'était qu'un prélude.

— Plusieurs divisions de Tchang Kaï-chek marchent sur Yanan. Nos forces sont très faibles, elles risquent d'être encerclées et anéanties. Certains d'entre nous prônent l'évacuation immédiate, j'ai refusé.

Jiang Qing agrippe Mao :

— Il faut partir, cette nuit même.

Mao la repousse :

— Je veux qu'on défende Yanan jusqu'au bout. Yanan, cela devrait signifier quelque chose pour toi ? Dix ans de notre vie commune et le sanctuaire de notre communisme. Ce n'est qu'un symbole, mais quel symbole ! La chute de Yanan sans coup férir résonnerait

LE CHIEN DE MAO

à travers la Chine et à travers le monde comme notre glas. Si tu es trop lâche, va rejoindre les fuyards qui abondent.

Et, comme pour marquer sa résolution, Mao se met à faire le bon papa avec Li Na, il la caresse, il la berce de mots doux.

Huit jours de bombardement. On apprend que dans toute la Chine du Nord, les armées communistes sont attaquées. Il y a des fronts bien plus importants militairement que ceux du Shaanxi, en Mandchourie par exemple. Mais le Shaanxi est la région sacrée... Débats à Yanan. Mao paraît revenu au temps de sa jeunesse, lorsque, maigre et efflanqué, il pratiquait la guérilla dans les jungles méridionales. Ses méthodes... Ce qu'il dit maintenant, c'est qu'on devra, provisoirement, abandonner Yanan, battre en retraite, reculer, reculer, et puis contre-attaquer, et reculer encore, et revenir harceler l'ennemi, l'innombrable ennemi, le contraindre à la poursuite, là, se poster en embuscade, l'assaillir sur ses flancs, et à nouveau se volatiliser. Au Shaanxi, les communistes ne disposent que de trente mille soldats : avec ce peu d'hommes, on tiendra tête aux puissantes armées nationalistes.

Tout de même Mao prend pitié de Jiang Qing et il propose de la faire conduire avec les autres femmes dans une région sûre. Mais Jiang Qing est convaincue que si elle déserte, Mao ne le lui pardonnera jamais et qu'elle le perdra. Alors elle se contraint à répondre que sa vie sans lui n'aurait aucun sens et que pour lui elle supportera risques et fatigue. Au fond d'elle, la trouille verte.

Les vieux, les femmes, les enfants, tous les encombrants ont été évacués. On dynamite ce qui reste de la ville qui n'est plus qu'une carcasse, une cité fantôme et Kang Sheng fait abattre tous les prisonniers. Parmi eux, Wang Shiwei, l'intellectuel qui avec la romancière Ding Ling avait osé défier le Parti. Déjà de vieilles histoires... Les hommes, placés sous le commandement du solide général Peng Dehuai, se divisent en deux colonnes qui, au crépuscule, prennent la route du Nord. Matelassés dans leurs hardes, blocs humains ceinturés de cartouches et dont les armes luisent dans l'air gelé, les soldats avancent inlassablement. L'ennemi est tout proche, à quelques kilomètres. Mao, Jiang Qing, Li Na et deux gardes s'installent dans une jeep. Une cible toute désignée qu'un avion mitraille sans blesser qui que ce soit, mais le toit est perforé. On décide qu'ils continueront à cheval. Jiang Qing frémit. Elle regarde Mao, ses doigts pianotent dans le vide.

Long et muet cheminement, sinistre fuite dans une gorge qui est comme une entaille au sein de la nature, une crevasse dominée

156

LE CHIEN DE MAO

par des pitons fantastiques. Tout en bas, un torrent court avec une telle violence qu'il n'a pas été pris par les glaces : on suivra les berges. Mais sur les escarpements qui bordent ce canyon, les troupes ennemies sont en train d'arriver. Il faut passer, passer malgré le déluge de fer. Des soldats tombent, on ne ramasse pas les morts, bientôt frigidifiés, ni même les blessés, dont le sang se mue en stalactites rouges. Jiang Qing est en proie à une telle panique qu'elle tient à peine sur sa monture. Et puis elle s'apaise. N'est-elle pas désormais l'égale des fameuses amazones de la Longue Marche ? Autour d'elle les héros s'effondrent : bientôt Mao est hors d'haleine, on le porte sur une litière. Cela ne déplaît pas à l'épouse.

Heureusement, un brouillard se répand, cachant le mouvement des colonnes. Dans le défilé mangé par les vapeurs, les soldats se prennent par les mains pour former des chaînes humaines. Un gamin de quinze ans s'accroche à la queue du cheval de Jiang Qing. L'épouvante. Le vent rugit, une cascade beugle, et l'on grimpe par des sentiers vertigineux. Enfin la gorge est franchie et l'on débouche sur une plaine chaotique. Dans l'obscurité, les gens s'étendent à même le sol enneigé. Il est interdit de faire du feu. Jiang Qing partage une tente avec Mao. Il tremble toujours. Tout de même, il trouve la force de regarder une carte à la lueur d'une bougie. Il s'agit d'aller au-delà de la Grande Muraille, aux approches du désert, où l'on pourra disparaître.

Au matin, le monde est une fureur aveugle. Les bourrasques sont si violentes qu'elles empêchent de se tenir debout. Malgré son manteau de fourrure, Jiang Qing est gelée, il lui semble que son sang ne circule plus, que son cœur ne bat plus. Mais elle vit, la preuve en est qu'une colique la ravage, ses intestins sont un gargouillis et elle ne cesse de s'accroupir pour se vider. Cela incommode Mao, qui lui reproche sa diarrhée, une diarrhée de peur, accuse-t-il.

Et le crépuscule revient. L'ouragan s'est calmé lorsque la troupe s'ébranle. Encore escalader des massifs par des pistes accrochées au-dessus des abîmes, telles des griffures sur les flancs de pics qui montent jusqu'au ciel. Encore la file interminable des hommes dans la nuit noire. Encore le silence. L'ennemi est proche, aux aguets : qu'il ne se doute pas de cette marche fantomatique, que Mao et son armée se soient comme évanouis dans l'immensité. Toutes les heures, une halte de dix minutes, et à nouveau l'inexorable pérégrination. Mao et Jiang Qing montent de petits

157

LE CHIEN DE MAO

chevaux mongols aux sabots infaillibles qui, même sur le pire des chemins, ne font pas rouler une seule pierre. A l'aube, on s'arrête, on mange un peu et l'on s'endort sous la protection des sentinelles. Les corps ensommeillés pareils à des gisants que peu à peu la neige recouvre... Et puis, à la tombée du soir, les formes qui bougent, se redressent, se regroupent, la cohorte dans la pâle clarté des étoiles.

Quinze nuits dure cette marche, jusqu'à ce qu'on aperçoive la Grande Muraille, une féerique dentelle de pierre écroulée, une magie inutile... Beauté de ces décombres. Par des brèches, l'armée traverse la muraille, et elle se trouve devant une steppe infinie, une platitude où le vent soulève d'énormes tourbillons de poussière.

Le gros des forces du Kuomintang est distancé mais il est impossible de rester sur ces confins : dans ce néant, il n'y a ni villages ni champs, rien à manger. Mao décide d'emmener ses hommes vers les plaines du Gansu, dans une bourgade où ils campent deux mois. Deux mois pendant lesquels les soldats portent la bonne parole, en aidant les habitants, des miséreux encroûtés dans leurs mœurs anciennes. Deux mois pour montrer combien les troupes communistes sont bienfaisantes.

Le village est bâti au pied d'une falaise où sont sculptées des statues de Buddha, toutes les espèces de Buddha, les Buddha à l'éléphant, les Buddha assis sur le lotus, les Buddha de la Sagesse et de la Méditation. Jiang Qing vocifère contre la superstition et veut faire chasser les bonzes des temples mais Mao lui recommande de se modérer. Ils vivent ensemble, sous cette statuaire géante, dans une grotte profonde où se tiennent également les assises du Comité central lorsqu'il faut prendre quelque décision stratégique. Jiang Qing n'y est pas admise. Les nuits de délibération, on l'envoie dans une grange qui tient lieu d'écurie pour les ânes. Elle y est traquée par les poux et les punaises, si bien qu'elle ne peut pas dormir et qu'elle consacre des heures à un combat acharné contre ces bestioles. Elle maigrit, étrangement une bosse lui pousse sur la nuque, Mao se moque d'elle :

— Tu es dans ton quartier général, celui de la vermine. Je viendrai te seconder, et tu remporteras une victoire complète.

Un répit pourtant dans leurs relations. Au matin, Mao rejoint Jiang Qing dans son écurie et il lui parle. Sa manière d'attraper négligemment une puce et de l'écraser tout en disant des choses graves...

— Que tu es donc douillette pour une soldate ! Tu ne supportes rien, tu es toute décharnée et couverte de bubons. Mais du moins tu

LE CHIEN DE MAO

m'as suivi et cela mérite récompense. Je vais te nommer assistante politique au troisième détachement. Les camarades dirigeants ne s'y opposeront pas, ils ont d'autres chats à fouetter. Tu pourras clamer tes vertus et crier « à mort ! » aux vaincus, ce sera ta guerre.

Mao joue-t-il au balourd ? S'amuse-t-il à railler ? La malédiction des trente ans soudain effacée, ce serait trop beau. Un éclair de crainte et de joie traverse Jiang Qing. Mao demeure impénétrable. Surtout ne pas lui faire confiance, et en même temps ne pas manquer l'occasion...

Le lendemain Jiang Qing rassemble quelques villageois et une poignée de soldats et elle leur tient une harangue enflammée sur le matérialisme dialectique et sur la nécessité de remodeler le monde. Elle prêche, elle prêche, elle déclare qu'elle a souffert et que tous doivent être prêts à souffrir comme elle, autant qu'elle, pour le triomphe du Peuple. L'auditoire est abasourdi.

Mao a-t-il eu vent de son exploit ? Il n'en dit rien.

Enfin la chaleur arrive, la vie renaît et la guerre recommence. Les armées du Kuomintang réapparaissent. Doit-on regagner les marches sauvages de l'Ouest ou se diriger vers l'intérieur du pays en traversant le Fleuve Jaune ? Débats ardents au Comité central, débats qui mettent Mao de mauvaise humeur. Il ne cesse de grincher, il accuse toujours Jiang Qing de lâcheté, mais surtout il lui reproche sa mauvaise santé :

— Tu vieillis, tu enlaidis, tu n'es plus qu'une harpie et tu ne cesses de geindre sur tes maladies.

— Toi aussi tu es malade, tu trembles.

— Ma volonté, elle, n'est jamais atteinte.

A nouveau, la fuite, à nouveau chercher le salut à travers des territoires inconnus. On se fie à quelques guides mongols au faciès morne, qui parlent un dialecte incompréhensible. Et les colonnes rouges s'enfoncent encore une fois dans des montagnes horrifiantes, ne marchant que de nuit et toujours sur des crêtes étroites qui dominent le labyrinthe de la nature. Monts, vallées, gorges, précipices, torrents impétueux, cascades bondissantes... et cette interminable file d'hommes, serrés les uns contre les autres au point qu'en inclinant la tête chacun peut toucher le dos de celui qui le précède. Les hommes comme les écailles d'un dragon...

Là-dessus un orage formidable. Les coups de gong du tonnerre, la cage de feu des éclairs qui soudain ressuscitent le jour, découvrant les silhouettes frêles et accablées des soldats, l'océan de

LE CHIEN DE MAO

pluie. A l'arrière-garde, Jiang Qing a juste le temps de sauter de son cheval que la tourmente a rendu fou, il se cabre en hennissant de défi, rue et chute dans le ravin. Alors elle se glisse au milieu de la troupe, elle boit de l'alcool pour se donner des forces, elle est saoule, mais elle avance. Mao avance aussi, bien qu'il se torde de douleur car l'humidité a ravivé ses rhumatismes. Jiang Qing a l'inspiration de se défaire de son manteau pour le lui donner, il le refuse et puis il l'accepte. Elle se sent victorieuse : c'est lui le malade, c'est lui le souffrant auquel elle se sacrifie.

Cependant le danger est immense. Sur la piste qui suit les cimes, l'armée s'est égarée, les guides mongols se sont trompés, ils sont perdus, il faut faire demi-tour, revenir en arrière. A tout instant on risque de se heurter à l'ennemi, qui a entamé la poursuite, qui peut déferler de partout, chaque seconde compte. Jiang Qing n'arrive plus à mettre un pied devant l'autre, elle s'évanouit, revient à elle pour entendre Mao menacer de la laisser là.

Jiang Qing crie lamentablement :

— Ne m'abandonne pas, je ne veux pas mourir, je ne veux pas.

Exaspéré, Mao ordonne à ses soldats de la porter. Ils s'en saisissent, la hissent, elle n'est plus qu'un paquet, léger il est vrai.

L'éternité du vent et des roches noires. Et la marche chaque nuit comme une obsession. Peu à peu pourtant le terrain s'aplanit, les colonnes arrivent dans une grande vallée fertile où sont nichés des villages. Mais tout est dévasté. La terre brûlée. Des éléments nationalistes sont passés par là et ils ont tout détruit pour empêcher les communistes, s'ils surgissaient, de se ravitailler. Même les pagodes ont été incendiées. Les paysans, à l'apparition de cette nouvelle troupe, persuadés qu'elle va parachever le pillage, sont terrorisés. Mais on les rassure en leur expliquant que ces soldats-là, les soldats rouges, ne sont pas comme les autres, qu'ils aiment le peuple et qu'ils sont bons. Aucune réquisition n'est imposée, on ne s'empare pas du peu de grain qui reste à ces gens, et l'on va plus loin, la faim au ventre.

Dans leur surprise, nombre de villageois se sont joints à l'armée communiste. Le ciel est pur, d'un bleu tendre et fragile, il y a comme une légèreté dans les cœurs. Les nationalistes sont loin. Souvent Mao marche au milieu de ses soldats, il est content. Quant à Jiang Qing, squelettique, languide, presque inconsciente, elle reste sur la litière qu'enfin on lui a confectionnée. Parfois elle sort de sa léthargie pour clamer qu'elle est le compagnon d'armes du Président Mao. Et Mao s'il est près d'elle la rabroue.

160

LE CHIEN DE MAO

Au bout de quelques jours, les colonnes atteignent le Fleuve Jaune, ce fleuve né dans les montagnes éternelles, qui dégringole du Toit du Monde en flots bouillonnants puis se calme en une longue boucle autour du plateau désolé des Ordos, traverse ensuite les contrées du lœss où il se charge d'une boue limoneuse avant de s'élargir en un immense estuaire raboteux.

Ce Fleuve Jaune, c'est le mythe, la légende, la calamité, la fécondité. C'est le fleuve du Dragon qui sème la mort lorsque ses crues submergent des régions entières. Il peut n'être qu'une maigritude, ou bien s'enfler jusqu'à crever ses digues et se répandre infiniment. Biefs, rapides, courants, bancs de sable, rocs aigus, il n'est pas navigable, sauf aux barques minuscules. Ses rives sont incertaines, car souvent, dans ses caprices, il modifie son cours. Et pourtant, c'est autour de ce fleuve despotique qu'a prospéré la race chinoise. Sur ses bords ont fleuri les anciens royaumes qui se combattaient âprement. Là ont régné les souverains à la longue barbe. Là se sont tissées les trames de l'Histoire. Là s'est épanoui l'art merveilleux des temps anciens. Là sont enterrés les empereurs d'autrefois et leurs armées de figurines. Le premier d'entre eux fut Qin Shihuangdi, qui croyait vaincre l'espace et le temps, et que la mort a rattrapé. Charme des courtisanes, raffinement des seigneurs, la quête de l'éternité. Là des favorites se sont regardées dans des miroirs d'argent, là des poteries ont été façonnées pour contenir la nourriture des héros, là ont été ciselés de merveilleux bijoux, là des peintures ont exhibé la splendeur des cours adonnées à l'exquis des rites et des cérémonies, aux intrigues et aux meurtres. Et toujours la splendeur des combattants sur leurs chars, la courbure de leurs arcs, les flèches tueuses et puis les machines de siège qui abattent les remparts. Tout le merveilleux et toute la cruauté de la Chine depuis les origines.

Mao a traversé le Fleuve Jaune par un gué et il a fait d'une cité décrépite son quartier général. Depuis une demeure en ruine, il commande à ses armées les plus lointaines. Mao est au centre de la toile, mais sur le haut Fleuve Jaune, il ne dispose que d'effectifs réduits. Le premier mouvement sera symbolique : emmenés par Peng Dehuai, des hommes vont reprendre Yanan dans un raid fantastique. Reconquête passagère, avant tout rite initiatique : s'emparer de Yanan, le saint lieu du passé, pour mieux le quitter avant d'aller vers un univers neuf, celui où Mao sera le Soleil.

Donc, Peng Dehuai ne reste pas à Yanan, il part chasser les

LE CHIEN DE MAO

unités nationalistes aux abois, qui se fragmentent en débris désordonnés. C'est ainsi qu'il met dans sa giberne un régiment à peu près entier du Kuomintang réfugié sur une hauteur chauve où il se croyait à l'abri. En se faufilant dans la sylve épaisse et réputée impassable qui couvre les pentes de cette montagne, les communistes donnent l'assaut et le régiment nationaliste est détruit. Six cents hommes sont faits prisonniers et amenés jusqu'à la bourgade où est installé Mao.

Pendant ce temps-là, Jiang Qing, quoique toujours officiellement accablée de maux, se déchaîne dans le sang. Elle a rassemblé sur un terrain vague les gens de la bourgade et elle leur a fait condamner sept familles riches, enfants compris. Elle a hurlé : « Ces traîtres ne se repentent pas ! » et la foule a poussé son feulement : « A mort ! A mort ! » Ferveur. Jiang Qing a regardé les yeux des hommes et des femmes qui allaient mourir de son fait et elle en a éprouvé de la joie. Sa voix s'est faite plus stridente, toute sa personne s'est cambrée : ah, la jouissance d'imaginer les balles pénétrer les chairs, de regarder les corps tomber. Comme elle s'est aimée dans ce moment-là !

Le plus souvent possible, Jiang Qing s'acquitte de ce sombre devoir de justice qui lui cause tant de plaisir. Mais il arrive que, pour la beauté et selon la doctrine, elle découvre parmi les ennemis du Peuple des paysans pauvres qui sont presque innocents : au lieu d'abattre leurs oppresseurs, ils se sont laissé égarer par eux. Ceux-là, elle les catéchise, les exhorte à la haine, la bonne haine envers leurs maîtres réactionnaires qui les ont tant dupés et exploités. Ces démunis seront pardonnés si, comprenant leur malheur, ils se libèrent par la violence, les crachats et les coups. Qu'ils frappent à mort !

Que faut-il faire de ces pauvres, maintenant qu'ils ont racheté leur infamie ancienne ? Jiang Qing pleure de générosité et de pitié, et toute l'assistance pleure. Acquittement par les larmes.

Mao laisse sa femme s'amuser : ainsi occupée, elle ne le tarabuste pas. Cependant, il commente parfois ses activités avec mépris :

— Pourquoi cette comédie ? Pourquoi ces simagrées, qui du reste te sont interdites par le Parti ? Toi aussi tu vas bientôt mourir, du moins à t'en croire. Tu n'es qu'une malade des nerfs qui veut se faire précéder dans la tombe par ses bonnes œuvres. Tu accomplis un travail utile, non pas par vertu, mais par démence. Tu es de plus en plus folle.

LE CHIEN DE MAO

— Comment cela folle ? Je ne fais qu'appliquer les préceptes et les méthodes de Kang Sheng que tu as toi-même encensés.

— La différence, je te le rappelle, c'est que tu es interdite de politique, même si je t'ai donné un titre factice. Comment as-tu pu croire que je t'avais absoute ? Tout ce qu'on t'autorise, c'est un peu de laïus, le rappel des souffrances passées, si tant est que tu en aies éprouvé. En aucun cas les jugements et les exécutions ne te sont permis.

— Mais Kang Sheng...

— Cesse de me parler de lui. Je vais l'envoyer dans votre cher Shandong. Il y sera très bien, d'autant qu'on lui collera un de ses anciens subordonnés comme supérieur. Ton mentor est comme toi, il abuse toujours et l'on doit toujours le rappeler à la raison.

Ce qu'a fait Kang Sheng ? Il a offensé Mao en soulignant que ses réformes étaient trop molles, qu'il se contentait de confisquer et de redistribuer les terres alors qu'il fallait avant tout massacrer les propriétaires. Le Comité central avait stipulé que ne seraient punis que les exploiteurs. « Incroyable laxisme ! » avait clamé Kang Sheng, cela revenait à épargner des théories de coupables. Lui voulait la suppression de tous les suspects, même s'ils étaient misérables. La richesse n'était pas le seul critère en ces procès, il importait de tout décortiquer, de tout classer, de tout peser, la naissance, l'histoire familiale, les fréquentations, les opinions – une phrase pouvait suffire à faire condamner. Ainsi Kang Sheng, envoyé dans un district de l'extrême ouest après l'évacuation de Yanan, y avait-il instauré la terreur. Personne n'avait été épargné, même les petits cadres communistes locaux, soupçonnés de cultiver des alliances avec les riches et les influents. L'art des accusations, l'art des supplices... tous les obstacles à l'avènement du Bien, tous ceux que Kang Sheng appelait les « pierres », devaient être déplacés, concassés. Les gens décapités, cloués aux murs, enterrés vivants dans la neige, une « réfrigération » dans le jargon de Kang Sheng... Et combien d'autres métaphores pour combien d'autres tortures : « porter des vêtements de verre » signifiait qu'on avait abandonné au gel un prisonnier simplement recouvert de linges trempés d'eau, « faire éclore la fleur » consistait à enterrer la victime en ne laissant que la tête apparente, et à lui broyer ensuite le crâne jusqu'à ce que la cervelle gicle.

Mao a couvert ces exactions, jusqu'au moment où il a jugé préférable de trouver à Kang Sheng un placard doré dans la bureaucratie. La récompense empoisonnée...

LE CHIEN DE MAO

Malgré tout, Jiang Qing continue de s'exacerber dans son rôle d'accusatrice et de régénératrice. Les six cents prisonniers capturés par Peng Dehuai sont pour elle une manne providentielle. Aidée de soldats, elle organise les captifs par groupes de dix. Ils sont hâves, sales, honteux, apeurés. Autour d'eux, Jiang Qing a fait rassembler ce qu'il reste de la population du hameau, des primitifs aux bouches d'exécration. Pour un lynchage ? Mais non. Elle est montée sur une tribune et elle hurle :

— Je suis Madame Mao, je sauverai ceux d'entre vous qui se repentiront de leurs crimes. Mais ayez beaucoup de remords, car vos vies sont noires. D'abord, arrachez les insignes, les épaulettes, les galons, les passementeries de votre ignominie !

Sur les uniformes devenus des loques pouilleuses, les mains arrachent les colifichets qui annonçaient la gloire. Déjà la voix a repris, en sons gutturaux amplifiés par les haut-parleurs :

— Maintenant, dénoncez-vous les uns les autres, dénoncez vos méfaits et ceux de vos officiers ! La dénonciation est bonne, critiquez-vous inlassablement. Accusez-vous entre vous ! Et nommez ceux des vôtres qui ont le cœur mauvais !

Et tous les prisonniers se mettent à s'invectiver. Etrange spectacle que celui de ces hommes qui, dans l'espoir de se sauver, avouent et accusent. Ils sont là, sur l'herbe, se flagellant de leurs méfaits et de leurs crimes, sous le regard de paysans dressés à la colère. On leur distribue un peu de nourriture, et ils recommencent. Cela dure une semaine. Ils sont hallucinés, ils se confessent même pendant la nuit. Et toujours la foule gronde.

Finalement, Jiang Qing donne à cette tourbe quelques paroles d'espoir :

— J'ai moi-même beaucoup souffert dans ma vie avant d'arriver à la vérité, je sais donc ce qu'ont été vos souffrances. C'est la faim, la pauvreté, la dure oppression qui vous ont poussés à devenir les valets du Kuomintang. Mais vous pouvez vous transformer si vous intégrez nos rangs.

Du troupeau sort un immense murmure :

— Nous voulons tourner le dos à notre passé.

Et ils pleurent, et ils implorent. Alors Jiang Qing prononce le jugement :

— Le Peuple est clément. Le Président Mao est clément. Repentez-vous encore et vous serez admis dans l'Armée populaire. Mais il y a aussi parmi vous de véritables traîtres. Désignez-les.

Des doigts se lèvent dans chaque groupe pour montrer un

LE CHIEN DE MAO

homme, l'officier supérieur, le fidèle de Tchang Kaï-chek qui, même s'il le renie de toutes ses forces, ne trompe personne. Tant de doigts contre les « traîtres », une quarantaine de pestiférés, indignes du pardon. Jiang Qing est prête à les faire fusiller sur-le-champ mais un remous, au loin, l'interrompt. C'est Mao à la tête d'un détachement. Les soldats prennent place à tous les points stratégiques tandis que le Président rejoint sa femme à la tribune :

— Tous les prisonniers appartiennent dès ce moment à l'Armée populaire de libération, crie-t-il. Qu'on leur distribue la casquette étoilée. Les cas particuliers seront traités ultérieurement.

En quelques minutes, le camp improvisé est dégagé.

L'affront, le grand affront. Jiang Qing aurait dû prendre garde, cesser de s'agiter, de bavasser, éternelle crécelle, de se mêler de tout, de tout embrouiller. Chaque jour Mao se montre plus renfrogné vis-à-vis d'elle. Quand ses yeux se portent sur elle, ils sont toujours froids, ils ne veulent pas la voir, ils ne la voient qu'avec répugnance. La plupart du temps elle est consignée dans une chambre avec l'ordre de ne pas se présenter à lui, de ne le déranger sous aucun prétexte. Que surtout elle ne sache rien, qu'elle ne participe à rien. Car pour Mao est arrivé le temps des opérations décisives. Il ne dort pas, tellement il est occupé à couver son triomphe. De son antre, même si ses unités sont au loin, très loin en Chine centrale et dans le Septentrion, c'est lui, Mao, qui envoie les ordres, inspire à Lin Biao son épopée, Lin Biao que l'on appelle déjà le Napoléon rouge : en Mandchourie des armées d'ombres surgissent des steppes et des forêts boréales, accablent les forces nationalistes, leur prennent Moukden et toutes les villes de l'industrie qu'elles tenaient.

Les troupes de Mao qui paraissaient défaites, minées, rongées se sont merveilleusement reconstituées. C'est aussi qu'est intervenu un magnifique coup de chance : la guerre froide. Chambardement en Chine. Staline, entré en Mandchourie en même temps que Mao et que Tchang Kaï-chek, appliquant ses accords avec les puissances, était d'abord resté neutre dans le combat des communistes contre les nationalistes, il se bornait à s'emparer des usines qu'il expédiait en URSS en pièces détachées. Les trains, les centaines de trains... Soudain il lui était apparu que la carte Tchang Kaï-chek était putride, que le soutenir signifiait voler au secours de l'impérialisme. Volte-face donc. Lorsque, comme prévu, les Soviétiques évacuent la Mandchourie, ils remettent aux colonnes maoïstes un énorme équipement et des armes pris aux Japonais. Tout ce qui manquait à Mao depuis tant d'années... En face, les

165

LE CHIEN DE MAO

gigantesques armées du Kuomintang continuent de se détériorer. La corruption. L'action des services secrets rouges. Les trahisons. La fatigue. Le doute. La peur. A Shanghaï, c'est l'immense inflation. Tchang Kaï-chek ne contrôle plus rien et les Américains, qui ont tant fait pour lui, sont résignés à sa perte.

Des jours et des nuits, Mao reste éveillé à pousser ses pions sur l'échiquier de la Chine. Il est le maître de la guerre et de la paix. Bourreau de lui-même, il s'épanouit et s'étiole tout à la fois à la lecture des comptes rendus qui lui parviennent, tous ces comptes rendus heureux qui annoncent des milliers de morts chez Tchang Kaï-chek, cependant que les Rouges se déploient, submergent le pays, s'assurant de tout, raflant tout. Le bruit court que Tchang Kaï-chek déménage les trésors de la Chine vers Taiwan. Imaginer ces navires et ces avions bourrés jusqu'à la gueule de merveilles accumulées depuis des temps immémoriaux...

Mao est comme le Dragon aux naseaux de feu et tout ce que représente Jiang Qing, cette femme à histoires, l'importune. Un jour qu'elle essaie de s'accrocher à lui en lui proposant de recopier les textes et les articles dont il inonde ses troupes, il lui répète ce qu'il lui a si souvent dit, mais cette fois avec le sceau du définitif :

— Quand je t'ai épousée, le Parti a imposé que tu t'abstiennes de toute politique pendant longtemps. Il avait raison. Tu te prends pour une impératrice et tu n'es qu'une coquette à la cervelle d'oiseau. Si tu n'étais que ma secrétaire, je t'aurais renvoyée depuis longtemps. Mais tu es ma femme, hélas. Et tu es malade de surcroît! Je te le dis et je te le répète, soigne-toi! Je ne veux pas d'une détraquée auprès de moi. Surtout en ces moments.

Chapitre III

Pékin, le sanctuaire de la Chine immortelle, a capitulé. Mais Mao et le Comité central hésitent à pénétrer dans la Cité sacrée, insuffisamment nettoyée. Ils établissent leur base à trois cents kilomètres, dans un village au sud-ouest de la ville, Xipaibo, et Mao attend l'accomplissement, l'heure étincelante où il fera son entrée dans la capitale millénaire. Son impatience, alors que de partout arrivent des bulletins de victoire... Les Rouges ont défilé dans Pékin portant des drapeaux et des portraits de Mao et de Zhu De, Lin Biao a pris Tien-tsin (Tianjin) et poursuit sa marche invincible, Deng Xiaoping s'apprête à franchir le Yang Tse-kiang et à déferler vers le Sud malgré l'avis de Staline qui une dernière fois a tenté de protéger Tchang Kaï-chek. Si les communistes passent le fleuve, disait-il, l'Amérique attaquera la Chine. Mais l'Amérique n'a pas bronché et maintenant cette canaille de Tchang a fui Nankin, sa capitale.

La jonchée des événements, la dilatation du temps, si long et si court à la fois... Des personnages, des courtisans, des flatteurs s'empressent à Xipaibo. Parmi eux, Yu Qiweï, l'ancien mari de Jiang Qing, l'homme qui, à Yanan, lui a permis d'entrer à l'Ecole du Parti. Il est maintenant le maire d'une des villes de la grande expectation où Mao a campé, il a encore engraissé, c'est un dignitaire tout à fait obèse, un buddha rouge dont les yeux sont réduits à de minces fentes. On le dit à moitié fou mais Mao l'écoute. Bizarre Yu Qiweï, si bizarre, un jour persuadé qu'on veut le tuer, le lendemain expansif et charmant, toujours se méfiant d'un complot, toujours en train d'en fomenter un. A Xipaibo, il est au mieux avec Jiang Qing. En même temps, il met une certaine pru-

167

LE CHIEN DE MAO

dence dans ses adulations, car il sait – mais qui l'ignore ? – que Jiang Qing est en défaveur, sans doute promise à la répudiation. Imprudemment, elle pleure sur son épaule, confirmant ainsi à Yu Qiweï qu'elle est délaissée, condamnée. Il essaie de la rassurer, en vain. Sanglots, sanglots, pendant qu'elle murmure que Mao ne veut plus d'elle :

— Nous n'arrêtons pas de nous quereller, il me trompe avec n'importe qui. S'il pouvait, il me chasserait comme une bonniche.

Yu Qiweï sourit. Jiang Qing en petite bourgeoise gémissante, c'est trop beau. Et quelle satisfaction de la voir tomber dans le malheur au moment de l'apothéose de Mao. Pourtant il tente de la consoler.

Et puis, le mauvais hasard... à moins que Yu Qiweï n'ait tout organisé. Surgit une compagnie théâtrale, dont la vedette est Yu Shan, la demi-sœur de Yu Qiweï qu'il a recueillie et élevée. L'enfant d'hier est devenue une beauté. Elle a tout l'exquis, la finesse, le velouté réclamés par les canons chinois. Elle a l'ovale des déesses, des reines, des Guanyins. Elle est élégante, aristocratique, elle connaît les arcanes de la politique et elle chante admirablement l'opéra. Une perfection. Le soir, Mao – quelle curiosité le pousse ? – décide d'assister avec Jiang Qing à la représentation que donne la troupe. La pièce décrit, thème éternel, les amours interdites et la fin d'une jeune princesse condamnée à mort par son empereur de père, et les airs sont ceux-là mêmes avec lesquels Jiang Qing séduisait autrefois, ceux que lui a enseignés Kang Sheng et qui l'ont aidée à vivre dans la prison de Shanghaï. Cette complainte... Jiang Qing écoute, regarde : Yu Shan est sublime et elle a dix-huit ans. Alors, Jiang Qing, une fois de plus, se met à pleurer. Larmes d'hystérique, larmes de femme frustrée. Elle pleure sur elle, sur sa carrière ratée, sur sa beauté enfuie, sur sa solitude. Kang Sheng est au loin, la rumeur prétend que Tang Na a quitté Chongqing et qu'il est réfugié à Hong Kong, quant à Mao... il n'aime plus que Yu Shan. Il y a dix ans Jiang Qing a connu Mao pris par le désir, le désir d'elle, un tel désir qu'il l'a épousée. Et maintenant, sous ses yeux, il éprouve une attirance semblable pour cette fille qui chante. L'intensité du regard de Mao, cette violence en lui, sa figure, son corps aimantés, comme captés par l'actrice qui sur les planches se meurt... Jiang Qing ne pleure plus, elle est dévorée de jalousie, malade, malade à en crever.

Quand le spectacle est terminé, Mao demande à Yu Qiweï de

168

LE CHIEN DE MAO

lui présenter Yu Shan. Très vite, ils sont face à face et ils semblent prendre possession l'un de l'autre. La nuit même, l'idylle est consommée dans l'immense caravansérail où ils habitent tous. Pas besoin de l'annoncer, Mao et Yu Shan se sont retirés les premiers. Ensemble.

Dans sa chambre Jiang Qing ne dort pas. Allongée sur son lit, elle se tord de rage et de crainte, prise dans une brume légère et terrible qui paraît exacerber la réalité. Elle entend le couple forniquer, elle entend la fantastique hurlante du plaisir, le plain-chant, le péan de l'amour, elle sent le corps lourd et obstiné de Mao, elle sait l'attente de la fille, ses gestes, sa joie. Lorsque ces visions nauséeuses s'arrêtent, une certitude lui vient : elle va être renvoyée à cause de cette gourgandine qui a escaladé Mao. Et elle, Jiang Qing, ne participera pas au monde nouveau qui se lève. Encore des larmes.

A l'aube, Jiang Qing est debout. En fouillant partout elle a trouvé un bout de miroir et, inlassablement, elle se regarde. La peau en certains endroits semble parcheminée, ailleurs elle est épaissie, granuleuse presque. Entre les sourcils, deux sillons sont apparus. Et il y en a d'autres, au coin de l'œil, aux commissures des lèvres, partout. Ses joues sont devenues creuses, son teint gris, ses mains rêches, ses seins et ses fesses inexistants, ses cuisses pauvres et fripées. Un cauchemar.

Tout de même, elle trouve assez de forces pour se précipiter chez Yu Qiweï : en tant que frère aîné, il doit arrêter cette affaire qui fera de sa sœur une putain. Yu Qiweï hausse les épaules :

— La putain de Mao, ce n'est pas déshonorant, au contraire. Tu l'as bien été et tu crains de ne plus l'être. Qu'y puis-je si Yu Shan a été choisie pour te remplacer ? Mais ne t'inquiète pas, la question de ton divorce n'est pas à l'ordre du jour. Mao y songe mais les grands dirigeants n'en veulent pas pour le moment. Ce serait une complication inutile. S'il te reste quelque dignité, tu devrais aller récupérer Li Na dans la campagne où vous l'avez laissée. Incline-toi, ma vieille, incline-toi.

Le lendemain, Jiang Qing, enragée de colère, part chercher sa fille, sans avoir revu Mao. Dernière prudence.

Le printemps 1949. Jiang Qing et Mao sont à l'orée de Pékin. Du haut des Collines Parfumées où est établi le nouveau Quartier général, ils contemplent la mer des toits vernissés et les remparts rouges, les pieux remparts qui, au cœur de la ville, enferment la

LE CHIEN DE MAO

Cité Interdite dans son inviolabilité. La Cité Interdite... Les empereurs, les tragédies, les intrigues et les drames, les eunuques et les concubines, les pavillons mystiques, les parcs et les étangs merveilleux, la demeure du Fils du Ciel. Chaque matin, les grands mandarins se prosternaient devant le Maître de Tout-Ce-Qui-Est et, toujours courbés, ils l'éclairaient de leurs avis. Tout était sacrement et rite, le son de la grosse cloche qui marquait l'écoulement des heures aussi bien que la couleur jaune, couleur bénie, couleur de l'empereur. Passé le Ruisseau d'Or, que franchissent trois ponts de marbre blanc, on était dans le saint des saints, où le Très Auguste gouvernait pour le bonheur des multitudes. L'ordre éternel, les justes supplices, les décrets estampillés du sceau souverain : Que cela soit ! Chaque année l'empereur sortait de la Cité Interdite pour se rendre au Temple du Ciel où il communiait avec le firmament, avec l'ineffable de l'Univers afin d'assurer la prospérité de tous. Siècles, tellement de siècles pendant lesquels les étoiles du Chariot ont déversé sur le Monarque leur baume, lui inspirant la Vérité et la Vertu. Le Ciel et la Terre étaient associés pour l'Eternité... Et puis l'empire fut aboli, la Cité pourpre abandonnée à la poussière. Plus tard Tchang Kaï-chek choisit de s'établir à Nankin.

Mao regarde. Il s'emplit de la vue sacrée. Quels sont ses sentiments ? Quel orgueil, quel élan, quelle euphorie, quel lyrisme, quelle plénitude le soulèvent-ils en ces moments de l'immense triomphe ? Tant de fois il aurait pu être vaincu, tué, disparaître de la trame des choses, mais il a échappé à tous les pièges, à tous les périls. Il a été l'indomptable et il a posé sa marque sur le globe. En a-t-il fait assez ? En fait-on jamais assez ? Son œuvre n'est pas achevée, loin de là. Sa figure reste placide, quotidienne. Soudain il dit à Jiang Qing :

— Pékin sera ma capitale et j'y ferai mon entrée sans toi. Tu ne mérites pas de participer à l'allégresse du peuple.

Et seul, un peu replet, tellement banal avec sa casquette, il monte dans une limousine blindée confisquée à Tchang Kaï-chek, pour aller déjeuner au Palais d'Eté, dans le pavillon de Bienveillance et de Longévité. Ensuite, mais en jeep cette fois — cela fait plus militaire — il passe en revue les combattants de l'Armée populaire. Devant lui défilent les régiments, les drapeaux rouges forment comme une voûte au-dessus des têtes, les clairons sonnent, longues mélopées lugubres qui convoquent les vivants et les morts pour célébrer la victoire. Pas de martialité protocolaire

170

cependant : les hommes sont en treillis,et ils marchent avec une sorte de quiétude, des félins tranquilles. De ces combattants aux visages burinés monte l'hymne de la libération. Et puis un cri immense s'élève : « Vive Mao ! », un portrait est brandi, celui de Mao. Alors apparaissent quantité de portraits de Mao, Mao qui annonce la vérité et entraîne le Peuple.

Enfin Mao pénètre dans Pékin. Il est debout dans sa voiture, entouré de Chou En-lai et de Liu Shaoqi et son cortège traverse la ville pleine d'une humanité si dense qu'elle semble naître du sol, en une irrépressible vague. Partout flamboie l'incendie des emblèmes rouge incarnat, un rouge fabuleux, couleur de la souveraineté de Mao et couleur du Peuple. Partout, une foule immense regarde Mao et se reconnaît en lui. De leurs corps adorants, les gens acclament Mao comme le prophète et le monarque indicible, le personnage aux formes humaines qui est un dieu. Jamais il n'y a eu pareil triomphe. Mao contemple ces êtres enivrés et il se dit que ce délire dissimule des fautes et des crimes, et que sa première tâche sera d'éduquer et de rééduquer. Les têtes de l'hydre de la réaction ont été coupées, mais elle subsiste, elle empoisonne encore la terre de Chine, il devra créer une race d'hommes nouveaux.

Il faut aller jusqu'à la Cité Impériale, jusqu'au trône du Dragon. Eloignant sa suite, Mao avance seul au milieu des pavillons de l'Harmonie. Courbes des faîtes, colonnes du monde, pilastres, portails, ces marches de marbre, ces voies sacrées, ces ponts, ces cours... le labyrinthe de la Providence. Mais la Providence a disparu, car les desseins du firmament lointain ont été remplacés par la volonté des hommes que Mao incarne. Et c'est au nom de l'humanité, de la glèbe des vies et non plus des étoiles, que Mao prend possession de la Cité Violette.

Pourtant – est-ce superstition ? – il décide de ne pas l'habiter. La Cité Interdite s'est dégradée, elle n'est presque plus qu'une ruine ; dans l'entourage de Mao, on parle même de raser ce symbole de la décadence féodale pour y construire une nouvelle cité rouge. Sacrilège. Mao refuse. Mais où s'installera-t-il ? A la vérité Pékin lui fait peur, Pékin des capitalistes, Pékin sans doute pleine d'espions, Pékin qui demain s'abandonnera au premier conquérant venu, aux Américains s'ils décidaient d'attaquer. Paranoïa... Qu'on rappelle Kang Sheng et son affreux bonze, qu'avec leur police secrète et leurs hommes de main, ils surveillent, ils assainissent la ville. En attendant, Mao reste dans les Collines Parfumées, avec des centaines de gardes cachés parmi les arbres en fleurs.

LE CHIEN DE MAO

Tout de même, il ne peut pas demeurer ainsi aux abords de sa capitale comme un prétendant ou un proscrit. Alors pour lui, pour ses proches, pour sa horde, l'entourage sélectionne sur le flanc de la Cité, près des lacs du Centre et du Sud, le quartier de Zhongnanhai, l'ancienne bibliothèque, la retraite de l'empereur Qianlong, des cours ravissantes ombragées de pins et de cyprès, une merveille délabrée. D'immenses travaux sont entrepris, les artistes et les artisans de Chine par milliers refaçonnent l'exquis et le terrible. Le Bureau des Senteurs de Chrysanthème va devenir le palais de la Souveraine Pensée.

La plupart du temps Mao reste au lit, entouré des paperasses de l'avenir à construire, au milieu de livres rares que Kang Sheng lui débusque dans le bazar qu'est devenu Pékin. Les grands compagnons, avec leurs épouses et leurs enfants, résident dans des pavillons tout proches. On a mis Jiang Qing à l'écart dans un enclos de marbre. Le froid du marbre... Est-ce son tombeau ?

A côté de Mao, dont le front cogne les étoiles, son épouse est réduite au néant. En ces jours extraordinaires où Mao devient le souverain du Grand Chariot, Jiang Qing vit retirée dans son petit univers, comme frappée de malédiction. Personne ne vient à elle, personne ne prononce plus son nom. Elle n'a pas le droit de se rendre chez Mao, pourtant si proche, son Mao autour duquel grouille la vie, qui a rejeté ses gueuseries, qui est entouré d'une vraie cour avec des femmes, avec Yu Shan.

Yu Shan, Jiang Qing la respire dans la brise, elle la sent dans les parcs, elle entend sa voix portée par le vent. Yu Shan est dans les bras de Mao, et tous la respectent parce qu'elle est l'indispensable délassement du chef, avant qu'il ne s'attaque aux énormes tâches qui l'attendent, la proclamation solennelle de la République populaire, l'instauration du régime rouge. Un travail effrayant, car le pays dont Mao et les grands camarades se sont emparés n'est que misère, un puits d'injustice, la fécalité humaine. Vaincre n'était rien à côté de la besogne qui maintenant s'impose : édifier une Chine décente et heureuse. La guerre se présente toujours simplement, qui ne demande que la bonne décision, le grain de génie, mais désormais il s'agit de bâtir un monde, d'affronter un inconnu menaçant, même avec Mao, même derrière Mao. La concorde nécessaire continuera-t-elle à prévaloir au sein du Parti ?

Dans cette apothéose de Pékin et dans les interrogations qu'elle soulève, Yu Shan est jugée utile à Mao et donc utile au Peuple. Jiang Qing, elle, est toujours interdite d'activité publique. Si Mao

LE CHIEN DE MAO

veut la répudier, c'est le moment, ainsi ne salira-t-il pas sa gloire avec elle. Elle éclate d'un rire fou, quand il la convoque un soir. Il est seul, il la reçoit aimablement. Mais il semble lointain, très lointain, il a son aspect débonnaire le plus inquiétant, cette espèce de sourire qui annonce les résolutions cruelles.

— Je m'inquiète de ta santé, dit-il, tu as encore maigri et l'on me rapporte que tu es plus malade que jamais.

— La marche sur Pékin m'a fatiguée. Je suis un peu déprimée.

— As-tu à te plaindre?

— Non.

Surtout, ne pas gémir, ne pas parler de Yu Shan, ni de son isolement. La solitude au milieu de ce qui devrait être pour elle le triomphe, quelle impitoyable dérision!

Mao reprend d'une voix de charité :

— J'ai bien réfléchi, tu as besoin d'aller à l'hôpital, le meilleur qui soit. Je vais être peiné de me séparer de toi, mais pour ton bien j'ai décidé que tu serais soignée à Moscou.

Jiang Qing voudrait se révolter. Tout ce qu'elle ose dire, c'est qu'il y a à Pékin et en Chine des établissements excellents, avec les meilleurs spécialistes.

— Non, tu te rendras en URSS. Le premier avantage, c'est que tu y seras soulagée des soucis inconnus de moi qui ici te rongent. Ensuite la médecine soviétique fait des merveilles. Quoi que tu aies, ils te guériront.

— Laisse-moi réfléchir quelques jours!

Jiang Qing est rentrée dans ses appartements. Sa promenade solitaire. Le bruissement des arbres. Des lueurs parfois dans les charmilles. Le reflet pâle des marbres. Quand même la beauté, mais sépulcrale, comme morte. Des larmes tièdes coulent sur les joues de Jiang Qing. C'est vrai qu'elle a maigri. Si elle avait un cancer? Non, ce qui la tue, c'est Yu Shan.

Yu Shan... lui laisser la place... comme He Zizhen la lui avait abandonnée, He Zizhen devenue ce détritus. Ah! les cliniques russes sont efficaces dans la destruction. Jiang Qing ne veut pas être anéantie sous prétexte de cure, même si Mao n'aime plus que se rouler dans la fange des chairs vulgaires. Non, elle fera face à Yu Shan, elle lui tiendra tête.

A peine a-t-elle pris cette résolution, qu'un jour d'été, sur un sentier de rocailles, elle se heurte à une Yu Shan pulpeuse, qui sent

173

LE CHIEN DE MAO

la pavane charnelle. Elle est accompagnée de Yu Qiweï qui se moque :

— Il paraît que tu es toute timbrée, et que ton mari se débarrasse de toi parce que tu n'as pas plus de charme qu'un chameau et que ton âme pue. Je t'ai sauvée à Yanan, je ne t'ai jamais vraiment lâchée. Mais cette fois c'est fini. D'ailleurs je me suis remarié avec une collaboratrice de Chou En-lai. Je suis enfin heureux.

La haine. La colère folle. Jiang Qing se jette sur Yu Qiweï pour lui crever les yeux. De ses ongles griffus, elle trace deux sillons sur son visage en hurlant qu'elle va le tuer.

Yu Qiweï est livide, il tremble, muet, sans bouger ni riposter. Mais Yu Shan se rue sur Jiang Qing et la gifle à toute volée :

— Déguerpis ! Va crever dans un asile russe, pauvre cinglée ! Et laisse mon frère en paix. Sinon tu auras affaire à moi qui dorénavant te remplace auprès de Mao.

L'horreur. Et bientôt un autre ennemi se dresse contre Jiang Qing : Anying, le fils de Mao, celui qui fleurit de toutes les promesses. Jadis il a fait campagne pour elle contre He Zizhen, mais c'était autrefois, autrefois... Maintenant, Anying se sent le successeur et Jiang Qing, dont il devine l'ambition, le gêne. Il lui apporte un ultimatum :

— Pars pour l'URSS, tu as besoin de te soigner. Et dis à mon père qu'en revenant tu ne seras plus sa femme ! Vous ne vous aimez plus, libérez-vous l'un de l'autre, que mon père vive sa vie, toi la tienne ! Occupe-toi simplement d'obtenir de bonnes conditions pour ton retour en Chine : être indépendante et riche. Sinon je te ferai mordre la poussière. Va-t'en !

La meute... Ainsi elle est entourée de gens qui souhaitent sa disparition, qui en bavent de désir, et elle, la propre femme de Mao, n'est pas en état de les désarmer. Alors Jiang Qing, du fond de sa rage, de sa ventrée de rage, laisse son esprit s'égarer. Lui apparaît le visage d'un homme blême, dans lequel elle reconnaît, pour l'avoir si souvent entendu décrire, le marchand de mort, le grand sorcier du temple des Lamas, celui qui s'adonne à la magie noire par des incantations. En faisant tourner les moulins à prières, il appelle le malheur ou le bonheur sûr qui lui est désigné.

Rêve-t-elle ? Ne rêve-t-elle pas ? L'image de l'homme blême la hante. Elle pourrait le consulter, par jeu naturellement – elle ne croit pas à ces superstitions. Tout de même, un souvenir lui revient, celui de la sorcière qui à Shanghaï lui avait prédit le triomphe et la déchéance, la solitude. Serait-ce déjà l'heure ?

LE CHIEN DE MAO

Pourtant elle n'a pas connu le triomphe... Prostrée sur son lit, Jiang Qing songe, déjà médite un plan. Ces pagodes n'ont toujours pas été épurées, il sera facile de se perdre dans la foule. Le chantonnement des prières, le rougeoiement de l'encens, l'homme blême... Tout tourne dans la tête de Jiang Qing. Au matin sa décision est prise : elle ira.

L'homme auquel elle aboutit est assis seul dans une cellule. Il a, en effet, une figure d'un blanc funéraire et il semble loin de tout ce qui existe, transcendantalement indifférent – ses paupières sont ouvertes, mais il a les yeux baignés dans l'eau de l'éternelle sérénité. Quand Jiang Qing s'approche de lui, il l'arrête :

— Je sais qui tu es, une voix intérieure me l'a dit. Je sais ce que tu attends de moi, que j'obtienne des esprits qu'ils tuent le très puissant. Mais ils s'y refuseront. Car sa mort serait un cataclysme où toi et moi péririons.

— Je ne veux pas la mort de mon mari mais celle d'un ancien époux et d'un beau-fils qui tous deux me haïssent.

— Bientôt l'un et l'autre seront emportés.

— Est-ce bien sûr ?

— L'esprit noir ne se trompe jamais.

— Que vois-tu d'autre ?

— Une vengeance.

— Qui se vengera de qui ?

Mais le lama s'est tu. Jiang Qing voudrait le secouer, le contraindre à parler, elle n'ose pas, le regard de cendre du mage la pétrifie. Maintenant elle croit à ses prédictions, il faut bien croire en quelque chose, à n'importe quoi, pour ne pas perdre pied, et s'enfoncer dans les limbes. Cette histoire de vengeance la trouble. Qui se vengera ? Elle ? Mais si elle se venge, cela signifierait qu'elle a d'abord perdu. Elle se dit, elle se répète qu'elle ne quittera pas la partie, ce n'est pas sa manière. Quant aux représailles que peut-être le lama a voulu annoncer, on verra bien.

Pendant des jours, elle se bat en elle-même. Mao l'a demandée, elle a fait répondre qu'elle était souffrante. Un jour encore et Kang Sheng apparaît chez elle, combien subrepticement. Agit-il spontanément ou sur ordre ? Tout ce qu'il lui dit, c'est que désobéir à Mao serait de la dernière gravité, qu'il la ferait jeter dans un cul-de-basse-fosse.

— Et il n'aurait pas tort, ajoute-t-il. Quand je songe que tu as été assez stupide pour aller au temple des Lamas ! Qu'est-ce que tu imagines ? Tu étais surveillée, filée en permanence et avant que le

175

LE CHIEN DE MAO

lama te reçoive, quelqu'un lui avait indiqué ton identité. Ton mage appartient à la Sécurité, il est même haut placé chez nous. Les voyants, les sorciers, les devins ont parfois des dons mystérieux. Ils servent aussi à contrôler une ville. Ils savent tout ce qui se passe, les complots, les intrigues, les sombres desseins, les envies, les ambitions, les trahisons, les poisons. Et ils répandent les rumeurs les plus incroyables, les plus fétides. Tu veux la mort de Yu Qiweï, paraît-il, et une autre qui serait beaucoup plus douloureuse pour Mao. Tu rêves. Tu pourrais être accusée d'assassinat. Le lama, qui m'est dévoué, m'a tout raconté. Il ne parlera à personne de tes souhaits. Mais maintenant cela suffit, pars pour Moscou. Le moment viendra où Mao ressentira le poids de ton absence, et il te fera revenir. Il se lassera de Yu Shan, comme il s'est lassé de Ding Ling, ces femmes ont trop d'audace pour qu'il les tolère longtemps. Et puis il n'aime pas les intellectuelles, Yu Shan a des prétentions qui l'irritent. Toi, ta carte, c'est la soumission.

Kang Sheng a sa petite grimace complice, mais elle est certaine que, d'une façon ou d'une autre, il lui ment. La trahit-il lui aussi ?

— Evidemment non. Je veux, comme si souvent, te sauver de toi-même, de ton défaitisme, de tes abandons. Je t'avais annoncé des épreuves, tu en as eu, en voici d'autres. Si tu es courageuse, tu seras le compagnon d'armes de Mao, je te le jure. Sur ce coup-là, je vaux tous les lamas de Chine.

Puisque tous veulent son départ, elle partira, elle laissera la grande scène de Pékin, puis elle reviendra. Et alors malheur à ses ennemis !

Elle annonce à Mao son acceptation et, d'une voix de petite fille, elle lui demande s'il la remplacera. Mao répond tendrement :

— Pas par Yu Shan, ni par aucune autre. Tu es ma femme, tu le resteras. Je ne t'envoie là-bas que pour ta santé.

Le soir, Mao la conduit hors de Pékin, dans une petite gare où un convoi a été très discrètement formé. L'escorte est réduite, les précautions considérables à cause de la peur qui toujours encercle Mao. Voiture blindée, sécurité maximum. L'attentat, il ne pense qu'à l'attentat, à sa vie menacée. Pourtant il est venu.

Aussi est-ce le cœur vaillant que Jiang Qing s'installe dans son

176

LE CHIEN DE MAO

luxueux wagon, entourée d'infirmières et de gardes du corps. Elle est faible, très faible, mais elle a triomphé de son abattement. Rien n'est perdu et elle se répète comme un viatique, mille fois, un million de fois, qu'elle sera le compagnon d'armes de Mao. Là-dessus, pendant que le train démarre, elle s'assoupit. Durant douze jours et douze nuits, elle somnole, bercée par de douces images, tandis qu'interminablement le train traverse la Chine du Nord, la Sibérie, l'Oural. Elle se réveille un peu pour avaler quelques cuillerées de nourriture et boire du thé. Parfois elle contemple le paysage, une étendue infinie de forêt dont, en cette fin d'été, roussissent déjà les immenses toisons. Il y a dans l'atmosphère comme l'annonce de la neige. Ses servantes et infirmières, des Pékinoises, sont gentilles, aux petits soins, mais les gardes du corps chinois ont disparu, remplacés par des géants soviétiques. Il lui semble que pour ces sbires à la langue incompréhensible elle n'est qu'une jaunasse ordinaire. Vivement Moscou où on la traitera comme une reine!

Le terminus. Des hommes en blouse blanche, commandés par un officier, éloignent ses servantes chinoises et l'emmènent à travers une foule brutale, jusqu'à une cour où attend une vieille guimbarde d'ambulance. Pas d'accueil, pas de réception, juste cette prise en charge qui est presque un enlèvement. Livide, effarée, Jiang Qing est allongée sur un brancard, attachée de telle sorte qu'elle ne peut contempler la ville, ses coupoles, ses bulbes, le Kremlin. Pas de vision miraculeuse pour elle, on la dépose à l'entrée d'un hôpital en briques rouges, au bout d'un faubourg sordide, où un interprète de l'ambassade de Chine, un gringalet mal foutu, se présente et la salue : lui seul a le droit d'assister Madame Mao.

On la traîne jusqu'à un lit étroit où elle se couche pour s'enfoncer dans une nébulosité gluante. Elle ne fait pas vraiment de cauchemar, mais elle s'enlise dans une déréliction poisseuse – elle est là, ignorée, isolée, dans ce qui n'est ni la veille ni le sommeil, ni la vie ni la mort, un engourdissement de toute sa personne. La chambre, une ampoule, un châlit : c'est son monde. Tous l'ont oubliée, Mao l'a oubliée et Staline l'ignore. Quelle abjection que d'être reçue ainsi, elle, l'épouse du futur président de la République Populaire de Chine! Mao l'a-t-il vraiment voulu? Pourquoi les Russes l'abandonnent-ils dans cet accablement? Est-ce mépris pour la Chinoise qu'elle est?

Cotonneuse, comme imprégnée de l'odeur de lavasse qui suinte des murs décolorés, Jiang Qing se morfond dans un temps irréel. Quand elle se lève, elle aperçoit des salles communes, avec, auprès des patients et des patientes recroquevillés dans leur souffrance, des familles, des enfants, des larmes et des rots, de petits verres de vodka et des prières pour les morts, en principe clandestines, mais le personnel laisse faire. La vie, c'est un remue-ménage en bocal ; la mort, c'est le « ouf ! » de soulagement des soignants et des soignantes débarrassés d'une agonie encombrante. Jiang Qing entend le rire vainqueur des infirmières, d'accortes blondes uniquement occupées de nourriture et de perspectives galantes avec les infirmiers ou même les seigneurs médecins. Elle tente de susciter l'intérêt de ces mégères par des gémissements. En vain. L'interprète à son tour essaie d'attirer l'attention, en disant qui elle est, cela ne sert à rien, les infirmières ne savent pas, elles ne comprennent pas. Tout bredouillant, il distribue quelques roubles. Il aurait dû commencer par là, en URSS, c'est la seule méthode – comme en Chine sans doute.

Du coup un médecin surgit, un bonhomme à la barbe nicotinisée, qui l'examine sans tarder : interrogatoire, palpation, auscultation, radios, analyses et même exploration gynécologique – contrairement à beaucoup de Chinoises, Jiang Qing ne s'y refuse pas. Enfin l'excellent docteur maugrée :

— Vous êtes fragile, fatiguée et vous ne pesez que quarante-deux kilos. Mais vous n'avez rien de grave. Du repos et il n'y paraîtra plus.

Jiang Qing écoute ce verdict sans trop de plaisir, elle aurait aimé qu'on lui découvre une bonne petite maladie à jeter à la tête de Mao, Mao qui ne se manifeste toujours pas. Mais quand même pas un cancer. Alors elle pleure qu'elle est épuisée à en mourir.

Le médecin marmonne qu'on n'est pas épuisé à ce point sans raison, qu'il faut chercher davantage. Cela traîne des heures, cela traîne des jours, Jiang Qing est en proie à l'obsession : que lui cache-t-on ? est-elle atteinte mortellement ? va-t-on la laisser crever là ? est-ce négligence des camarades ou sont-ils en train de satisfaire le vœu de Mao ? Et puis, comme sur un signal, elle récupère son identité, elle est à nouveau l'épouse de Mao. Avec tous les égards, on l'emmène dans une grande et belle forêt à l'orée de Moscou. Là se dresse l'hôpital pour les dignitaires, un bloc de béton, avec à l'entrée, une gigantesque statue représentant un travailleur et une travailleuse appuyés l'un sur l'autre, et qui tendent vers le ciel une faucille et un marteau comme si c'étaient les instruments de la santé.

On installe Jiang Qing dans une chambre convenable où trône

le portrait de Staline, un Staline dont la moustache semble dire avec bonhomie : c'est moi qui dispense les guérisons et le trépas. Madame Mao est entre ses mains. Il ne lui est plus laissé d'âme, de sentiments, il ne lui est plus permis d'avoir des idées, elle est réduite à une enveloppe matérielle, un corps abandonné aux soins, aux instruments, aux scalpels. Sommités et professeurs se succèdent à son chevet, blouses blanches immaculées et air soucieux : ce sont les médecins et les chirurgiens qui ont la responsabilité sacrée de procurer aux dirigeants la jeunesse éternelle, sous peine d'être qualifiés de traîtres. Une vraie promotion pour Jiang Qing que la présence de ces pontifes.

A la tête de cette troupe, un certain Alexandre Ivanovitch Vinogradov à la figure anguleuse, qui est le grand traitant de Staline. Qu'il ne devine pas ce que Staline attend de lui – parfois qu'il le déclare gravement malade, parfois qu'il l'affirme en excellente santé – et ses jours sont en danger. Et voici qu'on lui met entre les mains une Chinoise sans l'avertir des intentions d'en haut. Doit-on en finir avec elle, ou la retaper ? A moins qu'il ne faille la prolonger, la garder là indéfiniment pour qu'elle perde l'esprit dans une longue désillusion.

Toujours couchée, toujours examinée, Jiang Qing regarde, épie les visages d'incertitude autour d'elle. Elle ne comprend pas ce que disent les médecins mais l'interprète chinois lui en jette des bribes : on n'a discerné en elle aucun mal dangereux, aucune lésion, aucune tumeur. Mais comme mû par un devoir supérieur, Vinogradov ne renonce pas : on doit trouver quelque chose puisque l'internement n'est pas préconisé, que du moins il n'est parvenu aucune consigne allant en ce sens.

Rien de Mao, aucune nouvelle. A chaque heure qui passe, Jiang Qing est persuadée qu'on va l'accuser de démence, la liquider à petit feu dans la paix de l'établissement, plus retranché de tout que n'importe quelle forteresse.

Enfin, après de longues délibérations, l'aréopage des praticiens rend sa sentence. Une dérision. Des amygdales infectées qu'on va enlever.

Plus de sombres calculs, plus de menace, la camisole de force s'éloigne. Et c'en est fait aussi de l'autre terreur, du terrible effroi qui la hantait, le cancer dans son corps, ce crabe aux pinces mortelles que parfois elle sentait en train de la dévorer... Imbécile ! En voulant apitoyer Mao, elle s'est trop figuré être mangée par des chancres. Il n'y en avait pas... Honneur, félicité, gloire.

LE CHIEN DE MAO

Reste que cette opération est vraiment trop banale. Elle fera dire à Mao quand il l'apprendra que Jiang Qing est une insupportable faiseuse d'histoires! Pour l'impressionner, elle décide de montrer du courage. Le jour de l'intervention, elle se lève sans aide, elle marche seule jusqu'à la salle de chirurgie, luisante d'instruments de torture. Elle avance comme un général héroïque vers la table où des hommes masqués vont la découper un peu. Vient le moment de l'anesthésie. Elle se tord, se débat, crie qu'elle ne veut pas mourir, plonge enfin dans l'inexistence, sous ce qui lui apparaît comme un soleil.

Tant de chichis pour un mal si bénin... Jiang Qing a perdu la face. Peu lui importe. Maintenant qu'il est reconnu que son corps n'est pas un champ de bataille de tumeurs, ne va-t-on pas la renvoyer à Pékin? Il n'en est pas question... absolument pas. On découvre qu'elle souffre d'humeurs tristes, de ce que l'on pourrait appeler une « mélancolie », une espèce de neurasthénie que chez tout autre on aurait méprisée mais qui, chez l'épouse d'un dirigeant et dans une forme agressive, risque de provoquer des erreurs idéologiques et des fautes politiques. Pour la sortir de ce dangereux abattement, les bons apôtres qui veillent sur sa santé décident de lui assurer une vie de loisirs, qu'elle prenne du poids, qu'elle soit dodue et l'on verra. D'en haut parvient le papier qui envoie Jiang Qing sur les bords de la mer Noire, là où le printemps est éternel. C'est dans cet éden que se reposent les maîtres du régime. Un avion de grand luxe, succursale volante du Kremlin de la bonne politique et des bonnes orgies, emmène Jiang Qing loin des frimas de Moscou, la dépose à quinze cents kilomètres au sud, dans le Yalta magique où barbelés et sentinelles protègent le palais des hiérarques de l'URSS. Pendant le trajet, elle est entourée de médecins, d'infirmières, de gardes du corps... enfin elle est traitée comme la tsarine de la Chine! Elle se retrouve dans un château construit jadis par un boyard magnificent et fou en ses caprices. Un Versailles revu par Byzance. Il y a une immense salle de bal et partout des alcôves galantes, des enfilades de chambres, des escaliers dérobés. Un échevellement...

Yalta, le poids de l'exil. Jamais aucun visiteur. Seule la mer parle à Jiang Qing, lui disant la répétition des choses en râles réguliers, constants, immanquables. Au loin, drapée de brume, une montagne comme une illusion. Alentour, des arbustes, des fleurs, des palmes. Le soleil. Dans ce paradis, le temps est une entité

LE CHIEN DE MAO

inlassable, une sorte de fluidité impitoyable, un vide où pèse l'ennui à la traîne de désespérance. Jiang Qing se perd dans cette éternité douloureuse. Souvent elle pleure, saisie par un extraordinaire besoin de larmes. Elle écrit à Mao pour le supplier de la rappeler en Chine, il ne répond jamais. Elle renouvelle ses lettres, de plus en plus implorantes, mettant dans chacune d'elles une confiance qui se dissout bientôt. Est-elle condamnée à vie comme He Zizhen?

On l'amène dans un autre palais, encore plus baroque, transformé en sanatorium. Et là, justement, hasard ou étranges desseins d'en haut, elle tombe sur He Zizhen, devenue une petite forme jaune ratatinée et pourtant toute vivace.

— Comme moi! Comme moi! s'écrie-t-elle à la vue de Jiang Qing. Vous aussi abandonnée par Mao, vous aussi exilée en Union Soviétique, vous aussi reléguée d'hôpital en hôpital. Comme je vous ai haïe! Mais je ne vous déteste plus. J'ai réappris à vivre, à me contenter des bonheurs à ma portée. Les hommes, il me reste le choix des hommes.

Au début d'octobre, He Zizhen montre à Jiang Qing un journal russe qui, en première page, publie une photo de Mao. Vêtu d'une simple tunique, il est debout sur la terrasse de la porte de la Paix Céleste, l'entrée principale de la Cité Interdite. A ses pieds la place Tiananmen, autour de lui les compagnons de l'épopée, Chou En-lai, le ministre des Affaires étrangères, Zhu De, le commandant en chef, Liu Shaoqi le vice-président, Lin Biao et Peng Dehuai, les généraux émérites, Deng Xiaoping, le proconsul du Sud-Ouest, d'autres encore.

He Zizhen hausse les épaules :

— Vous comme moi, nous avons été écartées de la cérémonie de la proclamation de la République Populaire de Chine, et nous sommes supplantées par la maîtresse de Mao. On ne la distingue pas sur l'image, mais elle est bien là, quelque part, si j'en crois la légende. Elle est même la seule femme présente, avec la veuve de Sun Yat-sen.

— Vous parlez de la sœur de Yu Qiweï?

— Elle-même. Ce genre d'information parvient jusqu'ici.

He Zizhen lui raconte l'article qu'un malade de ses amis lui a traduit. Place Tiananmen et dans Pékin pavoisée, une foule énorme tendant les poings vers le ciel hurlait « Longue vie au Président Mao! » « Dix mille années, dix mille années! » Et Mao clamait « Longue vie à la République Populaire de Chine! » Le vi-

LE CHIEN DE MAO

sage terrible, il a vociféré que le Peuple chinois s'était levé. Alors la masse avait déferlé. Les drapeaux rouges, les banderoles, les feuilles d'automne, la danse des semailles... Au crépuscule, des milliers de manifestants brandissant des lanternes accrochées à des perches de bambou avaient convergé pour dessiner un immense bateau, le navire de l'Etat sans doute, voguant sur la mer des humains.

He Zizhen est ulcérée, Jiang Qing aussi, mais elle a décidé de ne rien montrer. Qu'y a-t-il en effet de commun dans leur sort? He Zizhen est une femme bafouée, cassée, Jiang Qing – est-ce l'effet des soins? – est toujours persuadée d'avoir un destin. Mao aura désormais des favorites? A elle de s'en accommoder. Plutôt que de perdre son temps dans ce sanatorium, qu'elle s'arrange pour retourner à Pékin et, là, qu'elle s'assure de Mao autant que possible. La ténacité de Jiang Qing... Son refus du renoncement, ses moments de faiblesse aussitôt contenus par un blindage d'espoir.

Enfin un branle-bas de combat. Laissant He Zizhen à son sort, Jiang Qing repart pour Moscou : Staline l'a invitée à un dîner! Au Kremlin, au cœur même du grand pouvoir. Jiang Qing est fascinée par la fantastique citadelle, par ce palais médiéval où tant de fois s'est nouée et dénouée l'histoire de toutes les Russies. Une Cité Interdite, mais encore plus sauvage que celle de Pékin. Fantômes des tsars, les meurtres, la couronne ramassée dans le sang, la Russie sortie à coups de hache des époques noires. Et ensuite, après des démêlés inexpiables, que de cadavres de communistes! Le Kremlin est barbare et magnifique, tant de portails d'airain, tant de murs épais, tant de chemins qui sont les voies des assassins... Le secret, le complot qui éclate en hécatombe. Visages terribles. Les mots prennent là une lourdeur effrayante. Mais maintenant la liturgie a changé : les vieilles images de piété, celles des Christs cloués à la Croix, celles des Vierges à l'Enfant ont été remplacées par les icônes des dieux de fer, Lénine, Staline. Et de tout cela, de ce nœud de drames et de mystères, montent en un foisonnement géant des bulbes et des coupoles qui s'enlacent pour la plus grande gloire de la Russie monstrueuse et idéale.

Jiang Qing a revêtu une robe chinoise, elle s'est maquillée pour retrouver sa beauté éteinte, elle se sent bien. Des gardes la conduisent dans une grande salle pannelée de bois noir, aux fenêtres étroites, où une table couverte d'argenterie pondéreuse est dressée

LE CHIEN DE MAO

pour une dizaine de convives qui ne se parlent pas. Enfin entre Staline. C'est une sorte de sous-officier aux traits drus et ordinaires, engoncé dans une tunique militaire, aux boutons de cuivre. Pas d'insignes, des épaulettes très simples. Ses yeux sont noirs, et même souriants. Il est de bonne humeur mais le silence s'épaissit encore lorsqu'il arrive. Il ne paraît pas remarquer Jiang Qing qui est la seule femme et il ne la salue pas. Mais il se met à rire et à plaisanter avec ses compagnons. Jiang Qing est assise à une place modeste, son voisin se présente, il sera son interprète pour cette rencontre. Le repas est interminable, bortch, pirojkis, blinis, esturgeon, caviar, rôti de porc, chachlik et force carafons de vodka.

Maintenant, l'angoisse s'est effacée, Staline est bon compère. Jiang Qing le scrute, il semble sans mystère. Et pourtant s'il est un homme que Mao redoute et respecte, c'est lui, ce Staline qui a toujours répugné à l'aider. Mao vante son sens des grandes choses : aurait-il hésité à jeter dans des camps des millions d'hommes, il aurait été trahi, il n'aurait jamais exterminé les armées d'Hitler et le communisme russe aurait été évincé de la surface de la terre, et à sa suite le communisme chinois. Capacité de résolution, science de la juste solution, mépris de la pitié, Staline est un grand homme et son exemple incite Mao à l'imiter, à annihiler la vermine qui pullule à l'extérieur comme à l'intérieur du PCC.

Enorme dessert. Enfin Staline voit Jiang Qing. En accents rauques, il lui fait demander si elle est bien l'épouse du Président Mao et ce qu'elle fait à Moscou sans lui. Se moque-t-il d'elle ?

— Je me soigne. J'ai eu peur d'avoir un cancer, mais vos médecins ne trouvent rien. Alors ils s'occupent de ma gorge...

Staline pouffe :

— Les femmes se croient toujours malades. Leur imagination... Vous êtes en bonne santé, c'est bien. Quand votre mari arrive-t-il ?

— Je ne sais pas.

A nouveau, Staline gronde :

— Je l'attends pour mon anniversaire, j'ai hâte de signer avec lui, comme il est convenu, un traité d'amitié et d'alliance. Nous couvrirons la Chine de nos ingénieurs et nous en ferons un pays moderne avec les plus belles et les plus grandes usines de l'univers. A nous deux, nous dominerons le monde. Dites donc au Président Mao de se dépêcher !

Jiang Qing est stupéfaite : ainsi Mao qui n'a jamais quitté la Chine va surgir à Moscou en empereur rouge, à égalité avec Sta-

LE CHIEN DE MAO

line pour une rencontre grandiose. Contrairement à Chou En-lai et à tant d'autres attirés par l'Europe où ils apprendraient la révolution, il était resté sur sa glèbe. Et quand plus tard l'URSS était devenue le sanctuaire rouge, la patrie du communisme, il n'y était jamais allé. Elle se souvient de ses affrontements avec Wang Ming, avec tous ceux qu'on appelait les « retours d'URSS ». Sa méfiance... Jiang Qing rêve à ce sommet des honneurs, au suprême brouhaha. Elle se voit à la droite de Mao, la camarade présidente, elle aussi impériale dans les décors fastes du Kremlin. Mais bientôt le doute l'assiège : pourquoi son mari lui a-t-il caché ce superbe voyage sans doute projeté depuis longtemps ? Pourquoi ? Mais elle sera là, sur place, et par conséquent il la retrouvera, elle sera à ses côtés, la Souveraine... A moins qu'il ne la fasse revenir précipitamment en Chine, l'escamotant dans la honte et le mépris.

Et c'est ce qui arrive. L'ambassade de Chine la prévient qu'elle doit sans délai retourner à Pékin. Sanglots, désespoir. La terre en cet hiver n'est qu'une désolation blanche où les arbres dépouillés semblent des crucifiés. Dans son compartiment, Jiang Qing est hantée : pourquoi ne pas mourir ? Qu'elle ouvre les fenêtres, qu'elle respire à longs traits l'air glacé, et ses poumons gèleront! Mais elle ne boit pas son trépas, elle s'arc-boute à la vie, elle se pelotonne au chaud d'elle-même sur sa couchette, se bornant à ingurgiter le sentiment de sa lâcheté et de sa déchéance. Elle passe ainsi des jours, et dans la tanière de son être, elle reprend espoir. Qu'importe de ne pas participer aux fêtes et aux joutes de Moscou! Mao, qu'elle avait déjà conquis, elle le reconquerra. Car sa volonté est faite de millions d'aiguilles qui cousent la trame de son existence. Une fois franchis les abîmes, une fois vaincus les obstacles, une fois Mao, cet infidèle, remis dans la fidélité par l'impétueux de son élan, elle se fera la prêtresse du maoïsme.

Dans la Cité Violette, Mao se prépare à s'en aller à Moscou lorsqu'il voit arriver une Jiang Qing pâle et défaite, qui se plaint d'avoir été chassée du Kremlin.

— Staline ne mêle jamais les femmes aux affaires. Pour lui, ce sont des créatures inférieures. Du reste, les siennes, je crois, sont mortes.

— Il les a tuées ?

— Presque.

Rire de Jiang Qing :

— Et toi, tu veux me tuer ?

LE CHIEN DE MAO

— Non...

— J'ai failli mourir de honte dans le train, j'ai même songé au suicide. Personne n'aura été renié comme moi.

— Apaise-toi! Je tiens à toi.

Pendant les mois que Jiang Qing a vécus en URSS, Mao s'est transformé. Il est devenu un souverain oriental, qui ne sort guère de son palais de Zhongnanhai sauf pour des séjours enchanteurs dans les Collines Parfumées. De plus en plus, il est le nouveau Fils du Ciel, il s'adonne à des luxes de tyran maniaque, il fait construire une piscine où il s'ébat des heures durant, il ne s'habille que contraint et forcé. Inaccessible au commun des mortels, il tient sa cour comme un despote. Et maintenant il va bouger pour célébrer le soixante-dizième anniversaire d'un autocrate bien plus puissant que lui. Ce sera le gala des dirigeants rouges accourus de tout l'univers pour se réjouir d'avoir échappé aux hécatombes et de servir encore la cause à l'ombre de l'immense Staline.

Mao veut bien rendre hommage au Petit Père des Peuples, mais pas en inférieur, pas en sous-ordre. Il connaît sa ruse : se servant des congratulations festives, Staline voudra peut-être imposer des clauses qui hypothéqueraient la Chine. Cela, Mao ne le permettra pas.

Tout d'abord, en cet hiver, il s'habille richement. Il s'emmitoufle de fourrures précieuses, une toque de renard et un manteau doublé de vison qui cache une tunique démocratique. Surtout l'emmènera vers la parade un train magnifique, celui jadis de Tchang Kaï-chek, un dragon de métal scintillant. S'est posée la grave question des cadeaux : Mao pourrait emporter des trésors, mais il ne veut pas agir en tributaire. Embarras, consultations, on choisit quelques porcelaines et des rouleaux de peinture. Est-ce bien? Est-ce assez? N'est-ce pas trop? On décide de consulter Jiang Qing – après tout elle arrive de Moscou et elle connaît les coutumes de là-bas. Toute fière de ses idées, elle donne un conseil surprenant, qu'on offre des plantes, des herbes, des légumes, un wagon de légumes, des navets, des choux, de l'ail mariné et en particulier de ces oignons verts si savoureux qu'ils dissipent les humeurs noires. Elle est écoutée.

A la gare de Pékin, au moment où Mao embarque, Jiang Qing lui glisse à l'oreille qu'elle a peur de rester seule à Pékin.

— Ne t'inquiète pas! Je te laisse Chou En-lai, il dirige le gouvernement pendant mon absence et veillera sur toi.

— Il ne m'aime pas.

185

LE CHIEN DE MAO

— Si, il t'aime. Il te l'a maintes fois prouvé, et il te le prouvera encore.

Mao est parti sans laisser d'ordres qui auraient conféré quelque importance à Jiang Qing : elle demeure l'épouse délaissée. Répudiée ? C'est moins sûr, il semble que Yu Shan se soit volatilisée. Pourtant Jiang Qing est toujours abandonnée, seule, si lamentablement seule dans son pavillon. Parfois elle sort, elle erre dans les jardins, auprès des lacs. Au loin des gardes du corps la surveillent. Elle rôde autour des palais qu'occupent Chou En-lai, Zhu De, Liu Shaoqi et consorts mais nul ne semble la remarquer. Sa fille Li Na ne l'intéresse pas. L'ennui la ronge, les journées sont interminables, remplies de détails dérisoires, elle lacère servantes et domestiques de ses exigences et de ses reproches, elle crie, elle menace, tout la blesse, rien ne la satisfait. Lui manque un homme de confiance, un mâle sur lequel elle pourrait s'appuyer. Mais Kang Sheng son mentor a disparu. On dit qu'il est devenu fou.

Kang Sheng... Tout d'abord il a senti la disgrâce l'approcher, l'envelopper de ses tentacules, la pieuvre allait le dévorer. L'hôtel Lux à Moscou, la campagne de rectification à Yanan, la réforme agraire dans l'extrême ouest, le Shandong... tant de cadavres, tant de familles décimées, mais aussi tant de survivants peut-être décidés à se venger. Lui sait bien, trop bien comment à partir de rien on fabrique un traître. Combien en a-t-il dénoncé de félons qui ont été torturés, fusillés et qui, à la vérité, n'étaient pas coupables ? Maintenant que Kang Sheng est en défaveur – le nouveau régime ne lui a octroyé que des postes qu'il juge minables, loin de Pékin, au Shandong justement –, maintenant donc, quelque accusateur ne pointera-t-il pas le doigt sur lui en criant « Agent du Kuomintang ! » ? N'y a-t-il pas une faille, un temps trouble dans son existence, quand jadis il a été emprisonné par la police nationaliste ? N'a-t-il pas alors échappé miraculeusement à la geôle ? Par tous les moyens Kang Sheng a essayé d'effacer cet épisode. Vainement. On peut encore s'en servir contre lui. En particulier, les anciens du Kuomintang qui aujourd'hui se rallient aux communistes, ne vont-ils pas parler ? Avec toutes ces archives désormais accessibles...

LE CHIEN DE MAO

La terreur a étreint Kang Sheng. Il s'est enfermé dans sa province, cloîtré dans sa maison de Tsingtao, et la fièvre de l'obsession l'a submergé. En proie à l'immense frousse, suant, tremblant, délirant, il ne quitte plus son lit sauf pour vérifier que les verrous sont mis et les volets clos. Des cauchemars le hantent, des assassins masqués surgissent, il voit dans la nuit des fantômes et des démons.

Est-ce l'opium auquel il s'adonne depuis si longtemps qui crée ces fantasmagories? A-t-il l'esprit emporté ou joue-t-il à la démence? Dans l'histoire de Chine, des mandarins ont ainsi longuement, très longuement feint le délire, jusqu'à ce que reviennent des temps plus calmes où ils pourraient réapparaître de nouveau sains d'esprit et retrouver leur gloire.

Le mystère de Kang Sheng tourmente Jiang Qing. Elle se tracasse, elle se multiplie en démarches auprès de Chou En-lai qui, pour la calmer, lui fait obtenir deux faveurs minimes : elle est nommée à l'Association d'amitié sino-russe − n'a-t-elle pas été hospitalisée en URSS et ne proclame-t-elle pas qu'elle ne veut plus se nourrir que de caviar et de rôti de porc? On lui octroie aussi une place à la Commission de censure du cinéma, en raison de son passé d'actrice. Mais là elle est placée sous l'autorité de l'homme qui, dans le Shanghaï de sa jeunesse, un jour qu'elle dormait nue dans sa chambre, lui a barbouillé une déclaration d'amour au rouge à lèvres sur le ventre. Arrogante, insolente, elle maltraite cet ancien amant avec toute la morgue d'une épouse qui parle au nom d'un mari illustre. Cela ne prend pas, on la raille, on la rejette, elle est trop chipie et trop ignorante pour qu'on lui reconnaisse la moindre influence.

Peu de nouvelles parviennent de Moscou, mais à Zhongnanhai on chuchote que la situation est mauvaise. Tout au contraire, les journaux racontent que Mao vit là-bas dans le zénith des honneurs. Selon eux, il est traité par Staline comme son pair, son ami, son allié éternel : les réceptions, les galas, les défilés militaires, et aussi les bonnes ivrogneries à la vodka, où l'on se porte des kampés pendant des nuits entières. Et les longues discussions et la signature du grand traité. Staline est un hôte charmant, Mao se montre délicieux. Accordailles du génie en tunique militaire et du génie en tenue grise, accordailles du sourire à moustaches et du sourire à la lèvre glabre. Mariage blanc et jaune, les deux plus grands peuples du monde, marche nuptiale, l'hyménée. Enfin, au

LE CHIEN DE MAO

bout de deux mois, Mao revient. Il est maussade, il a détesté chaque minute de la mirifique visite d'Etat.

Son récit... Le train fabuleux n'était pas chauffé, et Mao est arrivé grippé à Moscou. La première entrevue avec le Petit Père des Peuples a été décevante : ces balourds de Russes ne comprenaient rien à la politesse chinoise, il lui a semblé que Beria se moquait de lui, quant à Staline il a été par trop paternel, condescendant. Ses vœux dérisoires pour l'excellent fils de la Chine, son refus de discuter de ses anciens atermoiements...

— Je ne m'étais pas attendu à vous trouver si jeune et si fort, dit-il quand même à Mao stupéfait. Vous avez remporté une grande victoire et les vainqueurs sont au-dessus de toute critique.

Ambiguïté.

Le soir de l'anniversaire, au théâtre Bolchoï, les Russes ont voulu faire du charme, le corps de ballet a dansé le yangko. Il y a eu des discours, des discours à n'en plus finir. Tant de délégués, tellement de discours. Celui du Vietnamien Hô Chi Minh, celui du Coréen Kim Il-sung... Une avalanche, une hyperbole de mots... Les paroles prononcées par Mao semblent frugales. Et puis la gaffe, la formidable gaffe. Les Russes ont imaginé de donner un ballet célébrant l'amitié sino-soviétique, en fait un spectacle à la gloire de leurs marins supposés s'être rués au secours des camarades chinois massacrés par Tchang Kaï-chek à Shanghaï en 1927. C'est faux, c'est ridicule, c'est une insulte à la mémoire des milliers de victimes. Il y a pire, le titre du ballet : *Le Pavot rouge.* Les Chinois y voient une allusion à l'opium, au maudit opium. Indignation, excuses, l'embrouillement.

Dans la datcha mise à leur disposition par Staline, les Chinois attendent. L'ennui écrasant. Rien à faire sinon jouer au billard ou regarder les quelques films que Staline leur a fait envoyer, de sinistres films de propagande dont l'unique sujet est bien sûr le Petit Père des Peuples. Mao est hors de lui. A un journaliste de la *Pravda* venu l'interviewer, il déclare qu'il passe son temps à dormir, à manger et à chier, que si l'on continue de le traiter de la sorte, il va partir.

Peut-être parce que la presse étrangère murmure que Mao est en résidence surveillée, quelqu'un décide qu'il a assez mariné. L'heure est venue du tourisme. On l'envoie à Leningrad, on lui parle du siège pendant lequel un million et demi de personnes ont été tuées, on lui montre les lignes allemandes, les tunnels, les fortifications, Mao regarde avec indifférence, la guerre il connaît, dit-

LE CHIEN DE MAO

il. Et les pertes colossales aussi. Il traverse le musée de l'Ermitage au pas de charge. Même allure au Palais d'Hiver et au Palais Peterhof, même dédain à Tsarskoïe Selo et à Pavlovsk, il méprise, il méprise, il méprise. On l'a logé à l'Institut Smolny, la maison d'éducation dont Lénine avait fait sa résidence en octobre 17. Rare honneur. Ostensiblement, Mao s'en moque. Ne l'intéresse un peu que Kronstadt. Pas pour les souvenirs, pour la glace. Sa promenade le rend presque aimable.

Enfin le traité, et malgré tout une manière de consécration : Staline qui ne s'aventure jamais hors du Kremlin assiste à la réception offerte par Mao en son honneur à l'hôtel Métropole, l'hôtel mythique où Raspoutine s'ébattait dans sa cour de grandes dames, comtesses et princesses dénudées. L'orgie, les salons égyptiens, la garde impériale, les jeunes officiers, la roulette russe... Et ce soir-là, le cortège de limousines noires aux rideaux fermés qui amènent Staline et ses proches dans un silence d'effroi. Partout des hommes armés, des sentinelles et des gardes. La police politique. Le mur de verre qui sépare les dirigeants des centaines de convives. La peur, l'interprète qui se fige aux questions les plus anodines comme de demander pourquoi Staline boit tour à tour du vin blanc et du vin rouge. Indiscrétion... Finalement Staline répond qu'il aime les deux. Pas de conversation possible... Enfin le kampé de Mao à Staline avec du maotaï, et celui de Staline avec de la vodka. Chou En-lai, arrivé de Pékin pour négocier le traité, parle. Il est brillant mais les Chinois gardent l'impression que Staline et les Russes s'estiment toujours d'une essence supérieure et ont encore des arrière-pensées de domination. La visite se termine par un dernier conseil du « chef génial de l'humanité en marche » à son émule chinois : ne jamais négliger la sécurité, ne penser qu'à elle.

Auprès de ce Mao sinistre, humilié, qui a dû se contenter d'arracher quelques lambeaux de viande entre les dents du tigre Staline, Jiang Qing entame une longue plainte :

— Même si tu t'es ennuyé en Russie, tu t'es instruit. Ton voyage a été une expérience intéressante. La mienne a été insignifiante parce que j'y étais malade. Et je l'étais parce qu'ici on me

LE CHIEN DE MAO

traite comme une moins que rien. Je ne suis même pas membre de la Fédération des cercles littéraires et artistiques de Chine où resplendit ta chère Ding Ling. Celle-là ! Elle est allée en Tchécoslovaquie en avril dernier pour un congrès, en octobre elle était à Moscou pour fêter l'anniversaire de la Révolution. On lui passe tout. La voilà même à nouveau journaliste. Avec son passé... Mais vous êtes fous ! Il paraît que vous projetez une loi sur le mariage, que toi et tes camarades vous prônez l'égalité de l'homme et de la femme. C'est une bouffonnerie, en tout cas pour moi. A toutes les femmes de dirigeants, on a fait semblant de trouver une occupation. Sauf à moi.

De récriminations en récriminations, de scènes en scènes, Mao s'avise qu'il n'aura la paix qu'au prix d'une énorme concession, qu'elle redevienne sa secrétaire :

— J'ai à te dicter un texte que m'a inspiré une réflexion de Staline. Il m'a fait observer avec raison que ma Chine était encore à construire. Nous allons donc procéder.

Alors Jiang Qing trace les caractères d'une proclamation qui complète celle déjà faite par Mao lors de la fondation de la République Populaire de Chine. Ce sera la Grande Charte, imprimée dans tous les journaux, discutée dans toutes les réunions, ce sera la loi et l'épée de la justice :

« On nous reproche d'être violents, oui, nous le sommes avec les ennemis du Peuple. On nous reproche d'être des dictateurs, oui, nous le sommes pour les réactionnaires et les contre-révolutionnaires. Nous allons garder nos armées, nos prisons, nos juges, et nous nous en servirons contre les ennemis du Peuple, qu'il faut supprimer. Notre bonté ira au Peuple. Pour lui nous emploierons la persuasion. Mais pour les autres nous nous servirons des armes qu'ils ont employées contre nous. »

Où est le Mao débonnaire de Yanan qui montrait sa douceur aux Yankees ? Maintenant il est l'exterminateur qui va lancer à travers le pays les grandes campagnes de la colère du Peuple, celle des Trois Antis, l'antigaspillage, l'antiprévarication, l'antibureaucratie, et celle des Cinq Antis, contre les pots-de-vin, contre la fraude fiscale, contre le sabotage, contre le vol des biens de l'Etat, contre le vol des secrets économiques de l'Etat. Cette fois, il ne s'agit plus de punir les corrompus, mais les corrupteurs. C'est au tour des patrons de payer, ils seront exécutés, à moins qu'ils ne se suicident ou ne s'enfuient.

La Chine est un cratère et Jiang Qing se sent l'âme bouillante,

190

LE CHIEN DE MAO

elle est dans l'amour, dans la fièvre de la vengeance. Qu'avec Mao elle soit l'ange des liquidations! Hélas, elle ne fera rien dans la guerre contre le mal car, peu de temps après, Mao, d'une voix bonasse, la renvoie à sa nullité :

— Des camarades m'ont rappelé que tu ne devais jouer aucun rôle politique.

— Quels camarades?

— Toujours les mêmes, ceux qui sont depuis longtemps proches de moi, et qui te connaissent.

— Tu es content de m'avilir?

Jiang Qing est anéantie. Mao, qu'elle avait un instant ébranlé, est de nouveau à la joie mauvaise de la réduire à la portion congrue, d'en faire un papillon sans ailes, un brimborion. Pourtant elle continue de chercher un domaine où elle pourrait contribuer à la rénovation de la Chine. Un jour, bravement, elle aborde Mao :

— Laisse-moi aller à Shanghaï! C'est ma ville. Je participerai à la réforme idéologique de l'intelligentsia; j'apprendrai à tous ces intellectuels pervers et individualistes ce qu'est la réalité populaire. Ils en ont besoin. Ta bien-aimée Ding Ling vient même de se confesser! Elle était farcie d'illusions petites-bourgeoises, dit-elle. Et excentrique avec ça. Et pleine d'indulgence envers elle-même. Remarque qu'elle n'a aucune pitié pour les autres. Dans le même texte, elle dénonce quelques-uns de ses plus chers amis écrivains. Avec raison. Pourquoi ne ferais-je pas le même travail à Shanghaï?

— Parce que tu en es incapable. Ding Ling, dont j'aimerais, par parenthèse, que tu ne me parles plus, elle, sait ce qu'est un écrivain. Au surplus, il ne reste pas d'intellectuels à Shanghaï. Ils sont morts ou en fuite à Taiwan.

— J'en trouverai, j'en ai connu jadis qui étaient de bons communistes.

— Ceux que tu as trahis.

— Je ne les ai pas trahis, et il en subsiste.

Mao refuse, tergiverse, accepte enfin, sans doute pour se débarrasser de Jiang Qing. Mais secrètement il a donné des consignes pour que là-bas elle soit réduite à l'impuissance.

Pitoyable expédition! A la gare de Pékin où Jiang Qing prend le train, personne pour la saluer. A Shanghaï où elle n'est pas revenue depuis douze ans, c'est un cadre de la municipalité aux dents cariées, à l'haleine fétide qui l'accueille, et tout de suite il lui

LE CHIEN DE MAO

signifie qu'elle est indésirable : il ne lui offre qu'une vieille voiture anonyme, sans escorte ni protection, pour parcourir la cité avant de la conduire à un hôtel médiocre, le Victory Mansion. Comme pour mieux la surveiller, il s'y installe lui-même, il l'épie, il la fait épier. Cette Jiang Qing fatiguée et déçue, il la met dans une chambre misérable. La nuit elle doit entasser sur elle tous ses vêtements pour arriver à dormir un peu, elle tousse, elle a la fièvre. Mais elle refuse de consulter un médecin : puisqu'il y a une cheminée, qu'on allume un feu.

L'ange gardien finit par prendre peur : Jiang Qing est transférée dans un appartement chauffé. Miraculeusement sa santé s'améliore, elle montre son intention de sortir, de rendre visite à des gens qu'elle a connus, qu'elle croit toujours en ville. Nouvelle inquiétude pour le geôlier bien obligé d'obtempérer : on lui adjoint quelques agents de la Sécurité qui suivent Jiang Qing à la trace dans toutes ses errances. Mais qu'est devenue la Perle de l'Orient ? Shanghaï est terne, triste, grise, et sa foule est morne. Où est l'exubérance d'antan, ce grouillement de choses et d'êtres qu'elle aimait ? Où sont les illuminations ? Un gel emprisonne tout. Et c'est en vain qu'elle frappe aux portes, ses anciens amis du temps du studio de cinéma se sont évaporés.

Jiang Qing sombre dans le délire, il y a une conspiration acharnée et complète contre elle, elle va être enlevée, peut-être tuée, elle est entourée d'ennemis, de dizaines d'ennemis, aussi bien des contre-révolutionnaires ou des réactionnaires que des traîtres au communisme. Dans son désarroi elle s'adresse à Chen Yi, le maire de Shanghaï, le vrai maître de la cité, un compagnon d'armes de Mao qui a été de toutes les épopées. Il écoute ses plaintes et ses divagations, s'alarme de ses fantasmes, déclare qu'il ne peut s'occuper d'elle tellement l'absorbe l'épuration des bourgeois ; il la remet donc à un homme de confiance, le chef du Parti pour tout l'Est de la Chine, Rao Shushi. Ironie, ce Rao est le supérieur direct de Kang Sheng, abominé par lui. Le lien entre eux... la même université, la même carrière mouvementée, Kang Sheng satisfait tant que Rao est son subordonné... Rao est un homme aimable, ami des plus grands, de Chou En-lai et de Deng Xiaoping. Et puis un jour la catastrophe, la disgrâce de Kang Sheng, son départ pour le Shandong, sa position inférieure à celle de Rao. On se fait bonne figure, on s'exècre : tandis que Rao continue de grimper les échelons, Kang Sheng s'enferme, disparaît.

Rao Shushi se montre prévenant. Il est ravi, soulevé d'allégresse

LE CHIEN DE MAO

– il a tant entendu parler d'elle –, mais lui non plus ne lâche pas Jiang Qing d'une semelle. Pour commencer, il lui attribue une belle demeure dont les propriétaires, confie-t-il, viennent d'être fusillés. Mais les meubles sont toujours là, et les serviteurs aussi, une vingtaine en tout, pressés de montrer leur zèle à la nouvelle venue. Non qu'ils sachent qui elle est : dans cette ville où elle a connu la terreur blanche et qui est aujourd'hui livrée à la terreur rouge, Jiang Qing est trop angoissée pour se faire appeler par son nom et les domestiques effarés ne posent pas de questions. Tout alentour, les exécutions se poursuivent, on entend des huées, des cris, des coups de feu ; souvent des gens se jettent par des fenêtres. Le cauchemar.

Cependant elle se rassure : personne ne la traque et ces domestiques ne sont pas des assassins. Soudain elle s'ennuie trop. Alors Rao Shushi condescend à l'emmèner acheter des produits de beauté et des fards introuvables à Pékin. Il l'emmène aussi au théâtre, dans les studios de cinéma où jadis elle a été actrice. Elle reconnaît des visages, des hommes qui ont été ses amants, des femmes qui ont été ses rivales. Tous n'ont donc pas décampé... Mais comme ils lui paraissent vieux, comme les années les ont abîmés ! Est-elle aussi marquée ? Tant de temps s'est écoulé depuis son mariage, et elle n'est toujours rien qu'une épouse... Ses anciens condisciples feignent de la revoir avec plaisir. On s'embrasse, on se parle en gloussant, on rit, on se livre aux souvenirs. Parfois on trébuche sur un nom, on passe vite, il ne s'agit pas de ressusciter des fantômes malséants. En fait, ces mines chaleureuses cachent une terrible méfiance : Madame Mao n'aurait-elle pas droit de vie et de mort sur eux ? Elle invite ces survivants à de petites réceptions dans son beau logement. Ils se croient obligés de s'y rendre, échangent avec elle quelques phrases sur la nécessité de promouvoir l'art nouveau, l'art rouge, et s'enfuient rapidement.

Enfin, elle est conviée à un bal par Chen Yi. C'est un rite que Mao a imposé : le Parti offre à danser chaque fin de semaine, et au son de la musique occidentale. A Pékin, elle s'y traîne en âme désolée. A Shanghaï, dans la salle des fêtes, lorsque Chen Yi l'invite pour une valse, elle a à peine la force de tourbillonner, mais elle revient à elle, elle renaît dès qu'on lui présente un grand et bel homme nommé Zhang Chunqiao. Leur coup d'œil, et ensuite, toute la soirée, le fox-trot, le tango...

Zhang Chunqiao a un visage aux traits puissants, presque brutaux, qui exprime, avec une condescendance souriante, une extraordinaire sûreté de lui-même. Il regarde Jiang Qing, et pour la première fois depuis des années, celle-ci sent monter en elle le désir. Chez l'un et chez l'autre l'évidence : ils sont luxurieux dès leurs premières paroles, qui ne sont pourtant que banalités. Mais il y a le ton, quelque chose de haché et parfois de trop glissant dans la voix. Et aussi ce comportement, ces attitudes, ces acquiescements même pas formulés, et qui sont un marché déjà établi. Aucune galanterie là-dedans, mais la plénitude de l'accord. Et ce n'est pas Jiang Qing qui conquiert, la Jiang Qing qui a pris d'assaut tant d'hommes, avant de s'emparer de Mao, non, devant Zhang Chunqiao, elle est une femelle soumise, une proie capturée qui va avec une jeunesse retrouvée s'adonner comme jamais à la volupté. Pourtant, Zhang ne se donne même pas la peine de jouer la séduction : l'excellence de la rencontre, c'est l'inéluctabilité de ce qui va arriver.

Jiang Qing invite Zhang Chunqiao à déjeuner chez elle. Les préparatifs. L'impatience. Chaque minute est longue, chaque seconde presque intolérable. Et Zhang n'est toujours pas là... Jiang Qing a besoin d'être pénétrée, elle veut se sentir vivifiée, que sa fente qui n'est plus qu'un pertuis ingrat et boucané, ressuscite. Ah ! vivre, vivre dans ses chairs et ses sucs, vivre dans les béances et les alchimies, vivre remplie et empalée, et redevenir Jiang Qing de la fortitude, Jiang Qing des grands desseins.

Enfin Zhang Chunqiao arrive, massif, désinvolte, en seigneur des lieux. A peine a-t-il marmonné quelques phrases polies qu'ils passent à table où Zhang, avec une sorte de pesanteur, se goinfre de nourriture. Soudain, sans se soucier des serviteurs, il se lève, s'approche de Jiang Qing, l'embrasse dans le cou, l'entraîne vers un lit. Le bonheur de se mettre nus, de se jauger en un clin d'œil et de se chevaucher. Premiers gémissements, premiers râles, premières pâmoisons.

Lorsque au crépuscule ils se mettent à parler, Jiang Qing se tient sage et d'abord rassure son amant :

— N'ayez pas peur ! Mao, quand il sera informé de notre aventure, s'en moquera éperdument. Il sera même soulagé, d'autant plus libre pour ses grandes et petites escapades. A condition, bien sûr, que vous ne soyez pas un ennemi du Peuple.

Zhang regarde Jiang Qing avec stupéfaction : à quoi fait-elle allusion ? Qu'aurait-elle déjà appris ? Il essaie de prendre un air dégagé, mais il est trop appliqué pour que n'apparaisse pas une in-

LE CHIEN DE MAO

certitude, une fêlure secrète. Il bluffe, il fanfaronne : nul n'est mieux intégré, dit-il, que lui dans le Parti.

La vie de Zhang Chunqiao... Comme Jiang Qing, comme Kang Sheng, il est originaire du Shandong. Dès son enfance, il a tous les atouts : il est né dans une famille riche, il est beau, intelligent, il capte qui il veut. Mais il étouffe. A dix-sept ans, il s'enfuit, il part pour la ville des vertiges, pour Shanghaï. Acharné à réussir, ambitieux forcené, travailleur et jouisseur, il se faufile dans tous les interstices qui s'offrent à lui. C'est l'époque de la splendeur du Kuomintang, il en devient une des plumes les plus brillantes. Il n'a pas vingt ans, il s'agite dans tous les journaux, flatte ou détruit selon les ordres. Son chemin a croisé celui de Jiang Qing, il a même, sur commande, célébré son talent, elle ne s'en souvient pas. Fait-il un peu de renseignement ? Sans doute, comme beaucoup de monde à Shanghaï.

Jiang Qing frissonne, une petite panique lui parcourt l'échine. Si l'on découvrait que cet homme auquel elle tient déjà a été un espion, un délateur ? Pourra-t-elle le défendre ?

Zhang Chunqiao est resté à Shanghaï au moment de l'invasion japonaise. Et, quand la vie s'est réorganisée sous l'égide du gouvernement collabo, il a continué d'écrire dans les journaux. Un chroniqueur culturel, sans plus. En fait, prétend-il, il agissait sur ordre du Parti.

— J'en suis membre depuis l'époque lointaine où Chen Lifu et la police nationaliste traquaient les communistes. Lorsque Shanghaï a été envahie, on m'a enjoint d'y rester pour être l'œil et l'oreille du PC. Le haut commandement rouge a toujours été au courant de mes activités.

— Comment faisiez-vous ? Yanan est loin de Shanghaï.

— J'ai organisé un circuit. Des gens traversaient et retraversaient les lignes japonaises, il y a eu des allers et retours constants entre Shanghaï et les bases communistes.

Jiang Qing ne croit pas trop Zhang Chunqiao dans ses dires et ses vantardises. Des pansements douteux, des croûtes sur des plaies. Ce Zhang a dû beaucoup naviguer dans des eaux incertaines. A quel moment a-t-il vraiment rejoint les communistes ? Mais le fait est qu'il n'a pas été arrêté et qu'il semble occuper un poste relativement important dans la bureaucratie locale. Et puis, Rao Shushi qui sait tout, qui surveille tout, ne l'aurait pas laissé entrer chez elle s'il était un salaud complet. Au sein du Parti, qui n'a pas dénoncé un peu ? qui n'a pas « donné » un peu, à un mo-

195

LE CHIEN DE MAO

ment ou à un autre ? Ce qu'il faut, c'est arriver à recouvrir les traces du passé, et ensuite se taire, toujours se taire. Eh bien ! Elle enseignera le mutisme à Zhang Chunqiao. S'il le faut, si elle le garde comme amant, elle lui refera une histoire décente.

Des jours et des jours de volupté. Jiang Qing redécouvre le bonheur. Jusqu'à ce que Zhang, impudemment, l'attaque :

— Il paraît que tu es malade, que Mao te néglige et même te fuit. Il t'a envoyée te faire soigner en URSS.

— Dorénavant, grâce à toi, ma santé sera meilleure.

— Mais il faut que tu t'imposes à ton mari, que tu reprennes du pouvoir sur lui.

— Tu ne connais pas Mao. Si je l'importune, il me chassera.

— Non, car jamais il ne retrouvera une femme comme toi. Quand il te redécouvrira, tu lui feras faire de grandes choses. Et moi, je serai à tes côtés.

Jiang Qing rit :

— C'est étrange, tu parles exactement comme Kang Sheng, qui m'a fait les mêmes prophéties.

— Kang Sheng ? Ton protecteur ? Kang Sheng qui t'a mise dans le lit de Mao...

— Tu es très informé.

— C'est mon métier et j'ai même un conseil à te donner : évite ton Kang Sheng, il est discrédité. Il a demandé à Chen Yi et à Rao Shushi d'écrire à Mao pour le défendre. Il raconte qu'on l'accuse d'être un agent ennemi, il affirme que des hommes masqués rôdent autour de chez lui. Pour le calmer, Chen et Rao ont écrit. En tout cas, on lui a trouvé une belle chambre à l'hôpital de Pékin.

— Mais Kang Sheng n'a jamais trahi.

— Il a simultanément eu tant de passés, ton Kang Sheng. Pourquoi ne lui trouverait-on pas un passé d'agent double ou un passé trotskiste ? Au surplus, cela se fabrique un passé, tu connais la manière.

— Il n'a pas été trotskiste ; mais il s'est servi d'eux, il les a livrés à Chen Lifu.

— Et pourquoi donc ? Ses rapports avec Chen Lifu étaient bien intimes ! Chou En-lai est persuadé que Kang Sheng, lors de la Terreur blanche à Shanghaï, l'aurait volontiers livré à la police secrète de Tchang Kaï-chek. Ce n'est pas tout. A un moment, Kang Sheng a été pris et jeté en prison par son ami et compère Chen Lifu. Comment a-t-il été remis en liberté, on l'ignore.

196

LE CHIEN DE MAO

Jiang Qing s'exclame :

— En livrant les trotskistes, évidemment. Comme cela tout le monde était content. D'ailleurs moi aussi j'ai été incarcérée puis libérée. Tu veux savoir pourquoi ?

Zhang Chunqiao lui couvre la bouche de sa main :

— Tu m'as dit de cacher mon passé. Ne parle pas davantage du tien, même avec moi. Un jour tu pourrais me faire tuer à cause de cela. Et souviens-toi que désormais je suis ton avenir.

L'audace folle de cet homme qui après tout n'est qu'un subalterne ! C'est un reître, un chevalier du rut qui ose posséder l'épouse du chef de l'Etat, qui est capable d'envisager un avenir avec elle. Sa brutalité est d'un ordre suprême, quasiment métaphysique, et Jiang Qing s'y abandonne. A nouveau les étreintes, à nouveau les rêves. Emmener Zhang à Pékin... Comme il lui serait précieux ! Il donnerait une force à son existence. Mais sa place n'est pas dans la Cité Violette où elle semblerait installer l'adultère, cela Mao ne l'acceptera jamais. Et Zhang tel qu'elle commence à le flairer ne voudrait pas du rôle grotesque de sigisbée établi en ville. Où le mettre d'ailleurs ? Et avec la complicité de qui ? Dommage que Kang Sheng se soit retiré du monde, lui l'aiderait à évaluer Zhang, à enquêter sur ses années douteuses, à la faire naviguer entre cet amant décidément incomparable et son tout-puissant mari.

C'est ce dernier qui trouve la solution. Un beau jour, il fait rappeler Jiang Qing à Pékin. Dès son arrivée, il la convoque dans le Bureau des Senteurs de Chrysanthème et il l'interroge sur Zhang Chunqiao. Des rapports sont parvenus qui exposaient l'affaire avec gêne. Cet homme plus jeune que Jiang Qing, aux exploits multiples...

... Mao est tout égrillard. Cette bonhomie soulage et inquiète à la fois Jiang Qing, qui se borne à répondre qu'ainsi elle pèsera moins.

— C'est, reprend Mao, un personnage louche, mais ton amitié le protégera. Quand même, ne le loge pas à Pékin. Tire parti de ton emploi à la commission de censure. Les films se tournent dans les studios de Shanghaï. Il paraîtra normal que tu y ailles assez souvent.

LE CHIEN DE MAO

Quelques jours Jiang Qing se réjouit. Et soudain, elle tombe de cette euphorie, elle est tout entière rongée par une nouvelle peur, celle d'être réduite à un peu de cendres dans un brasier monstrueux. Une gigantesque explosion, une mer de feu et de flammes, le néant de l'immense mort, pas de traces, pas de squelettes ni de crânes, rien que des ruines, un air empoisonné, des fumées et le soleil noir... Elle voit tout, elle pressent tout : les Américains vont attaquer, ce sera Hiroshima et Nagasaki en pire, l'apocalypse.

Ce qui s'est passé. Au début de l'été, Kim Il-sung le Nord-Coréen a assailli la Corée du Sud. Offensive foudroyante, stupéfaction de Mao : la Corée du Nord va-t-elle défaire les troupes américaines d'occupation et les débris de l'armée sud-coréenne ? Il semble que les Soviétiques qui ont formé les hommes de Kim Il-sung ne soient pas intervenus sur le terrain, mais quel rôle joue Moscou dans cette embrouille ? Pourquoi Staline n'a-t-il pas prévenu son allié Mao ? Se peut-il que le grand frère veuille s'emparer de toute la Corée pour mieux tenir le nord de la Chine ? Quoi qu'il en soit Mao est abasourdi, lui qui ne pensait qu'à réduire son armée populaire, trop nombreuse, monstrueusement gonflée par l'absorption des troupes minables de Tchang Kaï-chek, lui qui n'avait arrêté que deux opérations jugées faciles, l'invasion du Tibet et celle de Taiwan, doit attendre que soit dissipé le mystère des intentions russes et américaines.

Les Yankees aussi ont été surpris. Chassés de Séoul, risquant d'être balayés de toute la Corée du Sud, ils se résolvent à frapper de toute leur puissance ; Mac Arthur leur généralissime, ce bellâtre de la guerre, ce forcené des batailles, conçoit un plan terrifiant qui déjoue toutes les audaces de Kim Il-sung et de Staline. Il jette son armada dans le dos des Nord-Coréens à Inchon. Débarquement glorieux, les Nord-Coréens se retirent vers la rivière Yalu qui marque leur frontière avec la Chine. Et Mao se prépare à masser des troupes sur l'autre rive.

C'est alors que la panique a saisi Jiang Qing. Longtemps on a proclamé que l'Amérique n'était qu'un tigre de papier mais le tigre est là, tout près, et il a la gueule béante et les crocs acérés. Jiang Qing vit un cauchemar, elle ne pense qu'à l'instant où elle sera emportée dans la déflagration, dissoute. Le pire, c'est qu'il n'y a pas d'abris : Mao a ordonné d'en construire mais ils ne sont pas prêts. Dans son pavillon, Jiang Qing se désespère. Rideaux tirés, dans la pénombre, elle ne se lève plus, se pare encore moins. A quoi bon s'occuper de ce qui demain ne sera plus que chair grillée ? Qu'on la laisse seule, qu'on l'oublie, elle qui est peut-être la seule personne lucide dans Pékin.

Tout de même, elle finit par rassembler assez d'énergie pour solliciter un entretien avec Mao. Elle tombe à ses pieds, elle l'implore de la laisser se retirer près du lac de Hangzhou. Mao ricane :

— Dans ces heures difficiles, la place d'une bonne épouse est auprès de son mari. Mais que toi tu veuilles fuir ne m'étonne pas. Je te retrouve telle qu'en toi-même, lâche, immensément lâche, et sans doute, dans un coin de ta sale petite tête, te voyant déjà veuve, prête à t'agiter pour arracher un lambeau de pouvoir. Mais tu ne risques rien. Nous sommes en liaison avec Staline qui nous a promis d'assurer la couverture aérienne de nos troupes et d'équiper cent de nos divisions. De cette façon, les escadrilles américaines seront moins redoutables. Ce que je te dis là est une information exclusive. Va donc en jouir chez toi. Et retiens bien une chose, ma décision est prise, nous allons entrer en Corée du Nord. Que serions-nous si nous laissions les Américains attaquer impunément le monde rouge ?

Jiang Qing se ramasse sur elle-même, comme un cobra qui va mordre :

— Enverras-tu sur le front ton fils Anying ? Ne parlons pas de l'autre, l'idiot.

— Tu aimerais bien qu'il y crève !

— Au contraire, je souhaite qu'il reste auprès de toi, ce garçon si doux, si beau, si énergique, si séduisant, ce garçon que tu aimes, car enfin grâce à lui tu as appris à aimer. Etant ton fils aîné, ton héritier, il est persuadé qu'il te succédera. Ce qui serait normal. Dommage qu'il soit tellement pressé.

— Tu es folle ! Ma succession n'est pas à l'ordre du jour sauf dans tes élucubrations. Et le moment venu elle ne dépendra que du Parti et du Peuple. Je sais ce qui te taraude, c'est que tu as perdu l'appui de mes enfants. Ils voudraient que je te répudie.

— Anying m'a fait part de ce désir. Il espérait que je te quitterais à mon retour de Moscou. Mais j'ai trop le souci de toi pour lui obéir. Méfie-toi de lui, c'est un traître. Tu l'as laissé trop longtemps en Union Soviétique. Dans leurs écoles, tes amis russes qui pensent que tu es un gros potentat à la pensée ridicule l'ont modelé. Leur empreinte est indélébile.

Jiang Qing a tapé au point sensible, les relations du père et du

LE CHIEN DE MAO

fils, leurs conflits. A son retour d'Union Soviétique, Mao avait envoyé Anying, le lieutenant Mao Anying, se réformer dans une campagne perdue des environs de Yanan. Anying avait supporté l'épreuve sans rechigner et Mao l'avait ensuite fait verser dans l'Armée populaire avec un grade de commandant : il était résolu à ce que son fils devienne un bon militaire, un grand militaire.

Pour cela, il ne lui passe rien. Il le mène à la dure, exige qu'on le traite comme un officier ordinaire, châtie ses frasques, lui interdit de se marier. Anying se rebelle, dénonce le « culte de la personnalité » dont son père est l'objet, bavasse avec des gardes que son sort émeut, Jiang Qing l'apprend, et à sa manière oblique, doucereuse, soi-disant pour protéger Mao, lui rapporte tout. Colère du père qui bat son fils à lui en faire crever la peau. S'ensuit une autocritique d'Anying. Et une autre querelle lorsque celui-ci présente une nouvelle fiancée, Liu Songlin. « Joli museau, gentilles manières mais une médiocre », clabaude Jiang Qing. Mao finit par autoriser un petit mariage, tout petit, tout modeste, et il offre aux jeunes époux un manteau d'hiver sous lequel ils dormiront bien dit-il. Il paie aussi le dîner de noces auquel on invite Chou En-lai, Liu Shaoqi, Zhu De et leurs épouses. Depuis Anying est devenu traducteur de russe et Mao s'est pris d'affection pour le jeune couple, à la fureur redoublée de Jiang Qing.

— En tout cas, reprend Mao, Songlin m'implore de garder Anying à Pékin. Comme toi, diras-tu. Mais elle, elle pleure de vraies larmes tandis que toi ton œil est plein de haine. Cela dit, sois satisfaite, en cas de guerre, Anying partira pour le front. S'il est tué, il rejoindra la cohorte des siens, sa mère, ses oncles, ses cousins, tous morts pour la cause. Les familles de tous les dirigeants ont été ravagées et ils l'ont accepté. Encore une chose que tu ne peux ni comprendre ni partager.

Peu après Mao endosse son uniforme et il réunit son conseil militaire. Tous ses maréchaux et ses généraux sont là, à l'exception de Peng Dehuai occupé à achever de pacifier la région de Xian. Mao les regarde, devine leurs préventions – la Chine n'est pas construite, elle est encore faible, truffée d'irréguliers et de bandits nationalistes – alors, il décide de les assommer de phrases massues. Kim Il-sung a appelé au secours et il serait ignoble de l'abandonner quand il entreprend une juste guerre pour libérer et réunifier son pays, la guerre même qu'eux, les Chinois, viennent de gagner. De plus Staline qui les couvrira dans les airs les presse

200

LE CHIEN DE MAO

d'accourir et il est inconcevable de s'opposer à lui. Surtout, les Américains seront bientôt sur la Yalu, prêts à déferler sur la Chine. Doit-on se résigner à être envahis ? Non, évidemment. Ils l'écoutent... et tous sont contre lui. Visages fermés, regards mornes, déjà vaincus par la puissance américaine. Enfin, Lin Biao prend la parole, le grand Lin Biao qui a anéanti Tchang Kaï-chek en Mandchourie, non loin de la Corée. C'est un être étrange, malingre, souvent malade, taciturne mais qui parfois arbore un sourire doux, comme s'il était perdu dans un rêve. Il fume l'opium et dans les vapeurs de la drogue console sa misanthropie. C'est aussi un réaliste impitoyable, un ambitieux qui s'est révélé un génie de la guerre. On le respecte et on le craint. Ce qu'il dit ? Que l'armement des Chinois est dérisoire. Qu'on est en automne et que les combats dans les neiges de ce Nord lointain qu'il connaît bien seront affreux. Que le pays est las de ses vingt ans de guerre et son économie trop fragile pour en supporter d'autres.

Mao prend sa voix des discussions décisives. Afin de ne pas paraître déclarer officiellement la guerre aux Etats-Unis, les troupes qui partiront seront baptisées détachements de volontaires. L'alliance des fantassins chinois et des aviateurs soviétiques conduira à une victoire inéluctable et ainsi la Chine se fera une vraie place dans le camp socialiste. Mao clame qu'il faut résister à l'agression américaine et aider la Corée, protéger les familles et défendre la mère patrie. Avec son mélange d'internationalisme et de patriotisme, le slogan s'impose. La machine est en marche. Lin Biao sera le commandant en chef, les armées concentrées au nord-est feront mouvement vers la Corée. Chou En-lai prévient les Américains que la Chine ne tolérera pas qu'ils franchissent le 38ᵉ parallèle.

Le jour même, le général Mac Arthur annonce qu'il considère que la Corée tout entière est ouverte aux opérations militaires américaines et quelques patrouilles avancées passent le fameux parallèle. Alors Mao convoque le Politburo. Un homme manque à l'appel, Lin Biao. Subitement tombé malade, il est parti se faire soigner en Union Soviétique. Mao, prévenu dans la nuit, n'a rien manifesté. A la réunion, il indique que, malgré sa mauvaise santé, il a chargé Lin d'une mission auprès du camarade Staline et que Peng Dehuai le remplacera. Personne ne dit mot, mais le silence est lourd. Zhu De l'interrompt d'un éclat de rire :

— Après tout, le vieux Peng est plus sûr. Lin Biao a trop d'imagination.

201

LE CHIEN DE MAO

Mao ne relève pas. Il se contente de préciser que Chou En-lai devra solliciter formellement l'aide militaire soviétique. Et que son fils, Mao Anying, est nommé interprète de russe auprès de Peng Dehuai.

Immense diligence, célérité immense. A partir de Shenyang, Peng Dehuai lance trois cent cinquante mille hommes vers la Yalu : ils doivent arriver avant que les Américains ne reniflent le piège. Le temps est exécrable, une pluie inlassable détrempe tout, le plafond gris et glacé des nuages écrase tout. Infinité de la boue... Et là-dessus des milliers et des milliers de soldats marchant vers le nord, à travers la Mandchourie, jusqu'à la Corée. Ils sont hagards, épuisés, grelottants, mais toujours ils avancent, dans les plaines où ils s'enlisent comme au flanc des montagnes abruptes hérissées de sapins. Presque pas de camions, les vivres et les munitions sont transportés dans d'énormes chariots auxquels on a attelé des hommes. Le froid. La faim. Beaucoup se couchent sur le sol et meurent là sans que le flot du convoi s'arrête. Malgré tout cela, on sent un ordre militaire, il y a des sonneries de clairon, des officiers qui commandent. En vue de la frontière, non loin de la maigre Yalu, les régiments se reforment. Il semble que les Américains ne se soient aperçus de rien, l'invasion est imminente quand arrive de Pékin l'ordre de tout arrêter.

Qui aurait pu imaginer une telle traîtrise ? Staline a envoyé à Chou En-lai un message l'avertissant que les forces aériennes soviétiques ne se porteront pas à la rescousse des armées de Mao en Corée. Motif avancé : lesdites forces ne sont pas prêtes. En écoutant cette déclaration Mao s'imagine un Staline ravi, patelin, jouant les innocents consternés. Il se tait, il fume cigarette sur cigarette et à chaque bouffée il voit mieux la chausse-trape où il est tombé : ses divisions massacrées au nord, en Corée et, au sud, les énormes canons de la 7ᵉ flotte américaine bombardant Shanghaï. Ensuite il ne restera plus aux Yankees qu'à déposer sur les côtes les armées de Tchang Kaï-chek rénovées à Taiwan et désormais prêtes à reconquérir la Chine continentale. Le Petit Père des Peuples a mené Mao où il voulait, à la guerre avec l'Amérique, en restant, lui, en dehors du conflit.

C'est bien inutile, et pourtant Mao envoie Chou En-lai à Moscou. Le mandarin rouge y retrouve Lin Biao et ensemble ils font le siège de Staline qui avoue redouter que l'implication de sa flotte aérienne ne suscite une guerre mondiale dont il ne veut pas. Traité

202

LE CHIEN DE MAO

d'alliance ou pas, c'est l'éternel margouillis des relations sino-soviétiques. Méfiance, mépris, paranoïa... Chou répète sur tous les tons que le monde rouge uni serait victorieux. Il ressort la vieille thèse de Mao, la supériorité du nombre. Qu'est-ce donc que perdre, même cent millions de Chinois ? Il en resterait encore cinq cents millions prêts à se reproduire, à refabriquer la Chine. Staline repousse avec de grands gestes ces extraordinaires arguments. Un conflit atomique avec les Américains ? Il ne resterait plus de Chinois, il ne resterait plus de Russes... Peut-être quelques Américains. Mieux vaut abandonner la partie cette fois. Que Kim Il-sung renonce, qu'il quitte sa Corée du Nord et se réfugie en Chine. Quant à celle-ci, si elle reste sur son idée d'invasion, qu'au moins l'opération soit mesurée, symbolique presque. Pour les avions, Staline accepte d'entraîner des pilotes chinois et de fournir quelques appareils. Naturellement il faudra payer.

Mao est seul, il ne veut personne autour de lui, ni Zhu De, ni Liu Shaoqi ni aucun autre dirigeant, et surtout pas Jiang Qing. La moindre présence pourrait troubler sa méditation. Deux jours et deux nuits il se recueille, sans dormir, sans manger, résistant au désir de dire à Staline qu'il va retirer les armées concentrées sur la Yalu. Soixante-dix heures durant il demeure accroché sur le bord du « oui-je-fais-la-guerre », un oui qui ouvre la porte à la mort, au risque de faire du monde une planète vide et souillée à jamais. Certes, il a dit et redit que les Américains étaient des tigres en papier, mais ce sont aussi des brutes. Même le marchand de bretelles Truman, ce président de hasard, ce pauvre Américain moyen, ce pas-beau, ce timide, a pu ordonner les bombardements nucléaires sur Hiroshima et Nagasaki. Et cette formidable charcuterie de chair jaune a permis d'en finir illico avec l'Empire du Soleil Levant. Qu'est-ce qui empêche Truman d'utiliser ses petits jouets, entre-temps devenus énormes, contre Pékin et contre d'autres cités ?

Alors Mao songe à la Chine, au peuple de Chine qui, ici ou là, manifeste contre la guerre. Qu'on arrête les opposants et qu'on les fusille. Et que les autres, les meilleurs, encore une fois s'unissent. Contre les Américains et leurs chiens courants, contre les contingents des Nations Unies, contre ce qu'il reste de Coréens du Sud, il lancera une innombrable armée aux mains nues. Contre ces automates que sont les machines et leurs serveurs, Mao n'a qu'une solution : la succession de vagues humaines pour submerger l'ennemi, si équipé soit-il. Il y aura des morts, des centaines de milliers de morts, des millions peut-être, mais cette mer de cadavres emportera Mac Arthur. De toute façon, la masse rouge sera toujours la plus forte, même contre la bombe. Et Mao prononce un oui, oui à la guerre, oui à la mort.

Le Comité central s'est rallié à ce oui et Peng Dehuai a rejoint la Yalu. De Pékin, de Shanghaï, de la Chine entière des trains ont convoyé des troupes jusqu'à la Mandchourie. A Moscou, Staline, averti par Chou En-lai, a simplement marmonné que finalement les camarades chinois étaient vraiment bien. Il l'a répété, vraiment bien.

Mao est frappé le premier. A peine les Chinois ont-ils franchi la Yalu que son fils Anying est tué. Une mort calamiteuse, une extraordinaire malchance. Attaché à l'état-major, en première ligne, Anying travaillait dans un bureau installé dans une mine d'or désaffectée, un lieu sûr mais étouffant. Dehors il faisait beau. Un ciel très pur, très bleu, un ardent soleil d'automne... Anying était remonté à l'air pour fumer une cigarette et bavarder avec quelques camarades. Un chasseur américain volant en rase-mottes les a surpris et mitraillés. Anying est mort sur le coup.

A Peng Dehuai qui le prévenait, Mao a déclaré :

— Pas de condoléances, c'est la guerre, et c'est ce qui arrive à la guerre. Mais surtout, que personne ne soit au courant en dehors de votre entourage. Je veux un silence absolu, c'est mon secret et celui de ma famille.

— Devons-nous ramener le corps à Pékin ?

— Surtout pas. Qu'il se perde dans la foule des Chinois morts pour la Corée. Qu'on porte sa dépouille au sommet d'une colline, qu'on l'enterre sous un tumulus d'herbe et de fleurs, qu'on plante autour quelques arbres ! Rien de plus. Pas de discours, pas de cérémonie, qu'un peloton de ses hommes présente les armes, comme il est convenable pour un commandant. Et ne me reparlez plus jamais de mon fils !

Mao semble sur le point de pleurer. Larmes sèches. Le cœur lui cogne, pour la première fois de sa vie peut-être a-t-il de la peine. Un garde qui l'observe l'entend murmurer : « Et dire qu'il était le fils de Mao Zedong », puis il réclame une cigarette. Impossible de l'allumer, il tremble trop. Au bout d'un quart d'heure, il fait appeler Jiang Qing et Songlin et les met au courant. Jiang Qing hurle, se désole, gémit comme une pleureuse professionnelle, mais elle est au comble du bonheur, la mort d'Anying c'est un obstacle de

LE CHIEN DE MAO

moins sur la route du pouvoir. Visage grave, austère, Songlin, elle, reste muette. Soudain Mao d'une voix étrange, comme voilée, se met à parler :

— Jiang Qing et vous, Songlin, j'aimerais que vous alliez vous recueillir devant le corps de mon fils avant qu'il ne soit enterré. Un petit avion peut décoller dans l'heure pour vous conduire là-bas.

Songlin accepte tandis que Jiang Qing s'écrie qu'elle n'ira pas, qu'elle est fatiguée, que la nouvelle l'a dévastée.

— Tais-toi, mais tais-toi donc, crie Mao. Je te regarde depuis tout à l'heure, tu n'arrives même pas à dissimuler ta joie. Comment ai-je pu penser que tu aurais le courage de prendre un avion sans imaginer immédiatement qu'il serait abattu ? Tu es bien trop lâche et bien trop attachée à ta précieuse vie. Songlin, elle, n'a pas de crainte. Elle ira seule puisque tu es incapable de te tenir. Mais je t'en prie, disparais. Va où tu voudras et restes-y longtemps !

C'est ainsi que Jiang Qing retourne souvent à Shanghaï, auprès de Zhang Chunqiao, son nouveau mentor et amant. Jours et nuits ensemble. Parfois ils évoquent Kang Sheng, toujours disparu. Zhang prétend qu'il reste enfermé à l'hôpital de Pékin à divaguer dans les fumées de l'opium. Il paraît qu'il est entiché d'une sœur de sa femme, une dénommée Su Mei, qui depuis toujours, depuis Shanghaï et Moscou, vit dans son ombre. Ce ragot exaspère Jiang Qing : comment pourrait-elle ignorer une liaison de Kang Sheng ? Elle préfère se raccrocher à une autre rumeur : Kang Sheng serait à Tsingtao, la capitale du Shandong, et de là, de son poste subalterne de gouverneur de province, il dirigerait la fabrication d'une bombe atomique chinoise. Ses voyages, ses réseaux, ce qu'il appelait son divin écheveau... Un jour, elle saura. En attendant, Zhang Chunqiao.

En même temps, le travail révolutionnaire. Tous les films produits, Jiang Qing les décrète réactionnaires, un, surtout, venu de cette poubelle qu'est la coloniale Hong Kong, une magnifique *Histoire secrète de la cour des Qing* dont elle obtient, à force de tintamarre et de réunions, l'interdiction comme « film de trahison nationale ». Et ce, malgré les opinions favorables de quantité

LE CHIEN DE MAO

d'intellectuels et de Liu Shaoqi, le numéro 2 du régime. Jiang Qing écume. Comment tous ces traîtres peuvent-ils approuver une œuvre qui fait l'éloge, oui l'éloge, de certains membres de la cour de Ts'eu Hi, l'impératrice douairière?

Malgré son insignifiance, elle crie, elle piaille, elle se démène de toutes les façons, elle est le héraut de la guerre contre le féodalisme. Elle s'appuie sur Zhang Chunqiao, elle essaie même d'entraîner Mao dans son sillage mais celui-ci est réticent : cette mégère acariâtre ne comprend donc pas que dans la construction de la Chine nouvelle le cinéma n'est pas la priorité du moment? Veut-elle continuer d'ignorer que des centaines de milliers de Chinois meurent en Corée?

Et maintenant cette folle se déchaîne contre l'opéra de Pékin, contre ses personnages au visage peint, contre ses femmes chamarrées, ses satellites qui cabriolent, ses gongs, ses tambours, ses crécelles qui précipitent l'action dans une frénésie magnifique. Cet opéra, elle l'a chanté quand elle n'était encore que mademoiselle Grue des Nuages, et elle n'en connaît que mieux les dangers. Dieux, génies et fées ne sont que des vieilleries empoisonnées, un faisceau de superstitions qui détourne le peuple de la lutte des classes. Honte des hontes, les rôles des plus délicieuses et des plus féminines créatures, des chefs-d'œuvre de grâce et de beauté, sont tenus par des hommes. Un chanteur l'exaspère spécialement, le plus célèbre de tous, Mei Lanfang, qui toujours incarne les héroïnes touchantes et désolées. Mais Jiang Qing a beau hurler que ce Mei est un giton, un pédé, et que la sodomie est désormais punie de mort, elle a beau crier qu'il fume l'opium, ce qui devrait être châtié par un tribunal populaire, rien n'y fait : Mei Lanfang continue de miauler suavement et de mourir avec une tendre tristesse devant des parterres de dirigeants extasiés. Et les grands compagnons, les ministres et consorts se moquent bien des condamnations de Jiang Qing.

Loin d'être abattue par les sarcasmes et le dédain du Parti, par le mépris de Mao ou la réputation de harpie qui s'épanouit autour d'elle, Jiang Qing repart à l'assaut : Mei, dit-elle, est « attaché au passé », le crime des crimes. Mais personne n'ose toucher à l'illustre chanteur et l'on raille si fort cette énervée de Madame Mao que Zhang Chunqiao intervient pour lui trouver une autre proie à griffer et à salir :

— Nous avons manqué de vigilance. Un jour, j'ai vu Chou Enlai à une représentation du *Serpent blanc* et j'aurais dû comprendre :

LE CHIEN DE MAO

Mei Lanfang faisait sa sucrée sur la scène et Chou bandait devant cette mélisse. Mais j'ai trouvé autre chose pour assouvir ta juste haine du réformisme et des sentiments baveux.

Venait de sortir, toujours des studios de Hong Kong, un film qui tirait les larmes aux immenses publics et aux grands camarades. Il contait l'histoire authentique d'un certain Wu Xun, un mendiant à l'humilité prodigieuse, qui avait le don de susciter la générosité dans les cœurs les plus racornis. Wu Xun ne croyait pas aux dieux, il n'était pas recommandé par le Buddha et ne prêchait pas, mais dès qu'il apparaissait, les riches et les aisés se défaisaient de leur fortune. Economisant chaque tael, il avait réussi à constituer un trésor, à le placer, à spéculer même, pour enfin ouvrir une, puis deux, puis trois écoles. Dans toute la province du Shandong, où il était mort à la fin du siècle dernier, le parfum de sa vertueuse prodigalité était monté jusqu'au ciel. On s'en émerveillait encore.

Jiang Qing part en croisade contre cette pâmoison en proclamant que Wu Xun n'est qu'une ordure réformiste. Encore une fois, elle ne suscite que des rires et des moqueries. Mais Zhang Chunqiao la conforte et l'encourage :

— Le Parti est aveugle, Mao lui-même est aveugle. C'est toi qui as raison : le communisme combat l'infâme imagerie bourgeoise de la bonté, tout ce paternalisme qui piège les faibles d'esprit. La vraie bonté a sa source dans la lutte des classes, dans l'affrontement du Peuple avec ses ennemis. Ce Wu Xun qui avait partie liée avec les propriétaires terriens n'était qu'un collabo, un confucéen bien-pensant à fuir comme la peste.

Ainsi a parlé Zhang, et Jiang Qing a rapporté ses paroles à Mao, qui s'est mis à rire :

— Zhang Chunqiao t'a débité tout ça sur l'oreiller ? C'est bien trouvé. Je vais écrire un article dans *Le Quotidien du Peuple* pour démontrer que ce film entretient une redoutable confusion idéologique.

Victoire donc pour Jiang Qing. Victoire qui ne lui suffit pas. Son regret, c'est que Wu Xun ne soit plus qu'une ombre. Peut-on déchiqueter une ombre ? Eh bien, elle le fera ! Mao lui accorde la permission de se rendre dans le Shandong pour trouver les preuves de l'ignominie de Wu Xun, ce menteur, ce tricheur, ce traître réactionnaire. Tout de même, il exige qu'elle voyage sous un faux nom et la flanque d'un journaliste et d'un fonctionnaire du ministère de la Culture pour la surveiller.

Mais comment surveiller une furie ? Partout où elle passe, Jiang

LE CHIEN DE MAO

Qing déchaîne les clameurs. Des paysans terrorisés lui sont amenés pour être interrogés par elle. On fouille les registres, on poursuit des vieillards à la mémoire hésitante, on retrouve une ancienne maîtresse, on cherche, on cherche... l'avenir du Parti, celui même de la Chine semblent en jeu. Rien n'arrête Jiang Qing, ni la fatigue, ni la fièvre, ni la dysenterie : elle fait venir des docteurs, des guérisseurs, des sorciers, elle avale d'étranges remèdes, elle se rétablit et elle reprend sa quête : qui était Wu Xun ? Elle découvre qu'il était « un gros propriétaire terrien, un gros banquier usurier et un gros paresseux » qui feignait d'aimer le peuple pour mieux l'exploiter. Il avait toujours aux lèvres la salive de la cupidité et ses regards luxurieux souillaient toutes les femmes. Hélas, Wu Xun est mort, ce qui empêche Jiang Qing d'éprouver la joie de le faire condamner et de le voir mourir sous ses yeux. Tout de même, les dizaines d'articles que suscite son enquête lui sont un baume. Demain, elle y est résolue, elle fera mieux.

Grâce à l'affaire Wu Xun, Mao a tenu cette pie-grièche de Jiang Qing éloignée de lui pendant six mois. A peine est-elle rentrée à Pékin, tout exaltée par son périple dans le Shandong, qu'il rêve de s'en débarrasser à nouveau. Car Zhongnanhai retentit de ses cris, de ses scènes, de ses exigences. Elle veut des robes, des bijoux, sa fille l'agace, celle de He Zizhen encore plus, les gardes lui manquent de respect, la dérangent alors qu'elle essaie de monter un opéra moderne ou de faire écrire des scénarios dignes de la nouvelle Chine. Elle est incomprise, bafouée, des traîtres bloquent ses projets, elle reçoit comme une gifle le prix Staline accordé à Ding Ling. Et dans son égarement, elle s'accroche à Mao qu'elle irrite chaque jour un peu plus.

Elle veut être utile ? Elle veut ses tués ? La Chine abonde en cadavres, qu'elle fasse son choix. Mao, brusquant le Parti qui souhaitait des méthodes plus douces, vient de proclamer la réforme agraire absolue, la terre à la communauté et que dans chaque village on bénisse cette collectivité par le sacrifice rituel d'un riche que le peuple aura choisi et jugé. Que le condamné soit amené, que la population du hameau l'interroge et l'accable des heures durant, que tous dénoncent ses crimes et exigent sa mort ! Que la famille soit présente, que les anciens, les femmes, les enfants vociférent, et que tous se réjouissent au son de la déflagration qui mettra fin à cette vie ignoble ! Jiang Qing est au comble de l'enthousiasme quand Mao l'autorise à assister à ces fêtes funèbres.

LE CHIEN DE MAO

Déjà elle imagine le beau théâtre qu'elle en fera, à elle l'art et le raffinement, par elle la mort comme un cadeau. Dans son allégresse, elle oublie que pour ces réjouissances Mao lui impose toujours la même condition : rester inconnue de tous.

On l'envoie dans des campagnes proches de Wuhan. Mais alors qu'elle croyait diriger une ardente équipe d'exécuteurs, elle est assistée par deux gardes du corps qui la considèrent comme une emmerdeuse avec son romantisme noir. Elle croyait chevaucher l'épopée, mener des traques, des battues, régler les scènes des jugements et des agonies, et ainsi se faire aimer des pauvres et des affamés, mais elle n'est qu'une femme en manteau de fourrure qu'on promène de village en village, « coupée des masses » gémit-elle. Les cadres qui mettent en œuvre la réforme sont des bureaucrates qui accomplissent leur tâche machinalement, bourreaux méthodiques qui possèdent toutes les données nécessaires, qui savent où et comment choisir les victimes, ce qu'il faut faire pour les occire, à la façon des cochons. Elle assiste à plusieurs procès, à plusieurs mises à mort, des cérémonies monotones, sans fougue, ni plaisir... Les condamnés connaissent les accusations qui seront portées contre eux, ils ont appris le texte de leurs aveux, ils le récitent docilement, comme s'ils ne se rendaient pas compte de ce qu'est la mort. Le peuple ne l'éprouve pas davantage, malgré ses cris et ses gestes de colère. Les exécutions ne sont plus qu'une formalité.

Jiang Qing a Zhang Chunqiao au téléphone qui s'amuse beaucoup :

— Comme si on allait te laisser faire du travail politique ! Dis-moi où tu es ! Il serait malséant que je te rejoigne, mais je t'expédie quelques hommes dont nous sommes sûrs, ils organiseront bien les choses.

En effet. Désormais on livre à Jiang Qing de la chair, du sang, de la vraie mort. Le peuple, qu'on tire dès l'aurore de son sommeil, est là, prêt à hurler contre le coupable qui vient juste d'être désigné, que déjà il faut haïr, et haïr de toute sa force, quel qu'il soit, un grand propriétaire ou un cul-terreux. Jiang Qing mène le jeu, qui questionne de sa voix stridente, qui assaille le coupable, le traître, la victime :

— Tu as été officier chez les nationalistes !

Rien ne pourra faire que ce ne soit pas là la vérité terrible, même si c'est faux, complètement faux, même si l'accusé a servi le drapeau rouge.

209

LE CHIEN DE MAO

— Tu exerçais un droit de cuissage, tu t'emparais des récoltes des métayers, sans leur en donner aucune part, ou si faible qu'ils mouraient de faim !

Génie de Jiang Qing, génie pour faire monter la gamme des hurlements autour du condamné qui demande grâce. Et puis un coup de pistolet... Alors Jiang Qing procède à la redistribution des biens, elle tranche, décide, répartit meubles, vêtements et casseroles entre les pauvres qui la remercient en sanglotant de bonheur. Elle pleure aussi, ils sont tellement misérables. Dommage qu'ils soient si sales et que leur nourriture soit immangeable !

Trois mois, et Mao en a assez des exploits de Jiang Qing. Sommée de rentrer, elle a quitté la province dans un concert de regrets et de larmes, explique-t-elle à Mao dès son arrivée à Zhongnanhai. Il l'a convoquée dans son bureau et, muet, il l'écoute se vanter de l'excellence de son travail. C'est simple, elle veut repartir pour participer à la campagne « Résistance à l'Amérique et aide à la Corée ». Elle en a déjà fait la demande au Parti.

Mao la regarde avec stupéfaction :

— Que puis-je te dire ? Tu es une mouche, un frelon, tu remplis l'air de tes bourdonnements, tu piques choses et gens, inconsciente, tellement inconsciente... Crois-tu vraiment que le Parti va te permettre de jouer encore le moindre rôle ? Personne ne te supporte. Au ministère de la Culture, on se plaint de tes caprices et de tes interventions erratiques. Tu sèmes le désordre et tu fais peur. Ces paysans qui à t'entendre pleuraient en te voyant partir, pleuraient de bonheur. Rentre dans ton pavillon, cache-toi, on te fera connaître les décisions du Parti.

Dès le lendemain, la question de Jiang Qing est posée en conseil. Elle a voulu assister à la réunion mais on le lui a interdit. De quel droit, à quel titre y aurait-elle participé ? Fulminante, elle est retournée chez elle. Et elle a commencé à attendre... L'éternelle attente, ce bouillon où l'on se liquéfie. Toujours être confrontée à cette inconsistance, la durée. Toujours souhaiter, toujours être déçue...

Enfin Mao apparaît. Avec flegme, il lui dit que les dirigeants s'inquiètent fort de son air épuisé et de sa maigreur, qu'ils ont jugé à propos de lui ôter tous ses postes afin qu'elle se repose pour mieux s'occuper de lui, Mao, ce qui est après tout sa tâche primordiale.

Jiang Qing a rugi :

LE CHIEN DE MAO

— Qui ? Quel scorpion ? Quels serpents ?

— Mais tous les grands cadres, ma chère. Tous ceux qui t'ont aperçue hier dans Zhongnanhai. Liu Shaoqi était si préoccupé qu'il a parlé de toi avec sa femme. Elle aussi est d'avis que tu te remettes sur pieds pour être à même de veiller à tous mes besoins. C'est ton devoir envers le Parti, qui m'a en quelque sorte confié à toi.

Jiang Qing n'écoute même plus, elle a compris : la malédiction des trente ans... Elle n'est même pas étonnée lorsque Mao termine son discours gluant dans la fourberie absolue : par souci d'elle, par amour pour elle, il souhaite qu'elle retourne à Moscou. Tout est prêt pour son départ.

Encore une fois la longueur du temps, encore une fois le voyage interminable, encore une fois l'ambulance qui attend à la gare de Moscou. Jiang Qing se sent tellement seule. Tenir à la vie, lui a naguère reproché Mao, trop tenir à la vie... mais cette fois elle est une épave qui sombre. On la conduit à l'hôpital du Kremlin, mais sans lui montrer d'égards. Elle sait ce que signifie la désinvolture dans un régime communiste : elle va mourir. Enfin elle est livrée à des médecins et à des infirmières, pour qui elle n'est qu'une chair comme une autre. Ces visages au-dessus d'elle, et sur elle ces mains... Elle est à peine consciente, des mots lui parviennent cependant, des mots rugueux et indistincts dont elle devine le sens : on parle d'abcès, de foie, de bile noire, de mal mystérieux, on doute. Tout se passe comme dans un rêve horrible, elle est abandonnée, laissée au pouvoir de ces Soviétiques. Elle implore qu'on avertisse Mao, mais aucun message ne parvient en retour. Rien de Staline non plus, et personne ne se déplace de l'ambassade de Chine. Des ombres descendent sur elle, elle est prise par un sommeil mauvais. Ces Russes l'ont-ils tuée ?

Pourtant, lentement, la vie lui revient. Et elle se retrouve. Elle est sur un lit de fer, incapable de bouger, comme maintenue dans l'isolement par un personnel toujours plus pesant, du personnel carcéral dirait-on. Veillent sur elle, fumant et se remaquillant sans cesse une Russe colossale, à l'indifférence géante, et puis aussi, comme un farfadet, une petite Chinoise finalement envoyée par

LE CHIEN DE MAO

l'ambassade. D'un ton geignard, Jiang Qing demande continuellement à rentrer à Pékin et emploie toutes ses forces à multiplier les requêtes, mais en vain. Elle se fâche, elle arrive à crier. La Russe gigantesque lui dit de se calmer et lui fait une piqûre. Et la minuscule interprète-assistante chinoise intercale dans ce flot de paroles sa voix flûtée qui répète que ce n'est pas possible.

Pourquoi n'est-ce pas possible ? Mao la condamne-t-il à la réclusion perpétuelle à Moscou ? Ou est-ce Staline qui désire la garder comme otage ? Si Mao voulait vraiment son retour, il l'imposerait. Hélas ! il n'exige rien à son sujet. Une quarantaine s'est établie autour d'elle, elle ignore ce qui se passe en Chine, ce qui se passe en URSS, ce qui se passe dans le monde.

Le temps, toujours la même chiourme, les gens accrochés à leurs petites affaires, à leurs petits intérêts, les filles qui se vendraient pour une babiole. Ces médiocres marchandages n'intéressent pas Jiang Qing qui reste enfermée en elle-même et feint de ne rien voir, jusqu'à ce que, sa santé s'étant améliorée, elle ait envie d'une existence moins mesquine : elle se souvient qu'en distribuant un peu d'argent à bon escient, elle s'attirera des sourires, des gracieusetés, des amabilités. Elle connaît le prix d'un service, d'une gentillesse, alors, sous un prétexte ou un autre, elle verse une petite somme aux infirmières, pas aux médecins, qui pourraient se froisser et que de plus elle ne voit guère, tant est grand leur mépris. Le dédain de ces seigneurs... mais le petit personnel devient charmant.

Des jours et encore des jours, des piqûres et encore des piqûres, Jiang Qing va mieux, toujours mieux, elle est autorisée à se lever, à se promener dans l'hôpital, à sortir en ville, accompagnée de gardes du corps – elle a donc quand même un peu d'importance. Dans Moscou, elle se rend jusqu'au seul magasin bien fourni, le Goum. Là, elle commande une robe de chambre de soie verte qui sera son uniforme de détenue de luxe. Une fois rentrée, elle se peint le visage, elle se pare de quelques bijoux, elle redevient la Reine, la Reine selon la tradition de la beauté céleste.

En fait, pour tous ces Russes aux chairs prospères et aux faciès réjouis, elle n'est qu'une Chinoise, c'est-à-dire une créature inférieure avec laquelle il est recommandé de ne pas se commettre. Plusieurs semaines passent, on la renvoie sur les bords de la mer Noire à Yalta, on la remet dans le sanatorium de la forêt, on la transfère dans une datcha, on la reprend à l'hôpital du Kremlin. Mais, même si maintenant on lui fait fréquenter du monde, même

212

LE CHIEN DE MAO

si l'on multiplie les activités sociales, elle s'ennuie de plus en plus. Elle participe à des dîners fastidieux, elle se livre à de mornes parties de bridge avec les mêmes vieilles dames, sans doute des épouses ou des veuves de dignitaires, il semble que les pensionnaires mâles l'évitent. Dans cette routine, une seule distraction lui plaît, les séances de cinéma. Elle en réclame toujours plus, on y consent. Elle se gorge d'images, elle est hypnotisée.

Le temps. Depuis les lueurs de l'aurore jusqu'au crépuscule, elle sait exactement ce qui va se produire, les bruits, les pas, les raclements des ustensiles, toutes les quotidiennetés. Elle regarde la neige fondre, elle est heureuse quand un rai de soleil atteint son lit. Surtout, dans cet étirement, ne pas penser, ne pas se laisser aller à des idées, à des hypothèses, ne pas désespérer, ne pas espérer. Le salut, c'est de parvenir à l'état végétatif, ne plus se rendre compte de rien. Mais les faits divers et les occurrences de l'établissement la tirent sans cesse du néant : un décès, le cérémonial mesquin des enterrements, et ces opérés qui ne sont plus que pansements sanglants, ces amputés qui béquillent... La mort qui rôde.

Désormais la maladie de Jiang Qing, c'est le temps, bien qu'elle s'efforce de tomber en catalepsie pour ne plus le sentir, ce temps qui s'écoule et cependant ne coule pas. Elle dort, mais jusque dans le sommeil son cœur reste en alarme : elle est dans une cage, elle se heurte à des barreaux, elle est enfermée pour l'éternité. Lorsqu'elle s'éveille, l'obsession revient, parfois atone, parfois douloureuse, pourquoi, pourquoi ce supplice du temps ? Quand finira-t-il ? Jamais ? Elle demande toujours à rentrer en Chine, toujours on refuse. Est-elle une criminelle, est-elle une indésirable, elle, Jiang Qing, la femme de Mao ?

Alors elle retourne à ses distractions misérables, le cinéma, les parties de bridge. Les mêmes figures forment un ballet affreux autour d'elle, des infirmières et des vieux qu'elle prend plaisir à martyriser. Ses colères, ses rages, ses impatiences, sa haine croissante de Mao. Elle le voit, le regard posé sur elle, lourd de rancune. Est-ce à cause de Zhang Chunqiao ? Même pas. Elle ne sera sauvée que s'il a besoin d'elle, on le lui a dit. Mais pour le moment, enivré par des projets immenses, il l'a oubliée.

L'inexistence... Pourquoi ne pas la rejoindre en quittant ce monde amer qu'elle a tant voulu dominer ? Son échec est trop épouvantable. Plutôt que de se prolonger dans cette lassitude infinie, il vaudrait mieux en terminer. Et puis, il y a une beauté dans

213

LE CHIEN DE MAO

le suicide, une puissance de résolution admirable. La mort sera son ultime victoire. Mais comment se la donner, dans un hôpital qui est aussi une geôle protectrice, même contre soi?

Jiang Qing a un plan. Pendant des nuits et des nuits elle s'agite, elle hurle pour réclamer l'infirmière de service, dix fois, cent fois. Sans arrêt, comme une folle, elle exige toujours plus de somnifères pour arriver au sommeil réparateur. Bien sûr, elle réussit à ne pas avaler tous les comprimés. Un soir, elle s'acharne tellement à quémander des pilules que l'infirmière, pour ne plus entendre cette voix stridente qui déchire le silence, lui en laisse une boîte entière. C'est le moment. Jiang Qing avale un cachet, dix cachets, est saisie de nausée, finit par s'effondrer sans connaissance. Dans quelles limbes se retrouve-t-elle? Contre quel cauchemar lutte-t-elle? Quel instinct de vie la fait bouger, se débattre? Elle rêve qu'elle tombe, la bouche... Revoilà la bouche qui va l'avaler... Elle ne veut pas... Elle donne un fantastique coup de reins pour échapper au gouffre... et dégringole de son lit en renversant sa table de chevet. Bruit énorme qui attire une fille de salle. Cette imbécile se met à crier. Un petit attroupement se forme autour de la suicidée qui pue le vomi et l'urine mais personne ne prend aucune décision jusqu'à ce qu'arrive un médecin, l'air renfrogné, mécontent d'être tiré de son repos. On lui dit que cette Chinoise à moitié morte est l'épouse du président de la République de Chine. Subitement tout s'accélère : des brancardiers apparaissent comme par miracle, Jiang Qing est emmenée à toute allure dans une salle de soins, les tuyaux, l'ignominie du lavage d'estomac, l'horreur du réveil, avec les souvenirs d'effroi qui reviennent. Jiang Qing se jure que la prochaine fois, elle ne se ratera pas.

L'hiver s'achève où Jiang Qing a cru geler dans le froid mortuaire de toutes choses. Et voilà qu'un jour, de nouveau, la vie s'ouvre à elle, de la façon la plus soudaine et la plus imprévisible... par un décès. Alors qu'elle rentre d'une promenade, elle trouve le sanatorium en plein délire de chagrin, une vraie démence. Tous les Russes gémissent, pleurent, se lamentent parce que la radio vient d'annoncer la mort de Staline. Roulements de tambours, marche funèbre, c'est comme si Dieu avait expiré. Cette exaltation, cette frénésie de douleur, ces gigantesques sanglots surprennent Jiang Qing qui est adonnée aux rites de la face. Elle reste digne, elle paraît indifférente, on l'agrippe, on l'insulte... A la vérité, Staline ne l'inspire guère, qui a été avec elle d'une exception-

214

LE CHIEN DE MAO

nelle grossièreté lors de leur unique rencontre. Tout de même, elle arrive à renifler, par convenance.

Une tempête bat en elle, des vagues déferlent dans son âme et dans son corps, même si elle reste impassible : son sort, pense-t-elle, va se jouer dans les jours à venir, lors des obsèques du Petit Père des Peuples. Tous les dirigeants communistes de l'univers participeront à ces funérailles, en un deuil démesuré. Déjà la radio se répand en messages de condoléances éperdues, en couronnes de mots funéraires, déjà elle annonce l'arrivée de dignitaires rouges qui se proclament orphelins. Dans cette folie voilée de crêpe, on perçoit cependant une étrange discrétion du côté de la Chine : en sont parvenues des déclarations émues, mais pas plus. Silence sur qui représentera l'Empire du Milieu. Immédiatement Jiang Qing se pose la grande question : Mao se rendra-t-il à Moscou ? Viendra-t-il la saluer, la récupérer, l'emmènera-t-il pour refaire d'elle sa femme, ou au contraire évitera-t-il tout contact avec elle ? S'il était là, tout proche, et qu'il ne vînt pas jusqu'à elle, ce serait plus que jamais la livrer au temps, au temps destructeur, au temps qui tue.

Des heures sans cesse plus étouffantes se succèdent. Les voix de la radio ne disent toujours rien de la délégation chinoise. Tous les chefs des Etats communistes sont là, pieusement solennels dans l'étiquette de l'immense adoration, donc Mao ne devrait pas tarder. Il est sur le point d'arriver, se persuade Jiang Qing qui ne sait rien et qui n'a reçu aucun message. Car auprès de Staline mort, de son cadavre qui se détériore malgré tous les embaumements, Mao apparaîtra comme la seule lumière, la seule conscience de la terre, ces obsèques seront une apothéose. Elle songe à Staline, à toutes les rumeurs qui déferlent : Beria l'aurait empoisonné, on l'aurait privé de soins après une attaque, il aurait agonisé pendant trois jours, il serait mort en menaçant l'univers. Quoi qu'il en soit, il faut qu'elle en parle à Mao qui ne se méfie pas assez, elle en est certaine, de son entourage. Mais viendra-t-il ? L'écoutera-t-il ?

Jiang Qing s'engrosse d'angoisse et puis elle se déchiquette quand la radio annonce que Mao ne se déplacera pas, que Chou En-lai, le chef du gouvernement, prendra la tête de la délégation chinoise. Extraordinaire absence. Est-ce pour quelque raison politique, pour bien marquer que la Chine rouge n'est pas une simple dépendance, un appendice de l'URSS toujours souveraine et dominatrice ? Est-ce par orgueil, pour ne pas se mêler aux valets qui viendront, la larme à l'œil, faire leurs dévotions au prochain

LE CHIEN DE MAO

tsar du Kremlin, quel qu'il soit ? Mais peut-être est-ce elle, Jiang Qing, qui le rend incertain, elle qu'il ne voudrait, dans son indétermination, ni absoudre ni accabler.

La voix qui sort de la petite boîte. La voix qui détermine son sort... Elle dit que Chou En-lai est arrivé, fervent et désolé, avec une cohorte de grands du régime, les grands choisis par Mao, qui est retenu en Chine par une maladie. Les jours suivants, dans le long fleuve des annonces consacrées aux plus fameuses obsèques que le monde connaîtra jamais, on entend la voix grave, si harmonieuse, du camarade Chou En-lai. Il s'exprime en russe, avec aisance. Il lit la traduction d'une lettre écrite par le Président Mao lui-même. Texte magnifique, des caractères s'envolent, tous les oiseaux funéraires dans le Domaine de l'Au-delà... La voix de la radio détaille les cadeaux que, selon la coutume céleste, le camarade Chou En-lai a apportés, cadeaux en papier représentant les plus beaux objets, cadeaux que l'on brûlera pour que l'âme des choses de ce monde et celle des choses de l'au-delà s'allient à l'âme de Staline, souverain du Peuple accédant à l'éternité. Jiang Qing reconnaît le style pompeux du Dragon : il ne veut supporter aucun licol. Elle, Jiang Qing, n'en est-elle pas un pour lui ?

Peut-être Chou En-lai a-t-il reçu l'ordre de l'emmener avec lui à la cérémonie, et de la ramener ensuite à Pékin, peut-être lui susurrera-t-il des paroles d'orgeat. Peut-être ne viendra-t-il pas. De toute façon, ce n'est pas lui qui décidera, mais Mao, qui du reste a déjà décidé.

Chaque seconde est longue. Pas de Chou En-lai auprès d'elle, aucun message. Jiang Qing est négligée, oubliée. Cependant les secondes s'accumulent et arrive le grand jour. De la petite boîte monte un grondement, derrière la voix qui commente il y a tant de voix, tant de bruits... coups de canons, hymnes funèbres, le piétinement et le souffle d'une foule énorme. Le cortège marche lentement à la suite du corps vidé et vernissé du Petit Père des Peuples – il est indiqué que Chou En-lai tient un des cordons du poêle. Hommages interminables... et toujours ce grondement. Puis Staline, le fou paranoïaque, va rejoindre Lénine, de façon que ces deux cadavres, immuablement conservés, dominent le monde des hommes dans les siècles des siècles, momies bénéfiques que les générations iront contempler et prier.

La voix de la radio s'est tue. Les pompes funèbres sont achevées et Jiang Qing s'accroche à un dernier espoir, qu'enfin Chou En-lai apparaisse. Secondes, minutes, jours... il ne se présente pas, et il

LE CHIEN DE MAO

regagne Pékin. Mao lui a donc prescrit de faire comme si elle n'existait pas. L'effroyable chute, le gouffre sans fin. Jiang Qing se décompose, la mort va la happer.

Là-dessus, elle est renvoyée à Moscou, dans l'hôpital du Kremlin où médecins et chirurgiens, cette fois avec une déférence sourcilleuse, la soumettent à une kyrielle d'examens. A la suite de quoi, ils déclarent qu'elle est entièrement guérie et qu'il lui est permis de retourner à Pékin.

L'été a éclaté sur le monde... La chaleur comme une bonne haleine, la symphonie de la joie au rythme berceur du train. Après la traversée de l'interminable forêt, voici les steppes, voici les déserts et les montagnes chauves. A un arrêt, on remet à Jiang Qing un télégramme de Mao qui se réjouit de la retrouver. Accueil en grand apparat à la gare de Pékin, gerbe de fleurs, et cette phrase miraculeuse de Mao :

— Dorénavant tu resteras auprès de moi.

Extase, éblouissement. Mao a-t-il voulu lui signifier qu'elle allait participer à son œuvre ? Il a vieilli, il s'est alourdi, ses mains tremblent encore plus, peut-être a-t-il besoin d'elle, peut-être pourra-t-elle sortir de son néant politique, devenir enfin son « compagnon d'armes ».

Ce Mao de la soixantaine, qu'atteignent les premiers signes de l'âge, est au comble de la puissance. A quoi associerait-il Jiang Qing ? Tous les adversaires du Peuple ont été réduits, par toutes les méthodes possibles, y compris celles de la « douceur ». A côté des exterminations, on a, pour certains capitalistes dont on ne voulait prendre la vie qu'après s'être emparé de leurs biens et connaissances techniques, procédé lentement. D'abord on leur a accolé l'épithète de « patriotes », on les a ménagés, on s'est servi d'eux, et lorsqu'ils sont devenus inutiles, leur science volée et absorbée, on les a détruits. Pernicieuse douceur, inexorable effondrement. Jiang Qing n'a pas pu participer à ce suave carnage, même si son amant Zhang Chunqiao en a été à Shanghaï un des artisans. Combien elle le regrette ! Mais elle sera là, gaillarde, pour la prochaine hécatombe, parce qu'il y en aura une, Mao ne peut vivre sans se choisir des ennemis, les haïr longuement, secrètement avant de procéder à leur épuration. Qui a-t-il choisi, se demande Jiang Qing, puisqu'il a tout terrassé, puisque la Chine est entre ses mains et celles de ses hommes liges ?

Jiang Qing pavoise. Mao est aimable, il lui demande d'assurer quelques travaux de secrétariat et de lui résumer les bulletins d'information qui circulent parmi les grands dirigeants. Elle n'est pas très douée, elle se lasse vite. Du moins devient-elle un peu moins ignare. Elle réussit même à comprendre les arcanes des pourparlers de Panmunjom qui mettent fin à la guerre de Corée. La guerre d'Indochine ne l'intéresse pas. Elle ne songe qu'à la politique intérieure, au pouvoir immédiat, tangible. Un jour, à la fin d'une conversation, Mao lui glisse qu'il va désormais s'occuper du Parti.

Mais rien ne se produit. Mao, au lieu de se délecter dans la répression, s'abîme dans les plaisirs. La plupart du temps, il est vautré sur un gigantesque lit construit pour lui et qui peut accueillir cinq ou six personnes. Il ne s'habille que contraint, il est sale, il ne se lave pas – des gardes le nettoient avec des linges humides –, il a les dents couvertes de tartre verdâtre, il pue. L'âge venant, il croit aux pratiques du taoïsme qui voit dans le contact de jeunes chairs un remède au vieillissement. Sa frénésie sexuelle... L'unité de la garnison centrale a créé une troupe d'action culturelle pour distraire gardes et soldats. En fait, c'est un vivier de petites amantes de bonne origine populaire qu'on peut dresser pour les loisirs du tyran. Et surveiller. Chaque fin de semaine, il y a bal à Zhongnanhai au pavillon du Lotus Printanier. Malheur à qui n'y assiste pas, malheur à qui s'y ennuie. Mao danse toujours aussi mal, cela ne paraît pas déranger les jeunes filles, pas plus qu'elles ne semblent troublées quand parfois il prend l'une d'elles par la main et l'entraîne dans une salle voisine où l'on a dressé un des fameux lits spéciaux.

Mais Mao n'apprécie guère Pékin. Alors il voyage, il voyage sans arrêt. Il disparaît dans son train privé qui le mène dans quelque endroit de paresse et de lasciveté, à Beidaihe, la plage de la capitale, plus souvent à Hangzhou, ou bien près de Wuhan, ou encore à Canton. En ces endroits choisis, dans des palais qu'on a rénovés, dans des villas qu'on a confisquées, il se divertit avec sa suite, qui comporte tous les êtres servant aux jouissances, donzelles – chaque province où il se rend, chaque région militaire, l'armée de l'air, le Bureau des Affaires Spéciales, ont désormais une troupe

LE CHIEN DE MAO

de danseuses aux attributions ambiguës –, musiciens et major-domes. La nourriture arrive chaque jour par avion de la ferme de la Montagne Géante à Pékin, les cuisiniers s'affairent en perma-nence, les goûteurs aussi, comme au temps des empereurs. Sur ce beau monde veillent des dizaines de gardes, des infirmières, des médecins, tout un petit peuple obséquieux, traversé de complots, de rivalités et de ruses dont Mao fait sa pitance.

Le pouvoir ? Il l'a, il s'en repaît. Qu'on laisse aux domestiques, à un Chou En-lai, à un Liu Shaoqi, le soin de s'acquitter de la be-sogne, lui est au-delà de ces contingences. Il lit énormément, des classiques surtout, les annales, la poésie, et il se prélasse avec ses mignonnes dans des piscines que partout on creuse pour lui. L'été, il aime s'ébattre dans l'eau des lacs ou grimper au sommet des montagnes pour trouver de la fraîcheur. L'hiver, il descend dans le sud, jusqu'à l'approche des jungles où fleurissent les orchidées. Il décide de nager dans tous les grands fleuves du pays.

Le train, qui transporte Mao d'un délice à l'autre, est devenu un autre palais : on y a casé un grand lit et une bibliothèque. Il ne roule que lorsque Mao est éveillé, quand il dort, le convoi est immobilisé sur quelque voie de garage. Ces voyages... Les gares désertes, la circulation interdite, les milliers et les milliers de senti-nelles... Mao qui peut surgir partout et sa présence qui annihile tout. Aux stations, pour ne pas éveiller ses soupçons, on déguise des membres de la sécurité en voyageurs et en vendeurs de rafraîchissements. Lui est persuadé qu'il découvre la terre et l'âme chinoises.

Lorsqu'il revient à Pékin, il retrouve avec ennui l'atmosphère délétère de Zhongnanhai. Les hystéries, les dénonciations, les châ-timents. Jiang Qing n'est pas la dernière à ces jeux mais il la laisse faire. Elle le houspille, elle trouve qu'il sent la gamine et qu'il de-vrait se ménager. Un vieux couple qui connaît ses repères... Par-fois pourtant elle explose, quand il fait rechercher les fils qu'il a eus de He Zizhen et qui ont été abandonnés au début de la Longue Marche, ou quand il est trop aimable avec sa belle-fille Songlin, la veuve d'Anying. Elle crie, elle gronde, elle se déchaîne, elle insi-nue, elle tombe un peu malade, pas trop. Mao ne dit rien. En gage de bonnes grâces, Jiang Qing décide de s'occuper d'un neveu de son mari, Mao Yuanxin, dont le père est mort au combat. Si de-main il doit devenir un prétendant, qu'il soit son allié, les comptes se régleront ensuite.

Désormais Jiang Qing voit Mao tous les jours. De nouveau elle

LE CHIEN DE MAO

lit pour lui, il l'écoute, il arrive qu'il la caresse, il prétend que personne ne lui est plus fidèle dans toute la Chine. Ensemble, ils se réjouissent lorsque Rao Shushi, l'ancien lieutenant de Kang Sheng devenu son supérieur, et qui avait tant irrité Jiang Qing en la surveillant de trop près à Shanghaï, est emporté dans une purge. Ensemble, ils savourent un article paru dans un journal du Shandong critiquant *Le Rêve dans le Pavillon Rouge*. Ce roman classique y devient une herbe vénéneuse, un ramassis d'idées dangereuses où l'on ne prend pas assez parti contre le féodalisme. Pour attaquer ainsi un chef-d'œuvre illustre, il faut que l'auteur ait eu la bénédiction des autorités de Shandong. Jiang Qing reconnaît la marque de Kang Sheng. Que mijote-t-il celui-là ? Mao, qui plus que jamais déteste les intellectuels et les gens établis, accepte qu'on donne un grand retentissement à cet article. Jiang Qing s'agite, le présente au *Quotidien du Peuple* – qui le refuse. Elle s'agite plus encore, obtient une parution dans un autre journal, elle est grisée : Mao ne l'a-t-il pas suivie dans cette campagne alors que *Le Rêve dans le Pavillon rouge* est une de ses lectures favorites ? Dans quoi ne la suivrat-il pas dorénavant ?

Sa gloire éclate le 10 octobre 1954, lors du cinquième anniversaire de la fondation de la République. C'est une fête extraordinaire, un défilé militaire complété par des lâchers de ballons, des feux d'artifice ; sur des estrades se prodiguent acrobates et jongleurs, plus loin la foule acclame. Mao entouré de ses dignitaires se tient sur la porte de la Paix Eternelle où il traite en hôte d'honneur le successeur de Staline, le camarade Khrouchtchev à la bonne trogne de moujik. Et Jiang Qing est là. C'est sa première participation à une fête officielle. C'est immense, un triomphe, une reconnaissance. Modestement, elle a pris place à l'écart du jovial Soviétique. Chou En-lai, le premier secrétaire, paraît surpris, il s'approche d'elle et l'emmène vers Khrouchtchev pour la lui présenter. Soudain Mao surgit, il empoigne sa femme et l'entraîne en lui rappelant que, selon la ligne du Parti, elle est exclue de la vie politique. Il aboie :

— Les trente ans ne sont pas écoulés ! Tu es Madame Mao, pas Madame la Présidente de la République Populaire de Chine !

Toujours est-il qu'il reste auprès d'elle pendant le défilé, grondant, éructant. Il lui est revenu qu'au Kremlin on appelait Jiang Qing « le joli matelas de Mao ».

Est-ce cette contrariété, ce rappel à l'humilité de sa condition

LE CHIEN DE MAO

qui l'abattent ? De nouveau elle maigrit, une fatigue terrible l'accable, elle n'arrive plus à se lever de son lit. Elle se persuade qu'un cancer la ronge, qu'elle va mourir. Son mal est évidemment situé dans le ventre, sans cesse elle se palpe, elle se tâte, elle croit sentir une boule de chair gonfler en elle, elle sait que cette boule envoie des cellules tueuses dans tout son être. Elle s'écoute et suit la progression de toutes ces sentinelles mortifères. Elle a vu des lépreux, leurs faces tuméfiées, le hideux de leurs mutilations, et elle se convainc qu'elle est une lépreuse dans ses charmes intimes. Là où la femme donne la joie, elle est certaine de ne plus offrir que l'infection d'organes mangés de chancres. Tout s'emmêle en sa vallée, les excroissances putrides et les cavités infestées. Au bout de son martyre, la vie s'enfuira de ce charnier. Mais avant, quelle agonie ! De si longues souffrances...

Tout d'abord, Mao croit à une dépravation de son imagination. Puis il s'inquiète. Il appelle au chevet de Jiang Qing une ribambelle de gynécologues, ceux de la science occidentale, ceux des anciennes pratiques, qui tous la fouaillent de leurs longs doigts et tous sont inquiets de soigner une pareille patiente, de lui réclamer des poses indécentes pour mieux pratiquer les examens. Velouté des onguents et lueurs de l'acier. Jiang Qing est sûre qu'ils sont épouvantés par ce qu'ils ont découvert, mais qu'ils n'osent pas exprimer leur sentence, bafouillant qu'il ne s'agit que de quelques lésions sans gravité. Parmi ces médecins, la plus courageuse est une femme, diplômée aux Etats-Unis, revenue par patriotisme en Chine en 1949, lors de la fondation de la République Populaire, et à qui sa science et ses parchemins ont valu d'être jetée en prison. Cela jusqu'à ce qu'on la libère, afin qu'elle puisse examiner l'épouse du Président. L'ayant palpée de fond en comble, elle lui assène la vérité :

— Vous avez en effet un cancer. Si l'on continue à vous mentir, vous serez morte dans quelques mois ou dans quelques années. Il n'est pas trop tard pour opérer, mais il faut se presser.

A Mao qui l'interroge, elle explique que le cas de sa femme n'est pas désespéré, si on la remet aux meilleurs chirurgiens du monde :

— En Chine, nous ne sommes pas équipés pour une intervention délicate. Lors de ma rééducation, on m'a abondamment expliqué qu'il vaut beaucoup mieux former des infirmiers, qui s'occupent des masses, que des sommités se consacrant à l'élite. Résultat, le niveau de notre médecine s'est effondré. Le mieux se-

LE CHIEN DE MAO

rait de confier la camarade Jiang Qing à des spécialistes américains.

— Il n'en est pas question : les Américains sont nos ennemis modèles. Regardez dans les rues toutes ces affiches où l'on montre l'Oncle Sam pendu par nos soins ! On ne peut pas livrer Jiang Qing à ces démons. Et pas plus à l'Europe occidentale, elle est trop encrassée de réactionnarisme pour que je leur abandonne ma femme. Reste l'URSS...

— Je suis presque certaine que la camarade Jiang Qing a des chances d'être sauvée si à Moscou on la traite au cobalt. La science soviétique fera des prodiges pour elle, c'est une très grande science...

Mao sursaute lorsque la gynécologue prononce avec tant de conviction le mot de science :

— Comme vous croyez à la science... Le grand remède n'est-il pas dans la volonté plutôt que dans la connaissance, dans la volonté des masses plutôt que dans les connaissances des savants ?

— Organisez des défilés où la foule criera « le Peuple exige que vive la camarade Jiang Qing ! ». Vous verrez si ce tapage aidera la camarade.

Le soir même, Mao prend Jiang Qing dans ses bras et il lui caresse le front :

— La gynécologue pense que tu dois repartir pour Moscou.

— Elle t'en a déjà parlé ?

— Oui, mais est-ce bien de te renvoyer là-bas ? De te livrer à nouveau à tous ces traitements barbares ? La science... Il n'y a pas de science progressiste, la science est toujours et partout réactionnaire.

Jiang Qing voudrait contredire Mao, mais elle n'ose pas, connaissant sa méfiance invétérée pour ce qui est moderne, étranger de surcroît. Elle sent qu'il préférerait pour elle les ferveurs puériles de son communisme, mais elle ne veut surtout pas de ces enfantillages :

— Crois-tu que ce me soit agréable de retourner encore une fois là-bas, et pour un quitte ou double...? Mais sinon que faire ? Rester ici, à attendre la mort ? Même consolée par ta présence, je n'arrive pas à m'y résoudre.

Comment accepter en effet d'être dévorée vive ? Alors qu'on rêve de commander au monde, comment admettre qu'on ne commande pas son propre corps ? La trahison est en elle-même, elle

LE CHIEN DE MAO

est investie par un ennemi qui ne veut plus qu'elle soit. Une anthropophagie... Et pas d'autre espoir pour l'interrompre que de se confier à des reîtres, à des stipendiés, à des hommes à gages, les chirurgiens russes.

— Je ne pense qu'à ton bien, reprend Mao. S'il faut que tu ailles chez ce rustre de Khrouchtchev, vas-y! Je te veux vivante. Je t'aime.

Le premier « je t'aime » de Mao après tant d'années. Comme une promesse de grande amitié et, peut-être plus tard, de compagnonnage. Mais dès maintenant, quels changements! Mao ne la considère plus comme une chose inerte, encombrante, à laisser dépérir dans l'éloignement. Hier la pensée de son cadavre lui était indifférente, c'est tout juste s'il ne la souhaitait pas morte. Désormais, la vision de Jiang Qing couchée dans un cercueil lui est intolérable. Il déteste se représenter qu'elle, l'unique, l'incomparable, est la proie d'un crabe, de millions de crabes.

D'où lui vient cette sollicitude nouvelle? Est-ce parce que, pour lui aussi, l'horizon s'obscurcit? Ces derniers temps, apparemment si magnifiques, il s'est senti trahi : à mots couverts son pouvoir est contesté au sein du Parti. Ce Parti, qui est comme son corps, lui aussi se cancérise. Partout il entend des grondements de ruptures, de fractures, partout il devine l'annonce d'événements dangereux. Vers qui se tournera-t-il, sinon vers Jiang Qing, son chien courant, qui, dans sa hargne foncière, dans sa férocité innée, saura le pousser à la complète vengeance? Jiang Qing est un autre lui-même, la créature des liquidations. Mais d'abord, qu'elle détruise le pullulement qui la consume. Mao la rassure :

— Je vais prévenir Khrouchtchev, que tu ne croupisses pas dans ses horribles hôpitaux.

Pourtant c'est en agonisante que Jiang Qing prend le train – on lui interdit l'avion. Une agonisante qui participe la veille de son départ à un banquet donné en son honneur. A ce grand festin de la joie elle fait semblant de vivre. Tant de plats, tant de kampés, surtout des kampés de la longévité. La gynécologue assiste à ces agapes, elle accompagnera Jiang Qing en URSS.

La dernière nuit, Mao veut la passer avec elle. Elle est étendue sur sa couche, pleurante, mais Mao s'est mis à lui donner de l'espoir, et elle s'est jetée sur cette bouchée d'espoir... Oh, ne pas mourir ! On lui remet un message de Khrouchtchev lui souhaitant un bon séjour et la guérison complète : pour elle le possible et même l'impossible sera fait. A Moscou, on la conduit dans le do-

223

LE CHIEN DE MAO

maine grandiose réservé aux camarades suprêmes, ceux de tout en haut, ceux du sommet au-dessus des sommets. Elle a affaire à d'autres praticiens que ceux qui l'avaient opérée autrefois, qu'on lui avait présentés comme les meilleurs et qui ont dû disparaître dans quelque purge. Ils sont là devant elle, pète-sec prétentieux qui essaient de cacher la peur qu'ils ont eue : si Staline avait vécu, ils auraient été pendus. Ces rescapés qui se croient aujourd'hui supérieurs à tout, regardent d'un air condescendant cette Jiang Qing qu'on avait livrée à d'éphémères manitous. Ils l'examinent, la réexaminent et concluent avec mépris que son cancer est une affabulation. Elle a fait avaler cette invention aux autres, à la gynécologue chinoise, mais eux, elle ne les dupera pas. Elle est hystérique, qu'on lui administre des calmants, qu'on la renvoie. Ou mieux, qu'on la confie à des psychiatres. Il y en a d'excellents à Moscou. Mieux vaut enfermer cette femme que de la laisser divaguer, peut-être mettre à mal les relations entre l'URSS et la Chine : elle se plaint tellement des hôpitaux soviétiques, des humiliations éprouvées, de sa désespérance. Jiang Qing se moque de tous ces calculs de politique. L'essentiel, c'est qu'elle n'a pas de cancer. Mais est-ce vrai ? La gynécologue chinoise lui dit et lui répète que ses collègues soviétiques sont optimistes sur ordre. Finalement, on trouve une solution qui satisfait tout le monde : les Russes sont en train de terminer un hôpital à Pékin, on la soignera là-bas.

Jiang Qing est revenue heureuse, réconfortée par les assurances des blouses blanches soviétiques, et Mao se montre bon avec elle, très bon même, au point que renaît entre eux une volupté. Mais quelques nuits plus tard, comme si le contact avec Mao avait été défi à son cancer, une douleur atroce la réveille. Si grande est sa souffrance qu'elle se sent expirer. Elle ferme les paupières, défilent devant elle les images de son existence passée, toutes les jouissances qui devaient culminer dans la délectation suprême d'un pouvoir partagé avec Mao, arraché à Mao. Mais au lieu d'un trône, elle ne voit qu'une fosse, des chairs décomposées, un squelette et, dès la fosse refermée, l'oubli. Une fois morte, qui se souviendra d'elle ? Mao n'est pas homme à se souvenir, Kang Sheng et Zhang Chunqiao non plus, sa fille l'ignore déjà. C'en est fini des rêves, jamais elle ne sera l'impératrice rouge. Mourir, elle va mourir. Sa flamboyance dans le désespoir ! Dans sa géhenne, elle ne veut même plus se soigner mais Mao combat à sa place. Que n'entreprend-il pas ! La gynécologue ne lui paraît plus suffisante, il fait rechercher dans les camps de rééducation tous les praticiens bourgeois qui y avaient été envoyés pour les punir de l'orgueil qu'ils tirent de leurs connaissances. Même histoire, même sort que la gynécologue. Ces miraculés doivent, eux aussi, se consacrer au fléau qui dévore Jiang Qing, et cela dans le cadre de l'hôpital que les Russes viennent d'achever.

Lors de l'inauguration, discours de Mao, qui s'est montré aimable bien qu'il déteste de plus en plus Khrouchtchev. Sa haine est inextinguible depuis que Mikoyan est venu apporter à Pékin un rapport secret, effrayant, dénonçant de prétendus crimes de Staline, l'accusant de millions de meurtres et des plus infâmes abus. Scandale pour Mao qui, s'il n'appréciait guère Staline, respectait en lui l'homme capable de détruire tous les contre-révolutionnaires et ce faisant de devenir le paladin du monde rouge. Il s'est contenté de répondre au délégué moscovite que, sans les crimes de Staline, Khrouchtchev et ses séides ne seraient même pas en vie, encore moins au pouvoir. Que sans son courage la guerre aurait été perdue. L'ingratitude de cette racaille... Lorsque le rapport a été jeté à la face du monde, Mao n'a rien dit, toujours pour éviter la grande cassure entre Moscou et Pékin. Mais depuis il rumine son mécontentement.

Cependant Jiang Qing est assidue à l'hôpital. Examens en série : les thérapeutes jaunes qu'on a sortis de prison pour elle, sont, eux aussi, condamnés au succès. La peur des deux côtés. Les médecins n'osent pas parler de cancer, ils se contentent de constater la présence de protubérances, d'adhérences de chair suspectes. Le scalpel ? Jiang Qing en veut moins que jamais, et qui se risquerait à le manier ? On recourt donc à ce que la science occidentale a inventé de plus abouti, et qui parfois dispense de l'opération : le bombardement par le cobalt. Les assauts en sont pénibles, Jiang Qing ne les supporte pas, elle est persuadée qu'elle est détruite par eux, tandis que son cancer prospère. De nouveau elle sent les millions de cellules dégénérées fleurir en elle.

Que faire ? Les médicastres chinois se montrent impuissants : la mort est toujours là qui grimace dans son vagin. Alors le Comité central discute de son cas. Que ne repart-elle pour l'URSS ? Qu'elle périsse là-bas plutôt qu'ici ! Mao circonvenu la supplie de s'en aller, il ne pourrait supporter d'assister à son agonie et à son trépas. C'est ce qu'il dit, mais à nouveau il est las d'elle et de sa perpétuelle désolation. Est-elle malade à ce point ? Ne fait-elle pas l'intéressante ? Pour ce quatrième voyage en URSS, on lui adjoint

LE CHIEN DE MAO

encore une fois la gynécologue, celle qui croit au cancer de Jiang Qing et estime qu'on peut encore le juguler. Mais il faut aussi que Khrouchtchev veuille, ce Khrouchtchev qui déteste Mao et que Mao déteste. « Charlatan des masses », l'appelle Khrouchtchev... tandis que Mao commence à parler du « réformisme » de Khrouchtchev, cette infâme dégénérescence. En dépit de ces désaccords, les Soviétiques peuvent quand même se permettre de sauver la femme de Mao, qui malgré quelques spasmes d'ambition, n'est pas une carte majeure dans le grand jeu du monde. Qu'elle s'en aille donc, cette Jiang Qing déchirée, tourmentée, incertaine, cette loque !

Moscou, les coupoles du Kremlin dont les dorures scintillent sous le faible soleil de l'hiver. Beauté. Jamais Jiang Qing n'a été aussi épuisée, l'ombre d'elle-même. Sa figure est déjà une coulée de repos funèbre.

A Moscou elle est de trop, comme elle était de trop à Pékin. Patrons comme infirmières refusent de la soigner dans la crainte qu'elle expire entre leurs mains. Pas question de l'accueillir à l'hôpital du Kremlin, elle est expédiée dans une caserne sanitaire pour petites gens. On lui fait des analyses, elle n'a presque plus de globules blancs, elle est sans défense contre les germes et les microbes et le directeur de l'établissement déclare qu'on ne peut la garder, que sa chambre doit être libérée, qu'il n'y a plus un seul lit disponible. Mais la gynécologue chinoise, la gaillarde, prétend que la jeter dehors serait l'assassiner. Jiang Qing ne s'est aperçue de rien, son esprit vogue au loin. Ce mauvais traitement, était-ce l'effet de la hargne de Khrouchtchev ? Peut-être... Soudain on la transfère à l'hôpital du Kremlin, où, dès l'entrée, on lui fait signer une décharge. Une infirmière dirige ses doigts de façon qu'elle arrive à tracer son nom au bas de l'attestation : les illustres praticiens russes ne seront pas responsables si elle rend l'âme au cours d'une intervention ou d'une cure. Jiang Qing parvient à comprendre la situation et gémit à nouveau, encore, toujours, qu'elle veut rentrer en Chine. Sans l'écouter, fameux chirurgiens et spécialistes revêtent leurs tenues de scaphandriers. Masqués, gantés, ils la charcutent un peu. Puis ils prescrivent de continuer le cobalt. Jiang Qing a sombré dans l'inconnu. Eternels tournoiements, éternelles chutes qui hantent ses cauchemars. Elle revient à elle pour crier qu'on lui détruit la moelle épinière. Elle n'est plus qu'un sac de peau qui cache des décombres. On l'a tuée, on a voulu la tuer, mais Mao,

LE CHIEN DE MAO

son mari, la vengera. Ces paroles sonnent l'alerte. Si cette jaunasse claquait, que n'adviendrait-il pas comme sanctions et châtiments ! Recommence la balade de la femme qu'on rejette. Cette épouse de Mao Zedong, cette Chinoise, cette condamnée, qu'elle fasse halte en quelque lieu, et alors, par immense crainte, on la douillette, on la caresse, on se courbe devant elle, on la nourrit d'une façon exquise... jusqu'à ce qu'on l'expédie ailleurs. Enfin elle se retrouve à la lisière de Moscou, dans le quartier où sont érigées les demeures des dirigeants. Le silence rompu seulement par les cris des enfants. La pavane des domestiques. De temps en temps, le crissement des pneus d'une limousine noire contenant des personnages d'importance. On l'a mise dans une datcha médicale, en fait un chalet où l'on berce les maux des grands, ceux qui sont fatigués, ceux qu'on désire éloigner mais qui peuvent encore servir. C'est un peu une prison, un peu une maison de santé, mais luxueuse ! Des infirmières trop belles, des mannequins qui aident à faire de la maladie une sorte de paresse voluptueuse, des patients muets, aux sourires ambigus, suant ce mystère qui ceint toujours le sommet des nations. Tout cela est irréel, mais Jiang Qing est traitée comme une reine. Elle se porte mieux, de mieux en mieux.

Dehors, l'hiver est terrible, le ciel pèse sur la terre comme un front lourd. On conseille à Jiang Qing de se promener dans ces frimas, cela réanimera son corps exsangue. Mais à peine a-t-elle fait quelques pas dans la neige que la sueur perle sur tout son corps, que sa vue se trouble et qu'elle s'effondre. Cette fois le verdict est rassurant, ce n'est que de l'asthénie.

Et de nouveau le printemps éclate. Verdoyance de la nature russe, le carrousel d'animaux gentils, des écureuils et des marmottes. Pourtant cette fête affaiblit Jiang Qing, comme si elle refusait d'y participer. Que faire d'elle ? La somptuosité réservée aux grands apparatchiks ne lui réussit pas ? On la replonge dans un quartier qui sent la privation, la faim, la dispute, la vodka, on la réenferme dans la bâtisse de briques rouges, ce qu'elle a connu de pire à Moscou.

Cette fois, Jiang Qing est confiée à un spécialiste belliqueux, qui promet de la soigner vraiment :

— Avec moi, dit-il, ne vous lamentez pas, cela ne sert à rien. Ou vous mourrez, ou vous guérirez.

A-t-il reçu des ordres ? En tout cas, il n'a pas peur, il traite Jiang Qing comme une jument, sans s'inquiéter de ses pleurs et de ses pâmoisons. Jusqu'à ce qu'elle soit si mal qu'on la place sous un

LE CHIEN DE MAO

masque à oxygène... L'abîme, la descente au fond des océans, elle râle et étouffe, cette asphyxie c'est le coma, la mort qui entre en elle. Mais Jiang Qing a l'habitude des comas et, dès qu'elle remonte des profondeurs glauques, la conscience lui revient, elle ouvre les yeux, elle vit. Elle vit peu, elle ne mange plus, elle est évanescente, mais elle vaincra la Camarde. Elle ne réclame qu'une chose, à cor et à cri : rentrer en Chine, dans sa Chine, auprès de Mao, qui lui écrit souvent et la comble d'attentions. Pour qu'elle reprenne goût aux choses, il lui fait apporter par avion des fruits, des tomates et du poisson de Chine.

Un jour surgit auprès d'elle un Chou En-lai tout épanoui d'amabilité, le mandarin au comble de sa séduction. Il a été envoyé à Moscou pour clamer au nom de Mao la grandeur du communisme. Et annoncer son triomphe total si l'on se décide à balayer partout les miasmes empoisonnés du capitalisme. Le communisme alors s'étendra sur le monde entier, l'Orient sera dominé par Pékin, l'Occident par l'URSS. Qu'on n'ait aucune peur, ni des bombes, ni des armées, ni des menaces de l'ennemi : le feu et la mort habiteront le ciel des nations condamnées. Pour commencer, que l'URSS détruise la 7ᵉ flotte américaine qui empêche la reconquête de Taiwan, où s'est réfugié Tchang Kaï-chek. Qu'éclate la guerre totale. N'est-il pas lamentable que Khrouchtchev se méfie de ce superbe programme et que, plutôt que d'appuyer sur le bouton qui déclenche l'apocalypse heureuse, il préfère la « coopération pacifique » avec l'Amérique qu'il faut anéantir ? Chou En-lai est là pour essayer de convaincre les Russes de ne pas céder à la lâcheté, à la tentation de l'avilissement... Sans quoi ce sera le désaccord entre Moscou et Pékin, l'immense occasion manquée.

Longs pourparlers, les deux grandes nations sœurs sont sur le point de rompre. Malgré le péril, Chou En-lai se rend presque chaque jour auprès de Jiang Qing, il s'empresse, ce ne sont que compliments et suavités. Lorsqu'il expose les buts de sa mission, Jiang Qing frissonne :

— En Chine, à Pékin, dans Zhongnanhai, construit-on enfin des abris antiatomiques ? Je ne retournerai là-bas que si j'ai la garantie d'y être bien protégée.

Chou En-lai la rassure : on achève le premier abri à Zhongnanhai, pour Mao et son entourage. En cas de calamité, elle survivrait. Mais surtout, Chou En-lai lui dit des choses douces, que Mao s'ennuie d'elle, qu'il se languit mais qu'il ne veut la revoir qu'en bonne santé. Depuis des années, elle jongle avec l'idée des

228

LE CHIEN DE MAO

Fontaines Jaunes, qu'en son for intérieur elle se décide à guérir, qu'elle en prenne la résolution absolue, et elle vivra !

Il la regarde avec une ironie subtile :

— Pensez à Mao, à votre entente merveilleuse, cela vous aidera à vous rétablir et vous serez bientôt en pleine forme pour arriver à Pékin.

Bientôt ? Mais quand ? En attendant, Mao la laisse se languir dans les hôpitaux soviétiques, ces morgues où elle finira par expirer.

— Mao m'est attaché, dites-vous, mais je vois bien que c'est à condition que je ne l'importune en rien, que je ne le tracasse pas avec ces bagatelles que sont ma santé, ma vie ou ma mort.

Chou En-lai emploie tout son charme à la divertir, il badine, il plaisante, il lui fait des cadeaux. Un jour, il l'invite à dîner en ville. Jiang Qing se sent assez à l'aise pour demander si son interdiction de faire de la politique sera bientôt levée, et Chou En-lai, l'insaisissable Chou En-lai, se montre embarrassé :

— Pas encore, mais prochainement je pense, avec les événements qui se préparent.

— Quels événements ?

— Vous verrez.

Mais Chou En-lai repart sans en dire plus et Jiang Qing s'effondre dans une somnolence fiévreuse. Quand elle en sort, sa tête semble prête à éclater. Et puis son corps se rebelle complètement, une moitié d'elle est paralysée. Son cerveau ne va-t-il pas être atteint ? ne va-t-elle pas se retrouver comme une épave gâteuse ? En même temps des hémorragies la vident du peu de sang qui lui reste. Epouvantés, les médecins la jettent hors d'URSS. Elle peut rentrer en Chine comme elle le désirait tant.

C'est presque une dépouille qu'on dépose sur une couchette, dans le wagon réservé aux chefs d'Etat. Il n'y a plus autour d'elle de praticiens russes, mais une équipe de médecins chinois, très vigilants. Tout est à craindre en effet : survivra-t-elle à un trajet si long ? Elle est toujours dans sa léthargie, sa respiration est rauque, très faible, à chaque chaos du train on se demande si la vie ne la quittera pas. Elle est une si pauvre enveloppe charnelle, pour si peu de kilos... De temps en temps, Jiang Qing hurle, comme si elle voyait derrière ses paupières s'approcher d'elle, avec son battement implacable, la faux de la mort. Parfois sa figure se crispe, comme si elle reproduisait la figure de la Camarde. Enfin, au troisième jour, d'une voix venant de très loin, elle murmure :

LE CHIEN DE MAO

— Approchons-nous de la Chine? Avons-nous quitté la Russie abominable?

On lui répond qu'on a franchi l'Oural et qu'on est entré en Sibérie.

Et c'est le miracle. A chaque instant, Jiang Qing a dans le cœur et dans les veines le sentiment qu'elle va vers Pékin, vers Mao. Les secondes se succèdent, les minutes, les heures, mais le temps n'est plus inerte, il l'emmène vers la félicité. Elle est sortie de l'enfer, de ces années où Mao la reléguait au loin. C'est de cela, de ce rejet qu'elle a été malade, c'est à cause de cet abandon qu'elle a failli mourir. Soudain elle se met à bouger la main gauche, le bras gauche; tout son côté gauche, qui était grippé dans l'immobilité, sort de l'ankylose. Certes, elle est encore très faible, mais les forces lui reviennent et elle est résolue, tellement résolue.

Elle se met à manger. Elle se fait habiller. Plus de tenue d'invalide, elle revêt une jolie robe. Puis elle demande un miroir et elle se regarde. Bien sûr, elle n'est plus toute fraîche, mais ses traits ne se sont pas trop abîmés, elle a le visage doux et impérieux de la séduction mûre, des yeux qui savent caresser ou brûler, une bouche qui peut jeter l'enchantement. Elle est jeune, à peine plus de quarante ans. C'est l'âge des grandes actions.

Chapitre IV

Mao s'est encore empâté. Une grosse graisse dure couvre tout son visage, ses yeux se sont enfoncés, désormais de petites fissures apparaissent dans le lard. Mais il n'est pas en mauvaise santé. Il reçoit Jiang Qing avec chaleur, et il prononce les mots qu'elle a tant attendus :

— J'ai besoin de toi. Tu pourras me voir à ton gré, sans demander d'autorisation, ni même te faire annoncer.

Cet accueil, c'est tellement mieux que des « je t'aime ». Ainsi retrouve-t-elle la vie, la vraie vie. A nouveau elle n'est que vigueur. Elle s'entend bien avec Mao, encore mieux avec Kang Sheng, sorti de sa retraite et de son effacement, subitement guéri de la mystérieuse maladie qui l'a tenu à l'écart pendant cinq ans. Il a été un étrange ascète, confit de volupté, qui s'adonnait aux rêves de l'opium, aux caresses des femmes, à la recherche de la beauté dans les bibelots et les peintures, et voici que derechef il place sa débauche dans les joies et les duretés de la politique pour laquelle il a tant tué jadis.

— Je me fleuris et tu vas te fleurir, ricane-t-il.

Son ton sarcastique, son regard malin, son rire pour annoncer que Mao prône désormais la liberté d'expression et invite le Peuple à dénoncer les erreurs du Parti...

— C'est une campagne inouïe qui met les dirigeants dans une rage folle. Tu vas adorer ça. Retiens bien la formule, elle est sublime : « Que Cent Fleurs s'épanouissent, que Cent Ecoles de pensée rivalisent... »

D'où vient cette floraison ? De la fureur de Mao. Une vieille colère qui a encore enflé lorsque est passée une résolution signée

231

LE CHIEN DE MAO

Deng Xiaoping interdisant de mentionner la pensée de Mao dans les statuts du Parti. Cela, Mao ne le pardonnera jamais. Il déteste tous ces cadres qui se méfient de son pouvoir, qui sont des millions et des millions à se vautrer sur le pays et qui proclament « Eduquez, éduquez-vous pour réaliser le Plan Quinquennal de la grande Chine du Socialisme ! » A la Libération, ils ont, en une terreur nécessaire, liquidé les réactionnaires et les contre-révolutionnaires. Puis, utilisant leur bonne origine d'anciens pauvres, ils se sont établis en tyranneaux, alliés les uns aux autres et aujourd'hui ils soumettent à leur joug les Chinois ordinaires, qui osent à peine penser qu'ils sont mécontents. Demain, si le pays est entièrement esclavagisé par eux, l'autorité de Mao ne sera-t-elle pas menacée ? Dans ce péril, Mao a décidé d'une action sérieuse mais suave comme une brise ou une pluie de printemps, qui devrait aboutir à une réconciliation générale. Après une petite rectification bien sûr.

Jiang Qing est heureuse. Elle accompagne Mao dans tous les rassemblements où il vend ses Fleurs mais elle reste encore en coulisses. Elle est l'égérie, Kang Sheng le maître de cérémonie. C'est lui qui crie aux foules d'interroger Mao. Qu'elles apprennent avec lui à gérer les contradictions qui les divisent et les empêchent d'arriver au socialisme ! Et Mao leur suggère de dénoncer toutes les injustices et les malhonnêtetés, tous les abus qu'ils ont subis de la part du Parti. Rumeurs de la masse qui s'échauffe... Un jour Jiang Qing observe que Liu Shaoqi, Zhu De et Peng Dehuai ont quitté le podium quand Mao a pris le micro. Ainsi le blâme des grands dirigeants, de tous les fonctionnaires, est manifeste.

Malgré les exhortations de Mao, personne parmi les artistes, les bourgeois, les journalistes, les intellectuels, les « non-Parti » qui sont spécialement concernés ne se risque à se plaindre, encore moins à accuser... ils craignent les retours de bâton. Alors Mao va plus loin, il offre toutes les garanties possibles aux éventuels contestataires. Qu'ils protestent à visage découvert, que soit enfin abattu le mur entre l'appareil et la population, l'unité nationale est à ce prix. Jiang Qing scrute continuellement Mao pour deviner ses intentions, car elle le sait menteur, truqueur, capable d'énormes félonies pour arriver à son but. Mais quel est le but ?

— Tu n'aimes pas Liu Shaoqi, ni les personnages de son acabit. Vas-tu les faire arrêter ?

— Plus tard, répond un Mao gentil et encourageant, plus tard, ce n'est pas encore le temps. Plus tard, dans d'autres circonstances que nous aurons créées.

LE CHIEN DE MAO

Tandis que Kang Sheng continue de jouer les théoriciens et d'inciter le tout-venant à la critique – de la belle ouvrage pour laquelle il obtient des postes utiles –, Jiang Qing convoque Zhang Chunqiao et elle le loge dans un pavillon de Zhongnanhai où elle le rejoint chaque nuit. Amours amusantes et qui amusent Mao. Longs entretiens entre les amants.

— A Shanghaï, dit Zhang, je vais profiter des Cent Fleurs pour éloigner quelques satrapes qui me gênent. Et je surveillerai les intellectuels : je te parie que ces dégonflés finiront par trop en faire et que Mao se retournera contre eux.

— Tous ces profs, il les a déjà dressés, mais on ne les dresse jamais assez.

Zhang rit doucement :

— Je te connais, ma belle. Tu aimerais bien t'occuper d'eux. De Ding Ling, par exemple.

— Je voudrais surtout noyer mes souvenirs dans le sang. Mais pour l'instant je ne me mêle de rien.

Et peu à peu viennent les accusations, toujours plus d'accusations, un flot d'accusations. La digue de la peur a crevé. Partout on critique, on accuse, on se moque : le « vieil homme » hurle à la revanche. La Chine frémit d'une exaspération qui devient dangereuse, c'est le débondage, le délire, la folie, l'émeute. On lance des grenades, on dénonce la dictature des puritains rouges, on exige le retour à la propriété privée, des commerçants organisent un marché noir, Mao lui-même est mis en cause : un dazibao demande si l'on doit dorénavant l'appeler « Votre Majesté ».

Mao prête l'oreille à ce vacarme. Il est stupéfait : se pourrait-il que les Liu Shaoqi et consorts qui désapprouvaient les Cent Fleurs aient vu plus clair que lui ? Une volte-face s'impose, qu'on fauche ces Fleurs et les imbéciles qui s'y sont accrochés, mais que son erreur apparaisse comme une ruse, un gigantesque guet-apens, que partout l'on vante sa géniale duplicité et qu'ainsi il ne perde pas la face.

Mao en personne donne le signal du retournement au cours d'une réunion du Politburo. Visage impérieux, regard lourd, il garde le silence jusqu'à ce qu'il sente autour de lui l'attention et, enfin, il énonce d'un ton joyeux, comme s'il s'agissait d'une bonne plaisanterie :

— Il a fallu longtemps pour que les bêtes malfaisantes, les reptiles et les crapauds qui se cachaient dans les herbes, se révèlent

233

LE CHIEN DE MAO

dans leur ignominie. Ils avaient raison de se méfier quand je leur conseillais de s'en prendre au Parti, et pourtant ils ne se méfiaient pas assez. Maintenant que je les connais, je vais lancer une grande campagne contre eux, la campagne contre les « droitiers ». Des droitiers, il y en a des milliers, des dizaines de milliers, des centaines de milliers. Ils sont passés entre les mailles du filet, en se présentant comme des « gauchistes » ou comme des « progressistes » toujours alliés au Parti, mais ils dissimulaient d'abominables cervelles anti-Parti. Qu'on les nettoie !

La Chine n'est plus qu'une fête. Partout le portrait de Mao, la voix de Mao, partout la bonne haine contre les traîtres. On mène la chasse aux droitiers tombés dans le merveilleux piège tendu par Mao. Que le Peuple les juge, que dans la joie il les oblige au repentir ! Que les fils de ces pourris accablent leurs pères ! Que ceux-ci soient montrés et condamnés ! Qu'on les coiffe de bonnets d'âne, qu'ils se souillent d'angoisse ! Qu'on rie de leurs tourments, puis qu'on les déporte dans des provinces lointaines. Alors la Chine enfin purifiée pourra se lancer vers le véritable communisme.

Jiang Qing est un témoin fasciné de ces extraordinaires tumultes. Elle apprend. Kang Sheng et Zhang Chunqiao sont de fameux pourchasseurs de droitiers, ils en dénichent partout. Mais elle constate que le petit Deng Xiaoping est bien acharné lui aussi : pour un peu il mènerait la répression. Comme il s'active ! En septembre, une nouvelle la réjouit fort : Ding Ling, qui refusait d'admettre ses fautes, a été chassée du Parti et de l'Union des écrivains puis envoyée dans le Nord, près de la frontière avec l'Union Soviétique. Le travail à la ferme ne manquera pas de la régénérer.

Des mois et des mois les droitiers sont traqués. Finalement, il ne semble plus y en avoir, ils sont tous devenus des ombres dans des camps. Mais il importe que la liesse du Peuple magnifiquement bourreau ne retombe pas. On lui propose donc d'autres buts, d'accomplir des prodiges. « Trois ans d'efforts, mille ans de bonheur », tel est le slogan. L'heure est venue du Grand Bond en Avant, que le prophète Mao annonce depuis si longtemps.

— Dompter la nature, modifier les êtres, dit-il à Jiang Qing, tout est là. Si l'homme se dépouille de tout égoïsme, il parviendra à accomplir des miracles. Il y a en lui des capacités inouïes que nous libérerons.

A tout hasard Jiang Qing assène à son mari le compliment suprême :

— Tu es aussi grand que l'empereur Qin, qui a changé le monde.

L'empereur Qin, c'est le souverain mythique, le premier souverain de la Chine. Pendant son règne de onze ans, avec une cruauté phénoménale, il fit tuer les lettrés, les dignitaires, les savants imprégnés de connaissances anciennes et fit brûler tous les livres, parce que la lecture corrompt l'âme. Il détruisit ce qu'il y avait de religion, parce que les dieux n'existent pas. Mais il rénova les notions de temps et d'espace en créant un empire Han, toujours plus étendu, et qui durerait toujours. L'empereur Qin, en prônant l'éradication de la pensée, s'était adressé au tréfonds des êtres... Mao va faire de même.

A la vérité, Mao se révolte aussi contre l'URSS. En 1949, celle-ci s'était engagée à aider la Chine rouge à devenir une grande puissance industrielle. Elle devait y construire d'immenses usines, la couvrir de hauts-fourneaux et de manufactures, y envoyer des milliers de techniciens pour faire démarrer l'industrie... Mais tout cela n'avait été qu'une duperie, l'URSS avait demandé des compensations astronomiques pour le peu qu'elle réalisait. La Chine, sans argent, avait payé en livrant ses moissons et ses récoltes. En fin de compte, rares avaient été les usines édifiées. Celles qui avaient été bâties, souvent inachevées, fonctionnaient très mal, vieilles sans avoir été neuves. Quant aux experts russes, ils n'étaient qu'arrogance et goguenardise envers les Jaunes qu'ils méprisaient. Et maintenant ce Khrouchtchev que Mao tient pour un débutant incapable de maîtriser les agitations du communisme en Europe, n'aurait-il pas envie d'étendre son pouvoir sur la Mandchourie et sur le Xinjiang ?

La fâcherie s'est dessinée en 1957, lorsque Mao est retourné en URSS, à l'occasion du quarantième anniversaire des journées d'Octobre. La fête de la grande unité... avec, encore une fois, des quantités de délégations arrivées de tout l'univers. Mao y trompette que le « vent d'est est désormais plus fort que le vent d'ouest », ce qui signifie que le communisme va triompher de tous les capitalismes ; le Spoutnik n'annonce-t-il pas cette victoire ?

LE CHIEN DE MAO

Mao clame qu'il est temps d'entrer en guerre, que la Révolution ne peut se faire que dans le sang. Que l'URSS communique donc ses secrets nucléaires à la Chine... Cette fanfare n'attire que la dérision de Khrouchtchev, qui refuse toute divulgation de technologie. Au nom de la non-prolifération à laquelle il est attaché.

Chine rejetée, Chine repoussée, Chine blâmée, Chine traitée comme un rien... Mao veut se venger, mais que faire? L'occasion se présente quand le rustre de Khrouchtchev surgit impudemment en Chine comme s'il était le maître. On lui joue un bon tour : au lieu d'offrir un banquet en son honneur, Mao l'envoie dîner et dormir dans un hôtel bâti sur les Collines Parfumées, où la chaleur est torride. Khrouchtchev passe la nuit sur une terrasse dans un nuage de moustiques. Tout gonflé, ignoble, il doit reconnaître que même les insectes sont les alliés de Mao.

Le lendemain Mao décide de recevoir Khrouchtchev dans sa piscine de Zhongnanhai, pas au bord de l'eau, mais dans l'eau, où il aime tant batifoler. Ah, la vision de Khrouchtchev en maillot de bain et gilet de sauvetage! Le malheureux ne sait pas nager et poursuit en suffoquant un Mao en pleine gigue nautique, tandis que les interprètes courent tout autour du bassin. Un délice que Jiang Qing ne cesse de se faire raconter par des gardes. Voilà de la vraie politique! Suivent quand même des discussions, toujours les mêmes, sur l'arme nucléaire, sur la puissance américaine, sur les bombardements de Quemoy et de Matsu, ces îlots nationalistes proches des côtes chinoises que Mao, incapable d'y débarquer, fait par ironie canonner un jour sur deux.

Le Grand Bond en Avant est une frénésie merveilleuse. Partout on désenseigne. Plus de professeurs, plus de lettrés, on les envoie dans des provinces lointaines : dans les tâches les plus dégradantes, ils découvriront l'immense supériorité du Peuple. A la place des spécialistes, on installe des gens méritants, des patriotes auxquels l'enthousiasme tient lieu de savoir. Plus de connaissances, plus d'expériences, plus de technicité, plus d'« économisme », vive la science « populaire ». La masse éclairée par la foi socialiste peut tout. Chacun est un poète, chacun est un savant. Le Peuple multiplie fantastiquement son rendement, il s'adonne à des millions d'inventions, des centaines de millions de découvertes. Plus d'industrie lourde, mais des machines légères, innombrables. Avec les mains, on défriche, on refabrique le sol, on laboure nuit et jour.

LE CHIEN DE MAO

Des himalayas de terrassements pour décupler le produit des récoltes et faire lever des épis d'or.

Folie de la Chine. Partout des manifestations de masse. Dans les rues, des hommes et des femmes s'agitent pendant des jours en acclamant Mao. Sur un podium à Pékin, Chou En-lai officie en grand prêtre de la Vérité rouge. A la Conférence suprême de l'Etat, il jette l'anathème sur l'Oncle Sam et formule la solution correcte : faire la guerre à l'Amérique, dont la flotte continue de protéger Taiwan. Que les canons du Peuple la coulent, cette armada maudite ! Qu'on entende partout les rumeurs guerrières, que se constituent des milices, que tous habillés de noir et équipés de fusils en bois s'entraînent au combat, qu'on haïsse encore plus, toujours plus ! Mais pour la lutte à mort, on a besoin de fer et d'acier. Qu'à la place des hauts-fourneaux réactionnaires qui dévorent sans presque rien donner, chaque Chinois fabrique devant sa demeure son petit haut-fourneau populaire, qu'on bourrera de charbon et d'un peu de ferraille ! Il produira chaque jour son lingot, et la montagne de ces lingots atteindra le ciel.

Le zèle s'étend jusque dans les villages les plus éloignés qui résonnent du bruit des soufflets. Dans les jardins de la Cité Violette, Jiang Qing organise un gala où elle rassemble le Tout-Parti autour de son petit haut-fourneau. En cela, elle n'enfreint pas la loi qui lui interdit la politique, elle ne fait que se conformer à l'obligation générale. Tout de même c'est une intronisation. Mao est présent, content et patelinant, et les grands dirigeants aussi, qui saluent respectueusement Jiang Qing. Le petit haut-fourneau a été dressé au milieu d'une pelouse. C'est une sorte de cône en terre desséchée renforcée par des câbles ; en bas, le four a été gorgé de houille et de vieux objets rouillés. Jiang Qing l'a allumé, il y a eu un grondement, les flammes ont jailli, puis, au bout d'une heure, s'est mis à couler un peu de métal en fusion. Hurlements, applaudissements, libations. Un somptueux buffet, une immense mangeaille.

Le Grand Bond en Avant est de plus en plus triomphant. Dans un monde transformé, la production s'envole : des chiffres fabuleux, un concours permanent à qui en donnera de meilleurs. De nulle part, d'aucune bouche, la moindre réserve, la plus petite critique. Le peuple entier croit à ces résultats formidables, car en douter serait pire qu'un crime, l'abomination suprême ! Des millions d'hommes et de femmes se régalent dans cette compétition où grouillent les records. Quant à la réalité, on ne la voit plus, on vit dans un septième ciel.

LE CHIEN DE MAO

Mais pour Mao, ce n'est pas assez. Il crée les Communes du Peuple qui, d'abord instaurées dans les campagnes lointaines, avancent vers Pékin. L'individu, débarrassé des fardeaux accablants du sentiment, de l'intelligence et des idées personnelles, y atteindra le bonheur complet. Plus de familles, rien que des poussières de Peuple enrégimentées en unités de type militaire. Les vieux, on les enfermera dans des « maisons du bonheur » ; les enfants, enlevés à leurs mères, seront élevés ensemble. La mort n'aura plus d'importance puisque le Peuple, lui, continuera de vivre à jamais. Alors naîtra « l'homme nouveau » qui édifiera la Chine du vrai maoïsme.

Ainsi Mao projette-t-il de boucler le pays dans la ceinture de son orgueil. De Zhongnanhai, il entend au loin se fabriquer un nouveau genre humain, tandis que lui, lui seul dans toute la Chine, peut demeurer lui-même. Le maître. Le génie. Il se laisse aller à ses plaisirs anciens. Il se plonge dans les antiques légendes des Royaumes Combattants, parmi les héros, les titans et les traîtres, l'humanité ancestrale dans tout son panache. Et il se donne du bon temps. Chaque soir il se trémousse, il s'essouffle en entraînant avec lui encore plus de mignonnes, des mignonnes toujours plus jeunes, que lui procure Kang Sheng.

Quelques semaines de gloire... Mao parcourt le pays dans son fameux train. Il ne voit que des paysages riants, des champs fertiles, des villages prospères où des paysans vêtus de neuf lui débitent d'extraordinaires statistiques. Par milliers, par millions, hommes et femmes briguent l'entrée dans ces nouveaux paradis que sont les Communes. Mao inaugure, prononce des discours. Le beuglement des haut-parleurs, l'air durement extasié de Mao quand il répète : « Accroissez votre enthousiasme, accroissez-le encore. »

De retour à Pékin reprend l'existence coutumière : Mao et ses jeunes filles, Jiang Qing et ses exigences. Plus que jamais, elle est délicate ; tout lui est insupportable, la lumière, le son des voix, les couleurs : elle fait repeindre en vert pâle murs, plafonds, meubles même de son pavillon. Elle affiche une grande indifférence pour la fringale charnelle qui emporte Mao. A une exception près, Yu Shan, la maîtresse abhorrée qui a partagé le triomphe de Mao à Pékin en 1949. A-t-elle vraiment disparu celle-là ? Une scène éclate à la mort de Yu Qiweï, l'ancien mari de Jiang Qing, le maquereau suffisant qui avait poussé Yu Shan, sa sœur, dans le lit de Mao.

238

Arrêt cardiaque. Obsèques rouges pour le suiffeux Yu Qiweï. Jiang Qing n'est pas émue : Yu Qiweï n'était plus qu'un fantôme, leur amour, même pas un souvenir, un néant. Et puis ce crétin s'était remarié... Tout de même, elle songe au lama qui lui avait prédit ce décès et celui du fils de Mao. Le destin frapperait-il ? Un instant Jiang Qing est grisée. Elle rêve. Impératrice... Soudain elle se demande ce que Yu Qiweï a pu raconter sur elle à sa nouvelle épouse. Il faudra veiller. Et puis, il y a Yu Shan. Jiang Qing demande à Mao si elle assistera aux obsèques.

— Evidemment. C'est son frère qu'on enterre.

— Est-elle toujours ta maîtresse ?

— Non...

— Elle l'est.

— Je ne te pose pas de questions sur ton Zhang Chunqiao... Laisse-moi tranquille !

— En tout cas, je n'irai pas aux funérailles, et j'apprécierais que tu n'y ailles pas non plus.

Grincements. Finalement, Mao cède à Jiang Qing et il reste auprès d'elle le jour du défilé funèbre. Retranchés dans la Cité Violette, ils écoutent les fanfares, ils imaginent la splendeur du convoi, avec en tête Yu Shan et sa famille qui pleurent et, aussitôt derrière, tous les dirigeants. Au char mortuaire est accrochée une énorme couronne d'orchidées sur laquelle on peut lire, en gros caractères, le nom de Mao, pas celui de Jiang Qing.

Peu de choses... beaucoup de choses. Un jour Jiang Qing annonce à Mao qu'elle va arrêter son petit haut-fourneau.

— A lui seul il mangerait tout Zhongnanhai. Il faut tellement le nourrir de panneaux laqués et de métaux précieux que pour lui on démantèle les palais. Tout cela pour n'obtenir qu'une fonte fragile, inutilisable. Et c'est pareil partout. On démolit la Chine à cause de tes rêves.

On a pillé toutes les ferrailles du pays, les ornements, les instruments, les outils, les marmites, les casseroles, les clous, les clôtures que l'on a entassés dans les minuscules fournaises. Pour les entretenir on a ramassé, faute de charbon, tout le bois possible, on a coupé des arbres, abattu des forêts. Et la population s'est acharnée

LE CHIEN DE MAO

en vain à produire du fer de bonne qualité. En vain, en vain...
Rien que des gueuses fissurées, un fer ridicule, une scorie, qui ne
s'améliore pas, malgré tous les efforts. Il paraît que la moisson qui
se lève est prodigieuse, mais ce sera la dernière : les paysans se
consacrent désespérément à leurs petits hauts-fourneaux, d'ailleurs
ils n'ont pas récolté, poussés par les commissaires politiques qui
rabâchaient : « Pensez au fer, pensez au fer, ne vous préoccupez
de rien d'autre, vous aurez à manger comme jamais ! »

Ce qui s'installe pourtant, c'est la disette. On a labouré trop
profond, on a planté trop serré, on a épuisé les sols. Et puis on a
tué tous les oiseaux pour les empêcher de manger les graines et les
insectes ont proliféré. Les champs sont nus. Bientôt, le peuple dévore les semences, pille les greniers collectifs, et se croise les bras.
A la communisation immédiate, il oppose une totale apathie.
L'anarchie menace, même si certains cadres tentent de ralentir le
Grand Bond et d'en rectifier les excès. La famine progresse, la calamité rôde. A cause du Grand Bond en Avant, à cause des Communes du Peuple, à cause des chimères de Mao les temps cruels
sont revenus. Ce que Mao a produit le plus, ce sont les cadavres
des « hommes nouveaux »... Mais les chiffres mirobolants continuent de pleuvoir.

Jiang Qing est en pleine allégresse. Kang Sheng et Zhang
Chunqiao ne cessent de lui répéter que Mao va être pris par le désastre et que ce sera son heure à elle. En effet Mao est bilieux,
offensé et triste. Il ne cesse de répéter que les compagnons de la
grande épopée ont le cœur pourri, qu'ils ne le suivent pas dans ses
entreprises et qu'ils le trahiront. Il se plaint de la maladie, de la
dégénérescence, de la dilapidation de ses nerfs. Il se croyait un roi,
mais maintenant il tombe en morceaux, et Jiang Qing, douce et
luisante de santé, le materne :

— Nos maux proviennent souvent des humeurs sombres.
Quand tu t'es lassé de moi, j'ai été infestée d'humeurs âcres et il
m'est poussé un cancer qui m'a menée aux portes de la mort. Ce
cancer de ton dédain a disparu dès que j'ai retrouvé ton amour.
Alors, toi, ne cède pas à l'angoisse, c'est elle qui te brise ! Pense
que je suis là avec toi.

— Moi qui n'avais jamais eu peur dans les circonstances les plus
hostiles, moi qui renversais tous les obstacles avec mes énormes
épaules, je me sens amoindri, presque vaincu.

Jiang Qing rit :

— Chasse ces pensées moroses, redeviens le Mao qui a toujours

triomphé, et tu n'auras plus cette tremblote de l'âme et du corps!
Et puis compte sur ma fidélité et sur ma vigueur.

— Heureusement que je t'ai au milieu de ce fumier.

— Mais réagis. N'as-tu pas toujours proclamé la nécessité de la
guerre civile au sein du Parti, parce que constamment les hommes
y deviennent du bois flottant emporté par le courant des superstitions? Plus que jamais, tu dois éliminer les suspects!

Brusquement ce cri de Mao :

— Mais c'est tout le Parti qui est une conspiration!

Et Mao gémit encore. Puis il se réconforte en caressant la nuque
de Jiang Qing :

— Toi, tu es bien plus qu'une épouse pour moi. Tu es mon
compagnon d'armes et avec toi je surmonterai toutes les adversi-
tés.

Compagnon d'armes... Comme He Zizhen, l'amazone de la
Longue Marche. Plus que He Zizhen. C'est l'alliance, l'association, la fin de l'exclusion maudite. Cependant, pour le moment, si
grandioses soient-ils, il ne s'agit encore que de mots, et Mao est
trop faible pour les concrétiser. Au point de dépérissement où il
est, que va-t-il devenir? Et que va devenir Jiang Qing?

Elle le harcèle :

— Refais donc ce que tu as toujours réussi! Dénonce tes ennemis, abats-les! Tu parleras et tu feras condamner tous ceux qui
travaillent à ta perte.

Mao se borne à répondre que ce n'est plus possible :

— Le Parti se retournerait contre moi et je me retrouverais en
position d'accusé.

Car la Chine vient justement d'entrer en délibération pour
préparer le prochain Plénum. Milliers de lettres, de rencontres,
d'entretiens, de discussions... Dans ces rassemblements, Mao
flaire l'hypocrisie, sinon la trahison. Les dirigeants, il le devine,
complotent contre lui. A commencer par Liu Shaoqi qui ne s'est
pas encore élevé contre sa politique, ou à peine, mais qui va le
faire, qui est sur le point de le faire.

— Tout bouillonne, geint Mao, et l'on ne me dit rien. On ne
me redoute plus, je suis déjà un ancêtre disparu. Ce mois d'avril
est un mois funeste. Une agression sera perpétrée contre moi au
cours de ce congrès.

Effectivement Chou En-laï, l'expression contrite, la mine abattue, vient le prévenir. La contestation, dit-il, fermente au sein du
Parti contre lui, Mao, à qui l'on attribue la déchéance du pays : on

accuse sa pensée d'être une brume noyant les réalités, les contingences de ce monde. Non qu'il se trompe, mais il est allé trop vite. C'est bien Liu Shaoqi qui mène la croisade, mais il ne s'agit pas de détruire Mao, ni de l'accuser de crimes : on n'en veut pas à sa vie, mais à son pouvoir. Qu'il s'efface. Ou du moins qu'il feigne de s'effacer... A dire vrai, la décision est prise, en dépit des efforts de Chou En-lai : à la réunion d'avril prochain on demandera à Mao de démissionner de la présidence de la République. D'ores et déjà, on explique partout que cette résolution est la bonne.

L'outrage. Mao essaie de lutter, mais c'est inutile. Autour de lui tout se délite. Ne reste que Jiang Qing avec laquelle il ressasse son humiliation et son désir de vengeance. Et elle, extatique, va répétant que les dogues qui veulent le mordre, ces dogues enragés, Mao et elle les extermineront tous. Qu'ils tremblent, qu'ils crèvent, les charognards.

En attendant, le ciel est plein d'augures sinistres. L'abandon commence. Mao s'aperçoit que son pouvoir diminue, il ne réagit pas. En a-t-il encore la force ? Jiang Qing s'inquiète : Mao durera-t-il assez longtemps pour voir advenir le temps de la vengeance ? Et son cerveau ne sera-t-il pas trop encrassé pour ordonner l'orgie de châtiments qu'elle attend ? Mao lui-même se rend compte qu'il est usé :

— Aucun médecin ne peut prévoir combien d'années je vivrai encore, dit-il. Peut-être ma mort est-elle imminente ? Peut-être devrais-je préparer ma succession ?

Et qui donc, maintenant que son fils, le bon fils, a été tué en Corée, pourrait continuer le maoïsme, sinon Jiang Qing ? Il le lui dit, musique divine. Mais peut-être s'amuse-t-il.

Enfin le Comité central se réunit. Comme Mao connaît tous ces gens, depuis si longtemps serviles, et qui aujourd'hui semblent l'ignorer ! Il y a là tous ses fidèles, tous ceux qui avec lui ont assuré le triomphe du communisme, au prix de quelles épreuves ! Ils étaient jeunes quand ils l'ont accepté pour chef suprême et maintenant l'âge les a déformés, en a fait des vieux, toutes les espèces de vieux. Certains sont bien conservés, d'autres sont des ruines, mais tous, malgré les difformités, les rides et les taies, ont gardé dans leurs mines, sur leur physionomie, comme le reflet de l'héroïsme. Hélas ! la haine du monde mauvais, qui était leur commune vertu, ne les unit plus et ils sont prêts à s'entre-tuer pour le pouvoir. S'il faut réduire ce Mao tant adoré et tant craint, ils le réduiront.

LE CHIEN DE MAO

Mao sent tout de suite cette connivence mais il ne bronche pas. Dès le début de la séance, Liu Shaoqi, le rhéteur aux traits émaciés, l'allure de la justice en soi, se lève et le désigne. Il ne jette pas l'anathème, il commence même par un éloge du camarade Mao dont le génie a donné la Chine au communisme. On entend dans l'assistance de vagues marques d'approbation, qui s'éteignent vite. Car l'orateur est entré dans la critique, quoique de manière biaisée : en réaffirmant que seul le Parti a raison, toujours raison, qu'il est l'expression du Peuple et qu'il ne peut pas se tromper. Quiconque prétend le régir souverainement en méprisant ses avis s'égare à la longue. Sous-entendu, quels que soient les mérites du camarade Mao, en plaçant sa pensée au-dessus de la pensée des masses et de leurs représentants, il est sorti de la juste voie.

Ces faces... Il y a dans les procès du communisme chinois certaines manières de regarder, de se comporter, qui déjà expriment ce que sera la sentence. Quand les visages ne sont plus que masques déchiquetés, cela signifie la mise hors la loi, l'exécration, l'abjection, la prison, la mort. En ce qui concerne Mao, les figures demeurent ternes et grises, des gargouilles impavides.

Ce soir-là donc, Mao n'est ni décomposé ni désespéré, pas même morne : les faces ont parlé. Non qu'il ait trop d'illusions, un processus a été déclenché contre lui, et, de toute façon, il sera abaissé, supplanté par Liu Shaoqi, le moine rouge. Mais, ainsi que l'a annoncé Chou En-lai, il ne sera pas précipité dans l'abîme dont on ne revient pas.

Les jours suivants, la comédie continue devant les responsables venus de la Chine entière. Ils sont crispés, inquiets, conscients de participer à des événements extraordinaires, mais encore une fois, ils n'en laissent rien paraître. Les bleus de chauffe, les casquettes... et toutes ces têtes attentives, ces têtes de cadres si prosaïquement laides, pleines d'une sorte de modestie orgueilleuse, têtes sérieuses tellement concentrées, qui se déchaînent parfois en enthousiasme ou en haine, selon les commandements de la « ligne ». La vie de ces insectes, c'est d'aller de solution correcte en solution correcte sans tomber dans la trappe, c'est de dévorer. Et que leur donne-t-on en pâture ce jour-là? Incroyable, Mao lui-même. Pour sauver le maoïsme, on écarte Mao. Mais il ne faut surtout pas, s'ils tiennent à leur santé, que les représentants aient l'air surpris. Avec le Parti, tout est normal, toujours normal, même l'extrêmement anormal.

Aussi est-ce le grand silence, jusqu'à ce que Liu Shaoqi remonte

LE CHIEN DE MAO

à la tribune et qu'après un discours particulièrement embrouillé, il indique que le camarade Mao Zedong a décidé de renoncer à la charge de président de la République Populaire.

Alors Mao se lève. Ample, volumineux, souriant, d'un geste souverain, il réclame qu'on se taise. Plus une rumeur, plus un son, plus même l'écho d'un bruit lointain. Enfin on l'entend dire très simplement, comme si cela n'annonçait pas la fin d'un monde :

— Je démissionne de mes fonctions de président de la République Populaire. Et je ne me représenterai pas. Il est temps que d'autres montent en première ligne.

Joie, bonheur, luisance satisfaite des visages, petits rires, grimaces approbatrices, glapissements, le ballet des lunettes, des stylos, des insignes. Et puis une fantastique ovation. Est-ce pour célébrer la chute du Président Mao ou pour saluer le démiurge qui s'éloigne ? Mao arrête encore une fois la tempête :

— Je souhaite, dit-il, que le camarade Liu Shaoqi me remplace à la présidence de la République. C'est mon vœu le plus sincère. Lui seul sera capable de mener la République Populaire de Chine à sa plus haute destinée.

Encore plus de vacarme, c'est à qui s'exprimera le plus ardemment. Lorsque le calme est rétabli, des haut-parleurs annoncent que la renonciation du Président Mao et la désignation du Président Liu doivent être approuvées par le Peuple, c'est-à-dire par les membres de l'Assemblée populaire qui le représentent. Que chacun se lève à son tour, et que chacun exprime son opinion !

A nouveau le silence. Un nom est appelé après l'autre et l'homme désigné dit « oui ». Chaque fois un « oui ». Séance étrange, on sent la peur qui rampe, la crainte de se tromper dans l'inconnu de l'avenir, mais chaque « oui » semble clamé avec exultation. Toutes ces faces qui acquiescent, c'est cela le communisme chinois. Liu Shaoqi dit « oui ». Maintenant, c'est à Mao de s'exprimer. Son « oui »... Même Chou En-lai dit « oui », Kang Sheng aussi, Zhang Chunqiao aussi. Rien que des « oui », hormis un « non », un seul, prononcé par un obscur délégué d'une obscure province. Stupéfaction. Quel est ce fou ? Quand le scrutin est terminé. Liu Shaoqi est élu par 1156 voix sur 1157.

La mer des vivats. Le grand chœur des « Vive le président Liu Shaoqi ! ». Enfin Liu émerge de cet adoubement, bel homme austère, aux cheveux argentés, qui condescend à un demi-sourire :

— Le Parti a besoin du camarade Mao Zedong, déclare-t-il. Sa

LE CHIEN DE MAO

réflexion nous est indispensable ; il faut que, débarrassé des soucis du gouvernement, il se retrempe en lui-même, qu'il médite et qu'il nous donne ses avis précieux. Je propose qu'il devienne président du Parti dont Deng Xiaoping sera le secrétaire général.

Ainsi Liu Shaoqi n'ose pas aller jusqu'au bout, jusqu'à la destitution complète. Une faute dont le soir même Mao se réjouit avec Jiang Qing :

— Liu Shaoqi est en argile, c'est un faible. Moi, tout le long de ma vie quand j'ai eu un ennemi, j'ai toujours organisé sa honte et son agonie. Mais cet imbécile a l'imprudence de s'attaquer à moi sans m'exterminer, il m'avilit tout en m'épargnant et il n'imagine même pas combien il me le paiera. Je le ferai ramper dans la poussière et il me suppliera de l'achever.

Jiang Qing est toute ferveur :

— Et moi, je m'occuperai de sa femme. Dans les mois et les années qui viennent cette garce sera-t-elle placée au-dessus de moi ?

— Parfois. Et quelle que soit ta colère, tu ne la montreras pas. Le grand œuvre de la revanche exige la discrétion.

Désormais Mao vit sous surveillance. Miracle de l'ordre rouge, rien ne transparaît. Officiellement on le vénère toujours, il prétend se consacrer à des études théoriques, et Liu demeure invisible. Le Grand Bond en Avant continue, la terreur aussi, le pays s'effondre.

Mais Mao n'est pas au bout de sa peine et son pseudo-effacement ne suffit pas. Accusé, il va l'être. Le ministre de la Défense, le maréchal Peng Dehuai, l'ami de toujours, le fidèle d'entre les fidèles, lance l'attaque. Tout jeune, il a rejoint Mao dans la république du Jiangxi, il a été de la Longue Marche, puis de tous les combats. Lorsque Mao et Jiang Qing ont dû abandonner Yanan, c'est lui qui a couvert leur retraite, et même s'il a perdu des millions d'hommes il a commandé magnifiquement les armées chinoises durant la guerre de Corée. Peng Dehuai est, avec Zhu De, le plus grand soldat de la Chine rouge, et le plus respecté. Si cet honnête homme sans intrigue, sans vulgaire ambition, et qui n'est lié à aucune coterie, brave Mao, ce ne peut être que soulevé par une conviction sincère, particulièrement redoutable.

Usure de ses réflexes ? Mao a senti venir le coup, mais à peine.

LE CHIEN DE MAO

Voici des semaines qu'il a ordonné à des émissaires personnels de conduire des enquêtes dans toutes les provinces mais personne n'a osé lui dévoiler la vérité. Chen Boda a même comparé une Commune au Spoutnik! C'est tout juste si quelqu'un s'est risqué à rapporter à Mao un infect quignon de pain ou plutôt un agrégat de déchets noirs et puants, et, les larmes aux yeux, il n'a pu que constater que cela ne sentait pas bon.

Et soudain, Peng Dehuai a fait le voyage du Hunan, leur province à tous deux. Il est allé à Shaoshan, la bourgade natale, le fief de Mao. Et il parle de fraude, de famine. Qu'a-t-il découvert là-bas? Et Liu Shaoqi, un Hunanais lui aussi et qui a une maison près de Shaoshan, qu'a-t-il vu? Parfois le doute effleure Mao : ses vieux compagnons, comme lors des Cent Fleurs, auraient-ils raison? Mais non, c'est impossible : le Grand Bond ne peut avoir échoué. Et il le prouvera : pour mieux établir sa vérité, Mao décide d'aller lui aussi à Shaoshan, sur sa terre où il n'est pas retourné depuis trente-deux ans. Là, personne ne lui mentira. Là, il trouvera des arguments qui écraseront Peng Dehuai.

L'émotion de ce pèlerinage... Dans l'hôtel de Shaoshan, Mao a veillé toute la nuit pour composer un poème célébrant les vergers de son enfance et les moissons du Grand Bond. Le lendemain, il a revu sa maison natale et son école, il s'est incliné sur la tombe de ses parents, il a nagé dans le réservoir du village et il a entendu la voix de la masse lui dire que les Communes étaient magnifiques. Un jeune chef de district lui a beaucoup plu, un dénommé Hua Guofeng qui lui a servi un pain excellent. Et Mao a senti monter autour de lui les effluves de l'immense succès. Il a raison, il est merveilleux, une fois balayés Liu et sa clique qui ne comprennent rien au Peuple, il mènera sa Chine sur les sentiers de la gloire, dans quinze ans la Grande-Bretagne sera dépassée, en l'an 2000 les Etats-Unis seront éclipsés et chaque Chinois produira une tonne d'acier.

C'est donc rasséréné qu'en cet été 1959, Mao est parti pour la conférence de Lushan où le Politburo doit, une fois de plus, se réunir pour décider de la ligne et de l'avenir du Grand Bond...

Mao est seul ; Jiang Qing, toujours interdite de politique, est restée à Pékin. Tout le séduit dans cette villégiature : la montagne qui domine le Fleuve Bleu, le pic autour duquel s'enroule la brume, les temples, les grottes, l'air si pur et la demeure qu'on lui a attribuée, l'ancienne résidence d'été de Tchang Kaï-chek. On lui a aussi

LE CHIEN DE MAO

fourni pour la durée de la conférence une infirmière exquise et quelques danseuses. Il se promène, il écrit, l'ascension de la montagne lui inspire un poème euphorique. Il domine le monde, à commencer par ces pleutres de Soviétiques. Il est le poète, le lettré au regard froid, le sage qui méprise les agitations vulgaires. A la séance d'ouverture, il décrit la conférence comme « une assemblée de fées ». Sa conclusion ? La situation est excellente. Et, même s'il y a encore des problèmes, l'avenir est radieux.

Las, les fées intriguent. Des groupes de travail ont été constitués, la conférence éclate en conciliabules où l'on chuchote, où l'on bavarde, où l'on blâme : le Grand Bond en Avant est une catastrophe. De réunions en réunions, le feu se propage, Mao n'intervient pas. Laisse-t-il, selon son habitude, s'étendre le mal avant de l'affronter ? Ou bien, perdu dans ses nuées, n'entend-il pas gonfler l'orage ?

Tout le mont Lu bruit de ragots et de blasphèmes. Ici l'on dit que Mao, tel Staline, a rectifié en vrai sauvage. Là on explique que si les paysans chinois n'avaient pas été aussi disciplinés, ils se seraient révoltés comme les Hongrois. On évoque le premier empereur, on parle de la cruauté des fondateurs de dynastie, l'idée revient que Mao a perdu le contact avec les masses et que sa pensée est erronée. Quelqu'un va même jusqu'à expliquer que *L'Orient est rouge*, le chant de gloire de Mao qui résonne sur toute la Chine, le met mal à l'aise.

Alors Peng Dehuai décide d'écrire au Président. Une longue lettre de dix mille mots dans laquelle, avec tout le respect possible, il dénonce tout ce qu'a de fallacieux le Grand Bond en Avant, tout ce qu'ont d'intolérable les Communes du Peuple. Un réquisitoire solide, argumenté, implacable.

Mao est fatigué, mortellement fatigué. Il n'est pas étonné, mais en même temps il se demande comment la mystique qui l'entourait a pu se défaire à ce point. Dans son désarroi, il en est réduit à téléphoner à Jiang Qing pour s'épancher :

— Un pareil affront, en ces termes, et venant de lui, jamais je ne l'aurais imaginé.

Jiang Qing essaie de le rassurer :

— Personne, sauf un fou comme Peng Dehuai, n'osera se dresser contre toi.

— Mais il y a Peng Dehuai, et c'est du pus qui sort de lui. Cette lettre en annonce d'autres. Demain Liu, Zhu De, Chou En-lai et Deng Xiaoping se rallieront à Peng Dehuai et ils m'abattront.

LE CHIEN DE MAO

Jiang Qing est à Beidaihe, la plage de Pékin, où elle jouit de la mer, du soleil, et de l'amour, car Zhang Chunqiao est auprès d'elle. Lui comprend que le grand moment est arrivé :

— Tu vas dire à Mao qu'il cesse de se comporter comme une chiffe. Qu'il rédige l'excommunication de Peng Dehuai et qu'il te rappelle pour avoir ton approbation ! Enfin, notre approbation.

L'acte d'accusation est terrible. Mao a accolé au nom de Peng Dehuai tout le vocabulaire dont on habille l'infamie : Peng est un aventurier, il dirige une conspiration anti-Parti, il est manipulé par Moscou et il prépare un coup d'Etat avec des militaires de son acabit. C'est un traître, un corrompu, un bourgeois, un Seigneur de la guerre baignant dans le stupre et la mollesse.

A la fin de sa lecture, Mao rit, mais avec un peu de gêne :

— Dire qu'il m'était dévoué corps et âme. Il était si brave quand je l'ai recruté. Il avait été chassé de chez lui à neuf ans par une belle-mère indigne et il avait tout connu, la misère, les petits boulots, l'armée... Il avait même été torturé... Mais à vingt-sept ans, c'était déjà un vrai chef... On s'aimait.

Mao soupire.

Jiang Qing le rabroue d'un ton acidulé :

— C'était ton ami ? Eh bien, cet ami veut te détruire, annihiler ton œuvre, dont il prétend que c'est une chimère déplorable.

Elle entend Mao qui se mouche avec les doigts :

— N'aie crainte, dit-il, je ne me réconcilierai pas avec lui. L'ennuyeux de cette affaire, c'est que pour abattre Peng Dehuai, je vais avoir besoin de Liu et de sa clique.

— Attends-moi. J'arrive.

— Ne viens pas. La bataille risque d'être dure, dangereuse. Si quelqu'un se retournait contre toi...

— Je commande un avion. Je serai près de toi dans quelques heures.

Encore une nuit, et Jiang Qing est prête. A Zhang Chunqiao, qui l'accompagne à l'aéroport et lui recommande de ne pas fléchir, elle répond qu'elle sera elle-même. Et que maintenant elle n'a plus les griffes rognées.

A l'atterrissage Mao l'attend. L'accolade du couple, comme un serment de chevalerie avant la bataille. Ensemble ils se rendent dans le bâtiment où se tient le conclave et ensemble ils défient les délégués. Quelqu'un va-t-il s'étonner ? S'opposer à la présence de

LE CHIEN DE MAO

Jiang Qing ? On sent dans l'atmosphère une étrangeté, mais les visages restent ternes. Seul Chou En-lai sourit.

Mao a décidé de laisser mitonner la situation : pendant trois jours les débats seront suspendus. Atmosphère trouble. Quelques démarches inquiètent : Jiang Qing est allée dans la résidence de Lin Biao et elle y est restée deux bonnes heures, puis elle est passée chez Kang Sheng, chez Chou En-lai et chez Li Fuchun ; ensuite Mao a reçu longuement Liu Shaoqi, Chou En-lai et Zhu De. Pour quelle alliance ? Quel complot ?

La peur tombe sur Lushan. L'image de Jiang Qing est la menace même. Obnubilante. Au fond de tous les yeux, de toutes les cervelles, de tous les cœurs, il y a cette folle lâchée dont on ne sait jusqu'où l'emportera sa fureur. Les rencontres cessent, personne ne parle plus à personne, il paraît que Chou En-lai s'est saoulé, Peng Dehuai est reclus dans sa chambre. A la fin du troisième jour, Mao le réclame :

— La camarade Jiang Qing t'apprécie beaucoup, elle se plaint de ne pas te voir davantage.

— Je prépare les plans d'un assaut contre les troupes indiennes qui veulent nous rejeter du Tibet. J'ai tout prévu pour qu'on marche sur Calcutta et qu'on s'en empare.

Jiang Qing s'amuse :

— C'est très bien de jouer au petit soldat, mais là n'est pas la question. Mao me dit que tu as de l'urticaire...

— Je révère toujours autant le Président Mao, je croyais être utile en lui signalant quelques erreurs.

— Tu es trop bon de me faire connaître mes fautes, mon cher Peng Dehuai, intervient Mao. Toi seul a le souci de mon bien, et j'y suis sensible. Dès demain, tu auras ma réponse.

Le lendemain matin, les représentants, stupéfaits, découvrent dans le bulletin de la conférence la lettre de Peng Dehuai à Mao. Quelques feuilles ronéotypées, un titre banal, « Les points de vuc du camarade Peng Dehuai »... et chacun comprend que la guerre est déclarée. Peng Dehuai a beau se précipiter au secrétariat pour expliquer que sa lettre étant privée, on doit cesser de la tirer et de la distribuer, il est trop tard. Une rumeur court : des unités commandées par Lin Biao feraient mouvement vers Lushan.

Dans le grand auditorium construit à flanc de montagne, tout le congrès s'est réuni. Mao monte sur le podium et du regard il cherche Peng Dehuai au premier rang parmi les membres du Po-

LE CHIEN DE MAO

litburo. Ne le trouvant pas, il se met à grogner, jusqu'à ce qu'un garde lui montre du doigt le maréchal humblement installé au fond des travées, avec les délégués anonymes. Mao se mord la lèvre inférieure, signe chez lui d'une immense irritation, et il aboie à Peng de rejoindre sa place. Celui-ci refuse d'un mouvement de tête ; Mao note qu'il arbore une nouvelle coiffure, le cheveu ras, incroyablement ras, il lui trouve l'air d'une brute.

Mao commence doucement, il plaisante sur sa fatigue, trois fois il a dû prendre des somnifères la nuit passée et il n'a pas dormi.

Sa parole... sa science du discours, sa manière de caresser, puis de cingler, d'être alternativement le bon vieux Mao de Yanan et un empereur irrité... Il joue, il se lamente, il se moque de lui, de ses camarades au cuir trop sensible, du temps que lui prend la lecture des critiques, de l'électricité qu'il sent dans l'air. Soudain Mao durcit le ton : le Grand Bond, il en est d'accord, a des aspects négatifs, mais que sont-ils à côté de l'enthousiasme de millions de Chinois ? Jamais la ferveur n'a été aussi grande, jamais le peuple n'a bénéficié d'une formation aussi intensive et voici que certains vacillent. Mais que les camarades qui le critiquent se méfient : il est prêt à tout, même à reprendre le maquis, à réorganiser les guérillas et l'armée, pour tout recommencer. Cela dit, il ne doute pas que l'Armée de Libération soit avec lui. Ici une pause pour que le haut commandement, dûment sollicité, puisse applaudir.

Ainsi Peng Dehuai est défié nommément... La mort blanche s'est abattue sur la salle mais Mao continue comme si de rien n'était. Il revient au chaos qui sévit dans le pays, ce chaos nécessaire à l'instauration d'un bien supérieur. Oh, il n'en a ni voulu ni prévu l'ampleur, il le concède, il ne connaît pas grand-chose à l'économie et à la planification. Mais s'est-il trouvé quelqu'un pour s'opposer à lui ? Tous les délégués n'ont-ils pas naguère approuvé le Grand Bond en Avant ? Evidemment il y a dans cette assemblée un dirigeant déboussolé mais, excepté ce grotesque, chacun ici ne doit-il pas assumer ses responsabilités ? Lui-même ne se dérobe pas. Et d'encourager les camarades :

— Si vous avez à chier, chiez ! Si vous avez à péter, pétez. Vous vous sentirez mieux après.

L'assistance est pétrifiée. Alors Mao dénonce les crimes de Peng Dehuai, le général noir. Des dragons fabriqués emplissent le grand hall, et les phrases se succèdent, phrases qui martèlent, qui pilonnent jusqu'à ce qu'il ne reste qu'une écume rougeâtre de Peng Dehuai. Les applaudissements fusent, les délégués sont des outres

LE CHIEN DE MAO

à cris, les bras tournoient, les poings cognent sur les tables, monte la buée des respirations, l'adoration se répand sur les visages, mais elle ressemble à une sueur de défaite : auparavant, malgré les frictions et les discordes, les luttes et les oppositions, tous étaient gens de la même cause, des frères. Maintenant, et pour toujours, ils seront des ennemis.

« Dire qu'autrefois nous mangions dans la même assiette », a murmuré Zhu De. Mais personne ne l'a suivi sur cette pente dangereuse. Le groupe de Peng Dehuai est désintégré.

Pendant trois semaines, les réunions se poursuivent et elles sont abominables. Jiang Qing s'efforce de rester discrète ; elle n'intervient pas dans les passes d'armes et choisit souvent de se promener dans la montagne plutôt que d'écouter ces débris du Comité central. Mais chaque parole lui est rapportée et elle est ravie. Comme elle a soumis Mao ! Comme les représentants ont accepté sa présence, plié devant elle !

Car Jiang Qing a tout de même assisté à la réunion de clôture, celle où Lin Biao devait prendre la parole. Auparavant Zhu De avait été si lénifiant que Mao l'avait fait taire, Chou En-lai s'était contenté de parler de déloyauté, Kang Sheng avait évoqué une cabale de « droitiers » mais sans pousser l'avantage, Lin Biao, lui, a été excellent. Avec sa voix faible, son souffle court, son air bénin, Lin Biao est aussi chargé que Jiang Qing d'ambition et de haine. Quelles insultes, quels noms affreux n'a-t-il pas versés sur Peng Dehuai son rival, l'homme qui combattait en Corée pendant qu'il crachait ses poumons à Moscou ! Comme il l'a piétiné, comme il a vomi sur lui !

Ce Lin Biao blafard, Jiang Qing a toujours cherché à l'attirer, à lui plaire. A cette fin, elle est devenue une grande commère de sa femme, Ye Qun, qui, autant qu'il est menu et réservé, est une poissarde gonflée de raffuts, de médisances et d'intrigues. Et elle a fabriqué des enfants à son modèle. Cela ne dérange pas Lin Biao, au contraire : il trouve que sa mégère est une utile comploteuse. Jiang Qing prétend adorer Ye Qun qu'elle a connue à Yanan. Leurs liens. Leur complicité de jeunes femmes bien décidées à décrocher un vieux, un important sans craindre les légitimes et les amazones... Depuis longtemps Jiang Qing s'est dit qu'elle devrait mettre Lin Biao dans son jeu. Le faire parler, même s'il parle peu. S'il le faut, coucher avec lui, même s'il couche peu.

Il est décidé que Peng Dehuai est démis de sa position de ministre de la Défense et que Lin Biao prendra sa place. Le sourire

LE CHIEN DE MAO

de Lin Biao, sa suavité lorsqu'il est désigné... Jiang Qing frémit : celui-là est capable de tout.

Mais pour l'instant, il ne s'agit que de déchiqueter Peng Dehuai, de s'unir contre lui pour l'hallali. Ensuite, on l'obligera à la confession, on le chassera de Zhongnanhai, on lâchera sur lui la police politique, on le harcèlera dans un tracas sans fin.

Après la conférence, pour savourer sa victoire, Mao se rend dans son palais de Hangzhou, l'ancienne résidence d'un riche marchand de thé, près de ce lac de l'Ouest dont il aime tant la splendeur douce et envoûtante. C'est là que d'habitude il jouit de la beauté de la nature et de celle des femmes, cet essaim de créatures choisies et renouvelées sans cesse par Kang Sheng. Mais cette fois Mao n'a plus besoin de nymphes auprès de lui, il a emmené Jiang Qing. Il est bien vite connu que le couple partage le même lit.

Des noces vingt ans après celles de Yanan... Comme une bénédiction entre Mao, un peu cacochyme, et Jiang Qing, si jeune à côté de lui. Promenades, sentiers, marches de pierre menant au sommet des collines, rires, photos. Mao compose un poème en l'honneur de sa femme :

> « *Les ombres du soir grandissent parmi les pins solides*
> *Les nuages courent, tout est rapide et serein.*
> *La nature s'est surpassée dans la grotte enchantée*
> *Sur les pics périlleux s'étend l'infinie variété du beau.* »

Ces mots, cette allusion à la grotte enchantée, c'est la consécration de Jiang Qing.

Les semaines qui suivent sont merveilleuses. Plus personne ne souffle mot de ce qui va mal, tout est donc bien. Pour le dixième anniversaire de la Libération, Mao préside une commémoration encore plus gigantesque que les précédentes. Un triomphe uniquement obscurci par la présence maudite de ce cloporte de Khrouchtchev, toujours aussi narquois et qui ose tout : ironiser en prétendant qu'on ne bondit pas dans le communisme, critiquer l'action chinoise en Inde, menacer de retirer les experts sovié-

LE CHIEN DE MAO

tiques, admirer Eisenhower, solliciter un entretien avec Peng Dehuai comme s'il ignorait que le maréchal a été condamné à vivre seul dans une maison des faubourgs de Pékin, sa famille dispersée, sa femme contrainte au divorce. Tout contact avec le monde extérieur lui est interdit mais Mao, dans sa bonté, lui a concédé le plaisir de cultiver des roses dans un jardinet.

Depuis la porte de la Paix Céleste, Mao contemple la place Tiananmen et son cœur tressaille de joie devant l'immense esplanade, devant le Palais du Peuple qu'en dix mois et contre toutes les prévisions des Soviétiques les « volontaires » Chinois ont su bâtir. Pharaonique? Titanesque? Non, digne de l'empereur Qin Shihuangdi qui construisit la Grande Muraille. Comme en sont dignes les « Dix grands projets » qu'il a pour la capitale. Déjà les vieilles murailles ont été abattues et des voies géantes ont été percées, demain, mais c'est encore secret, il fera raser la Cité Interdite afin d'ériger à sa place des immeubles et des gratte-ciel. Pékin le disputera en magnificence à Moscou, et bien vite l'écrasera.

Certes, Mao le sait, et Jiang Qing aussi, la situation s'est encore dégradée. Mais Mao espère que tout s'atténuera bientôt par la force des choses, sans qu'il ait à renoncer à son Grand Bond en Avant ni à ses Communes. Il se sent quand même solidaire : pour toute nourriture il ne prend qu'un bol de riz et un plat d'épinards sautés. Pas Jiang Qing, qui continue à se faire apprêter une chère délicieuse. Elle ne songe qu'à ses toilettes et à ses orchidées. Cependant elle demeure la harpie accrochée à Mao, celle qui, sur tous les tons, lui dit et redit de ne pas céder.

Mais le printemps revient et la famine, loin de s'apaiser, redouble de rage, elle règne désormais dans tout le pays et les gens meurent par millions. Les atrocités. Le cannibalisme. Les parents qui égorgent leurs enfants pour les manger... Des révoltes ont éclaté, il a fallu les mater. Le Grand Bond en Avant se révèle une horreur et les Communes du Peuple cachent un carnage. Le grand corps de la Chine s'éteint dans le dénuement. Tous les petits hauts-fourneaux sont arrêtés, on a jeté le fer populaire, divisé les communes en brigades, ordonné aux paysans de retourner aux champs. Mais les moissons, quand seront-elles là? En les attendant, on plante des légumes, il y a des choux jusque dans les parcs de la Cité Interdite.

Mao reste enfermé dans Zhongnanhai, il ne veut plus sortir, plus prendre son train spécial par peur de voir ces macchabées qui

LE CHIEN DE MAO

sentent mauvais et qu'on ne peut enlever pour les dissimuler à ses yeux comme on faisait autrefois. Il collectionne toujours les virginités mais il se lasse même de ses charmantes dryades. On dirait qu'il est en proie à de terribles fléaux, que des remords le rongent, en fait la peur de la mort le hante. Dans son effroi il se remet entre les mains d'une nouvelle infirmière, une rustaude, une idiote dégourdie qui se consacre à toutes ses déficiences. Mao est son enfant, son bébé. Avec ses doigts, elle le désemplit de sa merde. Elle le berce, elle lave ses sommeils pleins de monstres moqueurs, elle l'engourdit d'opium, elle le masse, elle lui fait croire qu'elle régularise la circulation de son sang, qu'elle fortifie son cerveau. Elle lui prédit l'avenir. Qu'il ait confiance en elle, il n'aura ni infarctus ni attaque, il vivra longtemps, presque éternellement !

Tandis que Mao s'écroule, les dirigeants enquêtent. Chaque nuit, dans l'ancien zoo de l'impératrice Ts'eu Hi, Peng Zhen le maire de Pékin rencontre Deng Xiaoping et Liu Shaoqi. L'ombre, les gardes en armes, le brouillard qui mange les bruits, le bâtiment délabré au fond d'un faubourg... et là-dedans ces hommes, leurs dossiers. Un constat d'épouvante. De toute la Chine ont afflué des rapports secrets qui cette fois ne mentent plus : loin d'enlever le pays jusqu'au ciel, l'utopie de Mao le couche et le tue. Cette fois plus question d'accommodements comme à Lushan, plus question de sauver les apparences, Mao doit s'éloigner. Vraiment. Et puisqu'il a commis des erreurs aussi atroces, il les reconnaîtra autrement que dans un discours badin, il fera son autocritique.

Quelque temps après est organisée à Pékin une conférence extraordinaire pour sept mille cadres de rang supérieur qui sont l'ossature du Parti, qui tiennent la Chine. Le matin de l'ouverture Liu Shaoqi fait porter le texte de son allocution à Mao, qu'il puisse préparer sa réponse. Mais celui-ci, tout aux délices de son infirmière, ne le lit pas. Comme si les zombies qui prétendent gouverner pouvaient avoir la moindre idée ! Songer que ce nain de Deng Xiaoping va répétant qu'un chat soit noir ou blanc n'importe pas pourvu qu'il attrape des souris ! Plutôt que d'écouter de telles sornettes, autant rester couché.

Tout de même, Mao, le président du Parti, a dû se faire conduire jusqu'au Palais de l'Assemblée du Peuple. Toujours le rituel, toujours les faciès neutres et avisés... mais la violence du discours de Liu Shaoqi le stupéfie. Plus de périphrases, plus de litotes, plus d'avis circonspects, Liu l'agresse ouvertement. Finies, dit-il, les contrevérités et les explications ineptes, finie la fable d'une famine passagère due aux intempéries que propage Mao, fini l'aventurisme de gauche.

Et c'est le prodige. Mao, le vieux Mao, l'ancêtre décati, en un instant retrouve tout son génie stratégique. Si ce médiocre de Liu, calcule-t-il, attaque ainsi, c'est qu'il se sent soutenu, qu'il a des partisans et des dossiers – Mao ignore les rencontres du zoo mais il est assez rompu aux arcanes de la politique pour les soupçonner. Demain, s'il n'arrête pas tout, on va reconsidérer le cas de Peng Dehuai, brandir contre lui Mao un rapport analogue à celui que Khrouchtchev a osé forger contre Staline, on va menacer et il devra courber la tête, s'agenouiller en implorant. Mieux vaut s'offrir aux coups pour les atténuer.

Alors Mao prononce une longue harangue où il reconnaît ses torts. Sa voix n'est plus la fanfare qui commande au monde, elle est basse, monocorde, un peu enrouée, mais les haut-parleurs la répercutent sur les têtes des assistants qui se tiennent cois :

— En tant que président de l'autorité centrale, conclut-il, je suis responsable de toutes les erreurs qui directement ou indirectement lui sont imputables.

C'est peu. Mais tous comprennent que Dieu se fait homme, et même homme coupable. Mao s'avoue hérétique, il admet ses insuffisances.

Effrayant est le silence dans lequel tombent ces paroles inouïes. Mais la tactique de Mao a payé : Liu ne poursuit pas. Lin Biao et Chou En-lai – là encore, quelle célérité ! – en profitent pour défendre la pensée de Mao.

Des mots, des mots, des mots...

Mao boude la conférence. Il vient ou ne vient pas ; s'il est là, il mène et gagne encore quelques combats, il empêche par exemple la réhabilitation de Peng Dehuai.

Merveilleuse danse du compromis... Mao accepte de ne plus s'occuper d'économie pendant cinq ans. En échange, dans son discours-bilan, Deng Xiaoping impute les erreurs du Grand Bond à la direction du Parti dans son ensemble. Mais le gnome se permet une condamnation officielle du mouvement. La première. Il se déclare contre les campagnes politiques de masse, il dénonce l'absolutisme et l'arbitraire. Il ne nomme pas Mao, mais c'est tout juste.

Le soir de cette humiliation, au lieu de s'enflammer dans les défis de la riposte, Mao tombe dans un grand épuisement. Il tremble, il crie, on le croirait aux prises avec le démon de l'épilepsie. Va-t-il

LE CHIEN DE MAO

s'avouer vaincu, renoncer ? Mais non. En quelques secondes décisives le flot de la rage lui revient, l'empourpre et le sauve.

— J'ai vu les corneilles de la mort me déchirer, dit-il, mais elles se sont éloignées. Maintenant le chemin s'éclaire : il faudra tout détruire, le Parti, la civilisation, le passé, l'avenir. Nous ferons table rase. Nous ferons la Grande Révolution, une révolution comme l'univers n'en a jamais connu.

D'autres le croiraient devenu fou. Pas Jiang Qing. Dans son goût de l'extraordinaire, son envie d'accéder à l'inimaginable avec Mao, grâce à Mao, ces paroles sont pour elle une révélation.

— Nous ferons la Grande Révolution, répète-t-elle, une révolution sans exemple, sans précédent.

Mao est tout embrasé, un peu gâteux quand même, et il psalmodie :

— Souviens-toi de la beauté du vent sur les pics périlleux. Nous ferons la Révolution, nous chasserons tous les Satans, toutes les vieilleries et nous habiterons la caverne des dieux. Ma pensée est un soleil qui ne se couchera jamais.

Encore faut-il attendre que Liu Shaoqi soit détruit par le pouvoir. Qu'il établisse sa domination mesquine, qu'il normalise les choses en leur ôtant le grandiose que leur conférait Mao, fatalement inimitiés et hostilités se multiplieront autour de lui. Il n'est pas de taille... Mao, même s'il paraît isolé, sera toujours là, formidablement là, il pourra manœuvrer le Politburo et gronder à la révolution trahie. Et, sur les tréteaux, dans les arènes, à l'intérieur des casernes, des universités, au sein du Parti même, surgiront à nouveau des hommes prêts à se donner à lui et à sa mystique.

Attendre... Jiang Qing s'inquiète, elle a découvert Mao susceptible, avec l'âge, de se laisser flotter à la surface de la vie, de n'y prendre que de petits agréments. L'indifférence des vieux... C'est à elle, Jiang Qing, de maintenir son mari dans sa dure résolution d'ébranler encore le monde, de faire que sa faiblesse et ses radotages apparaissent comme une folie rusée, plus géniale que jamais... Hélas ! Mao, après sa brève fulgurance, s'est éteint, il n'est plus qu'un astre morne dérivant à travers des cieux gris de rouille.

256

LE CHIEN DE MAO

A la vérité, il est tombé malade, très malade, il dégraisse un peu mais c'est un amaigrissement de mauvais augure. Son teint est visqueux, son regard, brouillé, il a des difficultés à parler, comme si son cerveau était atteint. Il reste enfermé chez lui, il délire. Jamais il n'a autant tremblé.

Jiang Qing s'affole : Mao ne peut pas sombrer ainsi, au moment où il allait lui donner le Ciel – car elle ne doute pas que la Grande Révolution sera son apothéose. Il est trop tôt, elle a encore besoin de lui, de son nom. Elle morigène Mao comme il la morigénait jadis, mais il ne répond pas, paupières closes, il vogue déjà dans un au-delà. Il est rigidifié, son souffle est à peine audible. Pourtant Jiang Qing ne fait pas appeler son médecin, par crainte qu'il ne jacasse dans Zhongnanhai et ne raconte que Mao est tombé dans la sénilité. Elle fait simplement répandre le bruit que le Président est fatigué et qu'on doit respecter son repos. Pas de visites surtout. Même Chou En-lai n'est pas admis.

Dans la chambre immense, sur le lit dépouillé de demoiselles, Mao revit son enfance. Il revoit la ferme où il a appris à haïr son père, il sourit quand lui apparaît le visage de sa mère, une femme pieuse qui priait Buddha. Il était devenu Mao... Mais même Mao doit trépasser. La Camarde est-elle là ? Frappe-t-elle ses coups de semence ? Il faut si peu de chose pour qu'elle emporte un homme usé. Heures longues, souvenirs fugitifs, craintes torturantes... Du magma de ses peurs, dans un élan prodigieux, il tire cette question qui le hante :

— Qui me succédera ?

— Moi, lui répond Jiang Qing. Mais d'abord, guéris pour écraser Liu Shaoqi et sa clique ! Un Mao ne meurt pas vaincu.

Mais Mao retombe dans sa léthargie. Et Jiang Qing se lasse... Elle fait mander Chen Boda, le fidèle d'entre les fidèles, le crapaud quasi inconnu du monde extérieur et que depuis Yanan on trouve toujours dans l'obscur des trappes d'où suinte la méchanceté. Chen Boda n'est pas un exterminateur de métier comme Kang Sheng, il est pire, un excrémentiel défécant. Dans sa fureur d'être affreux, et pour s'en venger, il maudit les tièdes, il aspire à un monde fanatique. Il n'a aucune imagination, mais le Mao des excès le comble. Déjà il se déchaîne contre le « révisionnisme » – c'est ainsi qu'il appelle le système de Liu Shaoqi et de ses affidés. Lorsque Jiang Qing lui montre son Mao déliquescent et lui demande conseil, il n'hésite pas :

— Cachez Mao ! Cachez-le dans un endroit agréable et qu'il

aime ! Son médecin sera discret, il en va de la liberté de sa famille.
Canton n'est pas sûr, je vous suggère d'aller à Hangzhou. Le lac
de l'Ouest l'apaisera. Palmes et fleurs, la gamme des senteurs, le jeu des vaguelettes,
des reflets et des brumes... Mao est seul à Hangzhou avec Jiang
Qing, des domestiques et des gardes du corps. Elle s'ennuie et lui,
longuement, se berce. Il regarde le lac, ses ondes cerclées de
beauté, ses îlots, ses péninsules et ses promontoires qui sont des
idéogrammes du ravissement, il contemple les collines discrètes
qui l'entourent, ces monts incertains comme des songes, précis
comme des rêves délectables. Il pense aux empereurs Song qui au
XIIe siècle ont régné ici, il voit des déesses.

Dans cette suavité, peu à peu, Mao guérit. Il reprend du poids.
Quand il se sent vigoureux, il se promène sur la berge à petits pas,
il se perd dans les jardins surnaturels. Parfois, comme les anciens
souverains, il embarque sur un frêle esquif et des rameurs
l'emmènent loin des contingences humaines, dans l'Eternité de la
Terre et du Ciel. Au retour, il prend un pinceau et écrit un poème.
Le temps passe.

A Pékin, Liu Shaoqi consolide son emprise. Cette Chine qu'il a
ramassée au bord du gouffre, il lui redonne consistance et même
prospérité. Qu'importe que les Soviétiques, dûment poussés à la
rupture par Kang Sheng, aient rappelé leurs experts, la Chine à
nouveau déborde de confiance et les statistiques recommencent à
se gonfler. La famine s'éloigne, le grand cri de la misère s'estompe,
la production repart. Cela grâce au Parti, dont les cadres tiennent
les masses sous la coupe de la vertu. Pour Liu Shaoqi, le communisme, c'est la beauté du syllogisme, l'organisation parachevée, la ·
bonne collectivisation, la sage hiérarchie, la grande bureaucratie,
surtout pas l'utopie maoïste. Tout n'est que labeur, catéchisme,
dialectique constante pour que chacun progresse. L'homme ne
peut changer de nature, mais l'individu, étant cerné par les autres
dans la critique et dans l'autocritique, devient meilleur. Le Mal est
partout mais tous s'éduquent sans cesse pour accéder au Bien. Extraordinaire casuistique rouge. Recherche exaspérée de l'efficacité.
Chine prison. Mais la prison régénératrice, la bonne prison de la
fraternité.

D'abord apprendre, s'instruire, puis s'acharner au nom des cinq
Emulations. Toujours il faut se donner du mal, « aller du petit au
grand, de bas en haut, du point à l'espace, du facile au difficile ».

LE CHIEN DE MAO

Les hommes qui auront acquis le savoir arriveront à se forger des outils, des machines, mais pas des machines bulles de l'imagination, comme dans le Grand Bond en Avant désormais honni, de vraies machines issues des techniques modernes et des connaissances les plus élaborées, des machines pour grandes usines et combinats lourds. Jusqu'au fond des provinces les plus lointaines, le pays est un immense chantier. La « science populaire » de Mao est remplacée par l'acquisition progressive de la « science scientifique ». C'est la fin de la guerre contre les intellectuels, les ingénieurs, les écrivains, les professeurs, les étudiants de toutes sortes qui, maintenant, doivent être employés à plein. Autour de Liu, le Parti se renforce : il s'enrichit de clients, d'alliés, de bénéficiaires, il soutient, outre les culs-terreux, les prolétaires urbains si longtemps négligés par Mao et qui se dépensent dans de multiples entreprises nouvelles qui naissent, croissent et se développent dans les cités.

Pour les grands dirigeants, la vie est excellente. Un Tout-Pékin de dignitaires, d'amis étrangers et de journalistes capitalistes s'est constitué, les restaurants de luxe ont été rouverts, au Cercle International et dans les hôtels restaurés s'active un monde élégant, serviteurs en tenues blanches, clients distingués, prolixes et pleins de secrets, un monde d'agents. On boit, on mange, on parle affaires, on se moque de Mao qui est la cible de pièces satiriques. Tous ces quidams sont souvent les invités de Liu Shaoqi dans la Cité Interdite transformée en gigantesque lieu saint rouge.

Mao se porte beaucoup mieux, il peut envisager un retour à Pékin. Mais dès qu'il retrouve le Bureau des Senteurs de Chrysanthème, la mélancolie le reprend. Il est tellement seul... Ses compagnons lui ont tourné le dos et si quelques-uns d'entre eux, comme Chou En-lai, lui rendent encore visite, il devine que c'est par prudence : avec un vieux fauve comme lui, on ne sait jamais, s'il allait se réveiller... Un garde rapporte à Mao que Chou, lui aussi, condamne le Grand Bond en Avant. Ne lui restent que Chen Boda, que Jiang Qing et son amant Zhang Chunqiao, peut-être Kang Sheng, peut-être Lin Biao.

Au fond de son lit, au bord de sa piscine, Mao rumine. On lui a volé sa Chine. Et pour en faire quoi? Une féroce entreprise où l'on ne parle que d'amour. Liu Shaoqi n'a-t-il pas ordonné aux unités de police et de sécurité de s'adonner à un mois d'amour pour les masses? Et le peuple tout entier ne s'est-il pas mis à chanter son amour pour les policiers du Peuple? Cela ferait rire Mao,

LE CHIEN DE MAO

s'il en avait encore la force. Depuis le Peuple ne s'exprime plus, il produit. Vingt heures par jour, sous la surveillance impitoyable des cadres, ceux qui faiblissent n'ont rien à espérer. L'autocritique est le remède à tout, elle a tout guéri. A entendre Liu et sa clique il n'y aurait plus de réactionnaires, il ne faudrait plus lutter, plus tuer...

Erreur, erreur, erreur : la Chine n'a jamais été si grande que lorsqu'elle était emportée par le merveilleux. Plus que jamais Mao croit que le monde ne peut vivre sans élans sublimes, sans désir superbe. L'univers ne doit-il pas être avant tout un immense rêve? Où est le rêve dans l'œuvre besogneuse de Liu? Où est le grandiose dans le pragmatisme de Deng Xiaoping? La Chine mange presque à sa faim? La belle affaire si elle n'a plus d'âme... Et Mao se convainc que c'est à lui de redonner au pays le sens de l'extraordinaire, l'envie de tout abattre pour ensuite tout reconstruire fantastiquement. Mais il ne bouge pas.

Il médite. Il décide que Jiang Qing sera son associée, son bon génie dans cette entreprise. Elle a tant de ressources dans la haine! Deux fois par jour, il se délecte à l'entendre lui raconter la discrétion ostentatoire de Liu, et surtout les airs que prend son épouse. Comme Jiang Qing les envie, ces miteux qui se croient souverain et souveraine. Comme elle aimera en venir à bout!

Lourde tâche : dans sa grisaille Liu paraît à tous un modèle de dirigeant, et son opuscule *Comment être un bon communiste* connaît un prodigieux succès. Sérieux, bien pourvu d'enfants, il mène en famille une existence exemplaire, lui et les siens se livrant chaque jour à une séance d'autocritique. Des gens perfectionnés... mais aux vues courtes, terre à terre. Rien de criminel toutefois à dénoncer dans cette sage médiocrité. Wang Guangmei, la femme de Liu, est une épouse accomplie. Elle est née dans une excellente famille progressiste, son père, un diplomate, a eu des postes en Angleterre et aux Etats-Unis, c'est une physicienne, bardée, cuirassée de diplômes, la meilleure étudiante de Chine en son temps, de celles auxquelles les universités américaines offrent des bourses, elle parle anglais, français, russe, elle a servi d'interprète au général Marshall à la fin de la guerre. Inlassablement, Jiang Qing se répète cette histoire, elle est persuadée qu'elle finira bien par en tirer quelque chose, une belle grosse accusation.

Cependant il importe que les relations entre les deux couples soient aussi bonnes que possible. Certes est délicate la question de la préséance entre le président de la République et le président du

260

LE CHIEN DE MAO

Parti, surtout quand ce dernier s'appelle Mao, mais Liu Shaoqi la contourne habilement, même s'il gronde en privé contre ce titre de président toujours collé au nom de Mao comme un préfixe inévitable. Président Mao, Président Mao... le président Liu trouve cette appellation ridicule. Malgré tout c'est entre les deux ménages le jeu de l'amitié, des politesses, des fausses confidences. Toute la détestation qu'éprouve Mao pour Liu Shaoqi, il la dissimule en professionnel de la tromperie. Jiang Qing a davantage de peine à se contrôler, d'autant plus que Liu Shaoqi se laisse entraîner dans les protocoles et la somptuosité par son épouse. Les mondanités rouges, l'étiquette faste, les réceptions, la foule des flatteurs... La ravissante Wang rayonne : elle est la première dame de Chine, avec un mari puissant, quantité d'admirateurs, des cadeaux, des attentions, des compliments. Jiang Qing est dévorée par la maladie de l'œil rouge, la jalousie. Son éternelle jalousie. Elle exècre Wang, la beauté de Wang, son élégance, son entrain, son aisance, sa façon d'indiquer qu'elle s'est frottée au monde, qu'elle en connaît les usages, tous les usages. Intolérable. Face à elle, Jiang Qing se sent devenir vieille. Elle a beau déployer ce qu'elle croit être l'arsenal de la féminité, faire des caprices, des chichis, avoir des humeurs, se plaindre de vapeurs et de malaises, l'idée la ronge qu'elle est désormais laide, d'une solidité de laideur que seul pourrait magnifier le pouvoir, le pouvoir qu'elle n'a pas.

En apparence les deux femmes s'entendent. Souvent, pour s'habiller ou pour de petits détails domestiques, Wang demande des conseils à Jiang Qing, qui en prodigue. Elles papotent. Wang est assez habile pour éviter les sujets politiques, c'est le domaine de son époux, dit-elle. Pour elle ne comptent que les futilités, la progéniture, ses trois enfants, dont un bébé, les quatre qu'a eus Liu de ses précédents mariages, elle est obsédée par la tenue de sa maison, ce pavillon de la Bonne Fortune qui jouxte la demeure de Mao, et par l'école maternelle que dirige sa mère à l'intérieur de Zhongnanhai. Cette atmosphère de pouponnière dégoûte Jiang Qing. Pour un peu, il faudrait qu'elle feigne de s'occuper de sa fille Li Na, cette baudruche qui ose avoir vingt ans. Mais ce qui exaspère le plus Jiang Qing, c'est que Wang ait l'insolence, ou l'imbécillité, de la considérer comme une vénérable douairière.

Jours moroses à Zhongnanhai. Mao, toujours envoûté par son infirmière qui le gave d'apothicailleries, ne songe qu'à prendre soin de lui. Elle a réussi à lui amollir les entrailles, il chie mieux.

261

LE CHIEN DE MAO

Quelle victoire... Chen Boda et Zhang Chunqiao ne se montrent guère. Jiang Qing tourne en rond, l'ennui la brise, ses rêves l'ont quittée, elle ne sera jamais compagnon d'armes.

C'est alors que surgit Kang Sheng, le sémillant Kang Sheng, l'éternel Kang Sheng au regard ironique, et Jiang Qing frémit. Soudain elle a dix ans, elle a quinze ans, elle a vingt ans, elle est à Zucheng, elle est à Tsingtao, elle est à Shanghaï, à Yanan. Avec lui. Déferle le souvenir de toutes les circonstances où elle désespérait et où Kang Sheng était apparu pour la sauver. Mais elle essaie de garder un regard serein, pauvre vieille bête qui éprouve un sentiment et a failli le montrer.

Un instant, ils se scrutent : tant d'années ont passé qui les ont tellement abîmés ! Cette scène de retrouvailles ils l'ont si souvent vécue, avec à chaque fois tant de secrets, tant d'arrière-pensées qu'il n'est pas question de s'abandonner. Ce qu'il faut, c'est évaluer l'autre, mesurer qui a le plus besoin de qui, ensuite négocier. A ce jeu, Kang Sheng est très fort, mais Jiang Qing a appris. Elle attaque tout de suite :

— On ne t'a pas beaucoup vu ces temps derniers. Sans doute étais-tu trop occupé à prendre le vent ? Liu Shaoqi ne te séduirait-il plus ?

— Il ne m'a jamais séduit comme tu dis.

— Mais c'est toi qui assures la promotion de son livre. Plutôt bien d'ailleurs. Tous les Chinois le lisent.

— Une bagatelle, un gage si tu préfères. Mais cela ne compte pas.

— Et ta façon d'afficher une quasi-amitié avec Deng Xiaoping ?

— La haine de Khrouchtchev nous a rapprochés. Son révisionnisme le scandalise autant que moi. Et autant que Mao.

— Donc maintenant tu cours pour Deng Xiaoping. Sans doute se voit-il déjà à la place du dauphin et désire-t-il que je parle à Mao en sa faveur ?

— Ne te fais pas plus importante que tu ne l'es. Le secrétaire général du Parti peut être reçu par le Président sans ton intervention. Ni la mienne d'ailleurs.

— Mais il n'a pas consulté Mao depuis des mois. Et il a condamné officiellement le Grand Bond en Avant.

— Il y avait urgence. Une famine, je te rappelle. Mais tu t'égares. Deng Xiaoping ne m'a rien demandé et je suis venu pour toi, pour te voir. Je m'inquiète de toi.

Jiang Qing éclate de rire :

LE CHIEN DE MAO

— Quelle machination es-tu encore en train d'échafauder ?

— Je suis simplement venu t'assurer de ma fidélité. Dans sa sottise, Liu Shaoqi ne voit pas que seuls les nouveaux mandarins de la bureaucratie profitent de sa Chine heureuse. Il veut ignorer que ces millions de cadres flottent au-dessus du peuple en l'écrasant. Malgré lui, il recrée une bourgeoisie. Mao le sait, il s'en servira. Et je serai auprès de lui. Tu ne crois quand même pas que j'ignore vos petites conversations. J'ai des gens. Et des micros. Vous voulez faire la Révolution paraît-il ? Eh bien, je suis des vôtres.

Nouveau rire de Jiang Qing :

— Tu vas jouer sur tous les tableaux et tu nous trahiras.

— Certainement pas. Parce que Mao est un génie et Liu Shaoqi un imbécile. Il laissera tout se préparer, sans croire qu'au bout de cette mise en place se produira une explosion qui lui sera fatale.

— A une condition...

— Parce qu'il y a une condition ?

— Que Mao se retrouve. Tes espions ont bien dû te dire qu'il était tombé dans une espèce d'atonie. Il semble avoir renoncé non seulement aux grands desseins mais même aux petits plaisirs.

— Je sais. Mais rassure-toi, il a toujours traversé des périodes d'incertitude avant de se lancer dans l'action. Nous allons lui redonner le goût des petites camarades et de la Grande Révolution. Et puis je m'occuperai de toi. Sincèrement, je te trouve fatiguée.

Dès qu'on lui parle d'elle, Jiang Qing ne se sent plus d'aise. Affolée de plaisir, elle baisse sa garde, se met à geindre, raconte tout, ses doutes et ses ambitions. C'est le moment de la cueillir à chaud avec des promesses et les sempiternels encouragements : qu'elle tienne bon, son heure arrive. Toujours la même berceuse que Kang Sheng chante une fois de plus, cette femme mûre n'est-elle pas sa meilleure carte auprès de Mao ? Et puisque Liu Shaoqi, pour éviter une crise de régime, préserve la fiction d'un Comité central uni et d'un Mao toujours respecté, ne faut-il pas, par prévoyance ou cautèle, continuer de cultiver Mao ? Donc son épouse ?

Kang Sheng se fait tout miel et velours :

— Je vais aller voir Mao, histoire d'entretenir un peu sa haine des révisionnistes. Et puis nous partirons tous les deux pour la villa de Hangzhou. Raconte ce que tu voudras, que tu as la grippe, que cet hiver t'a épuisée, de toute façon, ton mari s'en moque. En deux mois, je t'aurai remise sur pied.

263

LE CHIEN DE MAO

A Hangzhou en ce printemps, Jiang Qing et son vieil amoureux Kang Sheng retrouvent les fastes de leur passé. Il a la soixantaine fringante, elle aborde les rivages de la cinquantaine, mais qu'importe, ils s'adonnent aux ébats fabuleux de leur jeunesse, ils célèbrent la liberté ressuscitée. Elle n'est plus une haridelle tendineuse saccagée par l'arrivisme mais une jeune femme assaillie de désirs ; il n'est plus un tueur, mais le plus précieux, le plus raffiné des adorateurs de l'existence. Délices de la chère, beauté des objets et bibelots qui servent de décor à ces radieuses amours. Chaque jour est une succession de plaisirs. Flâneries au lit, promenades au bord du lac ou dans les collines environnantes, conversations, plaisanteries, visites aux antiquaires et aux libraires. De confiscations en pillages, Kang Sheng a rassemblé de magnifiques collections d'antiquités et la plus belle bibliothèque érotique de Chine : il les complète à Hangzhou. Défilent à la villa des courtiers, des revendeurs surgis d'on ne sait quel bas-fond qui proposent livres et estampes merveilleuses où les sexes sont des bijoux. Kang Sheng trie et marchande en connaisseur : ses trouvailles seront, dit-il, pour Mao.

Presque chaque soir, ils se font représenter un opéra par une troupe de Hangzhou ou de Shanghaï. Les classiques les lassent vite. Ce qu'ils exigent, ce sont des mélodrames interdits pleins des salacités du sang et du sperme. Là-dedans, ils jouissent de voir la morale bafouée, la sensualité triompher de la vertu, des héros impudiques humilier des personnages à bons sentiments. Ils apprécient surtout les « comédies des lits tumultueux », dans lesquelles un seul acteur − ou une seule actrice − arrive à reproduire les bruits mouillés d'un couple en pleine fornication. Il y a aussi des histoires de fantômes très licencieux, où l'autre monde, le surnaturel, se combine avec les fosses d'aisances de cet univers-ci. Plus le spectacle est outrageant, plus ils s'amusent. Les erreurs des comédiens qui, n'ayant pas joué ces pièces obscènes depuis longtemps, se trompent souvent, les font rire. Ils les corrigent, les imitent, les encouragent, ils sont indignes et ravis.

Ainsi jusqu'à l'été. Jusqu'à la conférence de travail préparatoire au prochain Plénum qui se tient à Beidaihe, la plage proche de Pékin. Un paradis. Tout y est beau, et d'abord les grandes vagues qui se fracassent sur le sable, des rouleaux énormes dans lesquels, quand il est en forme, Mao aime se jeter malgré les suppliques de ses gardes du corps qui doivent le suivre et détestent cela. En ce

LE CHIEN DE MAO

mois d'août 1962 Mao y fait une apparition magnifique. Il parade. Il défie l'océan, puis il va se sécher au soleil, tout près de pins embaumés. La vigueur de son corps... Dire qu'il y a encore si peu de temps, il gisait, inerte, sur un monceau de coussins, auprès de l'infirmière qui le dulcinait pitoyablement. Mao irradie, les ans se sont comme évaporés de sa personne et il brûle de faire exploser sa nouvelle jeunesse au nez des birbes du Politburo.

Tout d'abord, Mao accueille Jiang Qing, qui vient d'arriver en compagnie de Kang Sheng, avec une tendre amabilité :

— Tu as bien profité de tes vacances ? Maintenant tu vas travailler pour moi, avec tes amants bien sûr. Tu vas t'appuyer sur Kang Sheng et sur Zhang Chunqiao. Convoque aussi ce monstre de Chen Boda, il m'est dévoué. Avec eux, tu prépareras la Grande Révolution dont je vais annoncer les prémices.

En effet, dès la première réunion, Mao se met à débiter d'un ton vaillant, et même agressif, un étonnant morceau de bravoure. Où sont ses récents vagissements et ses hésitations ? Il provoque Liu Shaoqi qui pourtant garde le visage satisfait, car il croit que dans la Chine dont il est le président de la République, toutes les grandes contradictions résolues, règne le communisme heureux. Mao, lui, clame que paysans, ouvriers et soldats sont toujours en conflit avec les bourgeois réactionnaires qui ne cessent de renaître. Plus encore qu'auparavant, on doit combattre et porter des coups terribles. « N'oubliez jamais la lutte des classes », hurle-t-il. Qu'on rejette, encore et toujours, ce qui est vénéneux, féodal, capitaliste ! Qu'on repère, qu'on élimine les mauvais éléments ! Qu'on fasse la Grande Révolution, celle qui n'a jamais été faite. C'est le coup de tonnerre. Et cependant beaucoup dans le Parti restent sourds : le Vieux profite de sa position honorifique pour dire n'importe quoi !

Le Vieux, après son sermon, se retire très sagement dans l'ombre, s'absentant pour les délices d'une résidence fleurie, avec ses mignonnes soudain réapparues. Mais il surveille Jiang Qing de près : qu'elle prépare les ouragans et les exterminations – elle aime tellement être impitoyable. Pour le moment, elle dresse les listes et elle se délecte à y inscrire le nom des gens qu'elle déteste : Liu Shaoqi, Wang Guangmei, des écrivains, des gens du spectacle, tous les officiels de la culture.

Mao, lors du Plénum à Pékin, a repris et développé les thèmes exposés à Beidaihe pour relancer l'ardeur révolutionnaire dans le pays. Parce que Liu Shaoqi, sous prétexte d'inciter le Peuple au

LE CHIEN DE MAO

communisme, l'a trahi. Ne tolère-t-il pas la propriété privée, les lopins de terre, l'intérêt personnel? Ne laisse-t-il pas la jeunesse en jachère sans la former au socialisme? N'est-il pas d'une indulgence coupable avec des intellectuels abâtardis qui, sous couleur de révérer la tradition, fomentent le retour au capitalisme? Il est temps que la Chine se ressaisisse. Lui Mao déclenche ce jour un « Mouvement d'éducation socialiste » pour que les masses, revivifiées, pénétrées à nouveau de l'importance de la lutte des classes, débusquent partout le révisionnisme.

Pas plus qu'à Beidaihe, les birbes n'ont bronché. Sans doute ont-ils pensé que la crise du Vieux se prolongeait : pour ne pas le contrarier, ils ont voté à l'unanimité l'instauration de son mouvement, bien décidés à ne l'appliquer en aucun cas. Les lourdeurs de l'appareil pourvoiraient à ce blocage. En apparence, tout est bien.

Avant la fin de septembre, cette touchante harmonie vole en éclats. Jiang Qing a tiré la première salve. Pour séduire Soekarno l'Indonésien, le beau parleur, le bel ami, le séducteur, le matamore qui a tout du jouisseur et rien du communiste, la Chine avait invité à Pékin sa nouvelle épouse. Une débauche de fêtes splendides est organisée : discours somptueux, kampés innombrables à l'amitié panasiatique, sous l'égide de la belle Wang Guangmei, la femme de Liu Shaoqi. Le pays bourdonne d'hommages envers l'Indonésienne et Wang qui se pavanent et s'exhibent de toutes les façons. La rage étouffe Jiang Qing : n'est-elle pas, elle aussi, épouse de président? Et le sien, n'est-il pas d'une essence supérieure? Comble d'ignominie, *Le Quotidien du Peuple* publie en première page et en grand apparat, une photo de Mme Soekarno encadrée par Liu et Wang. Une photo officielle... Wang représentée comme une reine accordant sa divine hospitalité à une invitée de mauvais aloi – car Jiang Qing en est certaine, cette femelle sort du ruisseau. Colère, récriminations : l'a-t-on jamais photographiée, elle, Jiang Qing? Tout lui a toujours été refusé. Eh bien, c'est terminé.

Elle se rue dans le Bureau des Senteurs de Chrysanthème, elle secoue formidablement Mao en le traitant de ramolli et d'impuissant. La mine cuite au court-bouillon, les yeux comme pochés, Mao ne répond rien. Alors Jiang Qing crie. Un hurlement d'hystérique bientôt relayé par un flot d'arguments, par des pleurs et des rires sarcastiques. La scène dans toute sa splendeur. Le résultat? On demande à Mme Soekarno de se laisser encore photographier, cette fois entourée par Mao et Jiang Qing.

266

LE CHIEN DE MAO

Le lendemain, le cliché paraît dans *Le Quotidien du Peuple*, présenté exactement comme le cliché iconoclaste. Mais, au verso, on retrouve, en petit cette fois, Mme Soekarno, Liu Shaoqi et son épouse. Pourquoi cette joute d'images ? La population entière de Pékin a compris : une guerre commence au sommet entre Liu et Mao, et plus encore, entre leurs épouses, Wang Guangmei et Jiang Qing.

Pour ne pas être en reste, Kang Sheng décide lui aussi de concocter un incident, mieux, un drame. Il se trouve que doit être publié un livre à la gloire d'un héros du communisme chinois, un révolutionnaire qui avait soulevé victorieusement le Shaanxi bien avant que Mao n'arrive au terme de sa Longue Marche. L'homme a eu le bon goût de mourir en 1938 devant les Japonais mais Mao a quand même pris ombrage de sa renommée. N'était-il pas, lui, Mao, le premier, le seul libérateur ? Pour Kang Sheng, l'occasion est sublime. Il se procure le manuscrit, hurle à la conspiration anti-Parti, crée un groupe spécial d'investigation : quatre mille personnes, tous les gens qui de près ou de loin ont approché l'auteur sont arrêtés, interrogés, torturés, envoyés dans des camps. Le personnel de la maison d'édition est décimé mais on interpelle aussi des patrons de restaurants où dînaient les conjurés, des cadres, des fonctionnaires, des ministres et même un couple de vieillards que l'auteur avait un jour aidé à traverser une rue. A mort les vieillards contaminés ! Kang Sheng est enchanté.

Il faut battre le fer pendant qu'il est chaud, s'activer. L'imagination de Kang Sheng déborde : il forme des détachements de propagandistes-écrivains à sa dévotion, des gens de paille qui ratiocinent sur l'opposition au révisionnisme. En somme, de pauvres plumitifs dont il fera des provocateurs. Que quelqu'un ose discuter un des textes fabriqués dans ces ateliers, que quelqu'un ose y répondre et les rouages de la machine à jargon se mettront en branle, cracheront un article, puis un autre, chaque fois plus subtil. D'analyse en analyse, l'imprudent sera englué, asphyxié, bientôt condamné. Merveilleuse machine, mais il est encore trop tôt pour la faire fonctionner à plein.

Shanghaï. Jiang Qing s'enferme dans l'hôtel Jinjiang, le palace de l'ancienne concession française. Un étage entier, le dernier, a

LE CHIEN DE MAO

été mis à la disposition de «notre distinguée invitée» par la municipalité. A ses pieds, et à elle réservés, le Cercle sportif, une piscine, une salle de projection, souvenirs d'une vie de luxe qui la fait toujours rêver. Shanghaï des plaisirs, des paris les plus fous, des heureuses vantardises, Shanghaï que ni le labeur forcé ni les rectifications n'ont réussi à écraser. Bars, cabarets, restaurants, salles de spectacles... quelques-uns de ces endroits ont subsisté et, malgré les peintures écaillées et les nappes défraîchies, malgré la rouille, la poussière, la décomposition, il en monte encore des effluves de joie. Parfois Jiang Qing s'accoude à une fenêtre et elle écoute la rumeur de la ville. Combien d'heures y a-t-elle passées? Combien de chambres y a-t-elle occupées? Les palaces et les bordels, les studios de cinéma, les dancings, les prisons, les salles de jeux, le Grand Monde, le champ de courses, la moindre boutique de la moindre ruelle, elle connaît tout de Shanghaï. En se penchant, elle aperçoit, dix-huit étages plus bas, les parvenus de la vertu à la Liu Shaoqi et leurs épouses pommadées qui se retrouvent devant l'hôtel où ils vont dîner. Voitures noires. Frivolités... Elle se sent la maîtresse, la déesse invisible qui règne sur ces gens. Elle les tient dans sa main, elle les regarde gigoter. Comme ils sont petits! Comme ils sont bêtes!

A l'hôtel, Jiang Qing a bien sûr retrouvé Zhang Chunqiao. Les corps se sont rassasiés et puis elle l'a enrôlé dans la Révolution, lui et ses amis.

— Mais tu as pactisé avec Kang Sheng. Et quand je dis pactisé... On vous a vus à Hangzhou. Il existe d'excellents rapports de police sur vos goûts en matière d'opéra.

— De cela aussi nous disposerons. J'ai fait alliance avec Kang Sheng par nécessité, parce que je connais la puissance de ses réseaux. Mais je le redoute. C'est toi que je veux associer à mon nom, pas lui. En attendant, je l'ai convoqué ici. Vous devez fraterniser.

Les démons. Trois ombres à l'abri de tout qui fomentent un gigantesque coup d'Etat. Leur première rencontre est en quelque sorte une conférence de neutralisation. On bavarde, un peu de familiarité ne nuit jamais. Il n'est pas question de se livrer à des autocritiques ou à des aveux, mais plutôt pour chacun de laisser deviner qu'il a des armes contre les deux autres dont il ne se servira pas. Que tout soit clair entre eux, enfin relativement, de façon qu'ils n'aient plus envie, pour le moment du moins, de se nuire.

LE CHIEN DE MAO

Kang Sheng détient la preuve que Zhang Chunqiao a long-temps fricoté avec le Kuomintang et n'est qu'un communiste de la onzième heure mais Zhang n'ignore rien de certaines activités de Kang Sheng, tant les archives du Kuomintang saisies à Shanghaï en 1949 ont parlé. Arrêté, Kang Sheng a été libéré contre la re-mise de trotskistes aux Nationalistes. Mais ces trotskistes, l'étaient-ils vraiment ? Beaucoup en doutent. Quant à Jiang Qing, elle aussi est sortie d'une prison du Kuomintang après avoir donné des noms, des noms de félons affirme-t-elle, des noms de bons com-munistes croit-on. Existe-t-il des papiers la concernant à la police de Shanghaï ? Cela, elle n'a pas osé le demander à Zhang : elle a trop peur de fournir contre elle des moyens de chantage. Mais ces papiers la tourmentent.

Dans l'appartement du Jinjiang, les trois complices touillent les choses sans aller au fond. Des noms fusent, des adresses, des anec-dotes, un tel a été assassiné, tel autre pourrit dans un camp... au-tant de signes, d'échanges d'informations. Entendez que ces morts, ces internés ne parleront plus, entendez que je sais de quoi ils pou-vaient parler. Les excellents amis !

A la rencontre suivante, les trois larrons jettent les bases de leur alliance. Puisque Pékin est un fief encore interdit, Shanghaï sera le bastion de la Révolution, Shanghaï que Zhang Chunqiao tient en son pouvoir. Son levier ? Le secrétariat local du Parti et la direc-tion de la propagande au Conseil municipal. Jusqu'à maintenant, il procède avec modération afin de ne pas déplaire au Parti, mais il est prêt à foncer avec Mao un certain grand soir qui viendra. En attendant, le calme... A Kang Sheng, l'homme des ténèbres, re-vient la Sécurité. Surveiller l'application du Mouvement d'éduca-tion socialiste, constituer des dossiers sur tous ceux qui le freinent, sévir parfois afin de jauger les résistances. Puisque nul n'est inter-venu pour arrêter sa récente purge, qu'il en organise d'autres, il verra si des adversaires se dévoilent. Que chaque cadre, si petit, si insignifiant soit-il, se sente surveillé, prêt à être abattu. Et qu'en même temps l'on répande l'idée que les masses contrôlent le Parti.

Jiang Qing n'entre pas dans ces subtilités tactiques. Pour elle la Révolution, ce sera la bonne épouvante, la bonne terreur, le bon massacre. Finie la proscription, la malédiction des trente ans. Elle dominera un Mao malade, dont elle imposera la pensée, une pen-sée refabriquée par elle. Ses deux complices l'écoutent délirer mais ils n'interviennent pas : tant qu'elle sera indispensable, ils seront aimables, ils la choieront, la congratuleront. Ensuite...

LE CHIEN DE MAO

Quand même il paraît nécessaire que Mao se manifeste davantage. Rendez-vous est pris à Hangzhou où Mao leur réserve un accueil amusé :

— Vous venez me dire ce que je dois penser ? Vous voulez ajouter des fioritures, quelques chiures de mouches ? Si cela vous occupe...

Alors cette vieille carne de Jiang Qing se fait tout amour pour implorer Mao de rédiger un message sublime qui soit source d'inquiétude pestilentielle pour les profiteurs du Parti, mais qui rassure les purs et les bons.

Tandis qu'elle parle, Jiang Qing regarde Mao. Sa maladie de Parkinson, son souffle pourri, ses malaises, ses somnolences... Et pourtant, c'est un dieu, un dieu un peu tombé dont elle veut faire le Dieu Tout-Puissant, le Dieu qui remplira le monde. Ensuite, qu'il meure vite, en lui laissant son héritage. L'amour dans tout cela ? Kang Sheng et elle se sont aimés à leur manière, maintenant ils ne sont plus que des partenaires associés dans une immense aventure. Au fond elle le hait et sans doute la hait-il. Quant à Zhang Chunqiao, il n'est qu'une tenaille pour saisir le pouvoir, l'arracher, le tordre dans son sens, vers elle. L'amour, ce qu'il soulève en elle de détestation...

Jiang Qing poursuit son discours. Elle en est arrivée au Parti honni, contre lequel elle se révélera le flambeau de la Révolution. Sa voix se répercutera sur toute la Chine et ses mains ne trembleront pas lorsqu'il faudra tenir un couteau. Que pense Mao de cet enthousiasme ? Il n'a rien dit. Mais Kang Sheng et Zhang Chunqiao, l'un comme l'autre, ont sermonné Jiang Qing : le temps n'est pas encore venu des grandes envolées, des anathèmes, des invectives et des malédictions ! Qu'elle ne pousse pas Mao à la faute ! Qu'il apparaisse seulement comme un géant excellent qui s'était assoupi et se réveille en grognant que la Révolution a été trahie, que l'on tolère l'égoïsme affreux, bien dans la « ligne » du conformisme maudit, celui du dogme ; que tout dogme est mortel. En l'entendant, des millions et des millions d'êtres qui se sont galvaudés et se sentent déçus dans leur générosité deviendront des rebelles. Il ne s'agit pas d'appeler au meurtre mais de convaincre. Convaincre. Un mot qui annonce les grandes rectifications, les cadavres, les mers de sang, mais nul n'y songera.

Mao s'attelle à ce message de duplicité qui devrait être pour lui un jeu, mais il n'arrive ni à le concevoir, ni à le rédiger. Ses doigts

LE CHIEN DE MAO

tremblent au point qu'il ne peut plus écrire, même sa parole est confuse. Lenteur. Il cherche ses mots et ne les trouve pas. Il transpire, il se plaint. On le réconforte, on lui donne un peu d'alcool et, ses forces revenues, il se met à dicter. Hélas! il hésite, il balbutie, il bafouille. La petite société s'échine, discute, refait les phrases, les paragraphes. Enfin, d'élaborations pénibles en corrections pesantes, on achève un texte gélatineux, atterrant. Si ce galimatias exprime la pensée de Mao, alors la pensée de Mao est foutue et la Révolution sera une fausse couche. L'atmosphère est lugubre. Mao, lui, rejoint ses concubines du moment, comme si rien d'autre ne comptait.

Le soir même, Zhang Chunqiao annonce à Jiang Qing qu'il renonce à leur pari idiot, et regagne le camp du Parti :

— Ton mari, ton Mao est trop fatigué. C'est un homme à bout, usé, qui ne fait plus que dormir et baisouiller, et tu voudrais nous jeter dans la Révolution avec ce rogaton dont la cervelle est réduite à un pois chiche ? Non. Mille fois non. Qu'espères-tu de lui ? Qu'il meure et que sa mort soit un miracle ? Que nous nous servions de sa dépouille pour le grand chambardement ? Mais son cadavre nous échappera. Les hyènes et les chacals du Parti nous le voleront et nous finirons fusillés.

Jiang Qing hurle à Zhang Chunqiao qu'il est un lâche. Il répond qu'elle est folle. Disputes, flots d'humeur, venin. Kang Sheng ramène la sagesse :

— Ne nous décourageons pas, ne gâchons pas l'affaire ! D'après mon analyse, et je me trompe rarement, la Révolution peut encore triompher. Mao a toujours son nom formidable, il faut simplement le surveiller. Je m'en charge. Ainsi que d'autres besognes dont mes petites polices et mes petits tueurs ont l'habitude. Enfin, Zhang Chunqiao, vous détenez presque Shanghaï. Après la Révolution, quand vous aurez fini vos nettoyages, la ville sera à vous. Ce n'est pas le moment de reculer. Comme à l'accoutumée, Mao a raison : à sa manière, il nous a donné une leçon. Il est trop tôt pour que le vieux loup sorte du fourré. Oublions ce texte, continuons de feindre une bonne entente avec Liu Shaoqi et les siens, ne les inquiétons pas, et minons le terrain où ils s'ébattent stupidement. A un certain moment, tout sera affaire de climat. Appliquons-nous à une chose, une seule : la préparation psychologique des masses. Qu'elles admettent, qu'elles appellent notre Révolution contre la révolution.

LE CHIEN DE MAO

Un autre homme, un hypocondriaque obsédé par la mort, un homme blême, au sourire pâle et au regard fixe, participe à ces apprêts : Lin Biao, l'incomparable maréchal. Depuis la conférence de Lushan et l'éviction de Peng Dehuai, ce dévot s'est fait le plus ardent propagandiste de Mao. Instruit par l'atroce expérience de la guerre de Corée, Peng Dehuai avait transformé les troupes populaires en unités régulières avec épaulettes, décorations, cérémonial, enseignement et discipline strictement militaires. Dès qu'il a été nommé ministre de la Défense, Lin Biao, lui, a entrepris de « démocratiser» l'armée. Fin des falbalas guerriers et retour à la simplicité d'antan, à l'esprit de Yanan. Deux cent mille nouveaux commissaires politiques surveilleront ce changement. Priorité à l'idéologie et au travail idéologique, priorité à la pensée de Mao. De sa voix grêle, suraiguë, Lin Biao la célèbre partout et toujours, il va jusqu'à organiser des chœurs d'officiers pour la chanter et il veille à ce qu'on publie chaque jour à la Une du *Quotidien de l'Armée de Libération* une phrase du Grand Timonier, en caractères gras. En même temps, parce que certains généraux demeurent circonspects, Lin Biao renforce les milices populaires et crée des compagnies d'élite qui ne dépendent que de lui. Ainsi, pendant que Liu Shaoqi et Deng Xiaoping s'échinaient à sauver le pays en est-il devenu l'un des hommes les plus puissants.

Jiang Qing n'ignore rien de cette ascension. D'autant qu'à chacune de leurs rencontres – et elle les a multipliées –, Ye Qun, l'épouse de Lin Biao, ne cesse de vanter les mérites de son mari. Elle va loin, très loin même, Ye Qun, la matrone des dégueulasseries :

— Toi et tes amants, vous constituez une bande. Pourquoi ne pas y adjoindre mon mari ? Avec sa mine de souffre-douleur, c'est un terrible malin. Quels que soient vos projets, vous aurez besoin de lui. Quant à toi, je te propose une alliance. Tu sais tout de moi, de mes débuts, de mon arrivée à Yanan et du reste... comment j'ai fini par épouser cet avorton glorieux de Lin. De mon côté, je sais pas mal de choses sur toi. Nous sommes à égalité, ma chère, même si tu parais mieux mariée que moi. D'autre part, nous nous ressemblons, nous n'aimons toutes deux que le pouvoir, alors entraidons-nous : je débusquerai et je pourchasserai tes ennemis, tu en feras autant pour moi. Autre chose, si tu veux coucher avec mon mari, comme cela semble être l'usage dans ton groupe, vas-y. Ce sera fait et cela débarrassera vos relations futures de cette question qui finira par se poser. Je te signale tout de même que Lin Biao n'est pas une affaire.

LE CHIEN DE MAO

Jiang Qing s'est ouverte de ces avis à Kang Sheng, qui a haussé les épaules :

— Si tu y tiens. Cela ne te coûtera pas grand-chose, à lui peut-être plus qu'à toi. Tous deux vous vous en moquez et tous deux vous voyez bien au-delà. Tu ne crois quand même pas qu'il emmaillote la Chine afin de la livrer à Mao sans attendre une contrepartie. Et rêver à mieux encore.

— C'est impossible, il est trop chétif, il respire trop mal. Il n'a pas le coffre nécessaire.

— Surtout il est moins intelligent que sa femme ne le croit. Mais ne joue pas l'indignée : tu as depuis longtemps discerné les possibilités et les ambitions de Lin Biao. A Lushan, tu jouissais en l'écoutant. Je te connais, va. Si demain il t'apparaissait plus utile que Mao, tu lâcherais Mao pour lui. Comme tu lâcherais Zhang Chunqiao, ou moi. Tu aurais tort, mais c'est une autre histoire. Pour l'instant, nous ne pouvons nous passer de Lin.

Le maréchal est donc appelé à Hangzhou. Sa tenue grise. Sa casquette qui cache un crâne chauve dont il a honte. Son air morne. Longue conversation où parfois Mao somnole mais où Jiang Qing parle d'abondance, relayée par Kang Sheng et Zhang Chunqiao. La bonne ambiance. Les félicitations. Faire des armées autant d'écoles où l'on s'imprègne de la pensée de Mao est une idée magnifique. En remerciement Mao s'engage à lancer une proclamation recommandant à tous de s'inspirer de l'exemple de l'Armée populaire de libération. Ainsi, insensiblement, va-t-on brouiller les cartes entre le civil et le militaire.

Marchandages. Lin Biao est ressorti préposé à la déification de Mao, Astre du Peuple, Zénith de l'Univers. A charge aussi pour lui d'amplifier la campagne « Imitons Lei Feng », un brave petit soldat mort l'année précédente dans un accident, un honnête camarade qui n'avait d'autre but que d'être un rouage, une petite vis dans la grande machine socialiste. Que partout l'on diffuse ses photos, qu'on célèbre son humilité et que se taisent enfin les vipères qui prétendent que Lei Feng n'a jamais existé. Lin Biao a promis. Les conjurés veulent du Lei Feng, de bonnes entreprises et de bons sentiments, une masse euphorique de gens transformés en mécaniques de la félicité, le tout à l'ombre des fusils ? Ils les auront.

Il y a là aussi Chen Boda, le monstre qui dirige *Le Drapeau rouge*, la revue théorique du Parti, un grand admirateur de Lin Biao. Il

LE CHIEN DE MAO

lui apparaît qu'on doit définir la philosophie de Mao, écrire le texte sacré qui habitera la Révolution. Kang Sheng applaudit. C'est ainsi que naît l'idée du Petit Livre Rouge. Il contiendra toutes les maximes, toutes les sentences, toutes les réflexions, tous les savoir-faire et tous les savoir-vivre de l'idéologie qui remueront le Peuple et lui feront accomplir des miracles! Il sera le credo des insurgés et le rouge de sa couverture se répandra sur toute la Chine! Sur cette couverture, bien sûr, un portrait de Mao, un brave Mao boudiné, avec sa verrue sur le menton. Pour complaire à Lin Biao, Kang Sheng et Chen Boda feignent de lui laisser la paternité de cette idée. Exultation du maréchal.

Et les discussions continuent. S'être assuré de l'armée ne suffit pas, comment soulèvera-t-on la population? A tous les échelons du Parti, Liu Shaoqi et sa clique veillent : la preuve, le Mouvement d'éducation socialiste ne démarre pas dans les campagnes. Mao a eu beau multiplier les directives, il se trouve toujours quelque dirigeant pour les contrer ou en atténuer les effets. C'est du sabotage, de la sédition... Infiniment on tourne et retourne les données du problème : l'armée, les civils, les cadres, les paysans, la lutte des classes, la révolution éternelle, la nécessité de l'énorme saccage. Et surgit l'autre idée : au nom de la pensée de Mao, déchaîner les jeunes, les enfants. Eux seuls ont l'âme encore assez malléable pour se laisser ameuter dans une tempête sans pareille contre leurs parents, contre leurs professeurs, contre toutes les autorités. L'armée fera la grande besogne, elle sera le modèle et, quand le temps sera venu, elle poussera en avant ses sections d'assaut, la marée fantastique des gamins et des gamines dont elle aura fait des Gardes rouges d'une férocité sans faille.

Ainsi la nouvelle Révolution prend-elle forme. D'abord elle devra détruire, dévaster, tuer. Sauf les pauvres et les démunis, elle n'épargnera personne et surtout pas les cadres, les bureaucrates, les bien casés, les grands et les petits rutilants, ceux qui possèdent quoi que ce soit, un rouleau de peinture, un bouton d'argent, un pot de chambre, et encore moins ceux qui aiment arborer des idées ou caresser les fleurs. Ensuite à partir des décombres, du chaos, on rebâtira une Chine nouvelle qui galvanise le cœur des hommes.

Mao retrouve son mordant. Le message qu'il n'arrivait pas à écrire devient poème stupéfiant. Il parle de ses ennemis, de pauvres mouches bourdonnantes, des fourmis, des éphémères qui veulent jeter à bas un arbre géant. Des riens dont il s'agit tout de

274

LE CHIEN DE MAO

même de se débarrasser car le temps presse, dit-il. N'attendons pas dix mille ans. Saisissons le jour, saisissons l'heure. Les Quatre Mers se soulèveront, l'ouragan fera tournoyer les nuages et les eaux, les Cinq Continents seront ébranlés, le vent et le tonnerre rugiront. Nul ne résistera à notre force. Et disparaîtront tous les fléaux!

C'est du meilleur Mao, celui qui s'inscrit dans la clameur du monde. Jiang Qing est rassurée. Jamais elle ne s'est sentie aussi bien. La joie en elle d'aller vers des événements terribles...

Mao, lui, étrille le petit groupe :

— Vous n'osiez pas me dire que vous jugiez mon message mal fichu, indigne de moi. Avec l'âge, je m'épuise vite, mais je ne suis pas gâteux, au contraire je fourmille d'idées, mon poème le prouve. Simplement je m'ennuie si je dois rédiger des exposés et des discours. Je voulais aussi vous obliger à la réflexion. Désormais les choses se mettent en place et je confierai les travaux d'écriture à un bon faiseur. Pas vous, Chen Boda, vous avez assez à faire pour donner de l'esprit à Lin Biao, non qu'il en manque, mais l'humour passe rarement ses lèvres. Pas vous, Kang Sheng, vous ne seriez pas à votre aise là-dedans : il n'y a pas de ces putains que vous aimez, et il n'est pas encore question de cadavres. Lorsqu'il faudra déchaîner les braves gens, les farcir de haine contre tout et n'importe quoi, ce sera votre heure. Et nous saurons employer vos plumitifs. Quant à vous, Zhang Chunqiao, qui, dans vos ateliers, fabriquez aussi bien la bave de la lèche que le venin du crime, bave et venin évidemment destinés au Bien, vous Zhang Chunqiao, greluchon par-dessus le marché, vous êtes bien équipé pour la politique. Je vous fais confiance pour coller à la besogne un de vos satellites, votre Yao Wenyuan par exemple. Repartez avec ma femme pour Shanghaï. Nous vous y rejoindrons quelquefois.

Jiang Qing mène à Shanghaï la vie la plus agréable. Elle savoure la puissance de l'argent : elle en a autant qu'elle veut maintenant, malgré les prêchi-prêcha de Mao. Elle a déniché un génie qui la maquille, un autre génie qui la coiffe, elle s'adonne à l'élégance en achetant des dizaines de toilettes et de dessous qu'elle se fait livrer à l'hôtel. Elle se cherche. Elle a su, après sa beauté, se

LE CHIEN DE MAO

faire une laideur mais il faut la parachever, tout étudier afin de devenir un symbole, une icône. A force d'art et d'attention, elle se crée un style bien à elle, où la simplicité militaire est améliorée par quelques gracieuses chiffonnades et quelques fanfreluches capitalistes, apparemment décapitalisées, surtout des bottines, des écharpes et des ceinturons. C'est un uniforme digne de l'armée rénovée de Lin Biao, la nouvelle et grande Madame Mao décide qu'elle n'en changera jamais.

A travers les quartiers chics de la capitale, Jiang Qing, l'épouse obscure dont on n'évoquait jamais l'existence, jouit d'être enfin devenue une femme à l'aura redoutable, qui, dit-on, mène son mari vers de terribles bacchanales. Elle se délecte à écumer les restaurants et les cabarets de sa jeunesse, où elle n'était qu'une petite actrice qu'on humiliait. Par goût atavique du plaisir, mais aussi par esprit de rancune et de revanche. Là où elle surgit, accompagnée de Zhang Chunqiao et de ses chiens de garde, on pâlit, on se perd en murmures effrayés : « C'est Jiang Qing, c'est la femme de Mao. Dans les années trente, elle a fait un peu parler d'elle. Une garce, une petite pute. On l'a revue au début des années cinquante. Elle est dangereuse. Quant à lui, c'est Zhang Chunqiao, le cobra. » Trouille... Tous ces gens terrorisés sont par extraordinaire passés au travers des événements. Visages vieillis mais prospères. Envers la plupart, Jiang Qing n'est que ressentiment, cependant elle s'approche d'eux. Retrouvailles, affabilités.

A Pékin, Mao jubile. Chaque jour lui parviennent d'excellentes nouvelles de Moscou où Deng Xiaoping et Kang Sheng mènent la guerre contre l'arrogante URSS. Celle-ci a osé signer un traité de non-prolifération des armes nucléaires avec les impérialistes en parlant au nom du camp socialiste. C'est une capitulation, et qui fait bon marché de la Chine, de sa volonté d'être demain une puissance atomique. Kang Sheng a travaillé dans l'ombre, Deng Xiaoping, lui, hurle en public au révisionnisme, au social-fascisme. Khrouchtchev ne supporte plus ce nabot, il le lui dit et le nain réplique qu'on ne s'intéresse à la taille et à la grosseur que chez les animaux. Le venin de part et d'autre... La délégation chinoise distribue des tracts expliquant sa position, en réponse Khrouchtchev

LE CHIEN DE MAO

préside une manifestation où l'on conspue Mao. Cette fois, c'en est trop, Deng rompt les conversations.

A son retour, lui est ménagé le grand accueil, des milliers de Pékinois sont emmenés par camions à l'aéroport pour l'applaudir, au pied de l'avion l'attend la direction du Parti au complet. Tout mignon dans sa tunique d'été, avec un bouquet de fleurs à la main, Deng Xiaoping déguste son triomphe : et si c'était lui le dauphin ? Lui, plutôt que le terne Liu Shaoqi ? Mais il ne rêve pas longtemps : au côté de Mao ruisselant de grâce, il aperçoit Jiang Qing. Que signifie sa présence ? Et pourquoi porte-t-elle cette espèce d'uniforme ?

En rentrant dans son pavillon de Zhongnanhai, Jiang Qing est saisie d'une colère blême. Jamais, non jamais elle ne pardonnera à Deng son coup d'œil, ni aux grands camarades leur froideur. Ils lui ont fait place – comment faire autrement puisque Mao l'avait invitée ? – mais aucun d'entre eux ne lui a manifesté le moindre intérêt. Une fois de plus, le goût de la vengeance lui emplit la bouche.

Mais il y a bien plus grave : il y a le cœur de Mao, ses sens, son sexe toujours exigeant, il y a que Mao est amoureux. A peine arrivée de Shanghaï la veille au soir, il a suffi à Jiang Qing d'interroger quelques gardes pour tout apprendre : Mao se ridiculise. Il n'a plus besoin de pucelles à tripoter, de piscines et de lits où se vautrer avec elles : il a une liaison, il aime. Et elle, Jiang Qing, qui s'est assigné pour tâche de débarrasser Mao de ses liens affectifs, ne le tolérera pas, toute son œuvre s'effondrerait.

Après la mort d'Anying en Corée, dès qu'elle a pu, elle s'est consacrée avec un acharnement formidable, en n'épargnant aucune ruse, à éloigner la parenté de Mao, ses amours et ses enfants. Que n'a-t-elle pas vaincu ? Les concubines, les Ding Ling et les Yu Shan, et même la vieille épouse He Zizhen, désormais internée à Shanghaï mais qui a eu la prétention de revoir Mao, de l'émouvoir en lui suggérant de faire rechercher les fils qu'elle avait eus de lui et qui au début de la Longue Marche avaient été abandonnés chez des paysans. Ces garçons devaient être faciles à retrouver, prétendait-elle, elle avait gardé les noms des familles auxquelles on les avait confiés. Perfidie, suprême perfidie. Car ce qu'elle exigeait, c'est ce qu'il y avait de plus déchirant pour Mao, de plus dangereux pour Jiang Qing.

La rage, les cris de Jiang Qing, une fois He Zizhen partie :

LE CHIEN DE MAO

— Tu es grotesque, tu es gâteux. Cette folle vient te parler de ta queue et tu te mets à japper comme un imbécile. On va te présenter n'importe quel jeune homme, et, s'il n'est pas trop laid, tu croiras que c'est un de tes fils. Mais tu rêves... Les nourrissons, les gamins que tu as abandonnés sont morts à l'heure actuelle, morts tu m'entends? Et s'ils ne le sont pas, ils sont devenus des paysans empuantis. Remarque, ça devrait te plaire, puisqu'à t'entendre tous les paysans de Chine sont tes enfants, toi l'immense géniteur...

Cependant, Mao avait fait procéder aux recherches, à la vérité sans trop y mettre de sentiments, plutôt pour s'amuser, pour aiguillonner Jiang Qing, tout ce mal qu'elle se donnait le distrayait. On n'avait découvert personne qui fasse l'affaire. Dans la région lointaine que l'on avait explorée, à peu près tous les habitants avaient été tués ou déportés. Finalement, on avait amené à Pékin un garçon stupide qui bafouillait un dialecte incompréhensible. Non, ce n'était pas le rejeton de Mao, dehors, dehors! Plus de descendance masculine... Le flegme de Mao. La joie de Jiang Qing.

Son calcul avait été de n'accepter auprès de lui qu'un neveu, Mao Yuanxin. Comme elle l'a couvé, ce prince du sang, quand son père a été exécuté par un Seigneur de la guerre! Elle l'a élevé avec Li Na et Li Min, elle l'a choyé, elle l'a préféré. Lui a compris très tôt que le bon de la vie, les douceurs, les faveurs ne procédaient que d'elle, sa jeune tantine comme il l'appelait. L'entente entre eux. Elle est sa mère, sa souveraine, il est son chevalier, son pion. Récemment l'imagination de Jiang Qing s'est emballée: demain, a-t-elle réfléchi, si ces cafards de dirigeants s'opposent trop à elle, elle mettra Mao Yuanxin sur le trône. Comme les régentes illustres, les impératrices de l'ombre, elle gouvernera derrière le rideau, en manipulant Yuanxin, sa petite marionnette.

Mao est-il conscient de ces projets? Sans doute. Et sans doute ces bouffonnes ambitions dynastiques le réjouissent-elles. Dans son mépris des êtres, il adore lire au travers d'eux, disséquer leurs manœuvres, leurs agitations dérisoires, et, pour ces jeux, Jiang Qing est une merveille. Si prévisible et en même temps toujours étonnante parce que sans frein. Ah, Jiang Qing, sa tête bourrée d'Histoire, sa mégalomanie, son arrivisme. Son sens de l'intrigue, et son côté bonniche, concubine en délire, c'est trop farce!

Malgré tous les obstacles, les exils en Russie, les disgrâces, d'épreuves partagées en précipices évités, Jiang Qing a isolé Mao. Certes, son indifférence l'a aidée, mais le résultat est là: pas de fa-

LE CHIEN DE MAO

mille ou presque, sinon un neveu qu'elle domine, pas de confidents hormis des gardes et des infirmières régulièrement révoqués, pas d'amour surtout. Et voici que ce bel édifice est menacé.

Longtemps dans la nuit Jiang Qing a ressassé son dépit : ainsi Mao la laissait à Shanghaï pour mieux faire le joli cœur. Pendant qu'elle se démenait avec Zhang Chunqiao pour préparer sa Révolution, il lutinait une jeunesse, une crétine qui bêle dans tout Zhongnanhai qu'elle est aimée de Mao. Jiang Qing imagine les ricanements. Le rire dédaigneux de Liu Shaoqi, le rire éclatant de sa femme Wang Guangmei, le rire coincé de Chou En-lai et de son hypocrite d'épouse, tous ces rires... Depuis toujours les rires, les rires, les rires.

Dès son réveil, elle fait appeler Wang Dongxing, le chef de l'unité 8341, la garde spéciale qui au sommet de l'Etat est chargée des missions difficiles et des exécutions suprêmes. Jiang Qing se méfie de lui – n'est-il pas le grand pourvoyeur des camps, le maître des prisons ? – et en même temps elle l'admire. Il y a si loin entre le ministre de la Sécurité qu'il est aujourd'hui et le colosse illettré qu'il était à Yanan, une énorme bête fidèle et brutale qui servait de garde du corps à Mao ! On lui avait appris à lire et à écrire, on l'avait arrangé, bichonné, et il était devenu – sous l'égide de Kang Sheng – un policier remarquable. Très vite ce gorille avait commandé un bataillon de gardes, celui qui avait protégé la retraite de Mao et de Jiang Qing lors de la chute de Yanan. Depuis, il n'avait cessé de grimper dans la hiérarchie de l'ombre, gagnant un surnom, « la Griffe du Diable », tant il était habile à découvrir et broyer tous ceux qui médisaient de Mao ou le critiquaient, fût-ce dans leur for intérieur. Des traîtres, des agents secrets, clamait-il, comme le lui avait enseigné Kang Sheng. Wang Dongxing et ses hommes, vingt mille prétoriens-assassins cantonnés dans les Collines Parfumées, étaient très doués pour le châtiment des traîtres.

Il a un bon sourire, ce Wang Dongxing. C'est une subtile fripouille, à la trogne rubiconde et la mine d'histrion. Il paraît avoir du cœur, il n'en a absolument pas. Mais cet être qui n'a même pas la notion de ce qui est humain ou inhumain nourrit dans le tréfonds de lui-même une sorte d'amitié pour Jiang Qing : il la considère comme un « grand homme », tellement elle lui semble la reine des perfides, tellement elle a le génie de la persévérance et de la victoire.

Ce matin-là, il se pourlèche en évoquant le fameux mois

LE CHIEN DE MAO

d'amour que Liu Shaoqi avait fait instituer entre les masses et les unités de police et de sécurité. Histoire ancienne mais qui suscite toujours la même hilarité : tous ces policiers dans chaque recoin du pays sommés d'aider les camarades prolétaires, de labourer, de réparer les ponts et les routes, d'enlever les ordures, de ramasser l'engrais humain et de le répandre dans les champs, quelle plaisanterie ! Comme si les organismes de répression n'étaient pas les instruments essentiels de la dictature démocratique, comme si la peur n'était pas le fondement de tout.

— La loi d'amour de Liu Shaoqi, appliquée par des flics comme moi, un disciple de votre excellent Kang Sheng, qui est, comme vous le savez, la douceur faite homme, est une imbécillité, martèle Wang Dongxing. Un flic ça cogne, ça fait parler, ça envoie en prison, ça ment, ça torture, ça tue. Pas besoin de déverser làdessus le lait de la tendresse humaine. Mais je m'attarde, vous ne m'avez sans doute pas convoqué pour parler du passé. Ni de Liu Shaoqi.

— En effet, camarade Wang Dongxing. J'ai à vous parler d'une affaire privée dans laquelle vous seul pouvez m'éclairer.

Sourire finaud de Wang Dongxing.

— Je suis à votre service, camarade Jiang Qing.

— Epargnez-moi ces politesses, vous êtes mon ami et vous savez, bien sûr, pourquoi je vous ai convié. Hier soir, en arrivant ici, j'ai appris que le Président Mao avait une liaison. Au nom de notre amitié, vous devez tout me raconter. Cette fille n'est-elle pas dangereuse pour le Président ?

— Ni pour le Président, ni pour vous. Je l'ai moi-même placée dans le lit du Président, avec l'accord de Kang Sheng, et nous la contrôlons parfaitement.

Ce qu'explique Wang Dongxing... La nouvelle concubine, une dénommée Zhang Yufeng, est un contrôleur de chemins de fer, une hôtesse que Mao a connue dans son train spécial lorsque, fatigué et diminué, il allait à travers le pays de réception en réception, de petit festin en petit festin, d'acclamations en acclamations. Parfois, le convoi s'arrêtait, Mao dormait ou il batifolait avec des mignonnes. Parmi elles, cette Zhang Yufeng au visage de miel, son Phénix de Jade.

— Vingt ans et un je ne sais quoi d'une guanyin, s'émeut Wang Dongxing.

— Ah, je vous en prie. Pour supporter Mao, il faut avoir l'intrigue au cœur.

LE CHIEN DE MAO

— Vous le savez mieux que moi. Mais cette jeune femme est différente.

— Passons, passons... Je croyais Mao uniquement occupé d'une espèce d'infirmière-guérisseuse.

— Elle l'a remis d'aplomb et on l'a chassée, comme il est normal. Ces gens-là s'imaginent avoir des droits, ils attendent des récompenses, ils s'incrustent. Je dois intervenir.

De retour à Pékin, Mao était envoûté. Il restait des heures à rêvasser en calligraphiant le nom de Zhang Yufeng et à écrire des poèmes comme un collégien amoureux. Ou un vieillard obnubilé. Tant et si bien que Wang Dongxing avait lancé une enquête sur la donzelle et sur sa famille. Elle n'avait qu'un inconvénient, elle était mariée à un jeune officier. On les muta ensemble à Pékin, à Zhongnanhai. Mais le mari réclamait sa femme. Wang Dongxing fut donc chargé d'opérer. Par exception, il procéda délicatement. On expliqua au conjoint l'honneur que lui faisait Mao en s'intéressant à son épouse, on lui donna une somme d'argent importante en compensation du divorce qui s'imposait. Il serait en outre nommé à un grade supérieur, et affecté dans une belle garnison, où il pourrait facilement se remarier.

Le pire était à venir : une grossesse, un accouchement, un poupon et Mao saisi par une émotion intense, par une joie et une ferveur comme il n'en a jamais connu lors de la naissance de ses précédentes progénitures. Mao s'était transformé en père comblé, radotant auprès de la parturiente, la couvrant de baisers, de petits mots, de bijoux qui provenaient du trésor de la défunte impératrice Ts'eu Hi.

Spectacle lamentable. Déchéance. Constamment Mao veut faire l'amour, la plupart du temps il n'y arrive pas, alors il lutte, avec des drogues aphrodisiaques et l'aide de matrones expertes dans l'art de faire bander. A côté de lui, Zhang Yufeng fait de son mieux. Si naïvement putassière... En même temps, elle prend de l'autorité, elle s'exerce à la scène et aux caprices, les gardes sont exaspérés.

— Arrêtez, Wang Dongxing ! J'en ai assez entendu.

Jiang Qing a essayé de ne pas hurler mais tout en elle tremble. Cette Zhang Yufeng ne peut-elle pas la chasser et même la faire tuer à la manière de ces favorites qui hantent les légendes anciennes ? Tant de concubines fatales... tant de souveraines assassinées... A la place de Zhang Yufeng, Jiang Qing n'aurait pas hésité.

281

LE CHIEN DE MAO

Mais Wang Dongxing, le policier d'élite, le super-champion des décès subits et des liquidations mystérieuses, continue de parler comme s'il n'avait rien vu du trouble de Jiang Qing :

— Le Président Mao adore Zhang Yufeng et il ne peut se passer d'elle. En d'autres temps, une telle passion aurait pu vous coûter la vie, camarade Jiang Qing. Regardez mes mains : ce n'est pas pour rien qu'on les compare à celles du diable. Je griffe mais je sais étrangler, en douceur même. Il suffit qu'on me l'ordonne. Mais je plaisante, nous ne sommes plus au temps des empereurs et Zhang Yufeng est une simplette incapable de ferrer Mao pour d'autres jeux que ceux du lit. Ce n'est pas elle qui demandera votre tête, rassurez-vous : houspiller les gardes suffit à son ambition et elle n'imagine pas ce qu'est son pouvoir sur Mao. Si vous la croisez, ce dont je doute parce qu'on la cache, faites-lui bonne figure. A l'occasion, offrez-lui quelques bricoles, une toilette ou deux, un poste de télévision, et elle vous en aura une éternelle gratitude. Autre chose, le bébé n'est plus un problème : vous connaissez le Président Mao, il ne s'intéresse qu'à lui; le premier élan passé, le produit de ses couilles lui apparaît vite comme une envahissante contrefaçon. L'enfant, une fille par parenthèse, a été relégué chez une nourrice et bientôt on n'en entendra plus parler.

Un gros rire fait tressaillir les joues et la panse de Wang Dongxing :

— Mais ces histoires de mioche ne vous concernent pas, j'ai beaucoup mieux à vous raconter. La rumeur de votre Révolution commence à se répandre, elle est même parvenue jusqu'à Liu Shaoqi. Il n'y croit pas mais il m'en a quand même touché un mot. Afin de limiter les dégâts, je me suis proposé pour scruter les complots de votre petite troupe : après un laps de temps convenable, je lui ai dit que vos réunions de Hangzhou et de Shanghaï n'étaient pas grand-chose, des cuisines de bonne femme essayant de manipuler ce gaga de Mao. Maintenant Liu Shaoqi est persuadé que cette Révolution est une chimère, entre la vapeur de dame et la ratiocination de vieux.

— Camarade Wang Dongxing, je compte sur vous, comme d'habitude.

— C'est-à-dire qu'il faudrait vous dépêcher et triompher. Vous savez que je suis toujours du côté des vainqueurs. Je peux d'ores et déjà vous rendre de petits services, mais si aujourd'hui je recevais l'ordre de vous passer les menottes et même d'en passer à Mao, j'obéirais. Ne renoncez surtout pas à votre Révolution, cependant

282

LE CHIEN DE MAO

hâtez-vous ! Vous aimez démolir, vous avez beaucoup à vous venger, vous êtes entourée d'extraordinaires bouchers, mais ils ne sont pas nombreux, ils me laissent une place à vos côtés. J'abattrai de la besogne, à condition que vous ne vous retourniez jamais contre moi dans l'énorme égorgeoir qui s'annonce.

— Je vous promets...

— Ne promettez rien ! Laissez-moi à mes instincts et je vous serai fidèle aussi longtemps que possible, tant que vous ne commettrez pas de bêtise.

Le bon, l'excellent Wang Dongxing, le voici donc rallié, à sa tortueuse manière, mais rallié. Jiang Qing exulte. Comment a-t-elle pu se préoccuper des amours de Mao avec une employée des chemins de fer, idiote de surcroît, et qui n'a pas su devenir la cinquième Madame Mao ? Une petite pute choyée qui abandonne à Jiang Qing les grands champs de l'imagination, des revanches et des massacres, voilà ce qu'elle est. Mais tout de même, Wang Dongxing a raison : il ne faut plus tarder.

Jiang Qing déteste Zhongnanhai, ce village de luxe, ce royaume à l'intérieur du royaume où tout n'est que piège. Pourtant elle décide de prolonger son séjour à Pékin afin d'assister son mari dans la guerre au sommet qui continue. Mao vient d'élaborer une directive pour relancer sa politique rurale, les Dix Points. Personne n'a réagi : n'est-il pas dans les attributions du Vieux de divaguer avec sa lutte des classes, sa chasse au révisionnisme et sa collectivisation ? Mais, au bout de quelques semaines, cette crapule de Deng Xiaoping, avec l'aide de Peng Zhen le maire de Pékin qui l'assiste au secrétariat du Parti, a institué des Nouveaux Dix Points qui édulcorent, pour ne pas dire qu'ils annulent, les précédents. Ne vont-ils pas jusqu'à interdire les procès publics ? Mao n'est pas intervenu. Jiang Qing fulmine, elle engueule Mao :

— Tu as l'armée avec Lin Biao et Chen Boda, tu as la Sécurité avec Kang Sheng et Wang Dongxing, tu as Shanghaï avec Zhang Chunqiao et tu hésites encore. C'est de la sénilité. Tes ennemis ont raison, tu es vieux, vieux, vieux. Ta minette t'a tué.

Scènes sordides entre les époux. Eternelles imprécations de Jiang Qing, grondements de Mao qui la congédie puis la fait

LE CHIEN DE MAO

rappeler. Réconciliations piteuses. Pourquoi Mao se montre-t-il si maladroit, pourquoi tergiverse-t-il ? C'est que Jiang Qing lui paraît bien fougueuse et ses affidés bien optimistes. Lui se sent toujours dans une cangue, prisonnier de Liu Shaoqi et du Parti. Et puis comment procéder ? S'exprimer devant le Politburo, devant un de ces congrès du Parti où il n'y a pas si longtemps il faisait son autocritique ? Cette fois ne risquerait-il pas la hache ou du moins d'être réduit à l'impuissance totale et définitive ? Parler devant le peuple ? Pas question. A la radio ou à la télévision ? Encore moins. Le coup doit partir autrement, et ne pas impliquer Mao de manière trop évidente. Que Jiang Qing cherche un biais, il s'en remet à elle qui bout tellement d'impatience.

Une fois de plus, la lassitude submerge Mao. Alors Jiang Qing décide de se consacrer à la fabrication du Petit Livre Rouge. Mao a refusé de rédiger un texte. Travail inutile, a-t-il tranché. Puisque c'est dans les vieilles casseroles qu'on fait la meilleure soupe, qu'on dépiaute son œuvre et qu'on en tire quelques citations, surtout pas les plus compliquées, les plus théoriques, ni même les plus géniales, qu'on prenne au contraire des phrases claires et bien rabâchées, car celles-ci, que les gens ne reconnaissent plus vraiment, éveillent pourtant en eux des échos lointains qu'il suffira ensuite de faire flamber par quelque tour de magie. Depuis, Chen Boda le secrétaire fouille dans l'immensité des pages. Dire que Jiang Qing l'aide beaucoup serait exagéré, mais elle se révèle assez douée quand il s'agit de choisir des formules primaires percutantes, des mots simples pour des esprits simples.

Cependant le pays va bien. Les cadres sont contents, à eux les prébendes, les avantages, les appétences, les plaisirs, ils engraissent au soleil de cette vertu qui leur sert à dominer le Peuple. Même s'il procède encore à une petite purge ici ou là, Liu Shaoqi s'obstine à regarder la surface des choses, sa Chine, comme une nappe immobile. La mer. Etale. Avec cette confiance qui est la maladie de certains détenteurs du pouvoir, il ne se préoccupe pas de cette buée qu'est la Grande Révolution de Mao. D'ailleurs Wang Dongxing l'a rassuré, les écoutes auxquelles on a procédé dans le Bureau des Senteurs de Chrysanthème n'ont rien révélé. Mao vieillit, Mao déraisonne et il se dispute avec sa femme, pour le reste, rien à signaler.

Les années terribles s'éloignent et Liu Shaoqi peut rêver. La brouille avec l'Union Soviétique ne l'inquiète guère, puisque dans

LE CHIEN DE MAO

le lointain Xinjiang, non loin des déserts de l'Asie centrale, la bombe chinoise est presque prête. Mieux, l'Occident se prépare à reconnaître la Chine rouge : les tractations avec la France sont bien avancées et l'on devrait pouvoir prendre langue avec les autres puissances. En attendant, Liu Shaoqi désire étendre l'influence chinoise sur le reste de l'Asie, sur l'Afrique et l'Amérique du Sud, en somme tous les pays peu développés. On cajole donc les autres Jaunes, les Bruns, les Noirs, tous ceux qu'en eux-mêmes les Chinois appellent les « singes ». On leur envoie des missions techniques, on leur construit des chemins de fer, des hôpitaux, des aéroports. Et Liu Shaoqi se prodigue avec les chefs de ces Etats arriérés. Allégresse de la grandeur. Comme si les fastes de la Chine ne leur suffisaient plus, lui et sa femme veulent être célébrés dans l'Asie entière. Ils vont partir, entourés de toute une cour, pour un magnifique voyage au Pakistan, en Birmanie, en Indonésie. Partout ce sera le triomphe, le leur et celui de leur Chine.

Pour Jiang Qing cette randonnée est une usurpation. Et son aigreur empire lorsque Wang Guangmei vient lui demander quelques conseils pour sa garde-robe. Toujours l'amitié feinte et toujours la même maladresse.

— Tu es une communiste, alors sois très simple ! tranche Jiang Qing.

— Mais il faut que je fasse bonne figure dans les grandes réceptions. Je suis l'épouse du président de la République.

Wang se rend-elle compte que ces paroles fouaillent Jiang Qing, jamais sortie de Chine, sauf pour aller en URSS où on l'a traitée quasiment en proscrite ? Devine-t-elle qu'elle a ravivé une plaie que rien jamais ne pourra refermer ? Pourtant, Jiang Qing arrive à se contenir et donne son avis avec une expression cordiale :

— Tu seras en représentation, mais quand même ne t'habille pas trop, contente-toi d'une robe en velours noir, quelque chose de discret et de raffiné, très Anna Karénine si tu vois ce que je veux dire. Cela t'ira très bien. Et surtout ne porte pas de bijoux !

Mais Wang ne résiste pas à la tentation de se faire faire quantité de toilettes avec des dentelles, des volants, des fronces. Autour d'elle sont mobilisés les meilleurs tailleurs, des couturiers et des couturières qui ont appris leur art autrefois, dans les temps luxueux de la Chine capitaliste. Essayages. Wang est ravie, elle se regarde dans une glace, elle suggère des retouches, elle essaie des maquillages. Finalement, elle emporte des malles et des malles

285

LE CHIEN DE MAO

d'effets qui mettront en valeur sa beauté mais elle ne prend pas de bijoux, même ceux provenant de l'impératrice Ts'eu Hi, la douairière qui adornait de merveilles sa vieille chair flétrie. Sur une ultime recommandation : avoir une contenance décente, aimable mais pas trop festive, et éviter, autant que possible, de se faire remarquer dans la liesse des réceptions, Wang et Liu Shaoqi se sont envolés.

Partout où le président de la République et sa femme atterrissent, ils sont reçus en souverains du plus grand royaume du monde. A Rangoon, en Birmanie, comme une adulation. Le président Ne Win offre à Wang un collier de perles d'un orient sublime. Mais c'est à Djakarta, dans l'Indonésie des palmes, des danses sacrées, des masques rouges et des temples mangés de végétation, sur la terre de toutes les joies et de la fécondité, que l'accueil est le plus exubérant. Les visiteurs retrouvent Soekarno, le camarade fêtard et sa on-ne-sait-combientième femme. On se reconnaît. Plaisanterie, bonne humeur, une légère galanterie, dans l'air un souvenir douteux. Lors d'un voyage de Soekarno à Pékin sept ans auparavant, le service du protocole avait oublié que si le président voyageait seul il s'attendait à trouver dans son lit une jolie femme et, dans son ardeur déçue, celui-ci avait manqué violer une interprète. Il n'était pas question d'offrir une Chinoise de souche à ce macaque. On avait donc recruté une coucheuse de bonne qualité, une solide camarade blonde, qui se prétendait une communiste est-allemande et n'avait en tout cas pas fait de difficulté quand on lui avait demandé si elle était prête à satisfaire le président Soekarno. Elle s'en tira si bien que ce fut le début d'une liaison.

En Indonésie, déluge de photos, d'images qui montrent comment Soekarno le bon vivant reçoit les communistes chinois et les tire de leur empois. Familiarités. Soekarno est tout courtois, tout gai avec Wang Guangmei. Il allume ses cigarettes, il lui offre le bras pour la conduire vers la salle des banquets, il danse avec elle, ventre contre ventre. Les caméras enregistrent cette euphorie. Lorsque la bande d'actualité est projetée à Pékin, Jiang Qing ne voit qu'une chose qui la transporte de bonheur, la robe de Wang, un qipao outrageusement fendu, et le collier : elle sait déjà que ces perles seront fatales à la première dame de Chine.

Désormais Wang Guangmei obsède Jiang Qing. Avec une violence effarante elle imagine les supplices qu'elle fera subir à cette phénoménale putain. Songeries enivrantes... Ah, mettre Wang à

LE CHIEN DE MAO

genoux dans la boue et les crachats, la battre, la contraindre à supplier, écraser ces stupides perles sur sa petite gueule de poupée. Jiang Qing s'aiguise, s'excite, des heures entières elle ressasse les fautes de son ennemie. A tout hasard, elle a fait copier les films où on la voit se pavaner avec Soekarno.

Mais ces plaisirs ne durent pas et Jiang Qing est reprise par son autre hantise, cette Grande Révolution toujours à venir et que Mao ne se décide pas à lancer. Elle consulte Kang Sheng et Zhang Chunqiao, l'inaction lui pèse, dit-elle, et l'attente la mine, qu'on lui trouve un domaine où elle pourra enfin donner sa mesure, dépenser les forces qu'elle sent bouillonner en elle.

Consternation des amants : où caser, à quoi occuper cette exaltée qui est leur unique accès à Mao? On réfléchit, on délibère, une idée s'impose, la culture. Jiang Qing la chanteuse, l'actrice, comme chacun sait vraie rouge et experte en art dramatique, va prendre en main ce secteur et le remodeler. Au lieu de laisser proliférer opéras, symphonies et ballets pour le divertissement des hommes comme chiens crevés au fil de l'eau, qu'elle refonde les œuvres anciennes, qu'elle crée des modèles, qu'elle fasse de l'art un instrument contre le révisionnisme et le féodalisme, qu'elle s'en serve pour instaurer le règne de la haine en soi, la haine sainte, belle, active, principe et moteur des hommes bons.

Immédiatement Jiang Qing se répand. Comme quelques années plus tôt, elle court les théâtres, vibrionne, interrompt les répétitions, hurle, crie, tempête, condamne. Cette fois, c'est le saccage. Fin des fantasmagories, des symboles, des masques, des paroxysmes hagards, des mélopées sirupeuses, à mort les souverains et les concubines, aux enfers les fées et les fantômes! Pourquoi aménager les pièces consacrées, ces herbes vénéneuses qui favorisent la superstition? L'ancien répertoire sera interdit, Jiang Qing en concocte un nouveau qui supprimera toutes ces dangereuses fadaises. Avec les huit opéras, les deux symphonies et les deux ballets auxquels elle songe, elle insufflera à toute la Chine l'esprit de sacrifice et le goût de la conquête. L'opéra sera martial ou ne sera pas. Tout est à refabriquer, les auteurs, les compositeurs, les acteurs. Un immense chantier qu'elle attaque en vociférant. Elle n'a qu'une consigne à donner : «Jouer, c'est combattre», les pièces n'auront qu'un seul enseignement : «Ecraser les infâmes». Pas de nuances, pas de complexités, Jiang Qing simplifie, caricature, que

287

LE CHIEN DE MAO

les costumes, les lumières, leur place au centre de la scène désignent les braves, que les méchants, reconnaissables à leurs haillons, demeurent dans la pénombre à l'arrière-plan. Elle recommande aux vainqueurs de se tenir droits, de surveiller leur élocution, d'être purs et grands. Elle descend dans tous les détails, au héros elle notifie de porter son pistolet sur le côté afin de ne pas se blesser les testicules, à l'héroïne de ne pas oublier que la volonté compte plus que la beauté.

Jiang Qing a changé. Plus de migraines, plus de malaises ni d'airs évanescents, désormais elle a l'allure affairée d'une grande responsable. Elle adore ce rôle qu'elle étudie le soir dans sa chambre. Tout est calculé, les mines, les mots. Gonflée de fausse humilité, elle va répétant qu'elle n'est qu'un simple soldat, la sentinelle de Mao sur le front idéologique et elle jouit de voir les seigneurs de la culture se ratatiner d'angoisse ou d'exaspération lorsqu'elle apparaît. Elle est Madame Mao, et même s'ils la brocardent derrière son dos, devant elle ils filent doux. Courbettes, compliments, escarmouches, elle a toujours gain de cause. Sa superbe...

Un soir à Shanghaï, elle rencontre quatre de ses anciens amants attablés dans une taverne, qui s'entretiennent paisiblement d'un projet de film. Ceux-là, un acteur, un metteur en scène, un journaliste et un producteur, elle les a connus dans un studio et elle les a abominés particulièrement : tous l'ont blessée dans son ambition de tragédienne. L'un avait déblatéré contre elle, un autre était un ponte ignoble avec qui elle avait dû coucher pour obtenir quelques répliques. Avec chacun des deux derniers, l'aventure avait mal tourné : c'était elle qu'on trompait!

En tout cas, ces souvenirs paraissent oubliés : politesses, amabilités, Jiang Qing se montre charmante, et elle invite les quatre hommes à dîner à l'hôtel Jinjiang en compagnie du gratin du cinéma. Là, elle annonce à ses admirateurs d'autrefois que leur film ne se fera pas car ce serait une œuvre révisionniste. Elle s'est fait communiquer le scénario et elle a donné l'ordre aux studios de Shanghaï d'interrompre la production. Mais que ses vieux amis se rassurent, elle veut créer un cinéma moderne socialiste et ils y auront leur place. Qu'ils attendent de ses nouvelles.

Des nouvelles, les pauvres, pourvu qu'ils n'en aient pas! Car Jiang Qing, après leur départ, répète à Zhang Chunqiao que la Révolution doit venir et qu'elle sera meurtrière :

— Ces pantins, ces salauds, je veux les anéantir, les faire envo-

288

LE CHIEN DE MAO

yer dans des camps où ils sueront leurs sales âmes de réactionnaires. Dans quelques mois, quand les vies dépendront de moi, ils mourront.

Une contrariété vient pourtant ternir le charme de ces jours. Mao, dans son effort pour remobiliser les paysans, leur avait conseillé de s'inspirer de la brigade modèle de Dazhai au Shanxi où l'on appliquait, à grand renfort de subventions, tous les principes de son Mouvement d'éducation socialiste. Eh bien, ces chiens de révisionnistes osent proposer un contre-modèle, un village du Hebei. Et qui, si l'on en croit la presse, accomplit là-bas un magnifique travail de réforme des cadres, qui sinon Wang Guangmei, la propre épouse de Liu Shaoqi? Photos, reportages, cette garce est partout. Quand même, elle ne porte pas ses perles.

Dépit de Jiang Qing. Pour la calmer, Mao l'envoie à Dazhai : un peu d'exhortation des masses ne nuira pas à ses nerfs, au contraire. C'est lui accorder la même importance politique qu'à sa rivale, les observateurs le notent en frémissant. Zhongnanhai est en ébullition. En juillet, Jiang Qing marque encore un point lors du Festival d'opéra de Pékin. On y joue des œuvres rénovées par elle ou selon ses préceptes. Surtout, elle y prononce son premier discours officiel. Son ivresse lorsqu'elle monte à la tribune... enfin une salle à faire vibrer, un public à enthousiasmer. Elle se sent défaillir d'orgueil et en même temps une étrange sérénité la soutient : son ascension, sa consécration, ne sont-elles pas inéluctables? Ce discours devant les grands cadres, les intellectuels et les artistes, elle le médite depuis bientôt trente ans, enfin elle va faire entendre la voix de la Révolution.

En réalité, elle expose un salmigondis d'idées empruntées à Mao, le Mao de Yanan et celui des années soixante qui ne cesse d'invectiver le ministère de la Culture, ce rassemblement d'étrangers venus de temps révolus et que dominent les morts. Où sont, demande-t-elle, les paysans, les ouvriers et les soldats dans l'opéra que prônent ces gens-là? Quel point de vue de classe défendent les créateurs? Et qu'est-ce que cette conscience d'artiste dont ils se gargarisent? Puisque la base économique socialiste semble établie, elle exige qu'on invente une superstructure capable de la protéger, dans l'élan elle appelle à une révolution culturelle.

Le soir même, Mao la félicite vivement :

— Une Révolution Culturelle, la Grande Révolution Culturelle

289

Prolétarienne... voilà l'expression que nous cherchions, voilà le prétexte. Tu as été lumineuse.

— J'étais imprégnée de ta pensée. Mais je ne suis pas sûre d'avoir convaincu.

— Ne t'inquiète pas. De bon ou de mauvais gré, ils y viendront tous ces mirliflores, à ta révolution.

Euphorie de Jiang Qing : elle est bien la disciple, le vrai compagnon d'armes de Mao, et même elle peut lui montrer le chemin. Les jours suivants, elle guette dans les journaux la publication de son discours, au moins un compte rendu agrémenté de quelques extraits. Mais rien, pas un paragraphe, pas une ligne, pas même une allusion. Le Parti veille.

Car la gadoue à la sauce révolutionnaire cuisinée par Jiang Qing suscite ronchonnements et sarcasmes chez les amateurs d'opéra que sont les grands dirigeants. Un seul se tait et même feint d'en accompagner les progrès avec intérêt, Chou En-lai, l'habile entre les habiles. Mais les autres... Cela sent la caserne et il n'y a pas plus d'art là-dedans que dans les exercices d'un peloton d'élèves officiers, ricane Deng Xiaoping. Liu Shaoqi trouve que Jiang Qing « cueille les melons avant qu'ils soient mûrs » et Peng Zhen, le maire de Pékin, refuse carrément de prêter une salle et une troupe de la capitale pour monter de pareilles momeries. A vrai dire, Mao lui-même a du mal à s'habituer aux décoctions de sa femme. Pourtant il finit par leur trouver une sublimité. Lui plaît en particulier la fin du *Détachement rouge* que Jiang Qing a transformée en une ode quasi religieuse à la pensée de son époux. « L'orientation est correcte », déclare-t-il. Et les plumitifs de Kang Sheng et de Zhang Chunqiao relaient ce subtil jugement. Concerts d'éloges, applaudissements obligatoires. Ce tintamarre résonne comme une menace.

Cahin-caha la guerre des premières dames continue : un meeting pour l'une, une représentation d'opéra-modèle pour l'autre, une tournée en province pour l'une, une série de discours pour l'autre. Les habitants de Zhongnanhai comptent les coups, évaluent les chances des deux rivales sans mesurer que leurs carrières, leurs vies mêmes dépendent de cet affrontement. Murmures, ragots, spéculations. Presque tous se rangent derrière l'excellente Wang Guangmei tellement plus intelligente, tellement plus charmante que cette harpie de Jiang Qing. Quand les deux voisines se croisent, elles se saluent encore, mais on ne se rend plus visite. Pas

LE CHIEN DE MAO

plus qu'on n'échange de conseils et de vues sur l'éducation des enfants. Mao, toujours très entiché de sa favorite, observe ce combat d'un œil distrait. Tout de même, la fureur de sa femme continue de l'amuser. Qu'elle est donc devenue laide ! De dos, dans son espèce d'uniforme, on dirait un homme.

La Révolution Culturelle ne rugit toujours pas et Jiang Qing ne tient plus en place. Kang Sheng est chargé de la calmer. En lui donnant, pour l'occuper, une leçon sur l'art de terroriser :

— Avant que les hostilités soient déclarées, on doit tester sans relâche les capacités de résistance de l'adversaire. Mais avec méthode et discernement. Le plus simple est de se choisir un ennemi numéro un, un ennemi exemplaire à abattre. Puis de procéder, sans jamais perdre de vue son objectif.

L'ennemi désigné par Kang Sheng s'appelle Yang. C'est un théoricien marxiste de la plus belle eau, formé en URSS, où il a, péché capital, connu Kang Sheng encore moscoutaire. Directeur de l'Ecole du Parti à Pékin, Yang n'a pas cessé de railler Mao, son « communisme de mendiant », son Grand Bond en Avant fait « de 99 % de romantisme et de 1 % de réalisme ». Yang a été écarté, il est toujours réapparu, et aujourd'hui il a encore un titre de vice-président de cette Ecole que Kang Sheng et ses sbires ont décidé de contrôler afin que n'y soit enseignée qu'une seule pensée, celle de Mao. Yang, par sa seule présence, fait obstacle à ces projets. Yang doit être éliminé.

L'occasion se présente avec la parution d'un article abscons intitulé « La division de Un en Deux et la synthèse de Deux en Un », une ragougnasse hégélienne que personne n'aurait remarquée si Kang Sheng n'avait prétendu y renifler un parfum d'hérésie. Selon lui, il y est soutenu que la victoire du Communisme ouvre une période d'intégration nationale. Deux en Un, c'est la volonté d'accord, l'ignoble, la stérile harmonie.

— Autant écrire, explique Kang Sheng à Jiang Qing, que c'est la fin de la lutte des classes. Cet article est une machine de guerre contre Mao.

Il n'y a qu'une petite difficulté, Yang n'est pas l'auteur de l'article incriminé, dû à deux assistants de philosophie de l'Ecole : il va falloir l'impliquer.

Le mécanisme : d'abord gonfler l'affaire. Qu'on remarque ce texte barbare, hermétique et pédant. Kang Sheng passe à l'offensive en rédigeant un essai intitulé « La synthèse de Deux en

LE CHIEN DE MAO

Un n'est pas du matérialisme historique ». Jiang Qing suit avec peine mais on lui dit que Yang et consorts sont des traîtres et qu'elle doit aider à le prouver. Une fois éclairée, après une représentation d'un de ses opéras-modèles, parmi les rafraîchissements et les mondanités, elle attrape Mao par le bras et lui confie l'essai de Kang Sheng. Trois jours plus tard, l'essai lui revient, sans notes ni commentaires. Cela vaut approbation. La machine est en route. Parution de l'essai. Réponses de lecteurs, fausses évidemment. Critiques, exégèses, controverses, Kang Sheng déclare publiquement que Mao a pris position contre la synthèse de Deux en Un. La merveilleuse brigade des plumitifs chargés de propager la philosophie antirévisionniste intervient. En quelques semaines, l'article confidentiel devient l'objet d'un débat national.

Comme prévu, Yang et ses disciples sont entrés dans la danse et ont défendu leurs positions. Kang Sheng passe donc à la vitesse supérieure : celle des attaques directes contre Yang dans *Le Quotidien du Peuple* et surtout dans *Le Drapeau rouge*, l'organe théorique que dirige Chen Boda. L'affreux, qu'on a dûment chauffé, se déchaîne. Dorénavant il n'y a plus d'issue pour Yang ni pour ses protégés, ni pour ses étudiants, ni pour aucun de ceux qui ont semblé, dans les journaux par exemple, favorables à la synthèse de Deux en Un.

Laissant son académisme de côté, Kang Sheng organise ensuite une série de meetings de masse pour dénoncer Yang, ce félon allié à d'autres félons, à tous les félons de Chine, en particulier les embourgeoisés prosoviétiques, sectateurs du compromis de classe. Le premier de ces meetings se déroule sur le terrain même de l'ennemi, dans le grand amphithéâtre de l'Ecole. Les professeurs laissent faire, soit que Kang Sheng les ait gagnés à sa cause, soit qu'ils aient trop peur pour se manifester. Un philosophe ami de Kang Sheng, un intime, prié par celui-ci d'accuser Yang, préfère se suicider : il se jette dans le lac du parc de l'Ecole.

Le verdict des foules rassemblées par Kang Sheng est terrible : Yang est exclu de l'Ecole, nommé à un poste subalterne dans une faculté médiocre avant d'être emprisonné, des dizaines et des dizaines d'intellectuels sont critiqués, certains sévèrement, c'est-à-dire harangués et battus en public. Il y a des morts.

Faire sortir le pire de toutes les situations, c'est l'art de Kang Sheng. Une science. Ainsi de cette fumeuse affaire de la synthèse des contraires, il arrive à tirer un poison qui tuera ou brisera la carrière de centaines de personnes. Et il accomplit cet exploit sous

LE CHIEN DE MAO

le nez de Liu Shaoqi qui ne réagit pas. Le faible. Le faible qu'on fera avancer aussi loin qu'il le faudra sur la voie de son supplice. L'homme aux semelles de plomb incapable de concevoir, après le Grand Bond en Avant, le retour de l'idéologie du fantastique. Comment le peuple, qui sort à peine d'une épouvantable famine, pourrait-il à nouveau s'embraser pour celui qui l'avait mené là ? Comment pourrait-il accepter à nouveau que s'imposent l'utopie et ses conséquences de feu et de chaos ? Liu Shaoqi ne l'imagine pas. L'aveugle. L'aveugle cadenassé dans sa bêtise.

Mao a repris ses voyages dans son train spécial. Badinages sous la surveillance de sa favorite. Mais aussi crises de paranoïa : Mao est persuadé qu'on veut l'empoisonner, que les palais où il s'arrête sont envahis par les rats, que des hommes cachés dans les greniers attendent qu'il s'endorme pour venir le poignarder. Délires. Somnifères. Disputes avec les concubines. Un enfer au milieu duquel il continue d'écrire quelques poèmes visionnaires.

Pendant ce temps, la bande s'est transportée à l'ouest de Zhongnanhai, à la Terrasse des Pêcheurs, un ensemble de villas auparavant réservées aux visiteurs officiels. Il y a des jardins et des étangs où l'empereur venait pêcher. Jiang Qing est au 11, Kang Sheng au 8, Chen Boda au 15, le 16 sert de quartier général. On s'y réunit régulièrement afin de commenter les progrès de la Révolution dite Culturelle. Chacun y va de sa victoire : chute de Yang ; diffusion miracle du Petit Livre Rouge ; mise au point de la meilleure façon de le tenir – le pouce à l'intérieur, comme si, venant d'être interrompu dans sa lecture, on redoutait de perdre sa page ; recrutements multiples et éliminations diverses. Le fiel. Des noms sont cités, consignés. Des listes, toujours des listes. Wang Dongxing répète qu'il faudrait se hâter, Jiang Qing égrène les rebuffades qu'elle essuie dans sa réforme de l'opéra. Elle se lamente, elle agace.

C'est alors que Ye Qun, l'épouse du maréchal Lin Biao, intervient pour occuper Jiang Qing, lui rendre cette bienheureuse agressivité dont les conjurés ont besoin. Un jour elle passe la chercher dans sa limousine noire qui bientôt rejoint un cortège militaire. Dans la voiture de tête, un Lin Biao debout, chargé d'électricité, transmué en meneur d'hommes, est acclamé par une foule frémissante. Il salue, il salue encore. Sur le bord de la route il y a toujours plus de monde. Enfin on aboutit à une colline dominant une plaine couverte de militaires. Un premier rang de cent

293

LE CHIEN DE MAO

vingt-cinq généraux et colonels, derrière dix mille officiers venus de toute la Chine et, au fond, une masse de soldats. Tous les gradés, en grand uniforme et parés de leurs hochets, doivent être soumis à un entraînement intensif pour apprendre la modestie. Lin Biao grimpe sur une estrade, il paraît immense, ses yeux sont de braise et sa voix est portée à une incandescence énorme par le truchement des haut-parleurs :

— Vos erreurs sont graves. Vous vous êtes isolés dans vos casernes, vous vous êtes mis à croire à l'Armée pour l'Armée. Vous méprisez le Peuple, et pourtant vous n'avez été invincibles dans le passé que parce que vous l'aimiez et que vous en étiez aimés, parce que vous étiez mêlés à lui. Vous allez donc retourner dans les villages auprès de la masse. Vous exigerez d'accomplir les tâches les plus dégradantes et les plus pénibles, ainsi vous referez votre unité totale avec elle. Les paysans vous aideront à vous débarrasser de vos défauts, vous les guérirez des leurs. Ce sera la Communion générale – celle du Parti, des cadres, des travailleurs, de l'Armée – au nom de la pensée de Mao Zedong.

Vient le moment crucial de la cérémonie : le déshabillage. Une fanfare sonne et tous les chamarrés, tous les pontifes se dépouillent de leurs frusques superbes, de leurs amulettes et de tous les signes de leur pouvoir. En treillis vert, ils entrent dans les rangs des simples soldats et, sous le commandement des caporaux et des sous-officiers, se vouent aux biens de la construction socialiste, défricher les déserts, bâtir des chemins de fer, niveler les montagnes, endiguer les rivières, participer au labourage profond. Evidemment, les dégradés retrouveront bientôt leurs grades, même s'ils demeurent invisibles, mais à condition de plaire à Lin Biao. Quant à ceux qui ne plaisent pas... ils resteront tout en bas.

Jiang Qing est enthousiasmée par la manifestation : voilà enfin qui ressemble à la Révolution telle qu'elle l'imagine. Le lyrisme, l'abaissement des grands, une armée au service du Peuple, une armée qui sert de modèle au Peuple... Lin Biao l'écoute délirer d'admiration. Plus tard, il lui explique comment l'armée petit à petit s'infiltre dans tous les secteurs de l'Etat. Sans faire d'entrée solennelle, sans défilé, sans revue, les soldats de son armée nouvelle se faufilent toujours davantage dans les cités, dans les ministères, et les administrations. Dans tous les bureaux et jusque dans les services de la propagande, il y a désormais des hommes de Lin Biao. Derrière eux, avec eux, surgissent les Gardes Rouges, pas

LE CHIEN DE MAO

encore très nombreux mais qui ne cessent de hurler que Mao est la Vigie du monde.

Lin Biao multiplie les meetings auxquels il convie Jiang Qing. Toujours il se place sous l'égide de Mao, de sa pensée qui est, dit-il, « une source de force inépuisable, une bombe atomique spirituelle d'une puissance infinie ». Que le grand drapeau rouge de cette pensée illumine le monde ! Un après-midi particulièrement béatifique, le maréchal fait acclamer celle qu'il appelle « notre Jiang Qing ». Ovation de la masse qui à vrai dire ne sait pas qui elle applaudit. Une fois, deux fois, trois fois, Lin Biao clame le nom et toujours la foule hurle son amour. Un sacre. Une magie.

Peu après, Lin Biao annonce à Jiang Qing qu'il l'a nommée conseiller de l'armée pour les affaires culturelles, tous les documents militaires concernant les arts lui seront soumis. Le haut commandement. Elle qui n'était rien, qui n'avait aucun titre, a maintenant, et tout à fait officiellement, la préséance sur des tas de gens qui la traitaient en inférieure. Comme toujours, elle se dit qu'elle va rabattre le caquet des idiots qui l'ont méprisée, leur dénuder le croupion et les saigner à blanc. Cependant Mao et Lin Biao lui conseillent d'agir avec mesure, qu'elle s'efforce de patienter encore. Son bonheur est tel qu'elle y consent. Finalement, elle n'a qu'un petit regret, ne pas avoir pu se flanquer sur la poitrine ou sur les épaules quelque grand cordon ou quelque plaque. Mais cela n'est pas dans le goût du jour... Et son treillis viril la ravit. Au fond, il dit la même chose que ses opéras : fin de l'héroïne traditionnelle, toujours gémissante et mourante, avènement d'une combattante qui lutte avec efficacité, sans fioritures, contre les ennemis du Peuple et ainsi s'affirme l'égale des mâles.

Jiang Qing est au comble de la joie : le théâtre, ses idées sur le théâtre, comme elle l'avait toujours pressenti, vont la mener au sommet du pouvoir. Elle aura la Chine pour public. Mieux, elle sent dans toutes les fibres de sa chair que si Mao venait à la lâcher dans cette dernière partie de l'ascension, Lin Biao, lui, serait là. Lin Biao... Dommage qu'il pue. Une odeur répugnante, qu'on n'ose chercher à identifier, émane de lui. Ye Qun a expliqué à Jiang Qing que la simple vue de l'eau rendait son mari malade et que ses ablutions étaient rares. Mais à guide si prévenant, si lumineux, renifle-t-on l'aisselle ? Et puis Jiang Qing en a respiré d'autres, tellement d'autres, à Shanghaï ou à Yanan. Mao lui-même peut être une infection. Alors... S'il faut coucher, elle couchera. En vraie féministe naturellement.

LE CHIEN DE MAO

Septembre est arrivé et Jiang Qing est reprise par l'impatience. Depuis trois ans, elle prépare la Révolution, trois ans à courir, à s'agiter, à réformer, trois ans à concocter des textes, à surveiller l'adversaire, à ourdir des complots, trois ans à se cogner aux murailles dressées autour d'elle par l'appareil, trois ans... et si peu de résultat. Mao a beau multiplier les pèlerinages symboliques et les directives de feu, la Révolution n'est encore qu'un nuage de forme incertaine planant au-dessus d'un pays endormi.

A la Terrasse des Pêcheurs, Jiang Qing remâche sa déception. Rien ne la distrait, ni les visites de Kang Sheng, ni la splendeur de l'été finissant. Elle vient d'avoir cinquante ans et tout autour d'elle n'est que cendres. Fini l'amour, finie la beauté, finie l'ambition, le temps lui a tout volé. Où sont les grandes actions dont elle rêvait? Le pouvoir n'est qu'une illusion, un leurre accroché à Mao, cette outre dégoûtante qui avale déboires et avanies avec une sorte de gloutonnerie. Faudra-t-il donc se résoudre à croupir dans un pavillon de Zhongnanhai en vieille relique oubliée? Osera-t-on se débarrasser d'elle lorsque Mao mourra? Ira-t-on jusqu'à la tuer? Mais non... Elle sera sa veuve, La Veuve.

Les cauchemars sont revenus. Toujours les mêmes. Chutes dans des gouffres gigantesques dont les parois se resserrent sur elle, écrasement sur la pourriture de corps décomposés, bouches immondes, entrées des enfers qui la guettent... Et puis du sang, des fleuves de sang qui coulent d'elle, de ses jambes écartées et qui charrient des avortons sans tête. Autour d'elle, un groupe d'hommes. Il y a Liu Shaoqi, Deng Xiaoping, Chou En-lai. Il y a Kang Sheng. Et Zhang Chunqiao. Et Lin Biao, le maréchal à l'odeur de cadavre. Elle aperçoit Yu Qiweï, d'autres encore qui furent ses amants. Et tous rient : elle est le Monstre, la Putain qui voulait attraper le Ciel, elle est la Mère de la Révolution. Et le sang continue de couler jusqu'à ce que la Céleste Parturiente se dilue, ne soit plus qu'une vapeur, un miasme. Et la chute recommence entre les abrupts gluants, au milieu d'âmes errantes qui appellent Jiang Qing, la supplient de les rejoindre et la guident vers le magma de dépouilles putréfiées qui tapisse le fond de l'abîme. Elle va toucher le jus ignoble lorsque d'un coup elle se re-

LE CHIEN DE MAO

prend, se réveille couverte de sueur, le cœur battant à se rompre, mais vivante. Vivante.

Les images de la nuit hantent Jiang Qing et, avec elles, reviennent les souvenirs d'épouvante. Son enfance. La misère effroyable. La faim. Sa mère, la pauvre Lotus, humiliée, chassée de partout. Sa mère, la putain. La cabane. Le corps dévoré par les rats... Tristesse. Agonie. Et pourtant dans ce chagrin, luit bientôt un éclair. La rage, la merveilleuse rage qui jamais n'abandonne Jiang Qing aujourd'hui encore s'empare d'elle, chasse les vapeurs du désespoir, la jette hors de son lit, toute à ses désirs de vengeance et à sa volonté d'agir. Qui sont-ils pour la juger ceux qui ignorent d'où elle vient et ce qu'elle a souffert ?

Elle s'est ruée dans les appartements de Mao, qui l'accueille aimablement :

— On me dit que tu as été malade. Mais je te vois toute vivace et je m'en réjouis.

— Ce n'était rien, un peu de fatigue. Je trouve parfois le temps long parce que je me ronge à attendre ta Révolution.

— Il est vrai que, toi, tu es faite pour l'action.

— Ne te moque pas de moi. Je crains simplement que tu ne laisses passer le moment favorable. Tu as parlé d'une révolution culturelle...

— C'est toi qui en as parlé.

— Et tu as daigné approuver. Et reprendre l'expression dans tes discours. Ce dont je te remercie. Mais la question n'est pas là. La question est que tu es en train de te faire voler jusqu'à cette appellation.

En effet. A force d'entendre parler de cette révolution culturelle le Comité central s'est inquiété : Mao faisait tout de même beaucoup l'agité. L'idée est venue de désamorcer les grands fracas prévus. Pour parer aux accusations mortelles de révisionnisme lancées contre eux et calmer le Vieux, les responsables de la culture ont constitué un Groupe des Cinq chargé de mettre en œuvre une révolution culturelle à Pékin. La première mission du Groupe est de signaler à Mao tous les manquements à la ligne qu'il a définie. Et, bien sûr, il ne signale rien. On joue à Pékin des pièces anciennes et des pièces étrangères. On y trouve toutes sortes de livres séditieux et les opéras-modèles de Jiang Qing y font toujours autant ricaner. Encore un peu et la Révolution Culturelle sera oubliée. Tuée dans l'œuf.

LE CHIEN DE MAO

Le chef du Groupe des Cinq est Peng Zhen, le maire de Pékin, un homme brutal, autoritaire, redouté, un communiste éprouvé, formé par le Guépéou, rompu à toutes les rectifications et qui a autrefois fait verser beaucoup de sang. Mais c'est aussi un proche de Liu Shaoqi et de Deng Xiaoping, un réaliste qui depuis des années désapprouve les illusions de Mao. Il se souvient des réunions nocturnes dans l'ancien zoo de Ts'eu Hi, il se souvient des dossiers. Le Grand Bond en Avant. L'agriculture nouvelle. Les statistiques démentes. Le vent de l'exagération. Et puis la famine. Les tortures des soi-disant saboteurs. Les gens gelés dans les citernes, écorchés, enterrés vivants. Les oreilles coupées, tant d'oreilles coupées. Les cadavres bouillis, les frères qui mangent les frères, les sœurs qui mangent les sœurs. Et, face à ces horreurs, le mépris de Mao... Cela Peng Zhen n'en veut plus. Ni qu'on détruise le Parti. Si Mao est repris par quelque songe heureux qui signifie la mort pour des millions de Chinois, il l'arrêtera.

Son avis est qu'il ne faut pas le combattre ouvertement, mais prévenir ses desseins, l'amadouer, le cas échéant épurer quelques intellectuels pour lui complaire, louvoyer, louvoyer toujours. Et tenir Pékin.

Peng Zhen est bien entouré : Lu Dingyi, un ancien de la Longue Marche devenu chef de la Propagande et ministre de la Culture, le rédacteur en chef du *Quotidien du Peuple* et un vétéran de toutes les polémiques littéraires font partie de son Groupe. Il compte beaucoup sur le cinquième membre, un homme qu'il connaît depuis Moscou et pour lequel il a travaillé à Yanan, un homme qui a été son allié dans la lutte récente contre l'URSS et en qui il a une absolue confiance : Kang Sheng ! L'ineffable Kang Sheng qui évidemment joue son rôle auprès de Peng Zhen, pour mieux le trahir.

— Tu n'es quand même pas venue me voir pour me raconter les bouffonneries du Groupe des Cinq ? a repris Mao. Je les connais, je m'en servirai le moment venu.

— Justement. Toi qui sais tout, sais-tu qu'on a repris *La Destitution de Hai Rui*, cette pièce honteuse avec laquelle on te nargue depuis quatre ans ? Combien de fois t'ai-je demandé d'organiser la critique de cette pièce ?

— J'ai fait part de mon déplaisir.

— Ton déplaisir... Mais le voilà le prétexte que tu cherches, le détonateur.

298

LE CHIEN DE MAO

Tirée d'une chronique de l'époque des Ming, *La Destitution*... raconte comment un empereur révoque un honnête fonctionnaire qui l'avait critiqué. Depuis sa création, Jiang Qing, chapitrée par Kang Sheng, distille le poison : cette pièce, dit-elle, est un brûlot contre Mao. Qui ne reconnaîtrait Peng Dehuai dans Hai Rui ? Et Mao dans l'empereur ? La Chine entière a perçu le parallèle, et pourtant Wu Han, l'auteur de la pièce, demeure impuni. Serait-ce parce qu'il est le premier adjoint de Peng Zhen ?

Jiang Qing a pris sa figure de logicienne :

— Nous devons faire rédiger une critique historique et politique de la pièce. Et surtout, réussir à impliquer Peng Zhen, comme hier Kang Sheng a précipité Yang dans l'affaire de la synthèse des contraires. Mais, dans ce cas, les choses seront plus faciles. Sers-toi du Groupe des Cinq. Jamais tu n'auras de meilleure occasion.

Fragilité des hommes, des destins... La Révolution Culturelle dépend d'une pièce de théâtre. Mais les mots de Jiang Qing semblent avoir porté. En octobre, Mao décide de prendre ses quartiers à Shanghaï. Il est logé avec sa première concubine et ses gardes dans une résidence exquise, construite pour lui aux abords de la ville. Mais chaque matin, une limousine noire le conduit à l'hôtel Jinjiang, auprès de Jiang Qing. Les rejoignent Kang Sheng, Zhang Chunqiao flanqué de l'un de ses acolytes, Yao Wenyuan, parfois Chen Boda, à défaut de Lin Biao, toujours en tournée à déshabiller des officiers, à fabriquer Gardes Rouges et soldats sans culottes. Jiang Qing a exposé son plan : faire connaître les motifs et les buts de la Révolution Culturelle en critiquant une pièce imprégnée d'esprit féodal et ainsi détruire les factieux qui verrouillent le département de la Propagande, en clair forcer Pékin.

Un consortium écrit l'article, mais la plume principale est Yao Wenyuan. Jiang Qing a depuis longtemps demandé à ce critique littéraire dressé aux sales besognes d'étudier le cas « Hai Rui ». Yao Wenyuan... il a une tête bien ronde, l'air un peu niais, le sourire et le ventre du bon compère ; il aime la vie, il aime les femmes, il aime le bien-manger, surtout il aime tuer ou plutôt livrer aux tueurs des intellectuels et des écrivains. Il accuse, il dénonce, il vilipende avec délectation, il a adoré mener la chasse aux « droitiers ». On le méprise, il s'en moque. Car il a la haine au cœur, et besoin d'une incommensurable vengeance. Il a subi les hontes, les cruautés, le désespoir parce que son père, un écrivain devenu agent de liaison des communistes, arrêté par le Kuo-

LE CHIEN DE MAO

mintang avait, sous la torture, été retourné par les hommes de Tchang Kaï-chek et chargé d'infiltrer le milieu intellectuel shanghaïen. Ce dont il s'était acquitté dévotement : dans le Shanghaï des égorgements il avait fait merveille. A la suite de quel marchandage le rejeton avait-il été repêché ? Toujours est-il que Zhang Chunqiao l'avait fait recevoir dans le Parti et se l'était attaché, par la méthode habituelle, c'est-à-dire qu'il l'avait mouillé dans nombre de boucheries et de trahisons... avant de le faire engager au quotidien *Libération*. L'élève s'était révélé exceptionnel, qui compensait par l'ardeur la médiocrité de son style.

Au travail ! S'échiner, discuter indéfiniment, refaire les phrases, les paragraphes. Si Jiang Qing veut aller trop loin, jusque dans le sang, Kang Sheng l'arrête. Selon lui, il suffit de faire ondoyer la nouvelle révolution, de la faire pressentir, mais en collant à la pièce, en montrant à quel point elle est pleine de nausées et de vapeurs, de chienlits, de ces relents et de ces goules du passé qui assaillent les âmes chinoises. En résumé, qu'on se contente d'expliquer que *La Destitution*... est une herbe vénéneuse, antiparti et antisocialiste. Yao Wenyuan sue sang et eau, il ne connaît rien à la dynastie des Ming mais son père, lui aussi miraculé des temps troublés, l'aide. Pour le contenu politique, les arguties, le byzantinisme chafouin, il a tout le talent nécessaire. Et pléthore de guides.

Enfin le texte est prêt. Un journal de Shanghaï le publie, *Le Quotidien de l'Armée* le reprend, les plumitifs assermentés donnent de la voix, pendant dix-neuf jours les gens de Pékin feignent d'ignorer la polémique fomentée par ceux de Shanghaï. Et puis, ils doivent céder. Déluge d'articles, autocritiques modérées de Wu Han, le rituel. C'est bien, ce n'est pas assez. Le Groupe des Cinq est chargé d'examiner l'affaire. Mao se tait, Kang Sheng l'informe de l'avancée des travaux du Groupe, des manœuvres de Peng Zhen pour limiter le débat au domaine intellectuel et académique : la politique, n'est-ce pas, n'a rien à voir là-dedans. En février, le groupe fait le voyage de Shanghaï pour soumettre à Mao un projet de rapport lénifiant. Colère du Vieux. Silence de Kang Sheng. Explications de Peng Zhen. Trois heures de discussion. Embrouilles. Soudain Mao affecte de se désintéresser de la conversation. De son air le plus lointain, il congédie le maire de Pékin : que celui-ci fasse comme bon lui semble. Quatre jours plus tard le rapport est adopté par le Comité central. Peng Zhen respire.

300

LE CHIEN DE MAO

Mao aurait-il lâché sa proie? Non, bien sûr. Mais il n'est pas tout à fait prêt. Une autre affaire doit être réglée en priorité, militaire celle-là. On se souvient que Lin Biao cultivait Jiang Qing avec frénésie. Ce qu'il veut d'elle? Qu'elle agisse sur Mao pour que celui-ci lui abandonne le général Luo Ruiqing, son ancien ministre de la Sécurité. Une vedette, ce Luo. Fils d'une grande famille du Sichuan, officier, il adhère très jeune au Parti, part pour Moscou, est pris en main par le Guépéou, découvre en son chef Djerzinsky, le père de la police secrète de Lénine, un maître, un modèle, un idéal. Tant d'admiration porte ses fruits : Luo deviendra le chef du contre-espionnage chinois, le sinistre Gonganbu. Il y déploie un formidable talent : il liquide des centaines et des centaines de réactionnaires et de contre-révolutionnaires, proférant carrément qu'il préfère faire exécuter par erreur quelques innocents que de relâcher son étreinte sur les ennemis du Peuple. Pourtant ce chien de garde est la rigueur même. Intègre. Incorruptible. Jiang Qing, qui s'est souvent heurtée à lui, le hait. Kang Sheng redoute ses réseaux, les amitiés qu'il a pu garder à la Sécurité. Lin Biao, dont il fut l'adjoint à ses débuts, l'exècre. Car Luo Ruiqing, désormais chef d'état-major général, est formidablement populaire parmi la gent militaire et gêne ses projets : comme hier Peng Dehuai, il veut moderniser l'armée, il trouve la guérilla dépassée et se moque des visions brumeuses de Lin Biao à propos du Tiers Monde supposé se dresser bientôt contre les nations riches. Il doit être brisé.

Actionné par Jiang Qing, elle-même persuadée par Ye Qun qu'on voit souvent à Shanghaï cet hiver-là, Mao fait le vrai, le décisif bond en avant : il ordonne au fidèle Wang Dongxing d'arrêter Luo Ruiqing. Ensuite tout va très vite : les hommes de Kang Sheng ont fabriqué un dossier meurtrier contre le général. Ce traître n'entretenait-il pas des relations illicites avec l'étranger et ne voulait-il pas prendre le pouvoir dans l'armée? Liu Shaoqi, Deng Xiaoping, Peng Zhen essaient de défendre leur ami Luo, mais le dossier est trop bien bouclé. Le Comité central ne peut s'opposer à la tenue d'un interrogatoire. Dommage que dès la première séance, Luo saute par la fenêtre depuis le quatrième étage. Le premier « suicide » de la Révolution Culturelle, un suicide très probablement aidé... Et même pas la mort au bas de la chute, pire, la déchéance : le général tombe sur quelques dizaines de gosses postés là qui seront bientôt des Gardes Rouges et qui déjà débordent de haine. Il est mis dans un plâtre et chaque jour on le confie

LE CHIEN DE MAO

aux gamins pour qu'ils l'insultent, le battent, le couvrent de crachats. Les enfants y prennent tant de plaisir qu'à la fin on ne leur retire plus leur jouet. Mao est satisfait. Ce Luo n'a que ce qu'il mérite : quand il était responsable de sa sécurité, ne l'empêchait-il pas d'aller nager dans les belles vagues de Beidaihe ?

Le général écarté, Mao peut de nouveau s'intéresser à Peng Zhen, l'autre verrou de Pékin. Avec le printemps, il a repris ses voyages en train et ses séjours à Wuhan ou à Hangzhou. Jiang Qing, Kang Sheng, Zhang Chunqiao, Chen Boda le suivent à la trace pour d'interminables conciliabules. Enfin un plan est arrêté. Au cours d'une rencontre entre grands dirigeants, Kang Sheng accusera Peng Zhen de s'être rendu coupable de crimes dans sa manière de diriger le Groupe des Cinq et de gérer la controverse autour de *La Destitution de Hai Rui*. Si les réactions ne sont pas trop violentes, on envenimera le discours.

Kang Sheng s'exécute. Est-ce peur ? Est-ce inconscience ? Les témoins ne réagissent pas. Ou à peine. Liu Shaoqi essaie une fois, dix fois, vingt fois de téléphoner à Mao pour le supplier de rentrer à Pékin : six mois d'absence, c'est trop. Qu'il vienne dans la capitale expliquer ce qu'il entend par Révolution Culturelle. Mao ne bouge pas. Au troisième appel, il donne même la consigne qu'on ne lui passe plus le président de la République. Lequel au surplus doit encore s'absenter pour une de ces tournées en Asie qu'il affectionne tant.

Mai arrive. Et la réunion du Bureau politique élargi pour laquelle Kang Sheng a affûté ses couteaux. Pendant deux jours et demi, il mène l'attaque contre Peng Zhen, soutenant, entre autres et pour se dédouaner, que le maire de Pékin a rédigé le rapport de février sans le consulter. Extraordinaire prestation. Quintessence de la perfidie. Violence. Lyrisme. Indignation. Jargon. Kang Sheng fait feu de tout bois. Et peu à peu il convainc, sinon de la culpabilité de Peng Zhen, du moins de la nécessité de le lâcher. A quel moment ? Qui parmi les grands camarades de Yanan, parmi ces vétérans de la Longue Marche a le premier plié ? Qui a cru sauver les meubles en sacrifiant le maire de Pékin et ses acolytes ? Qui le premier a acquiescé lorsque Kang Sheng les a baptisés rois de l'enfer ? Toujours est-il que les discussions ont été longues mais que Kang Sheng a gagné haut la main.

Le 16 mai 1966, pour la clôture, avec Chen Boda, il consigne dans une circulaire les décisions du Politburo : le rapport de février

LE CHIEN DE MAO

est annulé, le Groupe des Cinq est dissous, Peng Zhen et ses complices sont démis de toutes leurs fonctions. A la place est créé un Groupe de la Révolution Culturelle directement sous la tutelle du Comité permanent du Politburo que dominent alors Mao, Lin Biao et Chou En-lai. Ce groupe est dirigé par Chen Boda, Jiang Qing et Zhang Chunqiao en sont les directeurs adjoints, Yao Wenyuan un des cinq membres. Kang Sheng, fidèle à sa manière cauteleuse, se contente d'un poste de conseiller.

Encore quelques aménagements et la Grande Révolution Culturelle Prolétarienne pourra commencer. Peng Zhen est jeté en prison et longuement torturé. Lu Dingyi, le ministre de la Culture, est livré aux Gardes Rouges qui apparaissent en force. Ils le ligotent – une corde à chaque membre –, ils le lancent en l'air, mais si maladroitement qu'ils n'arrivent pas à le rattraper pour le relancer. Lu tombe sur le sol et se brise la colonne vertébrale. Tétraplégique. Jiang Qing, furieuse, maudit les imbéciles qui l'ont privée du supplice de son ennemi. Il aurait été tellement mieux de le tourmenter chaque jour pendant des mois.

Quelques militaires de haut rang, soupçonnés de regretter le général Luo Ruiqing, sont mis en résidence surveillée ou emprisonnés. La chasse aux intellectuels et aux écrivains est ouverte. On commence par ceux qui voici trois ou quatre ans se sont permis quelque satire de Mao et son Grand Bond en Avant. Lors des arrestations, Kang Sheng fait, comme il se doit, poser des scellés sur les portes. La nuit tombée, il revient avec quelques hommes. Le meilleur, le plus beau, le plus rare du mobilier, des livres et des objets d'art est transporté dans des hangars qui lui appartiennent ou directement chez lui. Il a du goût cet homme, et tant de cadeaux à faire. A la chère Jiang Qing par exemple.

Dans sa retraite de Shanghaï, Jiang Qing a suivi tous ces événements avec avidité. Elle a trouvé sa voie. Depuis qu'en février Lin Biao a eu la délicate attention d'organiser pour elle un énorme colloque sur l'art, la littérature et les forces armées, elle exulte. En uniforme et casquette, elle court à nouveau les coulisses. Harcèlement. Imprécations. Surtout, elle somme les soldats de s'improviser auteurs, metteurs en scène, artistes : qu'ils tuent en eux la

vieille révérence pour la classe des lettrés et son art bourgeois !
Que leurs œuvres fassent triompher l'idéologie prolétarienne !
Mais ce que Jiang Qing préfère, c'est le recrutement et la
formation des Gardes Rouges. Inlassablement, immensément, une
nouvelle sorte de cruauté irrigue la Chine, celle due à l'imagination de bambins toujours ameutés, à qui l'on dit : Inventez, soyez
ingénieux pour tracasser ! Persécutez chaque jour un peu plus !
Battez et raillez, jusqu'à ce que mort s'ensuive ! Les loupiots, fous
d'excitation, ignorent la pitié. Ils s'en prennent à qui ils veulent, ils
font ce qu'ils veulent... Quelques cadres, quelques adultes peuvent
les aider, leur souffler des ingéniosités nouvelles, très éven-
tuellement les tempérer, mais ces cadres ont du mal à s'imposer,
ils risquent que les hordes se retournent contre eux, tellement
celles-ci ont été montées contre le Parti, ses dirigeants et ses
sommités. Jiang Qing, elle, a ses propres Gardes, bien à elle, et
qu'elle ne modérera pas. Depuis longtemps, elle racole. Elle a
apprivoisé quelques garçons et quelques filles, elle les chauffe à
blanc, ensuite, quand il le faudra, à son regard et à sa voix, ils seront de grands dévastateurs à la haine absolue, pas encore souillés
ni réfrénés par l'âge et l'expérience. C'est elle, ce vieux connaisseur en détestation, qui leur donne le goût de cette débauche inouïe, décortiquer, éviscérer l'ennemi.

De ces jeunes en pâmoison devant Mao, il y en a de toutes espèces, de toutes provenances. Les meilleures recrues ont souvent
poussé à l'ombre de Lin Biao. L'adoration. La pureté. La peste.
Jiang Qing se complaît dans ce chantier gigantesque où il ne reste
plus qu'une vérité, celle qu'exprime Mao dans le Petit Livre
Rouge. Les Gardes Rouges l'agitent sans répit au-dessus de leurs
têtes. Ceux qui tiennent le livre merveilleux dans leurs mains, ceux
qui en connaissent par cœur les versets, ceux qui les récitent,
voient leurs capacités et leurs forces décuplées, ils accomplissent
des miracles, de petits miracles à côté des grands miracles de Mao.

L'orage gronde et les nuées de la Révolution Culturelle
s'amassent. La Chine vibre d'une attente énorme. Angoisse.
L'armée domine Pékin et partout les Gardes Rouges patrouillent.
Lin Biao prononce devant ses soldats des paroles d'apocalypse,
qu'il faut détruire le monde jusque dans ses fondements, pour
mieux le changer... Les Gardes Rouges, de plus en plus innombrables, brandissent comme un talisman le Petit Livre Rouge et, en de
nombreux endroits, cessant de brailler, semblent participer à une

LE CHIEN DE MAO

cérémonie religieuse : un officiant leur lit des phrases que tous répètent en un chœur idolâtre. Si Mao est toujours absent de la cité, Jiang Qing y parade pour prendre sa part de cette vénération populaire. Mais la foule la reconnaît à peine. Alors elle se jure avec délectation, jubilation et folie, qu'elle ramassera sa large portion de ces louanges fantastiques. Déjà, elle jouit d'assister à la déconfiture des gens qu'elle abomine, Wang Guangmei et Liu Shaoqi. Revenus de leur randonnée, où ils ont été traités comme s'ils étaient d'essence divine, ils ne comprennent rien au délire qui a saisi la ville. Des informations leur étaient bien parvenues : Peng Zhen et sa geôle, Lu Dingyi et son supplice... et tant d'autres bons communistes torturés, livrés au fumier d'une mort infecte, mais le Pékin qu'ils trouvent est encore plus effrayant qu'ils ne l'appréhendaient. Liu Shaoqi, qui avait espéré reprendre en main la ville saisie d'hystérie, sent, dès l'aéroport, que tout est perdu. Personne, ou presque, pour l'accueillir, lui le président de la République. A son domicile, les domestiques ont disparu, ses enfants hoquettent qu'à l'école ils sont traités de « fils de chien », que les professeurs sont battus, que certains se sont suicidés. Et cela toujours au nom de Mao Zedong, de la pensée de Mao Zedong, qui a présidé à tant d'épreuves où le Parti a chaque fois vaincu dans la fraternité. Maintenant cette pensée annonce la mort du Parti. Liu Shaoqi, dans ce Pékin de fièvre hostile, ne trouve plus auprès de lui qu'un gouvernement sans pouvoir. Lui qui, il y a peu, régissait tant de cadres déférents, n'a plus affaire qu'à des êtres apeurés ou à des individus qui, par crainte, arborent envers lui les attitudes et les comportements de la détestation. Au lieu de l'encens, le mépris.

L'université Beida de Pékin est la plus belle du monde. Le campus avait été construit jadis par des pasteurs yankees dirigés par Leighton Stuart, le leader des protestants à poils durs, qui avaient tellement cru à la prédestination des Américains en Chine. Dans leur université, tout n'était que luxe et beauté. Même si autour on avait construit des bâtiments fort laids, le cœur de l'université restait une estampe. Il y avait des cours dallées, des pavillons aux toits recourbés, des tuiles bleues de crépuscule, des portes de lune, de la rocaille, des lotus, des bambous. De ces lieux voués au bon esprit et à la bonne mentalité était partie, en mai 1919, la révolte contre les servitudes ancestrales, et depuis cette date l'université avait toujours été à l'avant-garde de la Chine ardente. Pourtant, la nouvelle

LE CHIEN DE MAO

Révolution de Mao n'avait pas pénétré en ce vaste enclos rouge, de ferveur rouge, de confort rouge, en cette avenue rouge pour fils à papa rouge.

Puis, d'un coup, l'embrasement. Quelle soudaineté! Tout est calme, tout est sérieux, il n'y a que de bons élèves, les meilleurs enfants des meilleurs communistes : pour être admis là, il faut être à la fois studieux et pistonné. Mais un jour, à l'heure ombreuse de la sieste, une affiche aux grands caractères est collée aux portes du réfectoire. Elle est signée par sept professeurs de philosophie qui annoncent le début de la Révolution Culturelle et accusent Lu Ping, le vénérable recteur, d'être un contre-révolutionnaire. Stupéfaction des étudiants. Bagarres. Chou En-lai, prévenu, fait arracher l'affiche infâme.

Ce dazibao est le résultat d'une intrigue profonde, une trame perverse ourdie par Kang Sheng et acceptée avec enthousiasme par Jiang King. Il y avait au département de philosophie une assistante du nom de Nie, une redoutable quadragénaire, toute ronde sur des jambes rondes, gauchiste, maoïste, super-maoïste. Elle était membre du Comité du Parti qui dirigeait le département et s'acquittait admirablement des sales boulots. Avec ça, nymphomane, mais qui savait consommer des hommes utiles et bien choisis. Le point de départ de sa carrière avait été d'avoir dénoncé et fait fusiller un époux « droitier ». « Serait-elle la reine des putes que nous la soutiendrions quand même », avait gloussé Kang Sheng. Le plan était qu'elle batte l'estrade dans le campus, qu'elle s'abouche avec les professeurs extrémistes si elle en trouvait. Elle en trouva six. Elle les amadoua, elle les materna, elle les vampirisa pour qu'ils signent la fameuse affiche dont le texte, inspiré par Kang Sheng en personne, avait tellement choqué.

Le premier émoi passé, les étudiants se réfugient dans l'inertie, quoique la plupart soit favorable à Lu Ping, qui est un sage estimé et aimé. Mais tous ressentent que quelque chose de terrible va arriver. En effet. Le lendemain, on les rassemble pour qu'ils écoutent la Station Centrale car Mao, depuis Hangzhou, a tranché : la proclamation des sept philosophes doit être lue à la radio. Immédiatement l'anxiété, l'enthousiasme, l'angoisse, tous ces sentiments mêlés s'emparent des jeunes. Deux jours plus tard, le texte est publié par *Le Quotidien du Peuple*. Et puis Nie organise une manifestation. Soixante professeurs et cadres de l'administration sont traînés sur une tribune, contraints de s'agenouiller, battus, couverts d'encre et de crachats. On inaugure sur eux la coupe

LE CHIEN DE MAO

Yin-Yang, c'est-à-dire qu'on leur rase la moitié de la tête. Des camps ennemis se forment, qui s'affrontent ; c'est la guerre au sein des parcs, des bosquets, des bâtiments. Il y a des morts et des blessés. Craignant une intervention de forces fidèles à Liu Shaoqi, Kang Sheng dénonce l'émeute. Mais rien ne se passe.

D'universités en collèges, de lycées en écoles primaires, le feu s'est propagé. Des bagarres éclatent partout, partout on débusque la maudite engeance des professeurs. On leur fait porter de hauts chapeaux pointus et une pancarte où sont inscrits leurs crimes. Ainsi harnachés, on les exhibe dans les cours des facultés. Si ces « génies malfaisants » regimbent, on les fouette.

Et il ne se passe toujours rien. Liu Shaoqi a disparu, Deng Xiaoping également. Tous deux sont auprès de Mao, à Hangzhou. Et la Vigie du monde les fait lanterner : les soins que nécessite sa santé l'empêchent d'accorder la moindre audience. A qui que ce soit. Eux, qui d'heure en heure reçoivent des nouvelles plus alarmantes de Pékin, s'affolent. Ils insistent, insistent encore. Enfin Mao consent. Vautré au bord de sa piscine, il écoute leurs doléances sans mot dire, avant de conclure d'un ton doucereux :

— Résolvez le problème selon les exigences de la situation du mouvement.

Qu'est-ce que cela signifie ? Mao refuse de s'expliquer. Il est attendu. Une soirée dansante. Non, il n'est pas question qu'il revienne à Pékin.

De retour à Zhongnanhai, Liu et Deng convoquent quelques grands cadres. Plus personne ne sait comment juguler la rébellion. Tout de même, il est décidé d'envoyer un peu partout des équipes de travail qui tenteront de canaliser le mouvement et de le maintenir dans la stricte obéissance du Parti. Wang Guangmei, l'épouse de Liu Shaoqi, est chargée de l'autre université de Pékin, Qinhua. Mao, prévenu, envoie un télégramme d'approbation.

Le ciel va exploser et la Vigie du monde, si déglinguée et boursouflée de graisse qu'elle soit, décide d'accomplir un geste extraordinaire : Mao va affronter le Yang Tse-kiang à Wuhan, là où le fleuve est dans toute sa puissance. Ce faisant, il proclame à la Chine entière, et surtout au Parti, son implacable résolution. Dans le passé déjà, chaque fois qu'il se lançait dans des épreuves où il risquait de se fracasser, Mao traversait quelque fleuve tumultueux. Mais alors il nageait avec une vigueur qui témoignait de la force

307

LE CHIEN DE MAO

de sa nature, une force qui surmonterait les vaticinations et les caprices des hommes. Aujourd'hui il a soixante-treize ans, il lui faut prendre des précautions. Ainsi donc, pour cette traversée, on l'entoure d'athlètes, de champions pleins de vigilance, prêts à s'élancer à son secours en cas de besoin. Un peu plus loin, d'autres hommes poussent des radeaux où sont installés des mitrailleuses et des canons en bois comme autant d'armes mythiques démontrant que la vie de Mao, quels que soient les dangers, ne peut être atteinte, car il est immortel.

La foule, le délire, les noyades... Mao ne nage pas, il se contente de se laisser dériver tel un fétu emporté par les flots, et puis on le soutient, on le traîne jusqu'à la rive opposée où il manque s'effondrer. Jiang Qing, qui est venue assister au défi, est heureuse de cette faiblesse relative. Au lieu de craindre et d'avoir peur, elle se dit qu'elle sera l'appui de Mao, son inspiratrice dans les remous prodigieux d'une Révolution qui deviendra de plus en plus la sienne.

Encore deux jours, et c'est le retour à Pékin. A la nuit, Liu Shaoqi se présente chez Mao pour s'entendre dire par les gardes que le Président est fatigué, qu'il s'est couché. En fait, il entend des bruits, les lumières sont allumées, Mao reçoit Lin Biao. Tous deux tiennent un colloque amical, Liu Shaoqi aperçoit la silhouette de Jiang Qing, il croit même discerner sa voix éraillée. Qu'on imagine... le président de la République de Chine populaire tapi dans les buissons du parc.

Le lendemain matin, Liu, Deng et Chou En-lai sont convoqués au Bureau des Senteurs de Chrysanthème. Engueulades. Mao hurle :

— Vous et vos partisans, vous avez essayé de faire une fausse Révolution Culturelle. Vous êtes des saboteurs, vos équipes de travail sont un leurre, une façon de placer en tous lieux vos congénères, des cadres pourris et leurs rejetons pourris. Il faut les rappeler. Que ces traîtres cèdent la place aux fils et aux filles du Peuple ! Qui songe à arrêter la juste révolte des étudiants finira mal.

Ensuite on les traîne à un meeting dans le Palais de l'Assemblée du Peuple. Mao, qui ne désire pas être vu avec eux, se cache en coulisse. Et chacun, tour à tour, s'explique. Liu comparait en homme accablé, morfondu, en vieillard dépassé par des problèmes nouveaux. Il doit avouer qu'il ne sait pas très bien ce qu'est la

LE CHIEN DE MAO

Révolution Culturelle. Deng ne s'en sort pas mieux. Seul Chou En-lai propose une analyse susceptible de plaire à Mao. Elle lui plaît même tellement qu'il décide d'apparaître. Un signe. Le rideau de fond de scène se lève et Mao est là. En chair, en os, qui salue. La foule s'est levée et elle se met à chanter :

— Appuyons-nous sur le timonier quand nous voguons sur les mers.

Le pauvre Liu chante aussi. Deng Xiaoping ne bronche pas.

Déjà Mao a disparu. Dématérialisé. Chou En-lai, le merveilleux Chou En-lai, l'a suivi.

C'est alors qu'est placardé partout un dazibao composé par Mao. Son titre ? « Feu sur le quartier général ». Stupéfaction : le Vieux déclare ouvertement la guerre au Parti. Dans la salle où se réunit le plénum du Comité central, la peur rôde. On délibère sous la garde de la troupe, de nombreux représentants – les fidèles de Liu Shaoqi – sont absents. Mao ne se montre pas mais son ombre pèse, courbe et affole tout. Sur les portes, son dazibao menace, flanque la frousse : Mao veut des têtes, semble-t-il crier.

Est-ce l'effet de l'appréhension ? Les grands dirigeants sont figés, visages lisses, regards vides. Ils n'ignorent pas qu'ils sont promis à l'ignominie, surtout les sexagénaires qui ont accompagné Mao depuis le début, surtout ceux qui lui ont rendu les plus grands services, comme les maréchaux Zhu De et He Long qui lui ont maintes fois sauvé la vie et lui ont permis de survivre dans les jungles de la Chine méridionale. Vieux compagnons, vieilles amitiés, tant d'années ensemble... Quelques centaines, quelques milliers comme eux vont être frappés, parce que Mao n'admet plus que vivent ceux qui, jadis, ont contribué à sa grandeur et à sa victoire.

L'effroi est dans les cœurs. Alors les représentants acceptent sans trop rechigner la Décision en seize points qui est la charte de la nouvelle révolution. Ils promettent de renverser ceux qui dans le Parti détiennent l'autorité et ont pris la voie capitaliste, ils jurent de « réformer l'éducation, la littérature et les arts et toute superstructure incompatible avec la base économique socialiste » et d'« éliminer de la société les éléments bourgeois qui, s'appuyant sur les Quatre Vieilleries, la vieille pensée, la vieille culture, les vieilles mœurs, les vieilles coutumes, cherchent à revenir au pouvoir ». Quelques esprits forts discutent bien un peu, obtiennent une ou deux conditions : la Révolution Culturelle ne devra ni me-

309

LE CHIEN DE MAO

nacer la production ni être violente. Mao, consulté, consent à ces clauses de style. Comme si le problème était encore là : dehors les Gardes Rouges hurlent au meurtre...

Mais Mao s'accorde le plaisir de prendre du temps : ce plénum n'est pas celui de la mort, simplement celui de la dégradation qui la précède. Tout d'abord, il s'agit d'abaisser Liu Shaoqi, le président de la République. A son entrée dans la salle des séances, personne ne l'a salué mais tous fixent son visage déjà défait avec une sorte de dédain. Commencent les délibérations, et Kang Sheng se lève pour prononcer un discours papelard, feutré, d'une ironie bienveillante et jouissive. Pauvre type que ce Liu Shaoqi, paraît dire Kang Sheng... Ensuite, on entend les éclats d'une trompette : c'est Lin Biao qui sonne la charge avec les anathèmes bien connus, que Liu Shaoqi a dressé le Parti contre le Peuple, qu'il a fait du pouvoir une bauge, une porcherie, à la façon des anciens despotes. Liu Shaoqi essaie de se justifier, mais on l'interrompt, on tronçonne ses phrases, on lui donne l'ordre de se taire et de se repentir. Qu'il ne parle que pour s'accuser ! Plusieurs heures durant, Liu Shaoqi tente de s'innocenter, mais les voix glapissent à qui mieux mieux contre lui. Ce jour-là cependant, on n'en arrive pas à la sentence fatale, il n'est pas même déchu de la présidence de la République, mais il perd au grand jeu du numérotage au sein du Parti. Lui, Liu Shaoqi, qui était le deuxième juste après Mao, est relégué au huitième rang. Dégringolade infamante. Comme une défenestration. Après Mao viennent Lin Biao, nommé vice-président, Chou En-lai, Tao Zhu, un homme du Sud qu'on a attiré là pour le couper de sa base et mieux s'en débarrasser ensuite, Chen Boda, Kang Sheng, Deng Xiaoping. Wang Dongxing le super-flic de l'unité 8431 est promu lui aussi. L'ordre nouveau est établi. Le bel été de Jiang Qing peut commencer.

Chapitre V

18 août 1966. L'été brûle. Le soleil assomme la terre comme s'il devait tout réduire au silence et à l'immobilité. Pourtant, dans cette chaleur lourde, la Révolution fait sa danse du dragon et Pékin n'est plus qu'une multitude en liesse, un énorme piétinement. Sous une forêt de drapeaux rouges, les Gardes Rouges, portant brassard rouge et Petit Livre Rouge à la main déferlent vers la place Tiananmen. C'est une foule innombrable de gamins et de gamines, un pullulement de gosses tous semblables, tous également extatiques, fous aux visages en lames de couteaux, aiguisés par l'intensité des sentiments. Ils sont au moins un million qui avancent, non pas en une manifestation mécanique, avec des slogans et des gestes réglés, mais dans le désordre, comme emportés par la ferveur, à l'apogée de la joie. Un élan mystique les entraîne en une crue toujours plus gigantesque, où certains se noient. Les corps écrasés, en charpie. Le martèlement. Des morceaux de cadavres. Mais ces choses-là n'ont plus d'importance.

Cette masse mouvante et coagulée brandit d'immenses portraits de Mao, un Mao souverain, bien plus impressionnant que celui qui débouche sur le parvis, debout dans une Jeep, en compagnie de Lin Biao et de Chou En-lai. Quand ils descendent de voiture, les trois hommes sont enlacés par le hurlement du formidable fanatisme. Mao, en tenue militaire, marche lentement, difficilement, vers la porte de la Paix Céleste, vers la terrasse laquée de rouge et d'or où l'attendent les principaux personnages du régime, même ceux qui sont réputés ses antagonistes, comme Liu Shaoqi. Il s'arrête quelques instants pour enfiler un brassard de Garde Rouge. Pandémonium. L'univers entier n'est plus qu'une lave de

LE CHIEN DE MAO

passion. La clameur se gonfle en un fantastique roulement : « Vive le Président Mao ! Dix mille ans, encore dix mille ans et dix mille ans de plus pour notre Grand Maître, notre Grand Leader, notre Grand Commandant, notre Grand Timonier, le Président Mao ! » Mao grimpe les premières marches. Il est livide, une sueur blême coule de son front, il ne dit pas un mot et s'écroule sur un fauteuil qu'on lui approche. Midi embrase les rues et les avenues tandis que Mao s'affale dans le déchirement des voix chantant que « l'Orient est rouge ». Il ne semble pas entendre, il est absent, indifférent. Est-il malade ? Va-t-il mourir, rendant ainsi dérisoire toute cette gloire versée sur lui ? Mao ne dit toujours rien, comme s'il était trop occupé à s'écouter, à écouter son cœur sur le point de s'arrêter. Que cessent les battements, qu'il soit foudroyé là, et l'histoire du monde en serait changée... Mais il se soulève et, s'appuyant sur Lin Biao et Chou En-lai, il s'éloigne à petits pas. Harassé, il rejoint l'automobile, s'y case et disparaît après avoir tout juste salué les hordes d'un geste du bras.

Un instant, la prodigieuse cohue se calme, en suspens entre l'inquiétude et l'enthousiasme, et puis elle hurle, hurle, hurle qu'on lui rende Mao. Alors Kang Sheng, l'ordonnateur de la cérémonie, l'homme qui a convoqué cette pléthore de peuple, se dresse à l'endroit où se tenait le Timonier et il essaie de diluer les angoisses soudain survenues :

— Le Président Mao n'a pas dormi depuis longtemps, occupé qu'il était à organiser cette grande communion entre lui et nous. L'excès de joie lui a causé comme une lassitude, mais il récupère ses forces. Tout à l'heure, il reviendra et il vous dira comment vous occuper des affaires de l'Etat, comment purger les souvenirs, comment anéantir les traces du passé. Tout à l'heure, vous connaîtrez toute cette pensée à laquelle vous devrez vous conformer fougueusement pour reconstruire l'univers.

En fait, les proches de Mao, Kang Sheng, Chou En-lai et Lin Biao, sont plongés dans l'incertitude, chacun en proie à ses désirs, craintes et soupçons. Si Mao meurt au milieu du gué, quelle carrière s'ouvre pour eux ? Ils calculent, et Jiang Qing aussi, qui a été reléguée dans un bas-côté où elle se ronge, quasiment invisible.

Au crépuscule, Mao réapparaît sur la place Tiananmen, et il arrive à grommeler :

— A bas les Quatre Vieilleries !

Electrisée, la foule est reprise de délire. Quelqu'un lève le bras pour prêter serment et tous sur la place, aux alentours, dans tout

LE CHIEN DE MAO

Pékin, saluent Mao. Ensuite la voix fluette de Lin Biao lacère la nuit et son immensité de fantômes. Elle dit que le Peuple a raison de se révolter et que le pouvoir est au bout du fusil. Rugissements qui dans le noir résonnent comme des déflagrations. Mao marmonne à son tour qu'il faut tournebouler le monde, le décapiter pour lui donner une nouvelle tête.

Les dirigeants n'ont pas bougé. Surtout pas Liu Shaoqi, immobile, pétrifié. Est-il venu en président de la République qui couvre et bénit toutes les démonstrations de la masse ? Ou bien l'a-t-on contraint à assister à ce triomphe, pour mieux le recracher en une de ces grandes dérisions que Mao apprécie ? En tout cas, personne dans l'aréopage n'a tendu la main à Liu Shaoqi, personne n'a semblé le voir, encore moins remarquer sa tenue civile – il est le seul, avec Chou En-lai, à n'avoir pas revêtu un uniforme pour entrer dans le monde nouveau. Est-ce sa volonté ? Ou n'est-ce pas plutôt parce que Mao, délibérément, ne l'a pas fait avertir des exigences du jour ? En quittant la tribune à la suite de Mao, aucun des dirigeants n'a salué Liu Shaoqi. Et il est resté seul. Jusqu'au bout. Absolument seul face à la masse, face aux effigies de Mao, le nouveau dieu. Comme un condamné, une âme errante.

De retour dans son pavillon, Mao s'effondre, triste épave au visage de hibou angoissé, accrochée par instinct à Jiang Qing, sa bouée salvatrice. Il est en proie à d'énormes tremblements, la fièvre l'assaille avec toute la violence possible. Affolement dans l'entourage : on redoute que ces secousses ne mettent à mal son pauvre cœur si lourd de pitié pour l'humanité. Les médecins s'agglutinent, tintinnabulent, se concertent, prescrivent enfin quelques pipes d'opium pour apaiser le malade, qui bien sûr n'est pas souffrant – il ne saurait l'être – mais légèrement fatigué. Jiang Qing étant mal initiée aux rites de la drogue, c'est une vieille sorcière, une maritorne expérimentée qui se livre à la liturgie de la « fumée noire ». La lente, la longue préparation, la cuisine savante, minutieuse, presque sacrée, le fourneau qui est une main d'ivoire, le grésillement. Finalement Mao se redresse pour aspirer la fumée, puis il ferme les yeux, il est parti dans un rêve heureux d'intoxiqué.

Le lendemain il se réveille serein, comme défripé, avec une conscience bienveillante des choses. Jiang Qing, qui n'a pas quitté son chevet, le laisse quelques minutes à sa félicité, avant de poser enfin la question qui la taraude : pourquoi n'était-elle pas à ses

LE CHIEN DE MAO

côtés quand il recevait l'hommage merveilleux des Gardes Rouges :

— J'avais ma place près de toi dans cette tribune, aboie-t-elle, mais une fois de plus, tu m'as écartée. La Révolution Culturelle, je l'ai préparée avec toi, je lui ai donné son nom, je veux m'y jeter aussi. Je veux que le Peuple sache que, moi aussi, je suis la Révolution Culturelle.

Mao lui répond d'une voix de velours :

— Le Peuple saura. Hier il fallait que je sois seul, que j'apparaisse comme Mao l'unique, l'irremplaçable, le Mao de la pensée souveraine, qui lance dans le grand œuvre les Gardes Rouges, avec le concours obligé mais secondaire du chef de l'armée, Lin Biao, et du chef du gouvernement, Chou En-lai. Mais ce sera toi l'âme de la Révolution. Les trente années sont écoulées, tu peux apparaître comme le principe féminin du bon chaos.

— Lin Biao ne s'y opposera pas mais Chou En-lai si. Il m'a toujours été hostile. C'est lui qui a voulu les trente ans.

— Il comprendra très vite qu'ils sont passés. Et il m'obéira. Comme tous les autres, c'est une marionnette.

— Les marionnettes peuvent se rebeller.

— Pas Chou En-lai. C'est un second, l'archétype du second. Il me sera toujours fidèle, même si je l'entraîne dans ce qu'il déteste le plus, l'anarchie et ses remugles. Il me suffit pour le tenir de lui laisser penser qu'il me guide, qu'il me manipule. Son honnêteté un peu lâche, qu'il baptise sens de l'Etat, me convient. Je n'en dirai pas autant de ton Lin Biao dont je me méfie chaque jour davantage : plus il me rendra de services, plus il aura envie de se faire payer. D'ores et déjà, il me dérange. Il tient des discours d'une rare stupidité. Je suis d'accord avec lui que la prise du pouvoir repose sur la poudre et les encriers, que nous devons contrôler toujours l'armée et la propagande, mais était-il nécessaire d'en parler devant le Bureau politique ? Ton ami est très imprudent. Quant à raconter les coups d'Etat dans le monde comme il l'a fait, j'y vois un signe : il songe à celui qu'il fomentera contre moi. Penses-y. Tout se retourne toujours. Et souviens-toi que plus on monte haut, plus on se blesse en tombant, je t'engage à y réfléchir. Puisque nous en sommes aux conseils, en voici deux autres : cherche tes points faibles, cherche-les sans relâche. Et surtout, avant toute action, analyse tes motivations plus encore que celles des autres. La réussite est à ce prix.

— Cesse de me parler de mon Lin Biao, je ne suis pas allée très loin avec lui. Nous avons fait une vague tentative, qui n'a pas abouti. Moi aussi, il me met mal à l'aise. J'ai le pressentiment qu'il te trahira.

Mao a un sourire heureux :

— Qui ne me trahira pas au bout du compte ? Même toi, plus tard, quand la Révolution Culturelle se sera consumée, tu pourrais t'associer à un Lin Biao, quels que soient tes pressentiments de ce matin, au demeurant fort subits. Tout de même, j'admire ton talent pour le reniement. Ne viens-tu pas de m'avouer « une vague tentative » ? Mais tu es folle : avec un être comme Lin Biao, tout est dangereux.

— Sa femme était d'accord.

— Naturellement elle l'était. Ce que tu peux être sotte quelquefois.

— J'étais obsédée par la Révolution Culturelle...

— Et par ta position. Mais ne te fais aucune illusion, ladite position dépend encore et toujours de la mienne. Si l'on m'attaque, si l'on m'abaisse, tu seras entraînée dans ma chute.

— A propos d'attaque, pourquoi ménages-tu Liu Shaoqi et Wang Guangmei ? Tu pourrais les jeter en pâture à la Révolution aujourd'hui même.

— Par plaisir peut-être. Et par nécessité : si peu que ce soit, le Parti existe encore et Liu est toujours président de la République. Il se proclame même partisan de la Révolution Culturelle, sans bien savoir s'il s'agit de celle de Peng Zhen et de ses bureaucrates, ou de la mienne. Ménageons donc les apparences. Nous avons avec nous des millions de Gardes Rouges dont la haine va tout dévaster. Dans quelques semaines, le Parti se couchera, Liu Shaoqi sera balayé et Wang sera à toi.

Alors commence la curée. Partout des Gardes Rouges, amenés à Pékin par trains entiers et qui ensuite sillonnent le pays pour le réveiller et l'endoctriner. Ils écument, ils s'époumonent, les employés des chemins de fer ont peur d'eux, tout le monde a peur. Les enfants s'attaquent à leurs parents, ils les insultent, les dénoncent, les rouent de coups. L'âge est une malédiction. Quiconque jouit d'un avantage, d'un privilège, même minuscule, est aussitôt houspillé et battu. Quiconque est trop bien habillé, ne serait-ce que d'un bleu de chauffe pas assez éculé, est livré aux poings et aux dents. A bas ceux qui détiennent la moindre connaissance, le moindre savoir : la meute se jette sur eux. Les

LE CHIEN DE MAO

temples sont saccagés, les demeures ravagées, les écoles détruites, les musées incendiés, les statues et les objets d'art pulvérisés. Malheur aux riches, aux célèbres, on investit leur maison et, pendant des heures, on pille, on brûle, on lacère. Tout ce qui paraît supérieur, tout ce qui symbolise l'autorité ou la tradition, est traité de réactionnaire, bafoué, contraint aux besognes les plus humiliantes. Qu'ils nettoient les chiottes, les grands professeurs! Même les gens d'un tout petit rang, les petits artisans, les marchands de soupe, sont assaillis. Et broyés.

Que n'imagine-t-on pas? De rebaptiser Pékin l'Orient Rouge, de changer les règles de la circulation tant il est insupportable qu'on s'arrête au rouge. Des bricoles, des broutilles. La grande affaire, c'est d'instaurer la terreur. Tout d'abord, les bandes frappent dans leur voisinage, la famille, les proches. Puis elles s'occupent, un peu au hasard, de gens qui leur déplaisent au premier regard, comme ça, parce qu'elles leur trouvent une gueule tordue ou une touche torve. Ensuite, on s'en prend à des notables et même à de moins notables qu'on a repérés, inscrits sur des listes. Souvent Kang Sheng fait parvenir des noms et des adresses et ses agents donnent des conseils tactiques aux jeunes Gardes qui manquent encore d'expérience. Chaque jour apporte des boulots nouveaux, toujours plus rigolos, et l'on met de plus en plus de fantaisie dans le sac et le meurtre. L'accusation est toujours la même, servie en quelques formules théologales, passe-partout et totalement irréfutables : « Tu es un ennemi du Peuple », « Tu es un déviationniste bourgeois », « Tu n'aimes pas Mao ». A cela, rien à répliquer, sinon les mauvais traitements redoublent. Il y a comme une satisfaction, un indicible plaisir à délayer les agonies. On a ses clients, ses abonnés, on leur rince le museau, c'est-à-dire qu'on les tabasse, qu'on les fracasse. On sent les chairs s'écraser et craquer les os, on voit couler le sang, les yeux chavirer, on entend les plaintes et les gémissements, on constate que la carcasse humaine est très résistante. Beaucoup de victimes se suicident en se jetant par les fenêtres de leurs demeures. Il ne faut pas se rater, car tout rescapé, même blessé, est capturé par des furieux qui l'accusent d'avoir voulu échapper à la justice du Peuple, et immédiatement soumis à la sanction dudit Peuple, la mort.

Depuis Hangzhou où il s'est retiré, Mao harcèle Jiang Qing de coups de téléphone pour la propulser dans les tumultes :
— Tu connais le conte du « Singe qui a vaincu ses ennemis » ?

LE CHIEN DE MAO

Eh bien, nous avons besoin de beaucoup de singes pour faire chuter le Roi des Enfers, Liu Shaoqi, dans la boue et les crachats. Cours à l'université et achève de transformer en monstres les petits diables qui y logent! Ensuite je te livrerai ton amie Wang Guangmei.

L'université... Jiang Qing n'y a jamais été que tolérée, admise par protection, ridiculisée. Lui reviennent des souvenirs âcres : tant d'écoles dont elle a dû forcer les portes, tant de professeurs et d'étudiants qui se moquaient d'elle en hurlant à l'imposture. Et voici que Mao l'envoie dans la plus belle, la plus célèbre d'entre elles, l'endroit sacré par excellence. Elle se promet de tout y donner d'elle-même, de s'y imposer coûte que coûte, seule ou presque, et refuse que des Gardes Rouges l'escortent, Kang Sheng lui suffira.

Dès ses premiers pas dans l'université en pleine bataille, on la reconnaît : « C'est elle, c'est Jiang Qing! » se disent les combattants, avec une surprise mêlée de crainte, car elle a une réputation redoutable. Et cette allure... Puisque la disgrâce est devenue son personnage, elle l'a rendue formidable : de sa chair usée, de sa bouche charnue, de ses grandes dents, de ses lunettes de fer, de sa manière de porter l'uniforme avec aplomb et désinvolture se dégage une puissance ensorcelante. Il se passe quelques secondes pendant lesquelles les fils à papa, ceux que l'on appelle les « anti-Mao » et qui ne sont que des maoïstes mous, pourraient se jeter sur elle et l'obliger à déguerpir. Ces secondes sont gâchées : même les plus audacieux n'osent rien. On se contente de s'attrouper autour d'elle en remous mauvais, on l'injurie, on tente de l'intimider, mais Jiang Qing ne s'émeut pas, loin de là : elle qui aime tellement anéantir l'adversaire par des cruautés, elle qui prend si aisément, si intensément, des attitudes maudissantes ou exaspérées, est aussi restée une actrice qui s'épanouit à persuader et à convaincre. Elle se met à l'œuvre, elle s'égosille, surmonte les moqueries qui s'éteignent, clame de tout l'élan de sa foi :

— Je vous apporte le salut du Président Mao. Le Président vous aime. Il m'a chargée de venir à vous pour vous expliquer sa pensée, que vous connaissez mal.

La horde est médusée par cette femme qui est presque une caricature et qui en même temps, d'une certaine façon, la trouble. Un silence s'établit pendant qu'elle prêche avec véhémence :

— Le Président Mao veut votre bonheur. Pour vous, avec vous, il entreprend une révolution totale, qui effacera le mal sur terre, ce mal qui nous ronge tous et dont la pensée nous guérira.

LE CHIEN DE MAO

La discussion s'engage, elle est longue mais Jiang Qing est intarissable.

Le lendemain, elle revient avec une pile de *Quotidien du Peuple*. En première page, le journal salue les étudiants de l'université de Pékin qui, dans un dazibao, ont, les premiers après Mao, dénoncé la grande conspiration des ennemis du Peuple. Maintenant leur devoir est d'abattre ces ennemis, d'organiser un mouvement de masse révolutionnaire où les bons frapperont les mauvais autant que ce sera nécessaire.

Plus question d'amour dans la bouche de Jiang Qing, mais de châtiments, d'immenses châtiments. Durant des heures elle rabâche la croisade :

— Vous tous, garçons et filles, vous avez des parents corrompus qui seront soumis à la justice du Peuple. Pensez à eux, donnez-leur le bon exemple et leur sort s'en trouvera amélioré.

Autour d'elle, des visages de bois, des visages de cire, qui peu à peu se laissent envahir par la bonne détestation. Jiang Qing crie :

— Il y a encore parmi vous beaucoup d'éléments malsains, des tièdes, des lâches qui se prétendent des révolutionnaires fidèles à Mao. Vous devez secouer leur joug, déjouer leur complot. Contre leur discipline contre-révolutionnaire, proclamez-vous « rebelles révolutionnaires » et faites appliquer la vraie pensée du Président Mao ! Pour cela, brisez les maléfices, chassez les spectres, les démons et les chimères du passé. Sortez de la nuit. Entrez dans la lumière. Vous savez que la charte de la Révolution Culturelle comporte seize points : que votre existence se ramène à eux, qu'ils soient les seules étoiles de votre ciel.

C'est alors que Kang Sheng, Kang Sheng qui a inventé la nouvelle langue de bois et les nouvelles tortures, Kang Sheng fait la chattemite et interroge tous ces jeunes désormais subjugués :

— Etes-vous pénétrés des seize points de la pensée du Président Mao ?

— Nous le sommes ! hurle la foule estudiantine.

— Etes-vous prêts à les étudier sans cesse, à les appliquer dans la Grande Révolution Culturelle Prolétarienne sans que vos cœurs soient accessibles à la pitié ou à la lâcheté ?

— Plus jamais nous n'aurons pitié !

— Commencez par vous dénoncer les uns les autres, dénoncez et jugez ceux d'entre vous qui sont coupables.

La Révolution Culturelle souffle sur l'université de Pékin. Sur tous les murs sont collés des dazibaos, de vrais placards de la mort,

LE CHIEN DE MAO

car quiconque y est désigné sous des appellations infamantes est condamné. Les six philosophes et Nie la mégère triomphent : la tribune qu'ils avaient fait installer voici deux mois est surnommée « la place forte où l'on combat les fantômes » et ils y exercent la justice du Peuple. Celui-ci est représenté par un conglomérat d'étudiants qui tout autour de l'estrade gesticulent et braillent, éperdus de fureur. Le chambardement. La volupté de sévir. Ils sont maintenant plusieurs centaines de « rebelles révolutionnaires » qui se consacrent aux cérémonies de la grande exécration. Ils vont découvrir, liquider, annihiler les crapauds et les hyènes qui se cachent dans les rangs des masses. Personne ne se demande pourquoi ces bêtes dangereuses ne resurgissent que lorsque Mao a besoin d'ennemis modèles.

On ramène sur la tribune les « véhicules du capitalisme » qui ont échappé aux précédentes séances et on les exhibe dans des poses humiliantes. Rituel des agenouillements. Supplices. Des heures et des heures à « faire l'avion », debout, jambes droites, buste courbé à 90°, tête baissée, bras tendus haut en arrière ; au moindre fléchissement, les Gardes frappent. Jiang Qing est rajeunie de plaisir à regarder le vénérable recteur Lu Ping, la tête coiffée d'un bonnet d'âne, qui rampe dans la fange et doit manger de la terre jusqu'à ce qu'il étouffe. Chaque jour les étudiants fouillent l'université pour trouver de nouvelles proies, des gens qu'on a bien connus, peut-être admirés, peut-être aimés, et qu'on traitera comme de la pourriture. On traîne là de bons petits vieux, des professeurs réputés, des maîtres assistants en tenue bourgeoise – un veston, quelle condamnation ! – et aussi des condisciples, des étudiants acharnés à ne pas démordre de leur « droitisme ». Ils sont trois cents environ à former l'armée du savoir réactionnaire, trois cents que leur allure d'intellectuels rend encore plus odieux, trois cents qu'on barbouille d'encre, qui sont obligés de confectionner et de porter des pancartes où ils se stigmatisent. Et puis il y a d'autres ingéniosités, leur faire avaler des pilules qui donnent la diarrhée et les laisser macérer dans leurs excréments, les empêcher de dormir, envahir leur chambre à toute heure, brûler tout ce qu'ils possèdent. Et les battre, toujours les battre. Qu'ils plient, qu'ils gémissent, qu'ils s'écroulent et qu'enfin ils meurent. Charognes qui puent dans le soleil de l'été. Ordures. Chagrin. L'université est parcourue de bandes hilares qui saccagent tout. Bientôt, le beau campus n'est plus qu'une ruine où dansent les Gardes Rouges. Ce n'est pas grave... Comme toutes les universi-

LE CHIEN DE MAO

tés, tous les instituts, toutes les écoles du pays, l'université de Pékin a été fermée par décret pour une durée indéterminée.

Dans le pavillon de la Bonne Fortune, Liu Shaoqi vit en reclus. Pas un coup de téléphone, pas un parapheur à signer. Pas une visite. Plus d'amis. Rien. Le néant. Le silence qui s'installe, qui recouvre et engloutit tout. Le temps qui passe... Comme leurs camarades de classe, ses enfants sont devenus Gardes Rouges : on a évité de les maltraiter, ils sont contents. Un soir, les deux aînés annoncent à leurs parents qu'ils vont ressortir pour perquisitionner la maison d'un contre-révolutionnaire. Colère de Liu :

— Je suis encore le président de la République, dit-il, et en tant que tel responsable de ses lois, que je vous interdis d'enfreindre. Si vous voulez détruire les Quatre Vieilleries, je ne m'y oppose pas. Mais vous ne pouvez pas entrer chez les gens et les battre. Vous n'irez pas.

Cris. Explications. Liu tient bon. Les enfants sont abasourdis, inquiets, leur père est incapable de leur parler de la Révolution Culturelle. Selon lui, c'est une bonne chose, mais il n'en est pas certain. Leur mère, elle, est catégorique : ils vont tout y perdre, même la vie.

Quelques jours plus tard, lors d'une conférence de travail du Comité central, Liu et Deng prononcent leur autocritique. Mao paraît satisfait. Il écarte même l'accusation de complot brandie contre eux par Lin Biao. « Nous ne pouvons pas, dit-il, rayer Liu d'un trait de plume. Nous devons laisser à Liu et à Deng l'occasion de corriger leurs erreurs. » Liu est rassuré. L'aveugle...

Et puis, à l'intérieur même de Zhongnanhai, surgissent les dazibaos. Zhu De est dénoncé comme Seigneur de la guerre et général noir. Mêmes attaques contre le maréchal He Long. Diatribes furieuses contre l'épouse de Zhu De et contre Cai Chang, la femme de Li Fuchun, la sainte de Yanan, coupables d'avoir pleuré devant une femme au crâne à moitié rasé – ce dazibao-là, Jiang Qing l'a rédigé elle-même. Apparaissent enfin les dazibaos contre Liu Shaoqi et Deng Xiaoping. Chaque matin, il y en a de nouveaux, ornés de dessins affreux où l'on voit des rebelles trancher les cous d'une hydre. Images de sang, images répugnantes. Une bête immonde, visqueuse, tenant de la loche et de la couleuvre orne tous les murs : les gros caractères sous la caricature proclament que Liu Shaoqi est le pire des révisionnistes.

A ce coup, Liu Shaoqi s'affole. Il demande et obtient un rendez-

320

LE CHIEN DE MAO

vous avec Chou En-lai pour offrir sa démission. Comme s'il était libre de choisir ! Tout de même Chou En-lai est prévenant : il recommande à Liu et à Wang Guangmei de ne jamais sortir de Zhongnanhai. Sous aucun prétexte.

La Chine entière s'est embrasée. Puisqu'ils ont acquis le droit de voyager pour « échanger des expériences », cinquante millions de Gardes Rouges la parcourent en tous sens afin de « mettre à bas les autorités engagées dans la voie capitaliste ». Partout se créent des groupes, des organisations et c'est à qui sera le plus rebelle, le plus maoïste, toutes les erreurs étant d'avance absoutes dans la grande démocratie qui s'avance. L'épouvante s'abat sur le pays. Meurtres, destructions... Dans les rues du moindre village, au son des gongs et des cymbales, on promène de prétendus coupables comme du bétail. Si un membre d'une famille est critiqué, toute la tribu le sera, et d'abord ces œufs pourris que sont les enfants. Les ancêtres défunts sont déterrés et décapités, le pillage des tombes devient un plaisir, fructueux de surcroît car on y trouve souvent des bijoux et des objets précieux. Les maisons bourgeoises, transformées en musées de l'ignominie, sont ouvertes au public, on y expose même des gens. Personne ne travaille plus, tout le monde est occupé à suivre les séances de lutte antirévisionniste dans les usines, dans les ateliers, sur les places publiques. Les stades et les salles de spectacles sont réquisitionnés et chacun est invité à aller regarder les traîtres agenouillés sur du verre pilé, à leur cracher au visage ou à les frapper si le cœur lui en dit.

A Pékin, Mao multiplie les meetings de Gardes Rouges sur la place Tiananmen. Dorénavant la manifestation est organisée comme un office sacré. Liturgie. L'armée et la sécurité encadrent les jeunes, leur distribuent uniformes, ceinturons, badges, brassards et affiches, vérifient que tous ont à la main le précieux Livre Rouge. Au petit matin, dans la pâleur de l'aube, le cortège s'ébranle en chantant *L'Orient est rouge* et en psalmodiant les directives suprêmes. Sur la place, un seul slogan est permis, « Longue vie au Président Mao », que les Gardes répètent indéfiniment. Jusqu'à ce que leur dieu apparaisse dans le soleil de midi. Ovations. Exultation. Transe. Pendant des heures, les Gardes acclament « le plus rouge des soleils de leurs cœurs ». Un commandement, et ils brandissent le livre magique, un autre, et ils lèvent les portraits du Timonier qu'on leur a remis. La mer des visages, l'océan vermillon. Monde en fusion. Convulsion. Depuis

LE CHIEN DE MAO

longtemps le Grand Timonier a disparu, mais vers dix-sept heures, il revient, accompagné cette fois de tous les grands dirigeants. Et de Jiang Qing. Kang Sheng continue de jouer les maîtres de cérémonie ; hormis Mao, on ne remarque que lui à la tribune : il porte un uniforme blanc ! Jiang Qing adore.

L'hiver est arrivé, ajoutant le gel et la glace à toutes les calamités. Les Gardes Rouges se sont éparpillés en factions ennemies, toutes ivres de Mao, toutes folles de destruction. A Pékin, l'heure du suprême hallali a sonné ; le maréchal Peng Dehuai est l'un des premiers arrêtés, à l'immense satisfaction de Mao :

— Ce prétendu héros, dit-il à Jiang Qing, va découvrir le châtiment que je réserve aux traîtres. Pas de procès, non, mais des interrogatoires par dizaines, tous très durs. Kang Sheng a les hommes qu'il faut, Wang Dongxing aussi. Des artistes qui peuvent faire durer un coupable quelques années. Quant à toi, je vais enfin te donner la camarade Wang Guangmei, celle qui t'a pris ta place, ma pauvre vieille. Parce qu'elle n'imagine pas combien je t'étais jolie à Yanan et combien je t'ai désirée, elle va payer. Mais je te défends de l'achever ou de t'arranger pour qu'on l'achève. Moi, je me réserve Liu Shaoqi, l'homme qui a voulu me voler la Chine.

Quelques jours plus tard, un coup de téléphone au pavillon de la Bonne Fortune annonce qu'une des filles, Pingping, a été blessée et hospitalisée : on doit l'opérer d'urgence, l'enfant réclame sa mère. Oubliant les conseils de Chou En-lai, Wang Guangmei se précipite. Le piège... A la réception, on ne sait rien, aucune Liu Pingping n'a été amenée. Wang Guangmei interroge, s'affole. Soudain surgissent deux autres de ses enfants, eux aussi mystérieusement prévenus sur leur campus. Un bref conciliabule, et voici qu'apparaissent une dizaine de Gardes Rouges. Wang hurle à ses enfants de se sauver, on se jette sur elle, on la gifle, on la ceinture, on l'emmène.

Heureusement Chou En-lai a ses espions. Averti, il ne tarde pas à apprendre le nom du groupe qui a mis Wang Guangmei en « détention révolutionnaire ». Quelles pressions exerce-t-il alors ? Pourquoi Jiang Qing – puisque c'est elle qui tire les fils – finit-elle par capituler ? Après une nuit d'interrogatoire, Wang Guangmei est relâchée.

Zhongnanhai est comme suspendu dans l'immense attente. Limbes. Opacité. Une nouvelle floraison de dazibaos promet tous

LE CHIEN DE MAO

les supplices à Liu, « le sinistre Khrouchtchev chinois », et à Deng Xiaoping, « le Grand Démon numéro 2 » mais rien n'arrive. Et subitement Mao convoque Liu à la salle 118 du Palais de l'Assemblée du Peuple où, fuyant le méphitisme de la Cité Interdite, il a élu domicile.

Cette rencontre... Dans la pénombre d'une chambre qui a surtout servi aux plaisirs de Mao et tandis qu'au-dehors gronde l'incessant chant d'amour des Gardes Rouges, les deux hommes s'observent. Tant de liens entre eux, tant de trames depuis qu'à Yanan Liu incitait les foules à s'imprégner de la pensée de Mao et gagnait ainsi ses galons de dauphin. Trente ans déjà... Quand leur histoire a-t-elle basculé? Quand Liu s'est-il vraiment cru l'héritier?

Mao regarde son vieux compagnon avec une sorte de douceur.

— Comment va Pingping? demande-t-il. Comment va sa jambe? J'espère que l'opération s'est bien passée.

— Sa jambe va bien. Et d'autant mieux qu'elle n'avait rien. C'était un piège pour attirer Guangmei hors de Zhongnanhai. A l'hôpital, elle a été cernée par les Gardes Rouges, traînée à l'université, interrogée comme une criminelle. Dieu sait où elle serait si Chou En-lai n'était pas intervenu.

— Je ne peux pas le croire. Ces jeunes deviennent ingouvernables, parfois ils m'inquiètent.

Ainsi, insensiblement, on en vient à parler de la Révolution Culturelle et Liu se lance dans un grand plaidoyer:

— J'ai commis des erreurs, dit-il, mais je suis prêt à les assumer pour que le pays retrouve la paix et que tous nos camarades du Parti puissent retourner à leur travail.

Les yeux mi-clos, son éternelle cigarette à la main, Mao écoute cet imbécile lui répéter les termes de son autocritique. Ah, la volupté de le regarder se couvrir la tête de cendres, puis s'enfoncer, s'enfoncer toujours plus...

— Dites un mot, Président Mao, et je donnerai ma démission. Nous n'avons plus qu'un désir Guangmei et moi, quitter Pékin. Nous irons d'abord à Yanan pour retrouver l'esprit qui devait gouverner nos vies et que nous avons oublié. Ensuite nous retournerons à la base, dans mon Hunan natal et je me ferai fermier. Je vieillis, mais Guangmei m'aidera et là-bas nos enfants, au contact des masses, se réformeront.

Le crétin, le sombre crétin! Pour un peu, Mao ronronnerait en l'entendant débiter toutes ces fadaises.

LE CHIEN DE MAO

On a servi du thé que chacun boit en silence. La chaleur, le parfum... Liu Shaoqi a repris son discours. Mao ne dit toujours rien, enfin il balaie l'air d'un geste apaisant :

— Dans l'immédiat, mon cher Liu, tu devrais te remettre à lire. Les devoirs de ta tâche t'ont éloigné de l'essentiel. Prends exemple sur moi, je lis Hegel. Et Diderot que je découvre. Si tu le désires, je te ferai parvenir un choix de livres.

— Vous êtes trop bon, Président. Comment pourrais-je vous remercier ?

— Ne me remercie pas. Etudie. Etudie beaucoup.

— Et pour ma démission ?

— Elle n'est pas à l'ordre du jour, camarade. Je veux simplement que tu médites et surtout que tu prennes soin de ta santé. Tous ces événements t'ont fatigué, repose-toi, c'est capital.

La grande persécution s'annonce. Sans arrêt, de jour comme de nuit, des Gardes Rouges se présentent aux postes de garde de Zhongnanhai, on les laisse entrer, ils encerclent le pavillon de la Bonne Fortune en hurlant menaces et obscénités. Puis ils disparaissent avant de revenir en plus grand nombre et criant encore plus. Le téléphone, au milieu de ce vacarme, sonne une dernière fois. C'est Chou En-lai, qui avertit Wang Guangmei d'une voix suave :

— Sois forte, Guangmei, prépare-toi au pire.

Ce que le Premier ministre ne dit pas, c'est qu'il vient d'accepter la création d'un groupe d'enquête sur l'affaire spéciale Liu Shaoqi/Wang Guangmei, placé sous la direction de Jiang Qing et de Kang Sheng.

Peu après, le bureau de Liu est dévasté, le téléphone arraché : le président de la République ne peut plus joindre personne. En désespoir de cause, il écrit à Mao. Mao ne répond pas.

Alors Liu réunit sa famille pour faire part de ses dernières volontés : que son épouse bien-aimée, que ses enfants chéris, dit-il, n'hésitent pas à le dénoncer, leur sauvegarde est à ce prix et jamais il ne leur en tiendra rigueur. Quant à lui, il n'a plus qu'un vœu, que ses cendres soient dispersées dans la mer comme le furent celles d'Engels. La mort, croit-il, viendra très vite.

LE CHIEN DE MAO

Il neige. Une brume poisseuse enveloppe le pavillon de la Bonne Fortune, le noie dans le gris. Flocons chargés de sable du septentrion. Désert. Etouffement. Chaque matin, Liu se rend dans son bureau, il s'assied, et il reste là, immobile, à contempler les ruines de ce qui fut l'endroit du sacerdoce. Il n'y a plus un livre, tout a été déchiré, et brûlé. Montagnes de papiers sur le sol, chemises éventrées, feuilles volantes. Parfois Liu se penche, il rassemble des débris, s'échine à reconstituer des dossiers. Pour qui? Cette vaine besogne l'occupe jusqu'au soir. Ensuite il retourne au pavillon. Et ensemble la famille attend. Une servante passe de temps en temps, la solde est versée régulièrement. De quoi pourrait se plaindre le président de la République? La Grande Révolution Culturelle Prolétarienne l'a oublié.

C'est que, depuis des semaines, elle grouille et prolifère dans les dédales de Shanghaï, dans ses faubourgs, ses fabriques, ses universités. Elle roule dans les avenues, elle gronde sur le Bund. En décembre, lorsque Mao a invité les Gardes Rouges à porter la flamme révolutionnaire dans les usines, elle a tout envahi. Capharnaüm. Paralysie, malgré les efforts du maire qui distribue primes et augmentations de salaires pour calmer les esprits. On l'accuse de faire souffler le vent noir de l'économisme et la lutte continue.

Dans cette confusion, un petit cadre du service de surveillance de la filature N°17 se fait remarquer : il n'a pas quarante ans, il s'appelle Wang Hongwen et travaille pour Zhang Chunqiao. Il a fondé le « Quartier Général des rebelles-révolutionnaires ouvriers de Shanghaï » et il les aide à faire la jonction avec les Gardes Rouges pour mener l'assaut contre les bastions du Parti. C'est une brute, une tête brûlée, un assassin dans l'âme. Jiang Qing, accourue, lui trouve un charme fou.

En janvier, le feu se déchaîne. La grève générale, et puis des coups de fusils, des gens qui tombent des fenêtres, dans les rues des files de Gardes Rouges qui entraînent des dizaines et des dizaines de personnes vers on ne sait quelle banlieue de mort. Cela, c'est l'œuvre de Zhang Chunqiao qui, avec l'approbation de Mao, renverse la Municipalité et crée la « Commune de Shanghaï », en hommage à cette Commune de Paris dont les nuits – qui leur apparaissaient plus belles, plus grandes, plus légendaires même que les journées d'Octobre de Saint-Pétersbourg – avaient un moment hanté les Chinois révolutionnaires.

325

LE CHIEN DE MAO

La Commune de Shanghaï est l'accomplissement merveilleux auquel voulait aboutir Zhang Chunqiao. Lui ne se dispersait pas dans le meurtre et les vengeances fétides comme Jiang Qing ou même Kang Sheng, il avait des buts et des objectifs précis, le sens de l'ordre et de l'organisation dans la tuerie. D'une poigne de fer toujours attentive, il tenait les bandes dangereuses qu'il avait suscitées et qui auraient pu se laisser emporter dans une guérilla échevelée : il leur avait imposé une discipline et en avait fait une armée. Ces Gardes dociles, avec des gens comme Wang Hongwen et Yao Wenyuan, l'écrivain baveux, il les a lancés dans un coup d'Etat, un pronunciamiento contre ce qui restait de l'ancienne structure rouge. Tout ce qu'il y avait de communistes de l'école Liu Shaoqi, c'est-à-dire les centaines de cadres qui, comme des rats gourmands, avaient assumé l'administration de la ville, il les a supprimés au terme d'une opération longuement préparée et conduite sans Lin Biao ni ses troupes.

Ces nouvelles ont enthousiasmé Jiang Qing : la ville-lumière qu'elle n'avait pu conquérir va enfin ployer devant elle. Mao est trop flou, trop mou. Certes il a demandé à l'armée de soutenir la gauche. Mais cela ne signifie rien. Avec Zhang Chunqiao, la vraie Révolution commence. Rêves de gloire. Impétuosité. Jiang Qing multiplie discours et interventions, virevolte, s'escrime. Hélas pour elle, prendre le pouvoir ne suffit pas, encore faut-il l'exercer. Dans la métropole et dans toutes les grandes villes où ont eu lieu des événements analogues, le désordre règne. Des organisations fidèles aux autorités locales du Parti, et qui bien sûr se réclament de Mao, revendiquent aussi le pouvoir. Avec les armes parfois.

Et Mao, l'homme selon qui la Révolution n'était pas un dîner de gala, Mao recule. Est-ce sous l'influence du maréchal Chen Yi, l'ancien proconsul de Shanghaï, devenu ministre des Affaires étrangères ? Ce proche de Chou En-lai est un des rares compagnons d'autrefois encore supportés par le Timonier. Dès qu'il a vu éclore la Commune de Shanghaï, il a crié au danger, au risque de démembrement. Et Mao l'a peut-être entendu. A moins que Lin Biao, furieux d'avoir été, dans les débuts du moins, relégué à la marge, ne soit allé susurrer au Grand Commandant que Zhang Chunqiao brandissait son nom pour mieux le brader et instaurer un royaume de Shanghaï d'où il conquerrait la Chine. Toujours est-il que pour la première fois, Mao prend peur du chaos qu'il a tant désiré.

Très vite il exige que Zhang Chunqiao renonce à l'appellation

LE CHIEN DE MAO

de « Commune » et qu'on la remplace par celle de « Comité révolutionnaire ». Pis aux yeux de Jiang Qing et de Zhang Chunqiao, il prône l'union entre l'armée, les Gardes Rouges et les cadres réhabilités. A charge pour l'armée de faire le tri entre ligues rebelles et pseudo-rebelles, entre bons et mauvais cadres. Fine manœuvre. Car l'armée est une menace. Les chefs militaires régionaux n'ont pas oublié la façon dont Peng Dehuai a été évincé, ils se scandalisent qu'on traite en faquins et en félons de vieilles gloires comme les maréchaux He Long ou Zhu De. Si demain, ils se soulevaient pour mater la Révolution Culturelle, rien ne dit que les fidèles de Lin Biao suffiraient à les contenir. Et puis il y a Chou En-lai, l'inévitable, l'ennuyeux Chou En-lai qui insiste pour qu'on protège les outils de production sous peine de voir le pays sombrer à nouveau dans la famine. La conclusion s'impose : le repli, la régression, la fadeur des solutions médianes qui révulse Jiang Qing.

Aussi elle, la fanatique de Zhang Chunqiao et de ses lieutenants, entre-t-elle dans une grande colère quand Mao lui demande de modérer ses élans.

— Les comités révolutionnaires, dit-il, vont remplacer les comités du Parti dans toutes les instances de gouvernement, que cela te plaise ou non. Je ne veux pas de Commune, nulle part. Je sais que tu as choisi Zhang Chunqiao comme dirigeant de ton futur gouvernement – mais je ne suis pas encore mort, figure-toi. Fais comprendre à ton amant qu'il doit arrêter son entreprise ! Du moins la maquiller un peu ! Dis-lui que, même soutenu par toi, il n'est pas de force à supporter que je le condamne. Rappelle-lui aussi que, contrairement à ce qu'il s'imagine peut-être, il n'est pas et ne sera jamais un danger pour moi ; trop sale est son passé, trop poisseuse sa main d'où dégoulinent tant de profits. Une main de trahison...

— Mais c'est un virage à droite.

— J'ai dit de trahison.

Jiang Qing comprend l'avertissement.

Mais à travers le pays, au nom de Mao, la guerre civile rôde. Les maoïstes – tous les Chinois ne le sont-ils pas ? – dénoncent, font emprisonner et tuer sans plus rechercher ce que peut être la véritable pensée de Mao. D'ailleurs, sa pensée est incertaine, flottante, et les directives contradictoires qu'il envoie parfois, lorsqu'il ne s'est pas trop épuisé à ne rien faire, accroissent encore la grande chamaille.

Dans ce pays épileptique, Chou En-lai tente de maintenir un

LE CHIEN DE MAO

semblant d'ordre, l'armée aussi. Non sans casse. Cependant, malgré des résistances farouches, les organisations tombent une à une aux mains des Gardes Rouges et des Rebelles révolutionnaires. La gauche relève la tête, et aussitôt démarre la vraie campagne contre Wang Guangmei et Liu Shaoqi.

La première attaquée est Wang Guangmei. Comme tribunal, l'université Qinhua, celle où la belle Wang, il y a moins d'un an, dirigeait une équipe de travail chargée de canaliser dans le sens du Parti la Révolution Culturelle balbutiante. Kang Sheng et Wang Dongxing ont rempli l'esplanade et les alentours de l'université de Gardes Rouges déchaînés et de tout un peuple de petites gens, de supposées victimes de la maquerelle révisionniste. Une cour des miracles.

Tous attendent, et tous gémissent d'amour quand arrive Jiang Qing, en casquette, l'étoile rouge au front, les yeux fulgurants sous le verre des lunettes. Encore une fois, ce qu'elle a réussi à être laide ! Mais quelle énergie, quelle fantastique énergie se dégage de cette hideur ! Lorsqu'à la tribune, elle se dresse, seule face à l'immensité de la masse, un hurlement – un hurlement préparé, comme tout ce qui va se dérouler en ce lieu l'a été –, un gigantesque hurlement sort de toutes les bouches :

— Nous t'aimons, Jiang Qing ! Livre-nous tes ennemis !

Jiang Qing attend que cesse la clameur et sa voix, amplifiée par les haut-parleurs, vrille la foule :

— Je vais livrer à votre colère la créature la plus infâme de Chine, l'ennemi par excellence et qui s'était caché au sommet des honneurs : Wang Guangmei.

Sur l'esplanade se répand un mutisme livide, comme si l'on digérait cette annonce pour mieux s'apprêter à l'obligatoire délire vengeur qui doit suivre. Silence donc et qui dure : Jiang Qing a soigné sa mise en scène. Soudain on entend le grincement d'une charrette lamentable, tirée par un baudet. Devant la tribune où trône Jiang Qing, descend de la carriole Wang Guangmei qui ne semble ni hagarde ni terrifiée, qui ose même regarder Jiang Qing dans les yeux. L'affrontement de ces femmes... Enfin Jiang Qing rit gaillardement et, du ton suraigu qui lui vient dans les moments décisifs, elle glapit :

— Vous tous qui êtes là, vous qui combattez le mal, interrogez cette créature sur ses méfaits et ses crimes ! Sachez qu'elle a voulu tuer le Président Mao, qu'elle a voulu me tuer moi-même !

LE CHIEN DE MAO

La foule comprend sa mission. Avant tout, poser des questions récriminatrices et vengeresses. Mais comme d'une pareille masse ne peuvent sortir que des éructations confuses et incompréhensibles, on la guide. Tout d'abord, on force Wang à s'agenouiller sur la terre nue. Puis s'approche d'elle un interrogateur en chef, un étudiant qui est un des chouchous de Jiang Qing, celui qui déjà a détenu Wang toute une nuit, celui qui, depuis des mois, fomente les émeutes à l'université Qinhua et en est devenu le patron. Zhang Chunqiao l'a reçu la veille et ensemble ils ont mis au point les questions qui détruiront Wang, questions les plus outrageantes qui puissent être, questions qui, à peine décochées, sont reprises par la multitude dans un interminable vacarme. De temps en temps, l'inquisiteur impose le silence, pour qu'on entende l'accusée prononcer ses aveux. Mais Wang, avec une obstination farouche, ne se reconnaît aucune faute, aucune erreur. Elle ose même demander qu'on respecte en elle l'épouse du président de la République qui n'a pas été, qu'on sache, destitué.

A ce moment Jiang Qing se décide à donner de sa personne. Elle jette contre Wang, tout ce qu'elle a d'exacerbé, toute sa fureur, mais aussi son métier d'actrice :

— Il va l'être, destitué, car c'est un criminel. Tout comme vous.

Il lui prend un ricanement :

— A propos, où en sont vos amours étrangères ? Où avez-vous caché votre beau collier ?

A ces mots, Wang se laisse tomber sur le sol, elle s'allonge, elle se bouche les oreilles avec les poings comme pour se protéger de tout, de ce monde, de ce peuple, de Jiang Qing. Celle-ci, de la main, signifie au chef des Gardes Rouges de relever Wang et de la maintenir debout, pendant qu'elle expose ses crimes :

— Cette chienne qui depuis longtemps n'était que luxure et vanité avait incité son mari à faire une tournée en Asie. Avant son départ, et pour éviter qu'elle ne salisse la réputation de notre pays, je lui avais conseillé de s'habiller simplement et de garder un maintien décent, en particulier je lui avais recommandé de ne pas exhiber de bijoux trop somptueux. Mais elle a préféré jouer à l'impératrice de Chine, suivre le modèle de ce vieux monstre de Ts'eu Hi qui a tant opprimé le Peuple. Elle a choisi de faire la catin avec des perles gagnées vous imaginez comment.

L'université n'est plus qu'une huée rouge. Hallucination du Peuple rouge, le Peuple pur et vrai écrasé, torturé par l'ordre ancien. Gueules-gargouilles déformées tour à tour par le tollé de

LE CHIEN DE MAO

l'exécration ou par la déferlante de la raillerie... Et c'est Jiang Qing qui, d'une intonation, d'un geste, déclenche cris de mort ou tonitruance réjouie. Tout ce qu'elle profère est repris en un chœur prodigieux, sa voix commande la voix du Peuple. Alors elle use de toutes ses ressources, de toutes ses capacités de bourreau divin. Comme elle ménage ses effets! Comme elle passe du sifflement de l'anathème au sarcasme plaisant, parfois plus meurtrier encore! Comme elle gouverne son entreprise de vindicte! Elle se sent emportée par son talent, pleine de joie, comblée comme elle ne l'a jamais été par aucun de ses rôles ni par aucun meeting.

Elle n'est plus une comédienne qui incarne un personnage, elle est l'âme même de la tragédie, la prêtresse, la possédée qui insuffle la vie à l'office par lequel les masses exorcisent le mal. Dans cette cérémonie, tout est ordonné selon les rites combien éprouvés des procès rouges, mais tout est magnifié jusqu'à évoquer une terrible religion. Et Jiang Qing, si longtemps muselée, si longtemps condamnée à l'obscurité par le Parti, Jiang Qing qui tant de fois a failli être répudiée par son mari, y surgit dans une gloire totale.

S'étant avancée près de Wang, elle ordonne qu'on apporte une malle de cuir restée dans la charrette et qu'on l'ouvre. On en sort toute une garde-robe élégante, une robe traditionnelle, un qipao en soie brodée de chrysanthèmes, une capeline ornée de fleurs, des dessous chatoyants, et aussi une paire d'escarpins en vernis noir à talons aiguilles.

Jiang Qing contemple Wang, une Wang bouffie, aux traits tuméfiés, mais qui supporte fièrement le regard de son ennemie. Soudain elle aboie :

— Tu reconnais là quelques-uns des effets bourgeois dont tu te parais pour charmer les potentats étrangers pendant ta randonnée en Asie. Tu t'es exhibée ainsi vêtue à Djakarta, à Karachi, à Delhi. On te courtisait, tu roucoulais, tu te pavanais, tu te prostituais. Maintenant habille-toi pour le Peuple. Revêts ces vêtements d'un luxe scandaleux et fais-nous les yeux doux!

Marée de vociférations. L'assistance, hilare, crie à Wang :

— Habille-toi et fais-nous les yeux doux!

Lorsque le calme revient, Jiang Qing enchaîne :

— Dépêche-toi, habille-toi, montre ta beauté aux masses. Car tu es belle, très belle, Wang. Ah! il manque le collier de perles... Eh bien! tu le remplaceras par ce collier-ci!

Et Jiang Qing tire de la malle un collier de balles de ping-pong sur lesquelles on a dessiné à l'encre noire des têtes de mort :

330

LE CHIEN DE MAO

— Je t'apporte des crânes, pour te rappeler que ton époux et toi avez fait de la Chine le cimetière du Peuple. Habille-toi vite !

Mais Wang répond violemment :

— Je ne m'habillerai pas, je ne veux pas m'habiller ainsi, vous n'avez pas le droit de m'y forcer.

La populace s'est tue, fascinée. L'on n'entend plus que les voix de Jiang Qing et de Wang. L'escrime des phrases. Un duel. Jiang Qing nage dans la jouissance. Ses paroles sont des fleurets qui percent et qui blessent, et cependant Wang résiste. Elle répond indéfiniment, avec une obstination rauque, désespérée.

— Mettez cette robe ! commande Jiang Qing.

— Je refuse.

— Vous n'avez pas le choix !

— Je ne revêts ces vêtements que pour recevoir mes invités. Aujourd'hui, je n'ai pas d'invités.

— Vous êtes invitée devant la justice du Peuple, vous êtes l'accusée.

— Je ne mettrai pas cette robe ; elle n'est pas présentable. Vous n'avez pas le droit d'attenter à ma liberté individuelle. Vous bafouez la démocratie.

— Qui parle de liberté ? Qui parle de démocratie ? C'est la dictature du prolétariat qui s'exerce contre vous aujourd'hui. Nous voulons simplement que vous vous exhibiez dans vos oripeaux de contre-révolutionnaire. Je vous donne dix minutes pour vous décider.

— Non.

— Dans dix minutes, on vous la mettra. En attendant, pour remplir le temps, dites-nous ce que vous pensez de Liu Shaoqi !

Wang ferme les yeux. Cette fois elle est durement atteinte, elle balbutie n'importe quoi pour ne pas incriminer son mari :

— Nous sommes au début du printemps. Faites-moi apporter une robe plus chaude. Celle-ci est en soie, elle est trop légère, je vais mourir de froid.

— Mettez cette robe ! Non ? Alors dites-moi ce que vous pensez de votre mari. Est-ce un révisionniste ?

— Mon époux a peut-être été un peu trop modéré, mais ni lui ni moi n'avons jamais été hostiles au Président Mao.

— Vous vous êtes opposés à lui.

— J'admire le Président Mao, je l'ai toujours admiré, je l'admire même aujourd'hui. Si je mens, que je meure de froid ici même.

331

LE CHIEN DE MAO

— Vous allez mourir de froid tout de suite, les dix minutes sont écoulées. On va vous passer votre belle robe, si mince et si jolie, votre robe d'été.

— Non, non, je vous en supplie, qu'on ne m'habille pas. Tenez, je vais mettre moi-même les chaussures si vous me faites grâce du reste.

— Habillez-vous tout de suite et complètement, sinon on va vous habiller !

Des mains se tendent vers Wang, des doigts boudinés de matrones... Ce sont les dames patronnesses de la Garde Rouge. Jiang Qing leur a murmuré un ordre et en l'entendant Wang hurle de détresse. Les brutasses, de leurs pattes sales, lui arrachent tous ses vêtements, son bleu de chauffe fripé, qu'elles déchirent, et puis sa chemise, son linge, ses chaussettes. Alors, devant la foule un instant abasourdie, Wang apparaît nue, petite poupée de chair qui essaie de cacher son sexe avec ses mains, larve pâle et tremblante, pauvre chose dont la longue chevelure défaite coule sur le visage, Wang pleure, et le public part d'un rire gras, obèse, un rire obscène. Ce n'est pas la coutume en Chine d'attenter à la pudeur féminine, mais Jiang Qing n'a pu résister au plaisir d'infliger pareil outrage. A nouveau les pognes s'abattent sur Wang, cette fois pour l'habiller. Elle proteste, elle se débat, elle veut donner des coups, elle sanglote. La multitude rit encore plus, les femmasses soulèvent Wang, la maintiennent écartelée pour lui passer la culotte et le soutien-gorge de dentelle. Ignominie que l'inquisiteur commente au profit de la masse :

— Vous avez vu les avantages de Wang. Dire qu'ils ont tant servi, qu'ils ont déchaîné la concupiscence de Liu Shaoqi, qu'ils ont été les causes et les symboles de son révisionnisme ! Dire qu'ils ont enflammé l'Asie ! Maintenant, on les remballe dans de la jolie soie, de façon à les conserver, qu'ils puissent redevenir des cadeaux offerts à la gloutonnerie de tous les hommes, qui n'auront qu'à les déballer pour s'en repaître.

Tempête de rires.

Les femmes s'emparent de la robe d'été ; Wang est résignée, elle présente la tête pour qu'on lui enfile le vêtement qui se révèle trop étroit. Alors une des Gardes, armée de ciseaux, coupe l'étoffe et prolonge jusqu'au haut des cuisses les fentes du qipao. Jiang Qing s'esclaffe :

— Même les prostituées d'autrefois n'osaient pas porter des robes si fendues. Regardez tous, Chinois, et dites-moi si Wang

LE CHIEN DE MAO

Guangmei n'est pas vêtue comme la plus crapuleuse fille de joie! Mais elle est heureuse, j'en suis sûre, de s'afficher ainsi devant le Peuple. Pour la projeter dans la félicité, il ne lui manque plus que les talons aiguilles.

Wang est parée. Un épouvantail dérisoire. Jiang Qing lui enfonce elle-même sur la tête une capeline à laquelle sont fixés des grelots qui ne cessent de tinter sous l'effet de la brise légère.

— Il vous manque le collier, reprend Jiang Qing. Prenez celui que je vous ai donné tout à l'heure au nom du Peuple généreux! Je suis sûre qu'il vous ira beaucoup mieux que les perles, le Peuple a bon goût. Ces crânes et ces tibias sont ravissants.

Vaincue, Wang se résout à arborer la guirlande de balles de ping-pong pour parachever sa ridicule toilette d'apparat. On lui met dans une main un sceptre. Dans l'autre, une pancarte où elle est représentée, inconvenante, en train de papouiller un singe, à l'évidence le président d'un quelconque pays d'Asie.

Le jugement dure depuis des heures. Dans ses défroques, Wang n'est plus qu'une ruine, si lamentable que même Jiang Qing se rend compte qu'elle ne peut l'« exploiter » davantage. Qu'on la reconduise au pavillon de la Bonne Fortune. En voiture... puisque Chou En-lai s'est opposé à ce qu'on la fasse rentrer à pied dans un concert de gongs et de cymbales. Le défilé est remis à plus tard. D'ailleurs, Jiang Qing, elle aussi, est morte de fatigue, elle doit reprendre des forces pour les justes immolations à venir. Surtout, elle a le temps : des jours et des jours de bonheur devant elle, et une si abondante provende... Avant de partir, elle bat encore un peu le tambour pour cet auditoire qu'elle a tant diverti :

— Aujourd'hui, j'ai fait valoir la beauté physique de la camarade Wang Guangmei; hélas sa modestie est si grande que, devant vous tous, elle a rechigné à être couronnée « reine des fées ». Mais nous ne nous laisserons pas déconcerter. Bientôt vous serez convoqués dans une autre arène où nous vanterons les qualités morales de Wang, qui sont immenses. Des hommes, de ces hommes que Wang aime tellement, viendront la dépeindre et la louanger.

Délices. Mao s'est réinstallé à Zhongnanhai dans un nouveau pavillon, celui qui abrite sa piscine couverte. Il a quitté Hangzhou et sa paresse, parce que lui est venue l'envie de jouir des turbulences de sa Révolution, d'attiser lui-même les flammes de la cruauté et de complimenter les Gardes Rouges, toujours plus tumultueux et insensibles.

LE CHIEN DE MAO

— Je me sens bien, dit-il à Jiang Qing. La vengeance est une bonne chose, elle me guérit. Toi aussi, tu es en bonne santé, tes yeux brillent.

— Détrompe-toi, je suis épuisée. La Garde Rouge me réclame partout et je me dois à cette jeunesse magnifique. Quand je vois ces enfants si courageux, si enthousiastes, les larmes me viennent aux yeux. Et parfois je pleure devant eux. Tu n'imagines pas les obstacles qu'ils rencontrent encore pour faire bouger nos institutions décrépites. Hier, j'ai dû prendre les choses en main à Radio-Pékin qui grouille d'éléments noirs. « Nous sommes de vieux révolutionnaires qui ne comprennent rien à la nouvelle révolution », disent-ils pour s'excuser. Tu parles... C'est une phrase qu'ils ont empruntée à ce révisionniste de Deng Xiaoping. Mais nous écraserons leurs têtes de chiens...

— Je t'en prie, quand nous sommes seuls, épargne-moi ta phraséologie de meeting. Et tes cris aussi. Au moins t'es-tu régalée avec Wang Guangmei?

— Je n'en ai pas fini avec elle.

— Je m'en doute. Ces cadres à la mie de pain, qui t'ont écartée de la politique, vont découvrir quelques-unes de tes qualités. Ta ténacité, par exemple. Et ton goût des belles mises en scène. A ce propos, pour que tu fasses mieux mousser Wang, je vais te prêter un peu Liu Shaoqi. Mais attention, c'est un divertissement. En aucun cas, tu ne dois procéder à son jugement.

Quel dessein est donc venu à Mao, ou plutôt quel jeu entame-t-il? Manifestement il se délecte :

— Demain, des Gardes Rouges forceront les portes de Zhongnanhai. Ils iront droit au pavillon de la Bonne Fortune, ils s'empareront de Liu et ils le jetteront dans un de ces cachots où, pendant des siècles, les maîtres de Pékin, l'empereur Fils du Ciel et ses mandarins, ont fabriqué des morts-vivants. On le battra avec discernement puis on le laissera seul au fond de la terre. Pour qu'il ne crève pas aussitôt, on lui donnera un peu de nourriture. Ce que je veux, c'est briser sa volonté, car le personnage est coriace. Qu'il sente de quoi je suis capable. Au bout de quelques jours, on le sortira de sa cave en clamant qu'il y a eu une erreur et je te le repasserai. Tu verras, il sera à point, une vraie guenille.

Jiang Qing enlace Mao. Elle se fait contre lui toute frêle et charmante, elle le remercie... Hyménée fantastique où le foutre est remplacé par le sang...

A une semaine de là, Jiang Qing a mis sur pied son scénario.

LE CHIEN DE MAO

Le meeting a lieu dans le stade des Travailleurs. De nouveau la foule, de nouveau des Gardes Rouges, et puis des hommes et des femmes amenés là par camion, angoissés à l'idée de ne pas faire assez bien, et de donner prise à l'accusation de tiédeur : qu'un Garde, qu'un enfant arborant un brassard, crie que vous êtes un traître, et la mort s'abat sur vous. Autour de l'arène, ils sont donc des milliers aux aguets, qui, tout en se livrant aux rites rouges, se surveillent et rivalisent de zèle. Quand Jiang Qing apparaît enfin, au milieu de sa petite cohorte de partisans, avec son meilleur visage de militante sérieuse, sûre d'elle-même mais détendue, elle suscite un délire d'enthousiasme. D'un simple geste, comme elle l'a vu faire à Mao, elle impose le silence. A ce moment arrive sur la pelouse du stade une superbe automobile chromée, conduite par un chauffeur obséquieux. En serviteur bien dressé, il ouvre la portière et s'incline devant la personnalité qui sort de la voiture.

Jiang Qing hurle :

— Gloire et honneur au Président de la République !

Ce président, c'est une femme ; c'est Wang, que Jiang Qing a fait déguiser en capitaliste, en un « Monsieur super-capitaliste », dans tous ses atours et attributs. Wang porte un chapeau haut de forme, une redingote, un pantalon gris à fines rayures, une chemise à col empesé, un nœud papillon noir et, à la boutonnière, un gardénia. Dans la main, on lui a mis un gros cigare d'exploiteur du Peuple, de milliardaire comblé par la fortune.

Jiang Qing se prosterne et la foule l'entend assurer cette stupéfiante apparition de son obéissance entière et indéfectible. Enigmatique tralala, exquise plaisanterie dont Jiang Qing dévoile avec bonheur toutes les ficelles :

— Applaudissez Wang Guangmei ! Si je l'ai fait habiller en président, c'est pour vous montrer ce qu'elle était, le vrai maître qui traitait son époux en valet, en pantin de ses désirs et de ses fantaisies. Acclamez donc le président Wang !

Encore une huée comme un envol de corbeaux, un soleil qui se fracasse.

Jiang Qing domine le chahut :

— J'ai fait revêtir à Wang l'uniforme des oppresseurs capitalistes parce qu'elle et son époux, tout en se prétendant des communistes, n'étaient que des stipendiés du dollar, des serviteurs du veau d'or, des boucs de l'argent. Ils voulaient livrer la Chine Populaire au Capital qui écrase le monde. Ils voulaient des ouvriers accablés,

LE CHIEN DE MAO

des paysans affamés, un Peuple agonisant, des masses asservies pour, eux, régner sur des flots de richesses impures. Ils étaient les alliés de John Bull et de l'Oncle Sam, surtout Wang, la belle Wang Guangmei dont le modèle était Meiling, Madame Tchang Kaï-chek, tellement adulée par l'Amérique, Meiling, Meiling, Meiling éduquée aux Etats-Unis, et qui a su devenir l'égérie de la bannière étoilée. Son rêve, à Wang la vendue, c'était d'être encore plus américaine que Meiling, et pour cela elle était prête à toutes les abjections. Jamais Wang n'a pardonné à Mao d'avoir tenu tête aux Yankees. Elle a essayé de le détruire, elle veut sa mort. Vengeance!

Jiang Qing s'enfle de superbe :

— Maintenant, vous allez voir arriver les complices de Wang et de Liu Shaoqi, ces crapauds aux projets immondes. Mais désormais, la geôle s'est refermée sur eux, la moelle de leurs os s'est gelée et l'effroi va leur faire avouer la vérité. Ces misérables vont vous dire qui est vraiment Wang.

D'un fourgon on extirpe une dizaine d'hommes encadrés par des policiers. Tous étaient des membres éminents des grandes instances – il y a là des ministres et des sous-ministres, le maire de Pékin, un chef d'état-major –, tous sont coiffés d'un chapeau de la honte et portent une pancarte où sont indiqués leurs crimes. Récemment encore, ils se croyaient les patrons – faune toute-puissante qui dans sa grisaille convenue lançait l'éclair et dominait des gens toujours plus soumis et obligés de l'être avec ferveur –, en très peu de temps, quelques jours, quelques heures, ils se sont rabougris, métamorphosés en coquins, en insectes puants, en cloportes et en cafards. Leur orgueil s'est décomposé et ils portent sur le visage les stigmates de la peur.

Jiang Qing les cingle :

— Vous m'avez méprisée autrefois, et maintenant c'est moi qui vous méprise. Mais vous n'êtes pas ici pour être jugés. Cela sera réglé autrement. Aujourd'hui, je veux simplement que vous confessiez la vérité sur Wang. Est-elle une brave femme, une patriote sincère?

Un hou de réprobation gigantesque monte de la foule. Non, Wang n'est pas une femme honorable, ni une bonne patriote. Ce qu'elle est? Le groupe des dirigeants fourbus va l'exposer. Et d'abord Peng Zhen, le maire de Pékin, dégonflé de sa fatuité et de sa suffisance, ses traits comme dégoûtés de leur chair. Un eczéma s'est épandu sur le bas de son visage, mais ses yeux ne sont pas

336

LE CHIEN DE MAO

tout à fait morts. Dans sa veulerie, il lui reste encore la pensée de sauver sa peau, alors il s'applique à dire ce qu'il faut :

— Wang, une brave femme, une patriote sincère ? Ah, que non ! C'est une harpie, une réactionnaire embarquée sur la galère des vanités, une contre-révolutionnaire qui affole les hommes par ses lubricités. De cœur, elle n'en a pas, elle n'aime pas ses propres enfants et elle a persécuté affreusement ceux que son mari avait eus de lits précédents. Toute cette progéniture lui est odieuse parce qu'elle seule compte, elle qui a fait de Liu Shaoqi un obsédé sexuel et un renégat. Vous avez lu dans les annales les vies de ces mégères qui capturaient des souverains avec leurs poisons et leurs philtres pour en faire les ombres de leur volonté : c'est ainsi que Wang a asservi Liu Shaoqi. Elle a toujours espionné pour les Américains, elle dispose d'agents qui leur livrent tous les secrets de la Chine. C'est une femme démon.

Après le maire, les autres dirigeants parlent tour à tour, la plupart la mine basse. Certains d'entre eux s'efforcent de porter beau pour nier l'abjection, mais ils y échouent. Ces tristes visages, ces voix ébréchées qui se succèdent... Tout l'après-midi, lamentables, égrotants, ils défilent et déversent les turpitudes de cette virago de Wang : profitant de sa position de première dame, elle vendait ses appuis ; toutes les nominations passaient par elle, toutes les prébendes ; elle avait son gouvernement de l'ombre, prêt à toutes les curées ; elle faisait manger de la cantharide et de la poudre de corne de rhinocéros à Liu Shaoqi, de façon qu'il ne soit plus qu'une loque enfiévrée par leurs étreintes, qu'elle accordait ou refusait pour arriver à ses buts. Parmi ses favoris, il y avait un ancien bonze expert en poisons, un nain salace et un astrologue qui était son amant...

Déblatérations, invectives, calomnies grotesques. Chacune des anciennes sommités surenchérit sur la précédente. Qu'importe que ces anathèmes soient absurdes, l'art, c'est d'entasser les énormités bien choisies, bien venimeuses, qui aussitôt prononcées deviennent vérités. Des heures durant, le Peuple hurle. Quelle sera sa sentence ? Va-t-on entendre un « à mort ! », qui annonce l'exécution ? Non. Il n'y a pas de verdict.

Le soir, en rentrant à la Terrasse des Pêcheurs, Jiang Qing a la surprise d'y trouver un Mao tout réjoui. Kang Sheng lui a fait faire le tour de la ville dans une berline noire aux vitres blindées et aux rideaux tirés et ce qu'il a aperçu l'a ravi. Partout des affiches, des

LE CHIEN DE MAO

slogans, des banderoles, des bannières et des étendards, des cortèges, des attroupements... Une ville en effervescence, extraordinairement bruyante, nerveuse, amusante :

— Les caricatures sont vraiment drôles, dit Mao. Il y en a en particulier une de Liu Shaoqi et de ton amie Wang Guangmei en train de lécher les bottes de Khrouchtchev qui est un petit chef-d'œuvre. Quant aux portraits de moi, je me demande lesquels sont les meilleurs. Celui où je tiens un grand chapeau de paille n'est pas mal. Qu'en penses-tu ?

— Il est superbe. Si l'on aime le genre placide.

— Tu ne te moquerais pas de moi, par hasard ?

— Jamais. Je suis simplement heureuse de te voir chez moi. Nous allons nous faire servir un dîner et tu m'expliqueras pourquoi tu es venu.

L'exquis de cette soirée... La demeure est féerique. Lignes pures des meubles Ming, reflets pourpres des boiseries, vert suave des rideaux de soie, or des paravents, rouleaux de peinture, porcelaines translucides, çà et là le luxe occidental d'un lustre, une profusion de fleurs... Jiang Qing est allée se changer et elle réapparaît dans une élégante robe de crêpe bleu pâle. Mao lui jette un coup d'œil approbateur et sourit :

— Je croyais que tu avais, que nous avions déclaré une guerre totale au Vieux Monde ?

— Sans doute. Mais quelques témoignages des capacités de nos artisans doivent être conservés. C'est ce que m'a expliqué Kang Sheng, qui d'ailleurs m'a conseillé pour la décoration de la villa et fourni quelques objets...

— Il est bien bon. Surtout qu'après avoir écumé les hangars où la Garde Rouge entrepose les biens confisqués, maintenant il se sert directement dans les musées ou ce qu'il en reste. Cela dit, je te concède qu'il a un goût remarquable.

Tout en parlant, Mao regarde son épouse. Quel âge a-t-elle ? Cinquante-trois ans ? Il constate que lorsqu'elle quitte son uniforme, il lui revient un peu de beauté. Les cheveux sont drus, la lèvre encore pulpeuse, la taille fine, les jambes aussi et les mains sont toujours aussi délicates, parfaites. Mao est près de s'attendrir : même les marques de l'âge, les rides ne le rebutent plus. Trente ans qu'ils sont ensemble... Trente ans qu'il a été ému par cette petite peste si désireuse de le séduire... Comme elle était belle à l'époque ! Elle avait un si joli corps. Et sa voix... Quelle sensualité dans cette voix grave, que de promesses...

LE CHIEN DE MAO

Mao médite sur le temps qui passe et les élans refroidis, sur le hasard des amours et l'éphémère des engagements. Vagabondage... En face de lui, Jiang Qing roucoule, s'agite, il ne comprend pas tout ce qu'elle dit, il est loin, à Yanan, dans sa voiture-ambulance, avec Kang Sheng. Kang Sheng et sa petite moustache, Kang Sheng le dandy qui s'échine à forger entre eux une complicité. Comment en sont-ils venus à parler femmes ? Mao a oublié. Mais il se souvient très bien du jour où ils ont croisé la future Jiang Qing. Les sous-entendus de Kang Sheng, l'intendant aux plaisirs, ses ruses si grossières parfois, sa violence, sa folie... Et cette ambition ! Sa volonté d'être encore, toujours, partout, le Grand Manipulateur, l'homme à qui rien n'échappe. Ce salaud de Kang Sheng infiltré jusque dans le lit du Grand Timonier ! Mao a un petit rire, une sorte de ricanement qui fait sursauter Jiang Qing. D'une voix coupante, impérative, elle interroge :

— A quoi penses-tu ? Tu ne m'écoutes pas.

— Je pensais à toi, à nous, à l'exaspération de nos débuts. Ce qui m'a amené à notre entremetteur, Kang Sheng, à sa nature bizarre, redoutable. Conquérir la puissance de l'ombre, rien qu'elle mais elle tout entière était sa passion, eh bien, aujourd'hui, il a presque réussi. Le voici chef du Département des Liaisons internationales dont il vient de dégommer le patron, bien que celui-ci soit un protégé de Chou En-lai. Je crois comprendre qu'il a agi ainsi pour te plaire. Tu étais, semble-t-il, furieuse que cet homme ait fait jadis sortir He Zizhen de son asile soviétique. Par jalousie ? Comme si cette malheureuse avait encore une quelconque importance pour moi... J'en doute. Mais ton orgueil était atteint, toi qui te voulais l'unique... Tout cela au demeurant est plutôt divertissant. Je reviens à ton Kang Sheng, notre maître espion. Connaître tous les partis communistes du monde, surtout les clandestins, ne pouvait lui suffire, je t'annonce qu'il contrôle désormais le Département des enquêtes du Comité central. Autant te dire qu'il va faire parler les archives ! Il a lancé des centaines d'hommes dans le pays qui dépouillent des millions de documents. Il va réunir des dossiers, des montagnes de dossiers, des océans de dossiers. Ah, il est à son affaire, ton amant ! Sur son ordre, on arrête, on torture, on tue. Les faux témoignages, les pièces apocryphes pleuvent. J'ai là quelques exemples délectables...

Mao s'est levé pour aller chercher un gros classeur qu'il tend à Jiang Qing :

— Voilà, ma chère, les premiers résultats de la commission

d'enquête sur l'affaire Liu Shaoqi. Kang Sheng m'en a donné la primeur, mais tes fonctions t'autorisent à les lire, ils égayeront ta soirée.

— Alors, il va y avoir de vrais procès ?

— Peut-être, mais je n'y tiens pas. Dans cette Révolution, je préfère que la mort paraisse s'emparer de gens innombrables comme au hasard. Pourtant il faut aussi que nous ayons des arguments pour les meetings de lutte ou pour exclure du Parti. Ainsi Liu Shaoqi sera dégradé dans les règles, grâce à ce beau dossier et à d'autres qui vont suivre, mais il n'y aura pas de procès.

— Et Wang Guangmei ?

— Pas de procès non plus. Sur le reste, je te le répète, je te laisse toute latitude.

— Liu Shaoqi est-il mûr ?

— Mieux que ça, je crois. Maintenant, si tu veux bien m'excuser, je vais te laisser à ta lecture.

La séance suivante. Toujours le stade comme une bauge géante. La même mise en scène. Jiang Qing dans son prétoire et Wang Guangmei au pied de l'estrade, vêtue d'un vieux bleu de chauffe. Elle est pâle, épuisée, surtout elle est devenue laide, d'une laideur grise qui suinte l'accablement. Et elle reste là, absente, réfugiée dans des limbes où rien ne semble plus pouvoir la toucher. Cependant, elle tressaille quand le haut-parleur tonitrue que le président Liu Shaoqi arrive pour haranguer le peuple et conseiller à sa femme de se repentir.

Des voitures, des flics en quantité. D'un véhicule surgit Liu Shaoqi. Mais qui le reconnaîtrait de prime abord, lui dont l'aspect était sévère et beau, lui toujours si correctement mis, lui dont le maintien si noble semblait l'aider à dominer toutes les situations ? Maintenant, ce qui arrive, c'est un vieillard tout courbé, au visage et aux vêtements englués de saletés et de crasse fétide. Sa chevelure argentée est une décharge. Jiang Qing rit :

— Mais que vous est-il arrivé, Président ? Où est votre splendeur ? Vous puez, dirait-on. Serait-ce que vous vous êtes souillé ?

Et Jiang Qing se pince le nez comme si vraiment l'odeur l'incommodait.

Mais Liu, même dans cette décrépitude, est encore résolu.

— Si je pue, dit-il d'une voix ferme, prenez-vous-en à celui qui m'a fait jeter dans un trou à déchets dont je sors à peine.

Jiang Qing l'interrompt d'un ton sévère :

LE CHIEN DE MAO

— Vous auriez pu faire toilette avant de vous présenter à nous.

Elle ricane, ou plutôt l'on devine qu'elle ricane. Mais Liu Shaoqi continue :

— Vous avez essayé de briser mon épouse en m'enlevant. Aujourd'hui vous manigancez de la dégoûter de moi en m'exhibant à elle dans cet état. Mais vous ne pouvez rien contre nous.

En effet, Wang s'approche de Liu Shaoqi et se jette dans ses bras. Le temps d'échanger quelques mots de leurs pauvres lèvres tuméfiées et des policiers les séparent brutalement. Jiang Qing siffle :

— Camarade Liu Shaoqi, il est bien que votre chère Guangmei contemple votre déchéance. Elle vous aime, prétendez-vous, mais moi qui la connais je vous dis que cette femme, toujours à la recherche de belles choses et de beaux hommes, ne pourra plus jamais penser à vous avec amour. Elle se souviendra de vous comme d'un pauvre sire, un bouseux décati.

Jiang Qing rit, et puis elle paraît se reprendre :

— Il est vrai que seule une truie comme elle peut apprécier l'ordure que vous êtes. Je vous le dis, tous deux vous périrez de vos chancres...

Liu Shaoqi la coupe très calmement :

— Jamais vous ne comprendrez l'amour qu'il y a entre Guangmei et moi. Et comment le pourriez-vous, vous qui n'avez jamais aimé personne, surtout pas le Président Mao ?

— Le Président Mao, c'est vous qui le détestez, glapit Jiang Qing. Depuis des années vous complotez contre lui, vous avez longuement tenté de le dégrader, pour le faire tomber dans le désespoir. Maintenant qu'avec moi il se redresse, maintenant qu'il lance cette Révolution Culturelle si nécessaire, par tous les moyens vous vous efforcez de le contrer et de saboter son œuvre.

Liu Shaoqi flamboie :

— J'ai sauvé le camarade Mao il y a quelques années quand, pris par l'utopie, il avait conduit la Chine à la catastrophe. Les dégâts réparés, il a déclenché une Révolution contre le Parti. J'ai essayé d'endiguer cette démence et pour cette raison, me voilà condamné à l'ignominie. Je vais mourir, mais sachez qu'ensuite, dans sa folie, Mao fera du pays un charnier. Je vois des crânes, des remparts de crânes, je vois des fleuves de sang, j'entends des chants funèbres...

Jiang Qing couvre ces blasphèmes avec des hurlements de louve :

— Taisez-vous, taisez-vous, vous êtes un traître...

La foule gémit, gronde, tape du pied, et c'est comme si l'univers entier mugissait de colère.

Alors Liu Shaoqi utilise sa dernière arme. Posément, il se racle la gorge, il regarde Jiang Qing et, avec détermination, avec précision, il lui crache au visage. Puis, avec toute la fureur dont il est encore capable, il la met à nu :

— Je connais vos ambitions, vous vous précipitez sur la crête de la Révolution Culturelle pour vous faire valoir afin de recueillir l'héritage de Mao à sa mort. Mais vous échouerez, parce que vous n'êtes qu'une traînée, une moucharde, pas même une monstresse de génie, juste une petite garce, un cloaque, qui profite des circonstances. Plus que moi, vous sentez mauvais. Parce que votre passé est une pestilence.

La voix de Liu Shaoqi a retenti mais personne dans le stade n'a rien entendu car aux premiers mots Jiang Qing a fait couper les haut-parleurs. Le silence s'abat tandis qu'elle hurle encore :

— Taisez-vous, je vous ordonne de vous taire !

Mais Liu Shaoqi ne se tait pas :

— Peut-être profiterez-vous de l'écrasement du Parti... Anéantissez-le, tuez les meilleurs de ses cadres. Vous aurez avec vous les crapules, lesquelles ne manqueront pas de vous lâcher à la première traverse. Je vous conseille cependant de détruire les preuves matérielles de vos forfaits, les billets doux, les lettres coquines de votre existence de courtisane, de soi-disant actrice à Shanghaï. Surtout, saisissez et faites disparaître les registres de police et les dossiers qui détaillent votre félonie, la façon dont vous avez dénoncé des communistes lorsque vous étiez emprisonnée par le Kuomintang... Ces documents sont explosifs.

Une panique saisit Jiang Qing. Comment ce rebut a-t-il deviné le dessein qui s'est emparé d'elle ? Comment a-t-il découvert qu'en ses tréfonds le désir de l'immense empire qui hier était à peine un songe est devenu une hantise ravageuse, l'inspiration qui commande tout ? Certes, il a assisté au miracle de ses épousailles avec Mao. Certes, il l'a vue, malgré les détresses et les échecs, grimper, barreau après barreau, l'échelle des dignités, mais il ignore le reste, les temps d'avant, l'opprobre, la déréliction, l'enfance misérable dans les bas-fonds, la promesse des prostitutions au sein d'une lointaine province, les fiascos de Shanghaï.

Comment Liu Shaoqi pourrait-il avoir compris qu'elle vit une merveilleuse aurore ? Pendant presque trente ans, Mao l'a méprisée et elle l'a subi. Soudain le sort le lui livre, plus gigantesque

LE CHIEN DE MAO

que jamais, occupé à casser l'ordre du monde, mais vieux. Et le rêve grandiose a surgi : quand le Grand Timonier à bout de forces s'éteindra, lui prendre la Chine, lui succéder, et ainsi le vaincre absolument.

Un seul être est au courant de tout : Kang Sheng. Mais elle s'en moque : le moment venu, elle s'en débarrassera. Comme elle se défera de Zhang Chunqiao, de Lin Biao ou de Wang Dongxing, ces faibles d'esprit incapables de concevoir sa monumentale ambition. A moins qu'ils n'aient déjà conclu à la folie, une folie qu'ils utilisent. Et Mao? Il la suspecte, mais lui, le caractère forcené de son épouse l'amuse. Au bord du néant, la Révolution Culturelle aura été sa vengeance, sa dernière passion. Ensuite, que les libellules dansent, lui se divertira des bonds et des cabrioles de Jiang Qing son impératrice de la mesquinerie, insignifiante, lâche, mais capable d'aller à tous les combats sans jamais renoncer. Avec cela une inventivité inlassable dans le petit qui mène au grand. Sa réjouissante épouse.

Les archives, les dossiers... Liu Shaoqi a mis le doigt sur la plaie et Jiang Qing a peur. Depuis longtemps son passé de fille facile et de donneuse est caché sous des croûtes desséchées, et, tant qu'elle n'était que la femme de Mao, cela suffisait. Mais maintenant qu'elle veut être Mao lui-même, il lui semble qu'elle doit incarner la pureté parfaite. Or elle est impure. Et Liu Shaoqi vient de lui jeter à la face ses anciennes souillures. Qui d'autre sait? Et quoi? Qui demain hurlera qu'elle est indigne? Ah, abolir toute trace de ses salissures anciennes, du graillonneux de son passé! Il faut qu'on lave, qu'on nettoie, qu'on régénère, que les taches d'autrefois ne puissent pas réapparaître sur l'étoffe de ses jours et de ses nuits! Que personne au moment où elle montera sur le Trône de Jade ne puisse crier qu'elle n'était qu'une traîtresse, une vomissure.

Mais il y a ce stade, cette foule, ce Liu Shaoqi, sa noble colère, son ton de prophète et son glaviot. Grand, grand Liu Shaoqi. Avant de se mettre à s'hygiéniser comme il le lui a recommandé, elle va encore s'amuser un peu avec lui et avec sa chère Wang Guangmei. Il lui reste de bons instruments pour les atteindre de nouveau : leurs enfants, qu'on est en train d'amener. Avec ceux des domestiques qui n'ont pas eu l'habileté de quitter le pavillon de la Bonne Fortune. Quelques bourrades, on assoit les serviteurs, on oblige les enfants à s'agenouiller, la représentation peut commencer.

343

LE CHIEN DE MAO

« A père héros, fils prodige, à père réactionnaire, fils pourri ! »
Sur un signe de Jiang Qing, le stade tout entier reprend le slogan
que viennent de gronder les haut-parleurs. Une fois, deux fois,
trois fois... mais les enfants n'ont pas cillé. Ils sont quatre, le plus
jeune, la petite Xiaoxiao, a six ans. Depuis des jours, des instructeurs leur serinent que leur père est « le principal membre du Parti
à marcher dans la voie du capitalisme », qu'il est un architraître,
un renégat, un valet des Américains qui s'adonne au stupre et à
l'opium. Quant à leur mère, elle n'est qu'une putain digne de lui,
une espionne à la solde de l'ennemi. Le grand traitement. La
purge du cerveau et du cœur pour aboutir à ce meeting où l'on va
sans doute leur demander de désavouer affreusement leurs parents.

Jiang Qing maintenant harangue ces enfants qu'elle a vus
naître, grandir, qu'elle a feint de choyer et de dorloter :

— N'oubliez jamais, hurle-t-elle, que vous êtes nés de Liu
Shaoqi et de Wang Guangmei, les plus noirs représentants de la
plus noire des catégories noires. Que votre indignité congénitale
vous hante ! Que le sentiment de votre infamie vous poursuive !
Vous êtes pourris, ne l'oubliez jamais. Le Peuple en tout cas ne
vous laissera jamais l'oublier.

Et d'ajouter qu'elle va exposer, témoins à l'appui, de quoi ont
été capables les portées de cabots engendrées par Liu Shaoqi, le
libidineux aux cinq épouses.

Incroyable déballage... De sa première femme, une héroïne
exécutée par le Kuomintang, Liu a eu trois enfants, trois traîtres à
entendre Jiang Qing, trois monstres formés dans les écoles soviétiques et qui ont renié leur pays pour s'abandonner à la luxure.

L'aîné, Liu Yunbin, un physicien, avait dû divorcer de son
épouse russe lors de la rupture entre la Chine et l'Union Soviétique. Mais il était toujours amoureux et les Gardes Rouges de
l'Institut de l'Atome n'avaient pas tardé à le débusquer.

— Hélas, poursuit Jiang Qing, il ne sera pas là cet après-midi
pour confesser ses fautes. Ce lâche a préféré fuir ses responsabilités : il s'est suicidé.

Tandis que la foule clame son mépris, Jiang Qing se tourne,
triomphante, vers Liu Shaoqi et Wang Guangmei : ah, ils avaient
cru, les imbéciles, qu'elle obligerait leurs enfants à les dénoncer.
Quelle pauvreté d'imagination ! Ce coup-là, dont ils ignoraient
tout, n'est-il pas meilleur ? Tellement plus surprenant ? Ils ne veulent pas la regarder ? Ce n'est rien. Le spectacle continue.

LE CHIEN DE MAO

— Faites entrer Aiqin, crie Jiang Qing.

Apparaît une jeune femme au visage tuméfié, couvert de sang, la fille de Liu Shaoqi et de la fameuse héroïne. Elle, c'est d'un Espagnol qu'elle s'était entichée à Moscou. Même histoire que son frère aîné : divorce et retour à Pékin...

— Elle s'est remariée avec un Chinois et ils ont eu trois enfants, dit Jiang Qing. Mais cette prostituée ne songeait qu'à son Espagnol. Aussi son nouveau mari, un fort brave homme, l'a-t-il quittée en lui enlevant leurs petits. Nous l'avons arrêtée alors qu'elle s'apprêtait à livrer des secrets d'Etat aux Soviétiques.

A nouveau le tonnerre, les cris, le charivari. On conspue Aiqin, on la voue aux gémonies. Gifles, coups de pied, on affuble la malheureuse d'un chapeau pointu et d'une pancarte où il est écrit qu'elle est une espionne à la solde des révisionnistes d'URSS. Fin de l'acte.

Mais Jiang Qing n'en a pas terminé avec la tribu Liu. Voici qu'on traîne dans l'arène un autre fils, Liu Yunruo : elle l'a fait extraire d'une prison où il est incarcéré depuis quelques mois pour intelligence avec l'étranger. Son aventure ? La même, exactement la même que celles de son frère et de sa sœur : les études à Moscou, les amours auxquelles il doit renoncer, le retour à Pékin. Et là, la révolte et l'exécration. Yunruo se morfond à l'Institut aéronautique où il travaille, il étouffe en Chine, il l'écrit à sa dulcinée soviétique. Sa rébellion a tout de même des limites : en fils de communiste modèle, il soumet ses lettres au secrétariat du Parti. Les missives partent mais on en garde des doubles qui iront grossir un dossier déjà bien fourni. De toute façon, Liu Shaoqi son père et Wang Guangmei sa belle-mère discutent régulièrement du triste cas de Yunruo devant le Comité central. Le dossier enfle encore : dans les mains des sbires de la commission d'enquête sur l'affaire Liu Shaoqi, ce sera une bombe. Et le pauvre Yunruo en allume lui-même la mèche. Lorsque la Révolution Culturelle éclate, il s'y jette à corps perdu : enfin il va pouvoir lutter contre la bureaucratie qui opprime son pays, enfin sa vie va prendre un sens. Bientôt il devient le chef des rebelles de son unité, bientôt un groupe dit du 15 septembre s'oppose au sien, celui du 16 septembre. C'est la guerre. Un arbitre réputé impartial est appelé pour trancher entre les deux factions : Jiang Qing en personne, l'idole des Gardes Rouges. Babines retroussées, la bave aux lèvres, elle dénonce l'espion étranger qui a fait son nid dans l'Organisation du 16 septembre. Les chiens du 15 septembre sont lâchés.

345

LE CHIEN DE MAO

Yunruo, tout à sa foi militante, tente de se défendre ; il court à la
Sécurité publique pour s'expliquer et là son merveilleux dossier
agrémenté de quelques commentaires de Jiang Qing lui explose à
la figure : il est immédiatement arrêté.

A quelle torture a-t-il été soumis dans sa prison ? C'est un halluciné qui entre dans le stade. Sans même qu'on le sollicite, il entonne sa confession :

— Je suis un espion de l'étranger. L'an dernier, à l'instigation de
Moscou, j'ai lancé l'organisation du 16 septembre, une organisation faussement révolutionnaire et profondément réactionnaire,
contre celle du 15 septembre, qui elle est maoïste. Entre ces deux
mouvements, presque semblables en apparence, j'ai semé le doute
et la confusion, j'ai insidieusement fait tuer les meilleurs patriotes.
J'ai du sang sur les mains.

Jiang Qing glapit :

— Vous avez agi sur l'instigation de votre père...

— C'est lui qui m'a poussé à cette traîtrise, mais dans mon
repentir je l'ai dénoncé. Et j'ai aussi donné les noms de tous mes
complices qui sont comme moi des fils de grands cadres.

Jiang Qing rugit :

— A mort ! A mort tous ces pourris ! A mort, le fils de Liu
Shaoqi !

— Je l'ai méritée. Quand je travaillais à l'Institut d'aéronautique, je m'arrangeais pour fournir à Moscou les plans de nos appareils militaires.

Jiang Qing n'est plus qu'un cri :

— Et cela quand les Soviétiques, que nous avions considérés
comme nos alliés, veulent envahir notre territoire !

Ignominie. Le poteau. Le poteau. Mais Yunruo continue,
imperturbable, avec sur les lèvres un pâle sourire de contentement :

— Ce n'est pas moi le coupable, c'est mon père. Il m'a toujours
enseigné que je devais en tout me mettre à l'école de l'Union
Soviétique. Quand j'étais encore à Moscou, il a voulu que je me
fiance à une Russe qui était une agente du Guépéou. Je lui ai
obéi...

Triste vision que celle de ce jeune homme hagard qui se roule
dans la boue devant une masse avide... Intolérable violence... Soudain Liu Shaoqi sort de sa résignation hautaine et, pour la dernière fois de sa vie, il essaie de défendre les siens :

— Mon fils, crie-t-il, n'a jamais été un espion. Il était amoureux

LE CHIEN DE MAO

fou d'une jeune Russe que je l'ai empêché d'épouser parce que je savais que nos relations avec l'Union Soviétique allaient s'altérer. Je lui ai menti, je l'ai fait rentrer sous prétexte de vacances, il pleurait, il souffrait, j'avais mal pour lui. Et puis le temps a passé, j'ai essayé de lui faire rencontrer des Chinoises, en particulier une actrice qu'il trouvait jolie...

Jiang Qing éclate de rire :

— Ainsi notre président de la République n'était pas seulement un contre-révolutionnaire et un renégat, c'était aussi un entremetteur, un maquereau. Quelle farce ! Votre patriotisme consistait à ce que votre fils, au lieu de se taper une salope moscovite, se tape une garce chinoise. Vous prétendiez sauver la Chine en faisant baiser votre rejeton avec une putain de chez nous.

L'insulte réveille Yunruo :

— Une putain, elle ? Pas du tout ! C'était une jeune fille magnifique. Si belle... Des yeux de gazelle. Quand je l'ai vue à l'écran, j'ai pensé que je pourrais l'aimer. Comment ma belle-mère l'a-t-elle persuadée de venir à Pékin ? Je l'ignore. Mais elle est venue. Elle n'était pas de race Han et elle s'exprimait mal dans notre langue. J'ai quand même compris qu'elle aimait ailleurs et je n'ai pas insisté.

— Sur quelle scène, dans quel palais croyez-vous être pour parler ce langage ampoulé ? Vous n'êtes pas un fils de roi, mais un traître, fils de traître. Tenez, nous avons retrouvé votre beauté, regardez-la : c'est une vache ouïghour !

Apparition d'une jeune femme, qui en effet ressemble à une almée. Elle clame qu'elle n'a pas voulu du fils du président, que Wang Guangmei l'a contrainte, qu'elle n'a rien fait. Elle est dérisoire, pitoyable, attendrissante. Jiang Qing le sent-elle ? Elle la fait rouer de coups, jusqu'à ce que la pauvre petite se taise et reste là, allongée sur le sol, face contre terre, inanimée, morte peut-être ? La foule frémit. Alors Jiang Qing prend son air le plus altier pour déclarer que cette comédienne de bas étage était corrompue, déjà gangrenée par le capitalisme. Sinon, pourquoi l'aurait-on choisie, pourquoi serait-on allé la chercher ? En prison, elle apprendra la vertu.

Déjà la meneuse de jeu s'est détournée pour accueillir une grande femme qui avance hardiment avec, à ses basques, une vieille dame trottinante. A peine arrivée au centre du stade, la cariatide dénonce Wang Guangmei avec une haine recuite, mâchée et remâchée :

LE CHIEN DE MAO

— Liu Shaoqi est mon père. Voilà ma mère. Quand j'étais encore toute petite, Liu Shaoqi, qui courait la gueuse, trouva cette putain de Wang Guangmei à son goût. Pour l'avoir, il se fit espion : il recevait de grosses sommes des Russes, et aussi des Américains. Une fois Wang conquise avec tous ces milliards, il nous a fait vider la place sans nous donner un sou. Mon père est un brigand qui mérite cent fois la mort.

Applaudissements... Mais l'ancienne épouse ne prend pas bien le relais. Elle se borne à gémir que Liu Shaoqi était un bon mari, jusqu'à ce qu'il rencontre cette Américaine peinte en jaune de Wang Guangmei.

— Maman, tais-toi! Tu m'as répété cent et cent fois que mon père était un traître.

— Un traître, un traître, c'est une façon de parler. Il m'avait quittée...

Cette dispute réactionnaire exaspère Jiang Qing, qui fulmine :

— L'une et l'autre, vous êtes de mauvaises communistes. Votre haine n'est pas de bonne qualité, c'est un ressentiment personnel; il n'y a pas là de lutte des classes. Vous êtes contaminées, allez vous désinfecter!

Prison, prison pour tous, supplices, mouroir. Comme autrefois les empereurs faisaient exterminer des clans entiers, Jiang Qing veut que toute la famille de Liu soit plongée dans le désespoir. Cela inclut les domestiques, les mâles et les femelles de l'heureuse servitude chez Liu Shaoqi, que Jiang Qing connaît par cœur et qu'elle déteste.

C'est qu'elle a rêvé de devenir une hôtesse remarquable, de donner des dîners comme on en voit au cinéma, avec des cristaux, de l'argenterie et toute une valetaille aux petits soins. Mais Mao le rustre n'aimait que les banquets pesants suivis de bals au cours desquels on lui présentait des jeunes filles comestibles. Jiang Qing a bien essayé d'organiser sans lui des soirées où elle trônait en mégère charmeuse mais elle n'en appréciait guère l'atmosphère : les convives étaient forcément des admirateurs ennuyeux à force de louanges. A la longue, elle s'est lassée, les courtisans aussi, mais il lui reste comme une nostalgie. Et, plus dangereux, le sentiment d'un échec. Une jalousie. Car au pavillon de la Bonne Fortune, Wang Guangmei recevait dans un luxe décent tout ce qui comptait en Chine. Wang était une grande dame, sa table était parfaite, le service merveilleux...

Les gens de cette maison maudite vont payer. Ils seront

348

condamnés à des années et des années de prison pour complicité, surtout le cuisinier, ce ventru à la trogne de boustifaille qui régnait sur une armée de marmitons et était, disait-on, le prince des mets savoureux, le seigneur des plats innombrables, le concocteur de grands menus qui connaissait toutes les recettes de la table impériale. Quand la police l'avait arrêté et lui avait demandé quel emploi il occupait chez Liu Shaoqi, il avait répondu avec une vanité splendide : «Je suis le cuisinier», comme si c'était un métier incomparable. Lorsque avec douceur les flics l'avaient interrogé sur le fonctionnement de l'officine d'espionnage installée dans le pavillon de la Bonne Fortune, sur les contacts et les intrigues de ses patrons avec les barbouzes du monde entier, il avait insisté : « Comment le saurais-je ? Je suis le cuisinier. » On le battait, on le giflait, on le fouettait, il répétait en gémissant : «Je suis le cuisinier. » Et maintenant, dans le stade, il ânonne toujours : «Je suis le cuisinier. »

Jiang Qing qui a tant goûté, tant vanté ses recettes, quand il fallait feindre une bonne entente entre voisins-présidents, la délicate Jiang Qing persifle :

— Je le sais que tu es le cuisinier et même que tu es doué. Mais n'es-tu qu'un cuisinier ? En tout cas, ton influence a été néfaste : l'excellence de ta nourriture a coûté cher. Tu as poussé Liu Shaoqi et sa femme à acheter des denrées rares qui coûtaient des fortunes. Tu as contribué à ruiner le Peuple. En prison, en prison ! Tu y maigriras et cela prolongera ta vie menacée par la graisse.

Encore quelques hurlements et puis Jiang Qing décide de lever la séance. Qu'on renvoie cette racaille à ses fanges ensevelissantes, que Liu, Wang et leurs quatre enfants soient ramenés au pavillon de la Bonne Fortune. Elle, la sentinelle de Mao, va rendre compte de ses actes au Grand Dirigeant.

Gloire à la Révolution Culturelle ! La Chine n'est plus qu'une plaie, un caillot de sang. Jiang Qing est la mère des supplices, ce dont la félicite Mao :

— J'ai entendu tout à l'heure les clameurs du Peuple contre Liu Shaoqi et consorts... Tu sais allumer la haine dans les cœurs.

Lui est en train de fumer l'opium. Quand, pris par le dégoût des choses, il gît dans son lit ou auprès de sa piscine, anachorète flasque, à la graisse fatiguée et au regard voilé, la drogue lui rend le sentiment d'exister grandiosement. En ces heures-là il se dit que sous l'effet de sa pensée, les hommes se fracassent comme

LE CHIEN DE MAO

des jouets, qu'il a mis en mouvement les Gardes Rouges et qu'ils sont ce qu'il voulait, des gamins méchants qui par millions, tels des insectes, cisaillent tout. Il ne suffit pas de saccager, il faut rendre irréparable, faire en sorte que plus rien ne fonctionne. Tout bazarder. Ainsi les universités ont-elles été vidées de leurs étudiants, ou du moins n'y reste-t-il que des émeutiers. Les professeurs, ces « monstres bovins », sont enfermés dans des étables où ils méditent sur leurs forfaits. Vision béatifique. Les usines seront arrêtées, les ouvriers partiront creuser des tunnels et des galeries qui résisteront aux bombes atomiques russes. C'est complètement faux, mais cela n'a pas d'importance : Mao – qui lui a un abri sous Zhongnanhai – croit que tous ses sujets seront dûment sauvés. La « fumée noire » l'avait persuadé des miracles du Grand Bond en Avant, des Communes du Peuple et des petits hauts-fourneaux, maintenant elle fortifie sa foi dans les souterrains.

Immobile, Jiang Qing écoute son mari divaguer. Comment deviner les cheminements de sa rêverie ? Comment les interrompre ? Enfin elle se lance :

— Imagine-toi que Liu Shaoqi a eu le culot de prétendre que mon passé est douteux.

Mao s'amuse :

— Et ma petite impératrice s'est effrayée ! Tu es bien susceptible... Tu ne crois quand même pas les articles qu'on écrit sur toi et tes vertus ? Tu suscites, paraît-il, une émotion sans bornes et une admiration infinie chez les Gardes Rouges, cela devrait te suffire. Méprise le reste. Et dis-toi que, tant que je serai là, je te servirai de couverture ; je te protégerai et il ne t'arrivera rien.

Jiang Qing sursaute :

— Pourquoi « tant que je serai là » ?

— Jusqu'à ma mort, si tu préfères. Je ne suis pas immortel, ce qui d'ailleurs t'ennuierait beaucoup. Tu espères bien me remplacer, mais ce sera Lin Biao mon successeur. Toi, tu auras quelques miettes, si le maréchal y consent. Mais méfie-toi. Lin Biao est un opiomane, un vrai. Moi, je fume en amateur, pour me distraire ou me calmer. Lui est très atteint, ses médecins me l'ont confirmé. En tout cas, il est impatient, il trouve que je m'incruste...

Jiang Qing essaie de protester :

— Lin Biao ? Mais c'est lui qui, bien plus que moi, a fait ta Révolution Culturelle.

— Cela ne l'empêche pas de me trouver gaga, et de penser à

s'emparer du pouvoir. Avec la partie de l'armée qui lui est acquise et comme la population au fond s'en moque, un petit meurtre est concevable.

— Mais tu es le soleil rouge, le Président suprêmement bien-aimé de millions de Chinois. La réalisation de ta ligne révolutionnaire est pour eux une mission sacrée. Ils ne cessent de le dire, de l'écrire, de le chanter.

— Arrête ces stupidités, s'il te plaît, et revenons à mon assassinat. Ne donnerais-tu pas un coup de main à Lin Biao si tu découvrais que c'est ton intérêt ?

— Moi, attenter à ta vie ? Mais tu es fou, jamais nous n'avons été aussi proches.

— Evidemment... Après tant d'années de querelles, nous nous entendons bien. Aussi bien qu'un homme et une femme peuvent s'entendre, je crois même à une certaine connivence entre nous. Pourtant, je suis sûr que, toi comme moi, si venait à se poser une question primordiale, vitale, nous sacrifierions l'autre. Moi, j'hésiterais un peu, toi certainement pas. Notre plaisant compagnonnage peut se terminer au poignard.

— Jamais.

— On dit ça... Ecoute donc mes avis. Dis-toi que si tu te joins au camp de Lin Biao et qu'il soit vainqueur, tu seras toujours sacrifiée à Ye Qun, sa femme et ton amie. Quoi qu'elle puisse te raconter et te promettre auparavant, tu seras de trop.

Jiang Qing prend son aspect boudeur et offusqué. Mao éclate de rire :

— Mais que je meure de ma belle mort ou que je sois un peu assassiné, tu as raison, autant que possible, n'aie pas de casserole au cul. Excuse-moi cette vulgarité, tu m'amuses trop. Tu devrais avoir compris que, le moment venu, ta sacralisation ne servira à rien, les dés sont jetés. Enfin, tu as toujours été une perfectionniste, quoique gaffeuse... Ce qui me plaît d'ailleurs : sans tes gaffes, je ne t'aurais pas supportée.

Jiang Qing proteste :

— A ta mort, je serai empoignée par le chagrin, pas par l'ambition.

Mao s'esclaffe :

— Ne me prends pas pour un imbécile. Epouille-toi, si cela te fait plaisir. J'aurai une veuve impeccable, c'est déjà cela.

Un dernier grésillement de la pipe, et Mao se soulève, comme pour faire une harangue testamentaire à Jiang Qing :

LE CHIEN DE MAO

— Donc tu pars en quête de ton honorabilité ? Tu vas mener tes recherches avec tes amis, je veux dire avec tes amants ? Kang Sheng qui jauge et trie tous les cadres du Parti et tous les policiers, même les cadres les meilleurs, même les policiers les plus zélés, est un allié excellent. Et ton cher Zhang Chunqiao tellement occupé à ratiboiser les bons communistes de Shanghaï n'est pas mal non plus. Tous deux ont de sacrés antécédents et vous pourrez vous nettoyer ensemble. Mais le plus important pour toi serait de tenir Lin Biao au collet, l'issue de vos futurs affrontements et négociations en dépendra. Lui-même a un passé sans crimes, juste une petite tendance à la collusion avec les Russes, mais une fameuse lessive sera nécessaire pour récurer ton amie Ye Qun. Celle-là ! Maintenant la voilà qui s'attaque au maréchal He Long parce qu'elle déteste son épouse, ce qui en l'occurrence me convient : ce salaud était un peu trop populaire. Mais tout de même... Que vos haines à vous les femmes sont impressionnantes ! Je n'ose pas penser à tes fêtes avec Ye Qun, à vos collaborations, à vos confidences d'horizontales. En tout cas, je te souhaite bonne chasse et bonnes trouvailles... Essayez de ne pas trop vous faire chanter les uns les autres. Un dernier conseil, n'emploie pas Wang Dongxing. Il est fidèle quand on est puissant, mais c'est un flic et il te trahira à la première faiblesse, comme tous les flics !

La liste. Il faut une liste. A peine sortie de chez Mao qui s'est endormi d'un faible sommeil de vieillard à moins qu'il ne se soit fait apporter des petites filles auxquelles il distribue des ombres de caresses, Jiang Qing se précipite chez Kang Sheng. Ensemble ils vont se remémorer le Shandong de leur jeunesse, se souvenir de Shanghaï et en évoquer les fantômes.

Qu'une vie, quand on la contemple d'un coup d'œil, paraît avoir été vide ! Un flot de néant. Heureusement, il y a les amants comme points de repère, quoique le fait d'avoir joui ne laisse pas grande remembrance : le con est un organe d'une mémoire ténue. Tout de même, on note des noms, noms des importants, noms des amis de passage, noms des partenaires d'une heure ou d'une nuit. Et les noms soudain semblent faire renaître des épisodes, le néant se peuple d'impressions, d'images, de sensations, se met à grouiller

352

LE CHIEN DE MAO

de gens : producteurs, scénaristes, acteurs, actrices aussi, jusqu'aux domestiques ou aux commerçants, tous ces êtres que Jiang Qing amadouait, charmait et qu'ensuite elle rebutait.

Jiang Qing parle, parle, parle. Et Kang Sheng l'aide dans cette résurgence de son univers d'antan :

— Celui-ci, ne l'as-tu pas trompé? N'as-tu pas bafoué celui-là? As-tu batifolé avec un tel? Arraché un rôle à cet autre? N'as-tu pas oublié celle-ci que tu voulais vitrioler?

De ces centaines d'individus mêlés à de doux moments et surtout à d'affreuses disputes, combien ont traversé le chaos des événements? Combien de ces anciens arrivistes sont tombés dans l'obscurité? Combien de cavaliers ne chevauchent plus que la terre sombre? Et combien ont fini en notables encombrés de familles, l'étoile rouge au front? Certains ont déjà dû payer leur tribut à la Révolution Culturelle, mais les autres... Kang Sheng et Jiang Qing en retrouvent une cinquantaine, hommes et femmes, auxquels ils vont communiquer la maladie de la grande peur.

De retour à la Terrasse des Pêcheurs, Jiang Qing convoque Zhang Chunqiao pour le lendemain : qu'un plan soit mis au point et rapidement exécuté. Elle propose de lancer un nouveau slogan selon lequel il faut tenir compte pour juger non seulement des années écoulées depuis 1949 mais des années trente. Ainsi sera défini le cadre dans lequel agir. Bonne idée, mais hasardeuse, juge Zhang : à trop fouailler les abcès, ne risque-t-on pas d'être submergé par les purulences? Jiang Qing hurle. Tout sera curé.

C'est l'immense recherche. Personne ne sait les raisons de cette traque, quoique l'on s'en doute. On ne prononce pas de nom, on intimide. Il y a d'abord des voix au téléphone, des voix anonymes, sans accent, des voix impavides qui disent :

— Vous avez des souvenirs? Eteignez-les, étouffez-les, chassez-les de votre tête, surtout ceux d'il y a trente ans. Et si vous détenez des témoignages de cette époque, des documents, des coupures de presse, des photos, des lettres ou même des factures de quelques sous, trouvez-les, nous viendrons. Vous les avez jetés, perdus, prétendez-vous... Trouvez-les. Ou vous serez châtiés!

Puis frappent aux portes des inconnus, des gens neutres, sans armes, qui font appel à la bonne volonté, des gens très convaincants :

— Fouillez bien, remettez-nous tout ce que vous avez! Vous n'avez rien? N'essayez pas de mentir. Sinon malheur à vous!

LE CHIEN DE MAO

Mais cette première rafle ne donne pas grand-chose, quelques lettres banales de Jiang Qing, rien de ce qu'elle cherchait.

Alors Zhang Chunqiao se déchaîne. Il fait refaire une enquête sur ce qu'est devenue l'ancienne Carte du Tendre de Jiang Qing, ce qui peut en rester, sous quelle forme, et dans Shanghaï, une certaine nuit, vers quatre heures du matin, les fourgons des hautes œuvres s'ébranlent. Chaque voiture, à un endroit donné, s'arrête brutalement, en descendent des hommes vêtus de noir, les visages cachés par des cagoules. L'escouade s'élance dans un escalier, enfonce une porte, réveille une famille, l'entasse dans un coin du logis. Larmes, supplications, coups de crosse, l'individu recherché est rapidement identifié. Pendant qu'on l'interroge, le gîte est mis à sac, fouillé, concassé. Tous les papiers sont emportés.

Finalement la récolte n'est pas mauvaise : des choses moisies, des fragments chiffonnés, des billets tendres, des mots d'insultes, des lettres salaces, et aussi quelques photos de Jiang Qing nue. Quant aux malheureux à qui l'on a arraché ces reliques sacrilèges, eux et tous les leurs, femmes, parents, enfants, on les arrête. Presque tous les êtres qui ont approché celle qui s'appelait à l'époque Lan Ping, Pomme Bleue, de quelque façon que ce soit, pour une étreinte ou dans des affaires de cabots, seront effacés de la vie de celle qui est devenue Jiang Qing, épouse Mao. Définitivement.

La moisson terminée, Zhang Chunqiao se rend à Pékin chercher félicitations et remerciements auprès de sa maîtresse. Dans l'intimité de l'alcôve, il extrait d'une valise une liasse de missives et il se met à en lire des passages pimpants, salés, tendres, radieux, cruels... toutes les nuances de la comédie fornicatoire qu'il débite, avec des mines ironiques, tel un eunuque effarouché devant un tas de gaudrioles.

— Je comprends, dit-il, que tu aies eu peur de ces papiers. C'est trop beau, c'est foutral. Combien as-tu eu d'amants ? Cent ? Mille ? Encore plus que je ne l'imaginais.

Jiang Qing ne rit pas... La vestale de la Révolution Culturelle ne saurait plaisanter de ces calamiteuses fredaines. Qu'on brûle ces lettres, ces photos, que le passé ne soit plus que cendres.

Mais elle n'est pas tout à fait rassurée. Manquent encore les preuves de sa félonie. Les procès-verbaux de sa dénonciation sont-ils enfouis dans les archives que détient le Parti ? Étrange que nul ne les ait exhumés... Le Kuomintang, fuyant vers Taiwan, les a-t-il emportés ? Si oui, pourquoi Tchang Kaï-chek ne les a-t-il pas utilisés pour déstabiliser le régime de Mao ? Inlassablement, Jiang Qing s'interroge. Elle revit son arrestation, l'arrivée à la prison, la peur, l'humiliation, les interrogatoires, le lent cheminement vers la trahison, elle revoit le visage affable du Grand Chinois noir lui annonçant sa mise en liberté, elle revoit les formulaires de la levée d'écrou, la confession qu'elle a signée, une sorte de renonciation aux idées communistes. Kang Sheng lui avait promis qu'on ferait voler les registres et qu'ils seraient détruits. Mais a-t-il tenu parole ? Il avait, prétendait-il, des complices à l'état-major de la prison.

Questionné, Kang Sheng ricane. Puisqu'il avait donné des ordres, on a dû les exécuter. Mais s'est-on réellement débarrassé des documents ou les a-t-on gardés pour quelque chantage futur, il a oublié. Ensuite la guerre a tout balayé. Kang Sheng sourit, et Jiang Qing se convainc qu'il a les papiers, qu'il les a cachés dans quelque coffre et que demain, il les produira. Du fond du temps, lui reviennent des menaces anciennes, Kang Sheng qui hurle son mépris, qui affirme la tenir pour l'éternité. « Si tu ramasses une miette de pouvoir, criait-il à Shanghaï ce jour de 1934, n'oublie jamais que je pourrai d'un geste, d'un mot te l'arracher. » Comme elle se souvient ! Il disait aussi qu'elle perturbait les hommes et que cela lui serait utile.

Avec ce qu'elle estime être un air enjôleur, elle lui demande s'il n'aurait pas, par hasard, conservé ces documents. Pour la protéger, par exemple.

Hilarité de Kang Sheng :

— Décidément, ma pauvre, tes vieilles plaies ne sont pas cicatrisées. Crois-moi, je n'ai pas ces pièces et j'ignore si elles sont encore à Shanghaï. Mais tu devrais t'en remettre au cher Zhang Chunqiao. Il surveille les archives avec passion. Je présume qu'il a peur de voir surgir des traces de ses forfaitures. Remarque qu'il a raison de se démener, il est bien placé pour savoir ce qu'on peut faire avec un simple petit bout de papier.

— Et s'il trouve des documents concernant ta propre arrestation ?

— Aucun risque. Et je te conseille de ne jamais évoquer cet incident. Depuis des années, c'est devenu un ragot et qui le colporte s'expose au pire.

En ce printemps, et malgré les efforts de Chou En-lai, la Révolution Culturelle est devenue une tornade que personne ne contrôle plus. Toute la cruauté du monde tourmente les masses ;

LE CHIEN DE MAO

des milliers d'hommes et de femmes, emportés par une colère hagarde, tuent, tuent au hasard, par goût, par caprice. Des tribunaux insensés aux logiques diaboliques se constituent; sévissent des bandes qui commencent à s'entrebattre. Partout des destructions, des victimes, des supplices, des hécatombes. Aucune province n'est épargnée.

Cette apocalypse n'inquiète pas Jiang Qing qui veut que souffle toujours plus fort le vent du chaos. Dans cette anarchie, elle ne perd pourtant pas de vue son objectif principal : trouver les papiers. Elle se rue à Shanghaï pour demander aux Gardes Rouges d'anéantir les services chargés des poursuites judiciaires et de l'application des lois. Ce qu'ils font. En quelques jours, tous les employés du bureau de la Sécurité qui n'avaient pas encore été épurés, tout le personnel des commissariats et des prisons est remplacé. En même temps, Zhang Chunqiao déclare que survivent dans Shanghaï des traîtres d'autrefois, des agents du Kuomintang qui se sont vêtus de guenilles rouges et qu'il faut démasquer. Pour cela, accompagné de quelques pantins obéissants, il reprend la chasse aux registres et aux procès-verbaux. Et en parcourant les pages, il en découvre des infâmes qui ont vendu des Rouges ! Il fait incarcérer puis exécuter au milieu des foules en liesse une centaine de mouchards vrais ou supposés. A-t-il trouvé des documents concernant Jiang Qing, par exemple un compte rendu d'interrogatoire ? Ou la liste des militants qu'elle a donnés au Grand Chinois noir ? Elle n'ose pas le lui demander. Lui ne parle de rien, mais il lui remet deux rapports de police, l'un qui l'accuse de prostitution, l'autre qui expose une de ses liaisons avec un flic se prétendant postier.

Le faux postier ! L'indicateur qui l'a piégée et fait arrêter ! Jiang Qing frémit. Mais Zhang Chunqiao ne semble rien remarquer. L'homme, dit-il, a été recherché. Il est parti pour Hong Kong en 1949 et l'on a perdu sa trace.

Un rire :

— A propos d'exil, tu seras heureuse d'apprendre que ton bien-aimé Tang Na, le génie des belles-lettres, a depuis longtemps quitté Hong Kong. Il est en France, à Paris, où il a ouvert un restaurant. Inaccessible donc. Dommage...

Et la traque continue. Malgré leur méfiance réciproque, les anciens conjurés de l'hôtel Jinjiang, Kang Sheng, Jiang Qing et Zhang Chunqiao, ont uni leurs efforts. Ils décident que les archives des anciennes concessions étrangères, celles des Japonais,

LE CHIEN DE MAO

celles du gouvernement collabo doivent être inventoriées, que tous les exemplaires disponibles de tous les journaux et magazines datant d'avant 1949 où il est fait mention d'éminents camarades du quartier général prolétarien – c'est ainsi qu'en code ils se nomment – doivent être retrouvés. Tout ce qui s'est écrit, imprimé sera scruté. Bientôt, sous l'égide de Kang Sheng, des dizaines d'employés du Département des enquêtes sont attelés à cette fouille titanesque. De temps à autre, des cartons sont acheminés à Pékin par avion spécial – il a fallu mettre Ye Qun et Lin Biao dans le coup. A la Terrasse des Pêcheurs, un poêle chauffé au rouge gobe les vestiges du passé de Jiang Qing. Quant aux agents, argousins et autres hommes de confiance qui pour leur malheur approchent le secret des secrets, leurs têtes rouleront.

Jiang Qing est presque tranquillisée. Et puis la psychose à nouveau l'envahit. N'existe-t-il pas des doubles des procès-verbaux ? Toutes les femmes qui étaient emprisonnées en même temps qu'elle sont-elles mortes ? Et celles qui ont été relâchées, à qui ont-elles parlé ? Détruire les papiers ne suffit pas, ne suffira jamais. Il faut tuer, tuer sans fin pour qu'il n'y ait plus un seul Chinois susceptible de dire que Jiang Qing était une donneuse et une putain. Qu'on poursuive les recherches.

Quand l'obsession des papiers diminue un peu, Jiang Qing réapparaît dans les rassemblements et les cortèges, surtout elle revient à l'opération qu'elle veut mener avec tous les raffinements possibles : parachever la lente mort de Liu Shaoqi et de Wang Guangmei. Longues concertations avec Chen Boda et Kang Sheng : on attendra que Mao l'adipeux et Lin Biao le blême soient partis reposer qui sa graisse qui sa bile dans les délices de Hangzhou et l'on attaquera.

D'abord est placardée une nouvelle vague de dazibaos reprenant les accusations contre les grands dirigeants et leurs épouses : tous des traîtres impliqués dans des complots cherchant à renverser Mao. Une seule consigne : ne pas craindre l'énormité. Cela passe. Alors les Gardes Rouges marchent sur Zhongnanhai et réclament qu'on leur livre Liu Shaoqi, Deng Xiaoping, les maréchaux He Long, Zhu De, Chen Yi et tous les artisans de la res-

LE CHIEN DE MAO

tauration contre-révolutionnaire qui menace. Chou En-lai fait fermer en hâte les cinq portes de la nouvelle Cité Interdite. Le siège de Zhongnanhai vient de commencer.

La chaleur, l'océan de bannières, de calicots, d'oriflammes et d'affiches, le bruit, l'odeur... En ce mois de juillet 1967, ils sont des milliers à camper sous les murs, des milliers qui invectivent, tempêtent et dont les cris sont repris par des centaines de haut-parleurs. Ils ont apporté des tentes, organisé des cuisines et des latrines ; n'étaient le hourvari, le fracas des slogans répétés nuit et jour on pourrait se croire dans une gigantesque kermesse. Quelque chose de festif flotte parfois dans l'air, comme un souvenir de temps différents, mais très vite l'âpre clameur reprend : que Liu Shaoqi et son épouse, ces monstres abjects, viennent se soumettre au jugement des masses.

Dans sa villa de la Terrasse des Pêcheurs, Jiang Qing goûte les rumeurs qui ruissellent jusqu'à elle. Alanguie sur sa pelouse, au milieu des fleurs, elle se donne voluptueusement aux parades de la colère populaire. De temps en temps, elle va jusqu'à l'une des portes et elle déverse des louanges sur les hordes qui cernent l'enclos sacré. A moins qu'elle n'excite plus encore leur fureur. On lui a rapporté que Chou En-lai avait tenté de parlementer avec les assiégeants, n'est-ce pas un crime affreux ? Heureusement, elle veille. Applaudissements, cris d'enthousiasme. Jiang Qing s'avance au milieu de ces Gardes qui, tous se réclamant d'un rouge différent, forment une palette d'épouvante. Qui, hormis elle et quelques grands prêtres de la mort capricieuse oserait circuler sans crainte dans cette terrible frairie ?

Aucune nouvelle de Hangzhou : Jiang Qing, toujours plus exaltée, décide de frapper. Elle réunit le Groupe de la Révolution Culturelle à la Terrasse des Pêcheurs pour parler de l'Affaire spéciale Liu Shaoqi/Wang Guangmei, elle annonce que l'enquête avance et que la culpabilité du couple présidentiel est avérée. Néanmoins quelques documents font défaut : on ne les a pas trouvés lors de la fouille du bureau de Liu, ils doivent donc être dissimulés dans le pavillon même. Ce qu'elle préconise ? Qu'on tienne un meeting de critique et de dénonciation contre Liu et sa femme et que pendant ce temps on perquisitionne leur domicile. Ainsi la revendication des Gardes Rouges sera-t-elle satisfaite et la chasse aux preuves avancera grandement.

On signe quelques papiers, les instructions partent... et l'après-midi du 18 juillet Liu Shaoqi et Wang Guangmei sont conduits à

358

LE CHIEN DE MAO

la salle du Conseil des Affaires d'Etat pour y être « luttés », selon le jargon de l'époque. Et le rituel recommence : les cris, les dénégations des victimes, les coups, la grêle de coups. Jiang Qing a donné l'ordre de laisser entrer quelques centaines de Gardes Rouges dans Zhongnanhai, les plus chanceux ont pénétré dans la salle, d'autres sont accrochés aux fenêtres et tous crient leur joie. A l'extérieur de la Cité Pourpre, les haut-parleurs retransmettent la séance, à l'immense satisfaction du public.

Cela dure trois heures, quatre heures, le temps pour les hommes du Groupe d'enquête de s'emparer de tous les documents écrits, même les cahiers des enfants, de confisquer ou de détruire les rouleaux de peinture, les livres, les étoffes, les objets précieux, les bibelots, les vêtements, les photos. Le pillage est à peine terminé lorsque les Gardes Rouges ramènent Liu et Wang et leur signifient qu'ils sont aux arrêts, Liu dans son bureau, les enfants dans la maison, Wang dans la deuxième cour. Interdiction leur est faite de communiquer.

Désormais Zhongnanhai ressemble à ces tableaux représentant l'enfer où l'on voit des démons se déchaîner sur les formes nues de condamnés réduits à l'état larvaire. Les Gardes Rouges sont partout, partout ils dressent des estrades et ils martyrisent les dirigeants. Jiang Qing regarde, encourage, se fait acclamer. Un jour, dans un subit élan d'amour maternel, elle demande à sa fille de conduire un de ces meetings de lutte. L'obtuse Li Na se débrouille très bien. Fierté de Jiang Qing... qui sollicite et obtient de Lin Biao un fauteuil de rédacteur en chef au *Quotidien de l'Armée* pour Li Na.

Des nouvelles désastreuses arrivent de toute la Chine. Dans la plupart des cités, les Gardes Rouges s'affrontent en des combats incessants. Pour s'équiper, ils ont attaqué les entrepôts de l'armée, volé tout ce qui pouvait l'être. C'est la guerre, une guerre inextricable, inexpiable, dont on devine mal les motifs et les causes. Au nom de Mao, on tue les partisans de Mao. La population se cloître pendant que les émeutiers s'entre-tuent. Il n'y a plus de vivres et parfois des incendies brûlent des quartiers entiers. Le sang, la ruine, la peur.

Dans cette hystérie, la Chine renoue avec son histoire récente.

LE CHIEN DE MAO

Elle redevient la Chine de la révolte des Taïping qui a fait cent millions de morts à l'époque de Napoléon III, la Chine des Boxers qui, au tournant du siècle, avaient attaqué les chemins de fer, les usines, les commerces et assiégé les légations étrangères. Cette fois encore, l'insurrection est devenue un formidable rut des foules saisies par la sensualité du mal. Et la pensée de Mao, qu'il avait voulu instaurer comme la règle d'or du Peuple dans la beauté de ses tumultes, n'est plus qu'un hachis de mots dont se servent des mutins de toutes sortes pour justifier leurs ambitions anarchiques.

Le pire menace à Wuhan, l'ancienne Hankeou, au carrefour de la Chine du Milieu, dans ce qui avait été l'entrepôt de l'Empire, le marché mondial du thé et de la soie et qui est devenu un énorme centre sidérurgique. Depuis des semaines, deux clans, le « Quartier général des travailleurs », qui représente les rebelles révolutionnaires, et « Le million de héros », plus conservateur, formé essentiellement d'ouvriers et de paysans et soutenu par le commandant militaire régional, le général Chen, se livrent une bataille rangée dans les rues, sur les berges et sur le superbe pont construit du temps de l'amitié sino-soviétique. On se bat, on se bat, et les gréements du pont sont empanachés de cadavres. Quelqu'un y a disposé vingt têtes de jeunes filles. La chaussée est jonchée de corps superposés... L'artillerie tonne. De part et d'autre des masses et des masses d'êtres aux prises, qui donnent l'impression de chenilles s'étripant. De chaque côté il y a aussi des chefs qui sont traités comme des dieux, des étendards étranges, biscornus, superstitieux. C'est le tourniboulis. Là où il en reste, les portraits de Mao le grandiose pilote ne sont plus que des pendeloques déchirées, abandonnées au vent, au hasard. Les émissaires du Groupe de la Révolution Culturelle, dont un ministre de haut rang, venus prêcher la trêve sont attaqués et séquestrés. Mao envoie un message, qui ne sert à rien. Finalement Chou En-lai, par on ne sait quelle manœuvre souterraine, arrive à calmer à peu près une situation qui, cependant, demeure grondante et incertaine. Les représentants de Pékin, libérés, font, comme il se doit, un triomphe à leur retour dans la capitale, le général Chen, lui, est simplement relevé de son commandement. Mao n'a, paraît-il, jamais douté de sa fidélité... et Chou En-lai a bien travaillé.

Pendant ces journées, et malgré le plaisir que lui ont donné les « séances de lutte » contre Liu Shaoqi, Jiang Qing vibre de contrariété. Elle a le visage crispé, le regard égaré de qui ne maîtrise plus

360

LE CHIEN DE MAO

rien. Pour elle, jusque-là, tout était simple : partout on pouvait distinguer des « droitiers » et des « gauchistes ». S'il fallait intervenir, on procédait à l'hécatombe des réactionnaires qui toujours subsistent, comme le lui avait enseigné Mao autrefois. Mais Mao dort, il dort toujours et sa Révolution piétine.

C'est que Jiang Qing est habitée par une passion, à la façon de certaines créatures en proie à un vice qui les mange, que ce soit l'avarice, la cupidité ou la sensualité. Mais ce sont-là des vices de vies ordinaires dont, dans sa dévotion fantastique à elle-même, elle ne pourrait se contenter. Elle, elle est au-delà, dans la hantise du pouvoir. Et elle tremble d'impatience, et elle est rongée par le doute. Au milieu de la furie des événements, son sort dépendra de quelques personnages dont elle ne cesse de peser les mérites : Mao est déjà en recul ; Chou En-lai restera l'adversaire abhorré ; somme toute, Kang Sheng ne compte pas, Zhang Chunqiao non plus, pour l'instant. Reste Lin Biao, qui partout proclame la grandeur de Mao, une grandeur métaphysique, une grandeur destinée à éclairer l'univers, une grandeur immortelle. Que veut-il, Lin Biao, à tartiner cette pommade d'insanités ? Qu'est-ce qui hante son cerveau ? Mao juge sulfureuses ces louanges hyperboliques : Lin Biao, dit-il, veut le noyer dans son Immensité, l'expédier dans les nuages où il serait un dieu, occupé à contempler son nombril, ne vivant que pour humer l'encens et les prières, tandis que reviendrait au maréchal la réalité de ce monde. Sous la voûte céleste formée par Mao, ses essences et ses âmes, c'est lui, Lin Biao, qui aurait le terre à terre du pouvoir. Le scénario est plausible, Jiang Qing ne l'ignore pas. Et donc la question revient, lancinante : jusqu'où doit-elle s'engager avec Lin Biao ?

Pourtant, comme à l'accoutumée, Jiang Qing ne s'interroge pas longtemps. L'action immédiate la sollicite, la Révolution l'appelle, sa folie redouble. Que tout l'Orient soit rouge ! Elle bénit de sa présence une manifestation monstre sur la place Tiananmen au cours de laquelle un million de Gardes Rouges et de soldats défilent devant Lin Biao. Ensuite, avec Kang Sheng, elle convoque le binoclard qui a mené l'attaque contre Wang Guangmei à l'université Qinhua et elle lui annonce que le Grand Timonier souhaite voir chassés de l'armée les renégats qui s'y nichent encore. A lui de propager cette directive sacrée au sein de ses troupes et que, l'ayant entendue, celles-ci surveillent les casernes, qu'elles critiquent les officiers qui ont pris la voie capitaliste, qu'à la

LE CHIEN DE MAO

moindre menace elles s'emparent des dépôts d'armes : la sécurité du pays est à ce prix.

Donner de tels conseils, c'est lâcher tous les démons de l'enfer sur la Chine. Jiang Qing le comprend-elle ? Le soir même, dînant avec son amie Ye Qun à la Terrasse des Pêcheurs, elle se vante de son exploit qui, naturellement, ravit l'épouse de Lin Biao : en appelant à l'épuration de l'armée, Jiang Qing ouvre, croit-elle, la route au maréchal blême. Ce repas... ces deux femelles déguisées en troufions, deux vieilles gamines surexcitées, sorcières euphoriques qui jonglent avec des crânes. L'alcool de riz, l'ivresse, les rires gras. Dans ces délices, Jiang Qing promet à Ye Qun deux têtes qu'elle exècre par-dessus tout, celles du maréchal He Long et de sa femme Xue Ming.

L'histoire commence à Nankin, la capitale de Tchang Kaïchek, au milieu des années trente. Ye Qun est alors une des jeunes vedettes de la radio du Kuomintang. Elle est lancée, courtisée, jolie fille au demeurant et qui comprend très vite la faiblesse des hommes de pouvoir, leur niaise volonté de conquérir jusque dans les alcôves. Ah, leur suffisance, leur arrogance bovine quand ils se déshabillent, persuadés que leur grade, leur titre de président, de ministre ou de sous-ministre leur confère un charme particulier, ou pis, des droits. Des bêtes, de grosses bêtes idiotes, tellement avides de flatteries, tellement fragiles... Ye Qun ne se lasse pas de tant de sottise. Elle s'en moque même éperdument avec son amie de l'époque, Xue Ming. Confidences, complicité, fous rires.

Vient la guerre, la débandade du régime nationaliste : les deux jeunes femmes partent pour Yanan, bien décidées à décrocher un dirigeant rouge, quitte à le faire divorcer. On les loge dans la même grotte, elles sont inséparables, la chasse est ouverte... Lors d'une fête, elles remarquent le seul homme vraiment splendide du sanctuaire communiste, un bandit, un aventurier au parcours merveilleusement romanesque, le général He Long. Evidemment, il est marié et, comble d'infortune, à l'unique amazone qui soit belle. Mais d'intrigues en stratagèmes, He Long finit par repérer les deux jeunes filles qui le convoitent. Laquelle choisira-t-il ? Le fringant général préfère Xue Ming. L'épouse est congédiée, les noces célébrées, Ye Qun entre dans la rancœur.

Elle a, dès cette époque, rencontré Jiang Qing. Elles se sont découvert de multiples points communs et, dès qu'elles le peuvent, elles se retrouvent pour cancaner. Tout Yanan y passe, les hommes sont évalués, soupesés, décortiqués, les femmes lacérées.

LE CHIEN DE MAO

Par Ye Qun, Jiang Qing apprend qu'entre elles les amazones n'ont pas assez de mots pour la salir et que He Long – cela Ye Qun le tient de Xue Ming – ne l'appelle que la starlette ou la théâtreuse. Jiang Qing n'oubliera jamais.

Ye Qun, elle, ressassera éternellement les circonstances de son mariage. Un jour de 1942 était apparu à Yanan, venant d'URSS, un officier chétif, à l'air souffreteux, un certain Lin Biao, un grand soldat disait-on, mais bizarre, atrabilaire, caractériel. Etait-il poussé par He Long et Xue Ming? Peu de temps après son arrivée, il se déclarait fou de Ye Qun, prêt à l'épouser. Stupéfaction de l'élue, ricanements : Ye Qun montre partout les lettres de ce cloporte, elle les lit à Jiang Qing, bientôt tout Yanan rit des prétentions de Lin Biao. Au point que He Long et Xue Ming s'en mêlent. Lui ordonne à Ye Qun de cesser de ridiculiser Lin Biao, elle, elle fait l'article : Lin Biao est sincère, promis à une grande carrière et déjà divorcé. Ye Qun répond qu'il est répugnant et que, de toute façon, le mariage ne l'intéresse pas. Que Xue Ming cesse de vouloir lui imposer sa conception de l'existence, qu'elle crève, elle et son général de mari.

Que se passe-t-il alors dans la tête de Ye Qun? A-t-elle peur de vieillir seule? A-t-elle vécu, comme on le murmure dans Yanan, des amours dangereuses avec Wang Shiwei, le contre-révolutionnaire qui a osé critiquer la campagne de rectification en cours et qu'on vient d'incarcérer, et veut-elle se dédouaner? Soudainement, elle fait savoir à Lin Biao qu'elle accepte sa proposition. A deux conditions : que le mariage soit immédiat et qu'on n'y invite ni He Long, ni Xue Ming.

Les choses auraient peut-être pu s'arranger entre les deux ex-amies, si Xue Ming n'avait été saisie d'un furieux accès de foi communiste. Dans on ne sait quelle frénésie d'aveu, elle avait raconté à He Long ses aventures dans les cercles du Kuomintang. Par sottise plutôt que par malveillance, elle avait parlé de Ye Qun. Au moment où Kang Sheng pourchassait tant d'espions vrais ou supposés, c'était grave, très grave. He Long était donc allé prévenir Lin Biao. Si leurs toutes fraîches épouses avaient naguère, avec l'inconscience des adolescentes, croisé quelques individus douteux, elles étaient selon lui obligées de se dénoncer mutuellement et de se soumettre au jugement du Parti. L'affaire s'était terminée sans trop de dégâts pour Xue Ming et Ye Qun : une petite rééducation à base de cours et d'exercices pour devenir de bonnes communistes. Mais, à la première occasion, on ressortirait le dossier de Ye

Qun et Lin Biao aurait toujours à la défendre. Ainsi, lorsque des années plus tard, au reçu d'une série de lettres anonymes, on évoquera de nouveau la possible liaison de Ye Qun avec Wang Shiwei, Lin Biao devra-t-il certifier par écrit que son épouse était vierge le jour de leurs noces. Ces difficultés avaient cimenté le couple, mais il n'était guère disposé à pardonner.

Donc, pour complaire à Ye Qun et à Lin Biao, Jiang Qing va leur offrir le maréchal et sa femme.

— Chou En-lai, dit-elle à son amie, les protège. Mais il croit que je l'ignore. Il les a d'abord recueillis chez lui, puis, lorsque le siège de Zhongnanhai a commencé, il les a évacués vers une résidence des Collines Parfumées. Bien joué. A cela près que mes Gardes Rouges ont aujourd'hui pris le contrôle de ce secteur. Sauf à déclencher une vraie bataille aux portes de Pékin, Chou En-lai ne peut plus rien pour He Long et Xue Ming. En ce moment même, ils doivent être arrêtés.

Effectivement. Dans la soirée, des Gardes Rouges ont fait irruption dans la maison et ils ont emmené He Long et Xue Ming dans une des demeures mystérieuses où Kang Sheng perpètre ses meurtres. Là, le traitement habituel, les injures, les coups. Le lendemain matin, à la demande de Jiang Qing, Kang Sheng est passé voir les prisonniers. Il a été formel, hormis un diabète bien contrôlé, le maréchal He Long est d'une santé, d'une force telle que rien n'en viendra à bout. C'est alors que les dieux du mal lui ont inspiré une idée : appliquer à He Long la méthode dite de la thérapeutique contraire. En clair, on lui supprimerait l'insuline et on lui ferait régulièrement des injections de glucose, on lui servirait des aliments sucrés, et bien sûr, l'eau serait rationnée. Que ces traîtres se débrouillent avec l'eau de pluie. S'il pleuvait, qu'on leur interdise de sortir.

Jiang Qing se démène toujours plus. Début août, elle programme une superbe « séance de lutte » devant le pavillon de la Bonne Fortune. Une séance pour la postérité puisque des caméras tournent qui vont tout enregistrer : les banderoles et les lampions, les centaines de visages comme autant de masques de la mort, la foule fascinée qui ne braille même plus de slogans, et, sur l'estrade, le vieux Liu Shaoqi, qu'on lance en l'air et qu'on laisse retomber dix fois, cent fois, Wang Guangmei contrainte de rester penchée en avant et qu'on bat si ses genoux fléchissent. Méticuleuse, raffinée, Jiang Qing a de nouveau exigé que les enfants

LE CHIEN DE MAO

assistent à la dégradation de leurs parents, et ils sont là, sur scène, figés d'horreur. Derrière chacun d'entre eux, un soldat de l'unité 8341. Soudain un cri atroce déchire l'air : c'est Xiaoxiao, la petite fille, qui hurle son chagrin et sa peur. Un instant de stupéfaction. Et puis la masse explose de colère, elle exige que le châtiment soit plus dur, qu'on frappe plus fort, plus longtemps ces contre-révolutionnaires de Liu et de Wang. Les Gardes Rouges obéissent : pendant deux heures, ils cognent. Ensuite ils obligent leurs victimes à se prosterner devant des affiches à la gloire de la Grande Révolution Culturelle Prolétarienne. Qu'à trois reprises ils s'agenouillent, que trois fois leur front heurte le sol et que le bruit soit entendu de tous.

Ils sont échevelés, couverts de sang et de crachats, ils titubent, ils boitent, ils se traînent et pourtant Liu et Wang trouvent l'énergie de s'étreindre une dernière fois. C'est elle qui bondit, elle qui saisit les mains de son mari et qui les serre à en mourir. Lui murmure que « la Vérité ne peut pas être étouffée par les forces des ténèbres ». Et ils se tiennent là, accrochés l'un à l'autre, indissociables. Jusqu'à ce qu'ils tombent assommés sous une nouvelle avalanche de coups. Jiang Qing se jure qu'ils ne se reverront plus : dorénavant ils seront critiqués séparément. Quant à Wang, un peu de rééducation par le travail lui fera du bien : elle est condamnée à porter toute la journée d'énormes pierres d'un bout à l'autre de la cour où elle est confinée.

Jiang Qing s'ébat dans ces tumultes. Pourtant manque à son butin un homme qu'elle voudrait à tout prix anéantir, celui qui jadis l'a condamnée à la vie futile et sans politique : Chou En-lai, ce Chou En-lai demeuré Premier ministre et qui chaque jour multiplie les interventions pour modérer la révolution. Jiang Qing ne le supporte plus, elle déteste son air poli et déférent quand il suggère à Mao de limiter les saccages, de renoncer à certaines exterminations. Livide de fureur contenue, un soir de printemps, elle a demandé à Mao la tête de Chou En-lai et ce mollusque la lui a refusée :

— J'ai pris l'habitude, a-t-il dit, de tout t'accorder. Mais cette fois c'est impossible. Chou est un sage, et j'aurai besoin de lui pour

LE CHIEN DE MAO

terminer ce chaos que j'ai voulu. De plus c'est un fidèle, le seul être au monde en qui j'ai confiance, qui, pour moi, verserait son sang, se ferait casser les dents et les os, se prostituerait, mangerait sa merde.

Jiang Qing n'avait pas insisté. Mais, en cet été, avec Mao toujours au loin, elle ne résiste pas à la tentation. Soudain apparaît près de Zhongnanhai une longue banderole portant une inscription péremptoire : « Cuisinez Chou En-lai, brûlez-le ! » Jiang Qing danse de joie mais Kang Sheng interrompt immédiatement sa sarabande. Liquider Chou En-lai, prétend-il, serait une faute que Mao ne pardonnerait pas. Car si le Grand Timonier est prêt à toutes les vengeances, il n'est pas décidé à renverser totalement l'appareil d'Etat et Chou En-lai est un verrou qu'il ne veut pas voir sauter. On s'en débarrassera plus tard, quand les circonstances seront favorables.

En attendant, Kang Sheng entreprend de le sauver. Il provoque une réunion sur la place Tiananmen et d'une plate-forme, il affronte la masse houleuse, qui agite des pancartes représentant Chou En-lai pendu, verdâtre, tirant misérablement la langue :

— Exécuter Chou En-lai, crie-t-il, serait aller contre la pensée de Mao, ce serait attaquer Mao lui-même, qui aime et protège Chou En-lai.

Mais dans la foule l'effervescence monte : il paraît que des Gardes Rouges, vers la porte Nord de Zhongnanhai, ont mis la main sur Chou En-lai, qu'ils l'ont traîné jusqu'à sa résidence, le pavillon de la Fleur de l'Ouest, où ils le gardent en otage. La vague humaine est soulevée en flots d'émotions et de passions contraires, incontrôlable. Kang Sheng est furieux : il se sent débordé, dépassé. Sans doute, quelques membres du Groupe de la Révolution Culturelle mènent-ils, avec en sous-main l'aide de Jiang Qing, des actions ultra-radicales. Une folie absolue. Alors Kang Sheng jette dans la mêlée ses propres Gardes Rouges, ceux sur lesquels il exerce un pouvoir total, qui vont dans le fort de l'émeute en criant que s'en prendre à Chou En-lai, c'est s'en prendre à Mao. Que c'est un crime contre-révolutionnaire.

Des heures et des heures lui et ses hommes vitupèrent au milieu de la foule, qui pour une fois, pour la dernière fois sans doute, se laisse enfin convertir à la clémence, même si quelques enragés s'y opposent et provoquent des échauffourées jusque tard dans la nuit. Tout de même, on a fait prévenir Mao qui, à Shanghaï, soigne l'une de ses éternelles maladies vénériennes. Mécontent, il a grom-

LE CHIEN DE MAO

melé que sa femme ne respectait jamais ses ordres, il a daigné téléphoner pour qu'on libère Chou En-lai et puis il est retourné à son indifférence, à ses pucelles et à Zhang Yufeng, sa concubine. Que son épouse continue de s'agiter, il sera toujours temps d'intervenir.

Mais rien n'arrête plus Jiang Qing. Chaque soir à la Terrasse des Pêcheurs, elle réunit le Groupe et l'on détermine les nouveaux objectifs de la Révolution Culturelle, entendez que l'on désigne des proies. Soirées excellentes, bouillonnement d'idées, de suggestions. Parfois on invite quelques chefs Gardes Rouges, désormais de vrais chefs de guerre, qui rivalisent de zèle, d'audace, d'invention. Demain, ils raconteront à leurs hommes ce qu'ils ont vu et entendu, comment étaient Jiang Qing, et Kang Sheng, et Chen Boda ; bien sûr, ils enjoliveront et la violence montera encore d'un cran.

La férocité... De tous les compagnons de Mao, de tous les hommes qui ont été presque ses pairs et qui ont avec lui assuré le triomphe du communisme, très peu subsistent. Et leurs familles, leurs tribus, leurs cohortes sont décimées. Dans l'enceinte de Zhongnanhai, les meetings continuent. Contre Liu Shaoqi, contre Deng Xiaoping. Le maréchal Chen Yi, lui, est séquestré dans son ministère des Affaires étrangères, sa femme contrainte de le dénoncer, de même l'épouse du maréchal Zhu De : les deux hommes ont, paraît-il, créé un parti marxiste-léniniste d'opposition. Sur instruction de Kang Sheng, une bande de Gardes Rouges extrait de sa cellule Peng Dehuai, le vaincu de la conférence de Lushan, le temps de le battre à lui briser le dos. Des milliers d'enragés parcourent la ville en appelant au massacre des rats antimaoïstes et molestent les quelques étrangers qui osent sortir. Un jour, ô souvenir des Boxers, ils mettent le feu à la résidence du chargé d'affaires britannique.

Dans cette terreur qui bouillonne, Kang Sheng fournit à Jiang Qing quantité de fantômes de son passé pour les retrouvailles du châtiment. Condamnée la vieille Qin, coupable d'avoir fait le ménage chez Jiang Qing au début des années trente ; condamnée la camarade Fu, coupable d'avoir lambiné quand il s'agissait d'introduire Jiang Qing à Yanan. Condamnée Fan Jin, la journaliste coupable d'avoir épousé Yu Qiweï, l'ancien mari de Jiang Qing, et de s'être fait aimer de lui. Et toujours condamnée Ding Ling, la rivale d'autrefois, internée dans le Nord lointain, dorénavant soumise chaque semaine à des « séances de lutte ». Elle avait dans son exil trouvé le moyen d'écrire un roman ? On détruit son manuscrit. Et puisqu'elle paraît heureuse dans son dortoir, on l'enferme dans une étable. A l'isolement. Que la nuit se referme sur celle qui, voici trente ans, avait su plaire à Mao.

Ce mois d'août devient le mois de la mort. Il y a tant de cadavres dans Pékin que toute la cité est empuantie, mais ni Kang Sheng ni Jiang Qing ne désarment. Jiang Qing a toujours plus de revanches à prendre, Kang Sheng plus d'influence à exercer. S'il a épargné Chou En-lai, c'est par haute politique. Sinon il évince tous ceux qui pourraient être des obstacles ou des rivaux. Où qu'il passe, au fur et à mesure que s'accroît son pouvoir aux Liaisons internationales, à la Sécurité publique, au Département d'Organisation, ce bureau monstrueux chargé de surveiller tous les membres du Parti jusqu'au plus humble, cette pieuvre qui a des tentacules dans la Chine entière et qu'il dirigeait déjà voici quarante ans à Shanghaï, partout, s'enfle la litanie sanglante : l'humiliation, le harcèlement, la persécution, la prison, la torture, le suicide, les camps.

Non sans mal, il a même repris en main l'Ecole du Parti, le bastion depuis lequel il diffuse sa théorie de la Révolution Culturelle, un fatras d'où émerge la beauté de la violence, voulue par le plus grand penseur de tous les temps, Mao soi-même. Pourquoi l'Ecole ? Parce qu'il collectionne les étiquettes de conseiller, de philosophe, d'intellectuel qui sont autant de masques prestigieux pour dissimuler son vrai rôle dans les désordres en cours. Comme naguère le vice-président, il a donc fait chasser et remplacer par des hommes à lui le directeur et les cadres supérieurs de l'établissement. Les moyens ? Toujours les mêmes : accusations de révisionnisme, d'adhésion au « communisme de goulasch » des Russes, de crimes divers. Ensuite les étudiants entrent dans la danse, coups et crachats, l'ordinaire de la Révolution Culturelle.

Or il arriva que les élèves se rangèrent en deux factions rivales, le Bataillon rouge et la Brigade du drapeau rouge. Le Bataillon rouge s'aperçut que Kang Sheng lui-même n'était qu'un « vieux », un de ces vétérans dont il fallait purger le Parti. Apparut une série d'affiches sur lesquelles la foule put lire : « Kang Sheng est un grand ambitieux, un grand conspirateur, un gros boucher. Un cadre cruel aux mains dégoulinant de sang. A la lumière du jour, c'est un homme ; la nuit, c'est un démon... Ce n'est pas un ministre capable de gouverner le monde, c'est un traître issu du chaos. » Vint le temps des défis : Kang Sheng fut sommé de se soumettre à la critique.

LE CHIEN DE MAO

Etre éclaboussé, menacé par la Révolution Culturelle, cela ne se pardonne pas : dévorant sa rage, Kang Sheng s'élève contre le « vent noir » et entreprend d'anéantir le Bataillon rouge. Cette fois, pas de persuasion, mais le recours à la force. Chen Boda, c'est-à-dire Mao, se prononce pour lui, on recrute pour aider la Brigade à broyer le Bataillon. Chasse à l'homme sur le campus. Quatre cents étudiants sont capturés, obligés de se confesser, quelquefois battus à mort. Ils complotaient, dira Kang Sheng, avec un réseau d'enfants de cadres de haut rang opposés à la Révolution Culturelle. Explication classique qui absout tout. Quand même, Kang Sheng fait placarder partout dans Pékin que le critiquer est une félonie.

Tout peut advenir dans cette Révolution Culturelle, même que Jiang Qing se retrouve face à des dazibaos la représentant en virago grimaçante avec une bouche aux grandes dents et une langue de vipère. Et cette caricature, loin de susciter l'indignation, réjouit les foules. Des rires. Des sarcasmes : « D'une certaine façon, c'est bien, ce qui lui arrive. Puisque cette catin dit et ressasse que la Révolution Culturelle doit tout purifier, il est normal qu'elle n'échappe pas à la purge. »

Comment ? Elle qui ne connaît plus que l'adulation, elle que seul Mao ose encore tancer, on la précipite dans la boue du ridicule ? De surprise, Jiang Qing manque de s'évanouir sur l'épaule de Kang Sheng qui l'accompagne, puis elle se reprend et, avec le tranchant qui la caractérise, elle exige que soient retrouvés les auteurs de ce sacrilège :

— Kang Sheng, nous avons été beaucoup trop bons. La preuve est faite qu'il reste encore des millions de droitiers, de réactionnaires, de contre-révolutionnaires. Ils se déguisent, ils tâchent de nous apitoyer pour ensuite mieux nous sauter à la gorge. La pitié est un crime.

Le soir au téléphone, quand elle déverse sa fureur sur Mao et crie à la nécessité d'intensifier encore la Révolution Culturelle et d'armer la gauche, celui-ci se moque d'elle :

— Tes succès t'ont grisée et donné trop de zèle. Fais attention ! La Révolution Culturelle est un tigre. Ne tente pas de le chevaucher ! Et si tu t'y es essayée, sache que le plus compliqué est de démonter.

Mao, Mao. Trente ans de jongleries avec lui et toujours les mêmes incertitudes. Jiang Qing et lui forment un de ces vieux

LE CHIEN DE MAO

couples où chaque conjoint est indispensable à l'autre sous l'effet de l'habitude, le lien le plus solide du monde. Ils sont devenus très forts pour se flairer, se deviner, se compléter parfois. Mais maintenant, il manque d'allant, il ne répond plus guère, comme si elle et tous ses desseins ne l'intéressaient plus.

Jiang Qing retombe dans les pensées qui la rongent. Qui a brassé le fond de l'océan pour faire lever la vague qui l'emporterait ? Elle serait étonnée que Mao soit tombé dans le caprice d'un assassinat conjugal, il est trop âgé pour y prendre plaisir, à moins qu'il ne l'estime dangereuse. L'est-elle ? Pas encore. Mais si Mao n'est pas l'instigateur, qui alors ? Est-ce Chou En-lai, son ennemi avéré, quoiqu'il ne cesse de la complimenter, de l'approuver, de lui rendre grâce ? Mais il est trop fragile pour essayer de la perdre dans une embûche terrifiante. Son unique souci doit être de se maintenir en vie, tout modeste, à l'ombre de Mao. Il faut pourtant que l'attaque soit partie de haut, de très haut. De la troupe des amants ? Inconcevable. Kang Sheng, le mentor, le grand commis des massacres, n'a d'autre désir que de profiter de la Révolution Culturelle. Avec son million de cadavres offert à la cause, il est au sommet du pouvoir, et, en poussant Jiang Qing, il attend plus encore. De même Zhang Chunqiao, le maître de Shanghaï. Autrement pernicieux est Lin Biao, le petit bonhomme qui a perpétuellement des vapeurs et traîne des cohortes de médecins derrière lui, un vrai serpent-minute celui-là ! Toussant mais toujours bienportant, avec sa mine triste, sa bile aigre et son armée démocratisée, Lin Biao pourrait, dès maintenant, supplanter Mao. Cet être sans bagout ni prestance est capable d'imaginer les plus affreux desseins et, pire, de les accomplir. Mais il n'a aucune raison de faire tuer Jiang Qing. Ou pas tout de suite : la partie, la nouvelle, partie, est à peine commencée.

Ainsi Jiang Qing tourne et retourne dans sa tête tous les cas possibles. Elle ferme les yeux et elle voit les visages de ses amants, de ses intimes, de ses courtisans. Enfin elle trouve une solution commode : elle se persuade que les libelles ont été concoctés par Chou En-lai, l'ignoble Chou En-lai, avec son côté affable et affairé, ses façons cauteleuses, qui circonvient Mao en lui serinant les dangers de la Révolution Culturelle. Jiang Qing sait bien que ce n'est pas lui qui, saisi par l'outrecuidance, a suscité ces affiches, mais de toute sa violence elle le juge coupable, elle le tient pour coupable ; sans cela, elle aurait peur.

LE CHIEN DE MAO

Et brusquement le Grand Timonier réapparaît à Pékin. C'est le Mao des grands jours, des décisions rapides, le Mao qui tonne, choisit, statue, gouverne. A peine arrivé, il appelle Jiang Qing qui accourt, échevelée, à travers les parcs et les avenues. Sans même voir que son mari n'est plus la loque effondrée des temps récents, elle se lance en imprécations contre Chou En-lai le traître, le tiède parmi les tièdes qui ose freiner la Révolution, et de la manière la plus fourbe qui soit, en l'attaquant, elle. Spectacle obscène. Les mots paraissent couler d'elle, déborder comme une bave, s'organiser en phrases sans qu'elle les contrôle et pourtant ils l'entêtent, l'enivrent. Jusqu'à ce que Mao l'interrompe :

— Tais-toi. Je ne supporte plus ta bêtise satisfaite, ta méchanceté et ton ignorance. Si la Chine n'a pas croulé sous tes coups et ceux de tes amis, c'est grâce à Chou En-lai.

— Mais il a fait apposer des affiches où l'on me dénonce ignominieusement.

— Tais-toi, te dis-je. Ce n'est pas lui. Tu es si peu au fait des choses que tu n'as pas observé ton entourage. Tu t'es étourdie de tes petites soirées à la Terrasse des Pêcheurs sans écouter ce qui s'y disait, tu as abrité et encouragé des extrémistes qui se jouent de toi et sont, d'ores et déjà, tes plus féroces ennemis. Tu préconises l'emploi des armes, tu attaques l'armée, tu protestes, tu débagoules, tu radotes, tu réclames comme une folle incapable d'imaginer qu'à exiger qu'on aille toujours plus loin, elle appelle la foudre sur sa tête. A cause de toi et de tes sbires, la Révolution Culturelle a dégénéré en une immense anarchie, elle est devenue une lèpre suppurante sur le corps de la Chine, une putréfaction qu'il va falloir détruire par le fer et par le feu.

Jiang Qing est abasourdie :

— Mais la Révolution est destinée à lutter contre les raisonnables et les mous.

— Certes. Mais la situation a changé. Tu parles de Révolution, je parle de pouvoir. Essaie de comprendre que nous sommes liés dans cette affaire, que t'attaquer c'est m'attaquer, que si je n'interviens pas, le pouvoir m'échappera. Puisque tu convoites tellement mon héritage, apprends à ne pas le dilapider avant de l'avoir touché. Rentre dans le rang, n'oublie plus jamais que tu

LE CHIEN DE MAO

n'es rien, que tu n'as rien sinon ton mariage. Et n'oublie pas non plus que tes paroles et tes actions m'engagent. Demain je ferai jeter en prison les plus marqués de tes complices, ceux qui t'ont entraînée dans l'erreur.

Visage crispé de Jiang Qing.

— Pas Zhang Chunqiao, j'espère.

— Et quand bien même cela serait. Faut-il que tu vieillisses pour hésiter à sacrifier un amant! Mais rassure-toi, je respecte ce qu'il te reste de nuits. Les autres, le ministre stupide qui est allé se faire piéger à Wuhan, les journalistes et les politicards qui ont comploté contre Chou En-lai et Chen Yi, toute cette clique gauchiste sera éliminée.

— Mais ce sont nos amis, les plus chauds partisans de la Révolution Culturelle.

— Ils ont formé un clan séditieux que tu protèges, à moins que tu n'aies dans ta sottise contribué à le créer. Ces criminels se sont même donné un nom, Le Corps du 16 mai, ne fais pas celle qui l'ignore. Mais c'est fini. Tu vas les désavouer. Dans quelques jours, tu prononceras un discours pour condamner l'opposition aux militaires, tu dénonceras le recours à la violence et tu apporteras ton soutien aux comités révolutionnaires.

— Je ne pourrai pas.

— Que si, tu pourras! Chou En-lai est en train de préparer ton allocution, Kang Sheng te fera répéter, il a l'habitude.

— Parce qu'il est dans le coup, lui aussi?

— Il n'y a pas de coup, comme tu dis. Le vieux Kang est simplement plus réaliste que toi. Ou meilleur politique, si tu préfères.

— Et que devient l'affaire spéciale Liu Shaoqi/Wang Guangmei dans ce grand reniement?

— Premièrement, tu te dispenses de persifler. Deuxièmement, l'enquête sur Liu continue et le critiquer est toujours un devoir sacré, troisièmement, je t'ai donné Wang Guangmei, je te la laisse. Maintenant, tu peux disposer. Tu n'es pas obligée de me remercier, mais souviens-toi quand même que je te sauve.

Longues heures de veille. Dans son salon, Jiang Qing fume cigarette sur cigarette en écoutant les conseils de modération prodigués par Kang Sheng. C'est l'éternelle antienne : pour triompher, il faut d'abord être capable de subir, de reculer, d'user des mille arguties et des dix mille tromperies, d'attendre.

372

LE CHIEN DE MAO

Hurlement de Jiang Qing :

— Mais moi, j'attends depuis trop longtemps, j'attends depuis toujours.

— Justement. Le pouvoir est une longue patience et il reviendra à qui le désire le plus férocement et le plus subtilement. Tout le monde attend. Lin Biao attend. Zhang Chunqiao attend. Wang Dongxing attend. Moi aussi, j'attends, mais avec toi, alors profites-en. Tu n'as pas encore l'envergure nécessaire pour renverser Mao, donc tu dois jouer sa carte. Sans lésiner. Dis-toi qu'en l'occurrence lui aussi a besoin de toi, sinon il ne t'aurait rien demandé. Ne perds pas cela de vue et mettons-nous à ce discours.

Peu à peu, Jiang Qing se laisse convaincre. Un scénario prend forme. Elle apparaîtra devant une délégation de province mais, au lieu de se laisser aller à son habituelle hystérie, elle bavardera, elle sera la bonne tante Jiang Qing qui donne de bons avis, qui répugne à la violence folle et désire protéger les Gardes Rouges contre leurs propres excès, une dirigeante qui, comme Mao, tremble à l'idée de voir son pays éclaté en huit cents Etats princiers et qui en appelle à l'armée pour rétablir l'ordre. Ces propos, Chou En-lai les citera dans toutes ses interventions, la presse les rapportera en couvrant Jiang Qing de louanges, et la farce sera faite.

Au jour dit, Jiang Qing se montre remarquable actrice dans le rôle de la femme débonnaire, vaguement intimidée, venue là par hasard, parce que Kang Sheng l'a entraînée. Elle n'a rien préparé, assure-t-elle, elle va donc confier le fruit de ses réflexions sur la Révolution Culturelle en improvisant. Qu'on le lui pardonne. Chemin faisant, et sans remords apparent, elle sacrifie ses amis de l'ultra-gauche. Le message semble passer. Comme promis, Chou En-lai le diffuse dans la Chine entière.

Celui-là, Jiang Qing le hait chaque jour davantage, même s'il continue à lui témoigner respect et dévouement. Comme elle se méfie de ce mandarin trop sagace pour qui les Gardes Rouges ne sont plus que des anarchistes petits-bourgeois ! Comme elle déteste son fin sourire patient lorsqu'il lui explique que les paysans doivent s'occuper des moissons, les Gardes Rouges quitter les usines ou pis, que les cadres sont estimables. Lui ne cherche pas à supplanter Mao, et Mao en détresse a plus que jamais besoin de lui qui, à sa manière douce, rejette Jiang Qing dans les ténèbres.

Accablement. Ces palinodies, ces jeux mortels laissent Jiang Qing épuisée, les nerfs à vif, douloureuse. Seul Kang Sheng

LE CHIEN DE MAO

l'apaise qui, un beau soir de septembre, lui annonce que l'enquête sur Wang Guangmei est terminée. Parce qu'il en a ainsi décidé. Magnifique cadeau. Les deux anciens amants convoquent à la Terrasse des Pêcheurs le secrétaire du Groupe spécial, un certain Xiao : qu'il rédige un rapport, de toute urgence. Le lendemain, cet empoté revient avec un acte faiblard, dans lequel Wang est simplement accusée d'être sur le fond une espionne à la solde des Américains. Une bricole quand il faudrait un décret du Ciel. Et que signifie ce « sur le fond » ? Rien. C'est une ruse, une échappatoire, une trahison. Le visage de Jiang Qing s'est aminci, les os saillent comme des lames, les lèvres sont étirées, elle n'est plus que fureur livide, feu et poison lorsqu'elle griffe le papier d'un « mal conçu » qui tue.

Alors Kang Sheng prend la suite et, sans barguigner, il rédige un mandat d'arrêt : Wang, écrit-il, a espionné pour les nationalistes, pour les Japonais, pour les Américains. C'est la plus grande des criminelles et elle doit être immédiatement incarcérée, la sécurité de l'Etat en dépend. Dans la foulée, il ordonne que le misérable Xiao soit lui aussi emprisonné.

Encore une nuit et à l'aube, les enfants de Wang Guangmei et de Liu Shaoqi sont expulsés du pavillon de la Bonne Fortune : les rues de Pékin seront bien assez bonnes pour eux. Qu'ils y rôdent avec l'engeance pourrie des fils de contre-révolutionnaires. Le moment venu, on les arrêtera et on les déportera dans quelque Mongolie.

Enfin arrive le meilleur pour Jiang Qing : Wang Guangmei est jetée en prison. Puisque sa rivale a tant aimé la lumière, elle demande qu'on ne l'en prive pas. Qu'il y ait des projecteurs dirigés sur elle. En permanence.

Les semaines passent. Les dirigeants de la Révolution Culturelle semblent unis dans le respect de la nouvelle orientation. Rien ne se lit sur les visages, même Jiang Qing réussit à rester impassible en écoutant prôner ce qu'hier elle abhorrait. Leurs airs de chefs, leur dignité. Derrière, le nid de cobras. Et la sempiternelle énigme Lin Biao.

Pas de jour où Jiang Qing ne se demande où veut en venir le

LE CHIEN DE MAO

petit homme pâle au sourire lointain, cette écharde d'homme. Souvent elle essaie de le sonder, mais il ne lui tient qu'un bavardage de perroquet, il ne parle que de sa dévotion envers Mao! Dépitée, Jiang Qing s'attaque à son épouse, Ye Qun, la grande bavarde qui souvent en dit trop. Mais celle-ci se borne à assurer que Lin Biao n'est que dévouement et sacrifice. Quand elle ne sanglote pas que son mari est malade, qu'il n'a pas pu contribuer à la Révolution autant qu'il l'aurait voulu, mais qu'avec son reste de forces, il fera tout ce que le Président lui demandera. Une fois, en gage d'amitié, elle offre à Jiang Qing des melons d'eau pour Mao.

Tout en dégustant les fruits, le Grand Dirigeant ne manque pas d'observer que de la part de Lin Biao ou de Ye Qun, une offrande comme celle-là, qui se veut gentillesse, élan du cœur, ne peut recouvrir qu'une perfidie:

— Le vrai Lin Biao, dit-il, n'est jamais gentil, et lorsqu'il dit que sa faible santé ne l'empêchera pas de me servir, c'est signe qu'il se prépare à l'action. As-tu remarqué que l'armée, malgré ses déchirures, reste la seule institution disciplinée? Lin Biao sait bien qu'un jour je lui demanderai de faire tirer ses hommes, et qu'ils tireront.

Jiang Qing sursaute:

— Tu vas faire tirer sur ta Révolution Culturelle? Sur ta plus grande œuvre?

— Certainement. La Révolution Culturelle a avalé nos ennemis, mais elle est devenue si aberrante qu'elle risque maintenant de nous avaler, nous aussi. Malgré toutes les mesures que j'ai prises il reste des extrémistes; c'est eux que je ferai abattre par Lin Biao.

— Lin Biao est gauchiste, il ne fera jamais tirer sur les gauchistes.

Mao éclate de rire:

— Il fera tirer, et, juché sur des monceaux de cadavres, il deviendra l'homme fort de la Chine. Ensuite, fatalement, il voudra se débarrasser de moi. Au début de la Révolution Culturelle, il déclarait que le pouvoir est au bout du fusil, il parlait pour lui... Maintenant, dans l'incohérence de tout, il n'y a pas d'autres solutions que la répression par l'armée.

— Tu devrais apparaître davantage.

— Ma pensée est impuissante devant pareille putréfaction. Je n'ai d'autre ressource qu'un Lin Biao, même s'il est mon pire ennemi.

Tergiversations. Mao est de plus en plus courroucé et Jiang Qing ne se résout toujours pas à croire que Lin Biao est un adversaire. Elle continue à fréquenter Ye Qun qui s'inquiète : le Président Mao aime-t-il toujours Lin Biao ? Jiang Qing répond que Mao a confiance dans le maréchal, qu'il compte sur lui. Et même, quand Mao laisse trop paraître ses doutes, elle se révolte. Elle s'affiche avec Lin Biao, elle se fait prendre en photo avec lui et elle place un des clichés dans le bureau de Mao.

Cette fois, celui-ci se donne la peine d'avoir une colère. Rouge, apoplectique, il insulte Jiang Qing :

— Tu as trahi tout le monde. Et maintenant, tu veux me trahir, moi, avec cette crevure qui a tout fait pour te suborner. Je t'avais laissée faire parce que je croyais qu'ensuite tu m'informerais. Mais rien. Il se fiche de toi, et toi, pauvre idiote, tu te contentes de ses flatteries. Si tu crois qu'il te ménagerait au cas où il prendrait ma place !

Jiang Qing crie, pleure, hurle, s'effondre. Quelques heures plus tard, l'ineffable Chou En-laï se porte à son secours en lui suggérant de prendre quelques vacances. Pourquoi n'irait-elle pas à Shanghaï, auprès de Zhang Chunqiao ? Zhang Chunqiao est l'homme qui convient après des éclats aussi sulfureux. Il la fera sortir de son obstination, il lui montrera qu'il faut en terminer avec les égarements gauchistes et que déplaire à Mao est insensé.

Shanghaï donc, Shanghaï où Zhang Chunqiao, en liaison avec Mao, persuade Jiang Qing de rentrer dans le rang.

L'armée ne tire toujours pas. De retour à Pékin, Jiang Qing, malgré les objurgations de Mao, malgré les conseils de Zhang Chunqiao et de Kang Sheng, ne peut tenir : elle veut vérifier l'état des choses auprès de Lin Biao, qui l'accueille merveilleusement, en l'appelant de façon absurde sa bien-aimée.

Jiang Qing fait sa doucereuse et susurre :

— Dis-moi la vérité ! Est-ce que Mao t'a parlé de faire tirer la troupe pour effacer la Révolution Culturelle, devenue trop charognarde selon lui ?

— Une telle répression me déplairait. Je n'aimerais pas faire tuer des gens qui crient Vive Mao ! et qui mourraient en agitant des petits livres rouges. Mais si Mao me prescrit de le faire, je m'exécuterai.

Rien n'arrive pourtant. La Chine est toujours un chaos et, s'il n'y a pas encore de salves meurtrières, le mensonge rôde. Jiang Qing se demande quelles sont les arrière-pensées, quels sont les traquenards partout dissimulés. Quel est le vrai désir de Lin Biao ? L'odieux du massacre est dangereux, et il se peut que, dans les écumes toujours bouillonnantes de la Révolution Culturelle, il cherche une solution qui ne le salisse pas.

Auprès de Jiang Qing, Lin Biao a sa face de naïveté maligne, et Ye Qun, sa femme, joue à l'ingénue finassière. Finalement, l'un et l'autre, sans l'exprimer clairement, donnent l'impression qu'ils veulent éviter le carnage.

Quoi qu'il en soit, Jiang Qing s'aperçoit que la Révolution Culturelle va continuer. Et puis elle ne peut renoncer aux meetings, aux auditoires enflammés, à sa parole haletante qui joue avec les têtes des réactionnaires, ses suprêmes plaisirs. D'ailleurs elle est persuadée qu'il y en a toujours, des réactionnaires... Elle retrouve donc les tribunes et encore prêche le sang.

Torturé à mort, Wu Han, le dramaturge dont la pièce, *La Destitution de Hai Rui*, a servi de détonateur à la Révolution Culturelle. Tuées aussi l'épouse et la fille de ce renégat. Massacré le médecin qui a osé murmurer que Lin Biao était opiomane. Assassinée, Sun Weishi, la fille adoptive de Chou En-lai, une actrice qui avait connu Jiang Qing dans les années trente. Critiques publiques, enquêtes, arrestations, parades honteuses, passages à tabac, aveux extorqués dans les supplices : tout recommence. Le maréchal Peng Dehuai et le maréchal He Long agonisent dans leur cellule. Dans son pavillon désert, Liu Shaoqi se traîne. Il n'a plus que sept dents, sa jambe cassée lors d'une « séance de lutte » et jamais soignée le fait monstrueusement souffrir. On le nourrit à peine, Kang Sheng et Jiang Qing ont ordonné qu'on le maintienne en vie, sans plus. Qu'il reste conscient mais que rien ne soit fait pour atténuer ses douleurs. Surtout pas de ces somnifères sans lesquels les vétérans de Yanan ne peuvent survivre. L'horreur. La folie. Et chaque nuit, dans Zhongnanhai, les cris de Liu Shaoqi...

Au printemps 1968 la décomposition du pays s'accélère encore. Dans les cités et les villages, les Gardes Rouges égorgent des populations entières, ce qui ne les empêche pas de s'entre-égorger. Partout les flammes, les corps, les charniers, les crucifixions, les odeurs épouvantables, la gangrène, le sang séché, les tibias et les têtes de mort. La haine cannibale. Au sens littéral.

Plus rien ne fonctionne. Malgré les consignes de toutes espèces,

LE CHIEN DE MAO

les usines sont vides, les trains immobilisés, les cultures abandonnées. La guerre civile va éclater, la famine déferler, Jiang Qing préfère l'ignorer.

Jusqu'à ce qu'un jour, sur la place Tiananmen, les gardes qui la protègent soient soudain réduits à l'impuissance et que des poings meurtriers la cernent. En un éclair, elle se souvient des dazibaos où on l'avait portraiturée en sorcière, en goule, en vampire : pas de doute, la Révolution Culturelle abrite en son sein des êtres infernaux qui en veulent à sa vie. Elle est jetée par terre, elle entend des coups de feu tirés tout près d'elle, elle se voit morte, percée de balles. Mais elle est indemne, elle sort de ce tourbillon de foule, portée comme un bouchon sur la crête d'une vague. Affolée, elle se précipite vers Zhongnanhai : avanie suprême, la grande porte est aux mains de factions rivales, qui sont cependant d'accord pour la repousser. Enfin, quelques soldats, en menaçant les meutes de leurs baïonnettes, la dégagent. Sa conviction est faite : dans certains cas, et d'abord lorsqu'il s'agit de la sauver elle, on doit utiliser le glaive. Elle est forcée d'avouer qu'elle avait tort et Mao se moque d'elle :

— Tu es si obstinée qu'il faut que tu te rendes compte par toi-même de ce que pourrait te coûter ta bêtise avant de céder. N'essaie pas d'être un chef, et surtout pas le mien, et puis, si tu veux me succéder, apprends à anticiper, à deviner ce que cachent les nuées. En attendant, je suis content de voir que l'intervention de l'armée te paraît nécessaire.

Tout demeure violent et imprécis. Mais il arrive que, par hasard, dans la propre demeure de Mao, dans sa chambre même, les domestiques découvrent, sous des tapisseries et dans des pots de fleurs, des sortes d'épingles qui se révèlent être des microphones. Ecouter le Grand Timonier, l'épier, c'est le défi, le sacrilège. Déchaînement de Mao, qui pourtant se calme rapidement. Le vieux guerrier en lui s'est réveillé et puisqu'on le somme d'aller au combat, il ira :

— Tu vois, dit-il à Jiang Qing, il y a dans l'ombre des individus qui, me croyant incapable de me défendre, en arrivent à tout oser. Qui ? Chou En-lai ? Certainement pas. Kang Sheng ? Il est trop tôt pour qu'il me trahisse. Seul Lin Biao est assez impudent pour s'aventurer dans pareille gageure. Il cherche à savoir ce que je mijote pour mieux me contre-mijoter. Quant à toi, s'il te fait écouter, ce n'est vraisemblablement pas pour surveiller tes ébats, c'est presque par politesse, comme si tu étais quelque chose.

LE CHIEN DE MAO

— Je suis quelque chose. Et il saura que ce quelque chose est avec toi.

— Alors, à bon entendeur salut. Je vais l'utiliser, lui et sa belle armée qu'il bichonne. Ensuite, s'il montre trop son nez et fait l'arrogant, je le livrerai à Wang Dongxing et aux forces de l'unité 8341 que j'ai toujours ménagées et dressées contre lui en leur racontant qu'il prétendait les absorber ou les mettre sous sa tutelle.

— Tu ferais assassiner Lin Biao?

— Pourquoi pas? On donnerait à l'affaire un autre nom.

Enfin le grand moment est venu. Mao a convoqué Lin Biao, et devant ce qu'il reste des dirigeants, il lui fait sa déclaration majeure :

— Préparez vos unités à intervenir. Vos plans sont sans doute prêts. Appliquez-les! Au jour fixé, que vos régiments pénètrent dans toutes les cités, dans tous les bourgs, et que partout ils fassent feu sur les rebelles, qu'ils exterminent les factions de toutes sortes, et surtout les Gardes Rouges les plus enragés, ceux qui rêvent de chaos perpétuel pour la Chine! Il y a eu un temps d'indispensable délire pour la Révolution Culturelle, il y en a un maintenant pour son assagissement. Les masses ont été pleinement éveillées, je veux que d'ici à quelques semaines ou quelques mois, tout soit rentré dans l'ordre.

Mao a terminé. Mao a ordonné. Jiang Qing l'a entendu. L'assistance entière s'est inclinée, et Chou En-lai sourit de ce qu'on s'apprête à tuer la Révolution Culturelle, même si Lin Biao en est le dangereux bourreau. Quant au maréchal d'apparence toujours si suave, malgré sa mine un peu blette, on devine que le fauve en lui est prêt à mordre. Il étale devant Mao une carte marquée d'énormes flèches et il explique son dispositif pour nettoyer le champ de bataille qu'est devenue la Chine. Les griffes de Lin Biao vont s'abattre sur le pays entier. Cela sera fait superbement, en se servant d'un million d'hommes qui lui sont acquis, et qui tous procéderont avec une précision et une méticulosité extraordinaires, selon des consignes strictes.

Bientôt, à travers les campagnes, dans les villes et même les villages, apparaissent des soldats aux uniformes verdâtres et aux fusils luisants, les faces froides et les regards impavides. Des détache-

LE CHIEN DE MAO

ments s'enfoncent dans les rues avec une discipline exemplaire. On fouille, on arrête, quelquefois on tue. Surtout, lorsqu'une unité se heurte à une tourbe humaine affolée et affolante, qui porte au-dessus d'elle le portrait de Mao et essaie de résister à l'armée de Mao, on entend ce commandement tomber des lèvres d'un officier : « Feu ! Feu à volonté ! »

Le claquement des culasses, le sifflement des balles, les Gardes Rouges qui tombent, têtes éclatées ou ventres perforés. Cadavres, vains gémissements des blessés, au-dessus, les rassemblements de corneilles noires qui s'apprêtent à déchiqueter les charognes. Quand s'éteint la rumeur des détonations, la solitude et le silence. Les habitants se sont enfermés dans les ruines de leurs demeures. A la nuit montent de ce capharnaüm les plaintes des mères qui ont découvert les corps de leurs enfants, mais qui n'osent pas les enterrer, car déjà l'affrontement reprend. Certains des insurgés sont des obstinés qui se cachent dans les gravats, dans des maisons fracassées, derrière des portes à moitié effondrées, des acharnés qui grimpent sur les toits et essaient encore de riposter avec des revolvers et ce qu'ils peuvent avoir comme armes. L'armée harcèle ces ombres meurtrières en lançant des grenades, en tirant à la mitrailleuse, elle utilise même du napalm. Mais ces moyens sont trop lourds, bientôt commence la guérilla dans les décombres et jusque dans les pagodes transformées en bûchers.

Cela fait quand même beaucoup de macchabées plus ou moins brûlés, plus ou moins décomposés. Comme dans tous les camps on craint la malédiction des morts et les épidémies, durant les pauses et les répits le peuple est mis à la corvée pour ramasser les débris humains, toutes ces viandes faisandées sur lesquelles se réjouissent les mouches. On porte ça, cette pourriture, hors de l'agglomération, puis on la jette dans des fosses communes hâtivement creusées, en y versant de la chaux vive.

Et la bataille renaît. Il y a comme une génération spontanée de rebelles. Ils avaient disparu et ils réapparaissent, plus durs, plus farouches, plus rusés, comme à bout de tout, n'ayant plus ni foi ni loi : parfois, après avoir capturé des soldats, ils les torturent à mort. L'armée, lorsqu'elle met la main sur ces fanatiques amoureux de l'apocalypse, érige dans les rues des tribunaux militaires qui les jugent. Ils sont aussitôt fusillés. Quand les soldats sont trop furieux ou qu'il est trop dangereux de procéder légalement, on tue comme ça, à la baïonnette, ou d'une balle dans la tempe.

A Pékin, le séide binoclard de Jiang Qing, son homme de main

LE CHIEN DE MAO

préféré, a transformé l'université Qinhua en camp retranché. Mao lui-même y envoie cinquante mille ouvriers et soldats pour évacuer les étudiants insurgés. Là aussi des combats, des morts. Au lendemain de la pire bataille, le Grand Timonier mande à Zhongnanhai ceux qu'il nommait hier encore ses « petits généraux rouges », les cinq chefs Gardes des principaux établissements de la capitale pour leur enjoindre de descendre du dos du tigre. C'est la grande remontrance, c'est aussi un avis d'abandon. Il a choisi de le délivrer d'une manière bonhomme, en père irrité et déçu par les excès de morveux inconscients. Jiang Qing, elle, se moque et crache le venin contre ces arrogants incapables de faire leur autocritique. La vipère se dédouane avec une telle véhémence que Mao doit la rabrouer :

— Arrête d'incendier les autres, toi qui es incapable d'analyser tes comportements. Tu n'es que reproches, mais qui es-tu pour te permettre ce mépris ?

Mao sort de la léthargie, de l'espèce de déprime où il était enfoncé, en lui jetant à la tête qu'elle est ignorante, ignare même, jusqu'à ce que Ye Qun, l'épouse de Lin Biao, vienne au secours de Jiang Qing :

— Elle a étudié très sérieusement toute seule.

Mao l'arrête net :

— Ne te vante pas à sa place ! Jiang Qing est une idiote. Elle n'a pas compris en son temps les avantages de la lutte armée, ni aujourd'hui la nécessité d'en finir avec la violence. C'est une imbécile, te dis-je.

L'exaspération de Mao... Les criailleries, la sottise, la lâcheté de Jiang Qing l'irritent, mais il y a pire, cette obligation de la soutenir dans laquelle le mariage l'a jeté : les actes de Jiang Qing l'ont effectivement engagé, et maintenant il doit la contrer sans paraître la désavouer. Alors quelquefois, comme ce matin-là devant les petits généraux rouges, le Grand Dirigeant explose. Avant de rentrer dans le rang, suffoquant de colère : désormais cette garce est intouchable. Même par lui.

Encore pire ? Son prestige à lui, Mao, impose qu'on tresse des couronnes à sa femme, qu'on la catapulte à ses côtés dans l'empyrée. Chou En-lai s'y attelle : dans un moment de délire, il compare même Jiang Qing à Lu Xun, l'écrivain révéré. Lin Biao, comme à l'accoutumée, en rajoute dans les fadaises sucrées et bat en neige les hyperboles. Jiang Qing, qu'on a renvoyée à ses passions opératiques, gobe le tout avec délices.

L'agonie des Gardes Rouges dure des semaines, des mois. Il faut désenvoûter le pays, dénouer les sortilèges de la magie rouge qui l'enfièvre, exorciser la métaphysique du refus qui le paralyse. A certains moments les Gardes paraissent anéantis, mais il en reste toujours, en particulier sur les confins, dans ces provinces lointaines où la Révolution Culturelle avait commis ses plus grandes boucheries. Le sang encore. Et puis on met au point de nouvelles méthodes : certains des rebelles épargnés sont enrôlés de force dans l'armée. Ou déportés. Pour plus de sécurité, des millions d'étudiants sont envoyés au plus reculé, au plus inhospitalier des campagnes pour y apprendre les vertus de la vie paysanne. Dans les universités apparaissent des personnages aux mains calleuses et qui savent à peine lire : la classe ouvrière réaffirme partout son rôle de dirigeant.

Dans le pavillon de la Bonne Fortune, Liu Shaoqi ne quitte plus son lit. Les murs de sa chambre ont été tapissés d'affiches où on le traîne dans la boue en caractères qui hurlent. Il gît, recroquevillé, au milieu des caricatures obscènes, les doigts crispés sur de petites bouteilles de plastique qu'une servante compatissante lui a mises dans les mains afin que ses ongles ne déchirent pas ses paumes. On le nourrit un peu, le moins possible, le Khrouchtchev chinois ne doit pas voler la nourriture du Peuple. Il ne parle plus. C'est un squelette qui rêve, et qu'on prolonge malgré les eczémas et les infections. Lorsqu'une pneumonie se déclare, des médecins le soignent : dans les hautes sphères, « on » ne veut pas qu'il meure trop vite ; « on » lui a réservé une surprise : un certain jour à la radio, il entendra un message le concernant.

Le jour, c'est celui de son anniversaire, le 24 novembre. Le message, c'est l'annonce de son expulsion du Parti et de tous ses postes, de par la volonté des masses. A la poubelle de l'Histoire, l'architraître, le vendu.

Tout est à vau-l'eau dans la Chine des grandes charognes. Les affrontements successifs, les oppositions de plus en plus dures, de plus en plus folles, le cortège des exécrations ont abattu les appareils, les structures, l'administration, l'économie. Alors Mao et Chou En-lai entreprennent d'installer partout des comités révolutionnaires, et même de reconstruire, mais à peine, le Parti. Dans ce vide empuanti, les militaires occupent nombre de places : ce pays pantelant n'a-t-il pas besoin d'une garde ? Et qui d'autre pourrait mieux le garder que cette armée qui a si bien, si férocement, si candidement versé le sang ?

Dans Zhongnanhai, plus que jamais l'intrigue et la brigue : Mao veut qu'au prochain Congrès du Parti, le IXe, soient entérinées sa victoire et celle de la Révolution Culturelle. Il veut aussi renouveler les instances dirigeantes. Chargé de définir les nouveaux équilibres, Kang Sheng s'active. Que laisse-t-on aux gauchistes ? Et à ceux des généraux qui détestent toujours Lin Biao ? Manœuvres, contre-manœuvres, conspirations, marchandages, compromis... La cuisine...

Sur ses fourneaux maudits, il concocte un plat empoisonné, un Politburo fait pour se déchirer. Malgré l'opposition de Mao, deux femmes sont nommées, Ye Qun et Jiang Qing. Surtout, Lin Biao, le vice-président, est sacré plus proche compagnon d'armes du Grand Timonier et désigné comme son héritier. C'est une mesure politique. Le maréchal a la naïveté d'y voir la promesse d'un couronnement.

Chapitre VI

Le maréchal Lin Biao s'est dressé comme un dragon à la langue de feu et il s'enroule autour de la Chine. Partout, dans toutes les instances et tous les comités révolutionnaires, ses officiers, ses soldats, ses partisans dominent et ils se sont mis à gouverner en grands et petits seigneurs rouges. Lui est le seigneur des seigneurs, le maréchal qui répare la nation. En fait il se moque de cette régénération à outrance, ce qui l'intéresse, c'est d'accroître sa force de frappe, d'augmenter toujours plus son emprise sur l'armée. Le trône, selon lui, n'est plus qu'à quelques encablures, il le renifle, il le frôle, il le sent tout à lui.

Auprès de Mao qui pourrait s'offusquer et craindre de n'être bientôt plus qu'une ombre incommode, Lin Biao mène campagne en chargeant de crimes quelqu'un d'autre, ce quelqu'un qui est le seul obstacle pour lui, Chou En-lai. Sous prétexte de restaurer le pays, le Premier ministre ne va-t-il pas détruire les acquis de la glorieuse Révolution Culturelle et revenir à cet économisme si contraire à la géniale pensée du Timonier? Ne protège-t-il pas encore Deng Xiaoping, cette mangouste capable de tuer tous les cobras? Divagations, médisances bien distillées, flagorneries, dents de fauve... le maréchal blême se démène. L'ordre règne. Mais est-ce l'ordre de Mao? Ou celui de Lin Biao?

En quelques semaines, à son instigation, le pays s'est couvert d'énormes statues de Mao vêtu d'une redingote sanctifiante, la bouche clamant quelque slogan sublime, la main droite levée vers le ciel en un geste souverain. Mao théocrate, Mao divinisé plus encore s'il est possible. Depuis qu'au dernier congrès, pour réparer l'outrage commis autrefois par Deng Xiaoping qui en avait fait in-

LE CHIEN DE MAO

terdire la mention dans la constitution, Sa Pensée est devenue officiellement la Source et le Principe de Tout, le culte de Mao a redoublé et Lin Biao veille à ce qu'on le célèbre avec une efficacité effarante. Idolâtrie. Lobotomie. Etres ensevelis dans un linceul rouge, mais extatiques. Trois fois par jour les séances d'étude de la Pensée de Mao. Les prosternations. Les chants et les danses de la loyauté, même dans les avions.

A la Terrasse des Pêcheurs, Jiang Qing affiche des airs de reine outragée. Dix fois, cent fois elle a manifesté sa colère à Lin Biao ; avec des accents admirables parfois, à d'autres moments piaillante et furibarde, elle lui a dit qu'il avait tué la Révolution Culturelle, son enfant, et qu'il se galvaudait en versant du sang innocent. Il a été facile à Lin Biao de se référer à Mao qui a tout ordonné, tout voulu, Mao le Grand Commandant. Une fois, en la quittant, le maréchal a même poussé la plaisanterie jusqu'à marmonner le salut du moment, celui qu'il venait d'imposer à des centaines de millions de Chinois : « Quand nous parcourons les mers, nous avons besoin d'un timonier... » et Jiang Qing a répondu : « Quand nous faisons la révolution, nous avons besoin de la Pensée de Mao Zedong. » Par réflexe ? Ou par peur des micros ?

A la vérité, Jiang Qing est déboussolée. Le marécage de contradictions en elle, autour d'elle l'étouffe. Chaque jour, la glu des questions, chaque nuit, les cauchemars, toujours les mêmes chutes sans fin, étangs paisibles qui recèlent des monstres, bouches géantes, fleurs carnivores... Au réveil, blottie dans son lit, elle reprend le fil de ses inquiétudes. A qui s'allier ? Chou En-lai est exclu, Lin Biao dangereux. Kang Sheng continue de prôner la coalition avec Mao mais il a entamé auprès de Lin une formidable opération de séduction : il le flatte, il le vante, il a fait fabriquer un recueil de citations du maréchal... Jiang Qing se souvient de Kang Sheng assurant la promotion du livre de Liu Shaoqi. Kang Sheng ou l'éternel double jeu. Parmi les gauchistes, Chen Boda n'est qu'un comparse mais acquis à Lin Biao. Restent les seconds couteaux, Zhang Chunqiao, Yao Wenyuan. Et puis reste Mao, toujours Mao.

Désormais Jiang Qing exècre son mari. Et lui n'en finit pas de la tarabuster, de l'offenser. Pourquoi, par exemple, lui a-t-il refusé la tête de Wang Guangmei ? Tout semblait réglé : Lin Biao avait inscrit l'épouse de Liu Shaoqi sur une liste de personnes à exécuter en priorité au lendemain du Congrès, Chou En-lai avait accepté et soudain Mao a joué les magnanimes, « Grâce à la prisonnière,

LE CHIEN DE MAO

qu'on lui épargne le couteau » a-t-il dit, en une de ces formules anciennes qu'il affectionne. Chou En-lai, toujours veule, a bêlé d'admiration devant cette générosité; pour Jiang Qing, c'est une mascarade, un camouflet, un manquement à la parole donnée, un déni de justice et elle ne peut l'accepter.

Alors elle redevient l'amie de Lin Biao. N'est-ce pas lui le plus fort? le vainqueur probable de la guerre de succession qui empoisonne Zhongnanhai?

Sur un front gigantesque, du Turkestan jusqu'à l'océan Pacifique, les Soviétiques et les Chinois ont massé des troupes. Milliers et milliers d'hommes prêts à s'étriper dans les déserts, les toundras, les montagnes gelées. Ce ne sont pas encore les hostilités ouvertes, mais les accrochages se multiplient qui peuvent dégénérer en conflit. Déjà, sur le fleuve Oussouri, il y a eu une bataille à propos de quelques arpents de sable et de glace, un îlot réclamé de part et d'autre. Ensuite on s'est heurté le long du fleuve Amour. Des centaines de Chinois sont morts, et la paix n'a été sauvée que de justesse.

Est-ce Lin Biao qui a fomenté le premier incident? La rumeur de Pékin le prétend. Le maréchal la méprise, l'important c'est qu'il se révèle encore l'homme nécessaire, indispensable, le seul capable de soutenir ce face-à-face d'armées et d'armées tout au long de l'immense frontière. Il crie à l'invasion, il se pourvoit toujours plus de canons et de blindés et il garde constamment en alerte chasseurs, bombardiers et fusées. Moscou brandit la menace de l'arme nucléaire, Pékin multiplie les communiqués vengeurs; invectives de part et d'autre, la Chine entière se met à creuser des abris. Plus de murailles, plus de remparts, plus de fortifications, finis les hauts murs pourpres et les anciens parapets, qu'on achève de détruire les portes monumentales, tout servira à consolider les tunnels et à remblayer les tranchées.

Tapi au fond de Zhongnanhai, Mao écoute les grondements de cette presque guerre. Il en a enfoui la lointaine origine, sa haine maladive des Russes, dans les recoins de son âme tortueuse et il jouit de regarder s'affairer son dauphin. La vraie guerre, rabâche-t-il, il ne la craint pas, pas plus qu'il n'a peur de bombes atomiques incapables de détruire son empire si vaste. Folie? Ingénuité? Lin Biao ne s'interroge pas, il piaffe, il crève de désir : lui ne feint pas d'ignorer que les bombes soviétiques peuvent ravager le pays, mais les avantages de la presque guerre lui paraissent irrésistibles, un statut de sauveur de la nation peut se gagner dans ces tumultes. Donc, il va loin, aussi loin que possible mais avec précaution. Tout en tenant la dragée haute au Kremlin, il trouve le moyen de le rassurer sur ses intentions. Haute voltige... C'est qu'il n'y a pas chez Lin Biao de rancœur furibonde contre Moscou : il s'y est formé, il en a fréquenté les écoles, il s'y est réfugié pendant des années lorsqu'il a refusé de s'impliquer dans la guerre de Corée, cette grande machination de Staline. Le dire russophile serait trop dire, disons qu'il a maintenu là-bas quelques contacts.

Tout de même, la brutalité des mesures prises par Lin Biao a étonné Mao. Soupçons obscurs, sentiments vénéneux. A chaque fois que Lin Biao est venu rendre compte de ses succès, tant dans la mise au pas de l'ultra-gauche que dans les rodomontades de la presque guerre, ils ont échangé sourires et compliments. Mais les yeux de Lin Biao étaient veloutés de fureur contenue, de politesse noire. Et Mao sentait remonter du fond de ses entrailles un ressentiment implacable : qu'y a-t-il de plus criminel qu'un serviteur qui sert trop bien le maître ? qui veut devenir le maître ?

Dans cette ambiance putride, Chou En-lai veille au grain : pour contenir les Russes et empêcher un conflit où Lin Biao s'imposerait comme un grandissime chef de guerre, lui est venue l'idée fantastique de s'entendre avec les Américains. Ainsi à travers l'Asie et le monde se créerait un nouvel équilibre de forces, un équilibre pacifique. Dresser le barbare lointain contre un voisin dangereux, la méthode est classique, jugera Kissinger, mais là le projet est exorbitant, faramineux car, depuis la Libération, les Yankees avaient toujours été représentés comme l'épouvantail, l'hydre, l'éternel purin – quiconque était qualifié d'« agent de l'Oncle Sam » était un homme mort. Pourtant Mao écoute son Premier ministre.

Au même moment, l'administration Nixon, tout juste arrivée au pouvoir, fait savoir à Moscou qu'elle est « vivement préoccupée » par l'éventualité d'un conflit sino-soviétique. Manière de signifier qu'en cas d'agression contre la Chine, les Etats-Unis auraient quelque sympathie pour la victime.

Les Russes décryptent l'avertissement. N'est-il pas temps d'établir des contacts ? Tandis que *Le Quotidien du Peuple* et la *Pravda* continuent d'échanger des menaces et de dénombrer les incidents de frontière au coup de fusil près, la diplomatie se met en branle. Soudain, au début de septembre 1969, les ambassadeurs dans

LE CHIEN DE MAO

leurs chancelleries s'affolent : de retour d'Hanoi où il avait assisté aux funérailles de Hô Chi Minh, le Premier ministre russe Kossyguine s'est détourné de sa route, son avion s'est posé à Pékin. Là, dans un bâtiment isolé de l'aéroport, il a eu une conversation interminable avec Chou En-lai. Mystère sur l'organisation de la rencontre, mystère sur les propos tenus. Tout semble avoir été décidé au dernier moment, comme dans l'urgence, pour diminuer une tension qui risquait d'échapper au contrôle. Tout porte la marque de Chou En-lai, l'homme raisonnable. L'absence du maréchal stupéfie.

Cette intervention du Premier ministre dans ce que Lin Biao considère comme son champ clos ne va-t-elle pas déchaîner ses passions? Selon une recommandation des lois de la Sagesse, quand on rencontre un félin dévorant, il faut lui jeter quelques morceaux de viande pour calmer son appétit et ne pas être mangé soi-même. Est-ce là le raisonnement que se tient Mao? Comme pour museler Lin Biao dans les honneurs, il lui laisse la première place lors des commémorations d'Octobre : qu'il prononce le discours officiel. Et Lin Biao de s'engouffrer dans une impossible harangue qui n'excite guère le Peuple. Les observateurs étrangers notent que si la tonalité du discours est toujours belliqueuse, le maréchal s'abstient de désigner l'Amérique comme le principal ennemi de la Chine. Ils se moquent aussi beaucoup du manque de prestance du dauphin. Mao, informé, s'en réjouit.

Mais d'être admis à prononcer un tel discours et à un tel endroit ne peut suffire à calmer Lin Biao : Mao doit encore le recevoir pour le pateliner. Cajoleries, flatteries, toutes les honnêtetés du monde, Mao semble entrer dans les sentiments de son successeur désigné. Que le maréchal, dit-il, continue de préparer la guerre, de dénoncer également le révisionnisme soviétique et l'impérialisme américain, mais qu'il redouble de zèle contre l'ennemi intérieur qui est capable de prendre toutes les formes, qu'il n'oublie pas le danger « droitier » que font encore courir au pays Liu Shaoqi et ses partisans. Lui, Mao, se sent pris par l'âge et il a besoin de l'ardeur, de la force de Lin Biao. Quelques agaceries et quelques exhortations de plus, un rideau de fumée bienvenu et le maréchal sort ragaillardi : malgré le malentendu de l'aéroport, l'empire, croit-il, s'est encore rapproché.

La manœuvre de Mao fait merveille. A peine rentré dans sa résidence, Lin Biao s'enferme dans son bureau et il rédige une

LE CHIEN DE MAO

directive capitale : l'invasion soviétique étant imminente, pour des raisons de sécurité tous les cadres dirigeants en disgrâce doivent être évacués vers des camps d'où ils ne pourront avoir aucun contact avec les Russes. Wang Dongxing et l'unité 8341 sont chargés des arrestations et des transferts. Deng Xiaoping et sa famille sont envoyés en résidence surveillée dans le Jiangxi ; la prison de Kaifeng, dans le Henan, attend Liu Shaoqi. Lin Biao en profite pour se débarrasser de quelques militaires de haut rang. Dans les provinces, les comités révolutionnaires organisent des déportations. La répression atteint un paroxysme.

Un matin d'octobre, les hommes de Wang Dongxing sont entrés dans le pavillon de la Bonne Fortune, ils se sont emparés du moribond qui gisait nu sur un grabat puant, ils l'ont roulé dans une couverture, jeté sur un brancard et emporté vers un aéroport militaire. Leur dégoût... L'ancien président de la République est couvert de poils et de croûtes, c'est une charogne incontinente, un squelette dégouttant de liquides infâmes. A Kaifeng, les soldats qui l'ont conduit au pénitencier en ont été malades. Le cœur au bord des lèvres, ils l'ont abandonné sur le sol de ciment d'une cave. Pas de médecin, pas d'infirmières, pas de soins, un brouet pour nourriture ; les consignes, venues de très haut, étaient claires : on voulait la mort, la mort dans les déjections et les immondices, la mort par le froid et la faim, par la pneumonie, les abcès, la putréfaction. En quelques jours, Liu Shaoqi s'est décomposé mais il a encore tardé à rendre le dernier soupir. L'acharnement de ce rat surprenait. Enfin ce fut fait, il n'y eut plus qu'à brûler le corps et placer les cendres dans une urne anonyme. Fin d'un architraître, fin du sinistre Khrouchtchev chinois, Pékin serait content.

A la Terrasse des Pêcheurs, la nouvelle a ravi. Jiang Qing organise même un banquet pour célébrer la victoire du Groupe d'Investigation de l'affaire spéciale Liu Shaoqi/Wang Guangmei. Repas fin, discours, la soirée est un succès. Dans la liesse, il est décidé que dès le lendemain l'armée détruira le pavillon de la Bonne Fortune. Qu'on rase ce palais maudit, qu'aucune trace ne subsiste dans les siècles des siècles de l'homme qui avait voulu usurper la place de Grandiose Timonier.

LE CHIEN DE MAO

Jamais la position de Jiang Qing n'a été plus magnifique. Elle est membre du Politburo, elle appartient au conseil supérieur de l'armée, elle est l'épouse de Mao, officiellement l'alliée de Lin Biao. Un caprice d'elle, que son bain soit trop chaud ou trop froid, que son riz ait un goût de brûlé, et c'est une affaire d'Etat... La Terrasse des Pêcheurs est un champ de mines où glissent des ombres empressées, gardes, domestiques, cuisiniers, infirmières, médecins qui chaque jour risquent la prison ou le camp. Sans cesse Jiang Qing hurle et accuse : on a voulu l'empoisonner, on se moque de sa santé délicate, on lui manque d'égards, on a laissé entrer le soleil pour l'aveugler, on torture son singe préféré, on soigne mal ses orchidées, on gâche ses photos, on cache les films qu'elle désire voir, on lui brise les nerfs, on la tue. Tourbillon, portes qui claquent, réunions d'autocritiques, sottise meurtrière... Ensuite l'impératrice se retire dans sa chambre. La pénombre, l'amertume et la pitié de soi par vagues... avec parfois la rafale de la peur. Heureusement il y a ce jeune homme du ministère des Sports toujours disponible. Un vigoureux à la peau douce qui sait prendre des airs gourmands. Un benêt épatant.

Pendant quelques heures, l'oubli. Jiang Qing redevient la conquérante de Shanghaï au corps désirable, elle revoit la ronde des amants, elle retrouve les caresses, la lenteur, la sérénité...

Mais la fièvre ne la quitte jamais longtemps. A peine s'est-elle endormie que l'obsession la réveille : comment choisir entre Mao et Lin Biao ? Mao est-il en train de pousser Lin à la faute pour se venger de l'avoir obligé à l'élever presque jusqu'à lui ? Ou est-ce l'insatiable ambition de Lin, celle qui le porte à l'urgence, à des décisions drastiques et terribles, qui est responsable de tout ? Les conversations avec Lin Biao sont doucereuses, et Ye Qun se roule aux pieds de Jiang Qing comme Chou En-lai devant Mao. Simple langage de courtisan ou hyperboles qui annoncent l'assassinat ? Mao, lui, poursuit Jiang Qing de ses angoisses et de ses doutes. Son leitmotiv :

— Les augures ne t'ont pas encore parlé. Pour le moment, tu attends de voir qui de Lin Biao ou moi sera le vainqueur. Si tu pressens que ce sera Lin Biao, tu te dresseras comme une furie contre moi. Mais je ne serai pas vaincu. Alors méfie-toi.

L'enlisement... Les soupçons mutuels qui deviennent mutuel désir d'extermination. La nouvelle superbe de Lin Biao, le nettoyeur, horripile Mao. On s'arrache ses livres, surtout un petit opuscule intitulé *Vive la victorieuse guerre du Peuple!*, heureusement réédité par les soins de Kang Sheng. C'est un cantique à Mao, à ses méthodes et à son prophétisme mais le succès est tel que le Grand Timonier ne l'apprécie plus. A l'imitation, y est-il dit, des pauvres enrôlés sous la bannière de Mao, les peuples de l'Univers, les peuples exploités, humiliés se mobiliseront, leurs forces convergeront et, bouchée par bouchée, morceau par morceau, elles viendront à bout des impérialistes et de leurs laquais. Les gratte-ciel crouleront, les banques seront exterminées, le capitalisme crèvera boyaux à l'air. Dans ce cataclysme, les Russes seront emportés qui n'ont d'autre ambition que de contraindre au désarmement les nations asservies. Et la grande joie rouge déferlera sur l'univers, grâce à la Chine.

Ce triomphalisme-là, cette vision des peuples de la terre enivrés par la pensée de Mao, n'est-ce pas un rêve de fumeur d'opium? Les hommes de Kang Sheng infiltrés dans la demeure de Lin Biao rapportent que le maréchal fume de plus en plus. Ses idées naîtraient-elles de ses coucheries avec le suc, la sève et le nard? Quand il s'abstient, il lit les annales et des récits de hauts faits militaires. Son imagination est flattée, la drogue fait le reste : ses songes sont comme des bulles irisées qui, lorsqu'elles éclatent, tuent beaucoup.

Mao dans sa vieillesse toujours plus mûre, dans sa faiblesse maintenant chronique, quoique parfois coupée d'éclats tonitruants, Mao, qui lui aussi consomme de l'opium et ne peut vivre sans quantité de somnifères, affecte de s'inquiéter de la santé de Lin Biao. Il lui envoie des médecins dont il est sûr. Après l'avoir examiné, ceux-ci confirment que Lin Biao est en mauvais état : cœur fragile, respiration difficile, organisme rongé par les stupéfiants. Ce diagnostic comble Mao. Dans sa joie, il charge Jiang Qing d'un message pour Lin Biao, quelques lignes d'un poème qu'il a copiées :

— Fais-les lire à ton cher ami. Il y apprendra qu'un homme peut vivre toujours s'il prend soin de lui-même. Recommande-lui aussi de bien se soigner la tête! Car la cervelle est le siège de tous les fléaux.

Ainsi Mao avertit Lin Biao : qu'il ne fasse pas d'hypertrophie cérébrale, qu'il ne s'enfle pas dans la démesure, que, sauf pour le prosaïsme quotidien, il n'ait pas d'autre pensée que la Sienne.

Sous la botte de ces complices devenus ennemis mortels, la Chine, guérie de l'anarchie, semble avoir retrouvé une solidité.

LE CHIEN DE MAO

Les apparences sont sauves et Chou En-lai est à l'œuvre. Théâtre. Précarité. En attendant que le pus s'écoule du cadavre de Mao ou de celui de Lin Biao, Jiang Qing dépense sa force dans son domaine d'élection, la culture. A nouveau elle s'abat sur le monde du spectacle ou ce qu'il en reste. On ne joue plus que ses opéras-modèles et l'on ne danse que ses ballets mais encore faut-il qu'elle en contrôle l'exécution. Elle multiplie les tournées d'inspection, tout la désespère : les accompagnements au piano qu'elle a rendus obligatoires sont indigents, les héros qu'elle a imposés se délitent. Elle doit réexpliquer les buts de l'art prolétaire, redéfinir les éclairages, les décors, les attitudes, les intonations, multiplier les séances d'autocritique, sévir, toujours sévir. Même casse-tête au cinéma. Depuis trois ans les studios sont fermés, Jiang Qing les fait rouvrir et ordonne qu'on filme ses chers opéras, en commençant par *La Prise de la Montagne du Tigre* et *Le Fanal rouge*, les premières œuvres révisées par elle. Du choix des acteurs à celui des objectifs, rien ne lui échappe. Evidemment, le désastre rôde. Jiang Qing crie au sabotage, incrimine la clique du 16 mai, enferme les comédiens dans le studio de Pékin, appelle enfin l'unité 8431 : on tournera sous bonne garde. Le résultat est consternant : des garçons et des filles déguisés ânonnent des slogans avant de se mettre à courir en tous sens en prenant des airs. Jiang Qing est presque satisfaite. Si elle ne l'est pas, on recommence. L'équipe, épuisée, se soumet. Qui oserait contrecarrer Madame Mao ?

Quand elle ne frétille pas sur les plateaux, Jiang Qing se retire chez elle où Kang Sheng lui rend de longues visites. Conversations infinies, la haine comme une habitude, l'énigme Lin Biao qui obscurcit tout. Depuis quelques mois, Kang Sheng a créé sa propre police secrète, un service d'environ cinq cents hommes recrutés parmi les meilleurs de la Sécurité. On dit qu'il a fait aménager une salle de tortures dans sa résidence privée, le Jardin des Bambous, comme autrefois le bonze, à Yanan. Jiang Qin, qui en frissonne encore, n'ose pas demander de confirmation à Kang Sheng. Parfois, pour voir, elle jette un nom, elle indique une piste. Demi-phrases, demi-mots. Ainsi obtient-elle que sa vieille rivale Ding Ling soit transférée dans un cachot de la prison N° 1 de Pékin. Une seule promenade par mois est autorisée, une seule lecture, les œuvres choisies de Mao en quatre volumes. De même les inconscients qui ont raconté que naguère à Hangzhou elle et Kang Sheng prisaient fort l'opéra ancien et les comédies érotiques sont-ils battus à mort. Une vingtaine de victimes. Des bricoles.

LE CHIEN DE MAO

Plus que jamais les êtres ployés au désir d'un maître qui, lui, a les yeux fixés sur Lin Biao... Depuis longtemps celui-ci, pour fuir la nouvelle Cité Interdite, s'est installé au loin, au 3 rue de la Famille au Poil Crochu, dans ce qui a été l'une des plus belles demeures de Pékin, la maison des Yu. Une succession de cours, de jardins, de bassins, de pavillons à balustrades et à piliers laqués, que même le ministère des Finances, le précédent occupant, n'a pas réussi à saccager. Là-dedans, Lin Biao a entassé des centaines et des centaines d'objets d'art choisis dans les hangars où Kang Sheng entrepose le produit de ses rapines. Il y vit avec sa femme Ye Qun, qui désormais prétend s'occuper de poésie, et une vingtaine de personnes, des médecins, des gardes du corps, des secrétaires. Pas d'officiers ni de généraux à demeure auprès de lui, il préfère les convoquer. En revanche, les alentours sont truffés de soldats très armés, pour empêcher les indésirables d'entrer. Et tous sont indésirables, sauf quelquefois un gradé dûment prié et Jiang Qing qui vient s'acoquiner avec Ye Qun. Le seul visiteur constant est Chen Boda, le nabot au groin de porc qui a longtemps servi de secrétaire à Mao et qui ne jure plus que par Lin Biao. En signe d'allégeance, il lui a offert quelques très beaux rouleaux de peinture. Volés naturellement.

Le fantastique. Le ténébreux. Les projets chimériques. A moitié halluciné par l'opium, le maréchal a ordonné des travaux inouïs. Tel le Premier Empereur qui avait enfermé la Chine dans sa Grande Muraille, il bâtit. Mais lui construit une ville souterraine, avec des galeries, des tunnels, des salles et des palais enfouis, un réseau labyrinthique si puissamment fortifié qu'il résistera même, lui a-t-on assuré, au choc d'une déflagration atomique. En cas de malheur, les existences les plus précieuses du pays seraient garées dans cette extraordinaire Metropolis tandis que la masse réfugiée dans les abris de fortune qu'elle continue à creuser ne manquerait pas d'y crever.

Chaque jour, Lin Biao conçoit de nouveaux plans. Dinguerie éperdue. Surenchère. Pour que les dignitaires du régime deviennent ses hôtes, il suffira dorénavant de quelques minutes : tous les boyaux d'évacuation ont été connectés, ceux qui partent de sous Zhongnanhai, de sous la résidence souveraine de Mao, de sous le Palais du Peuple, de sous la maison des Yu, ceux qui relient la Banque de Chine et les plus importants ministères. Une toile d'araignée dans laquelle le maréchal circule au gré de ses hu-

394

meurs, de ses peurs. Selon son bon vouloir, les grands cadres resteront dans ces dédales où tout a été prévu pour leur survie ou bien ils seront conduits jusqu'au saint des saints, la citadelle des Collines de l'Ouest.

Les Collines... C'est un lieu bénéfique, odoriférant, célébré par les poètes, un paradis que le régime a confisqué pour y installer casernes et villas. Au moindre heurt, les troupes qui y sont stationnées peuvent fondre sur Pékin, au premier trouble, les dirigeants doivent s'y replier. Dans son délire obsidional, Lin Biao juge le système insuffisant. Alors on évide une colline et l'on édifie dans la fosse un gigantesque complexe de béton qu'on recouvre d'herbe et de fleurs. Là est le cerveau du pays, le grand état-major de Lin Biao, réparti en des dizaines de bureaux. Le centre du monde. Rien ne manque dans cette étrange cité, ni les générateurs pour produire de l'électricité, ni l'eau courante, ni l'air conditionné, il y a des réserves de nourriture, un hôpital, une salle de spectacle. Partout des radars, partout des antennes, partout des cartes, partout des dossiers. Et puis des portes, une infinité de portes étanches destinées à empêcher l'ennemi d'entrer et, plus probablement, à protéger des émanations toxiques ou des radiations. Incrusté là-dedans, tout un armement lourd, des canons, des mitrailleuses, des bazookas ; à la périphérie, des champs de mines et de barbelés. Contre l'assaillant qui ne se contenterait pas de laminer la colline d'obus, de milliers et de milliers d'obus, un dispositif meurtrier a été prévu : un vent d'ypérite se lèverait qui balaierait tout.

Au plus profond de la citadelle est enseveli un antre mystérieux, une niche où Lin Biao se cloître pour réfléchir au duel à venir, sa pensée contre celle du Grand Timonier. Parfois il sort de son trou pour tenir conférence avec ses grands subordonnés dans une salle adjacente. Il ne discute pour ainsi dire jamais, il donne des ordres tranchants. Son autorité est formidable. Sur les murs, son portrait semble dominer celui de Mao.

Le Timonier n'ignore rien de ces travaux : le maréchal a jugé plus habile de le mettre au courant. Et puis comment dissimuler pareils terrassements ? Au contraire, Lin Biao les exhibe, il les sublimise : ne s'agit-il pas de sauver l'Empire menacé par les hordes russes ? Mao ne le contrarie pas. S'il savait...

Car, à Hangzhou, sur les bords du lac de l'Ouest – et cette fois dans le secret – Lin Biao a ouvert un chantier bien plus énorme. En code, le projet 704. Des milliers de « volontaires » ont été recrutés, on a vérifié leur « bonne origine de classe », contrôlé leur

LE CHIEN DE MAO

passé, on les a examinés, testés, endoctrinés et depuis, pour deux bols de riz par jour, ils s'échinent à réaliser les rêves du maréchal. Les morts sont enfouis sur place, dans des cryptes ou des fosses. Il y a toujours des « volontaires ».

Comme à Pékin, Lin Biao fait construire une citadelle souterraine. Mais plus vaste et plus sûre, et mieux équipée. Absolument inexpugnable. Pour la camoufler, il a eu l'idée de bâtir en surface deux palais. Côte à côte. L'un lui est réservé. Il compte offrir l'autre à Mao et pour cela il ne ménage ni l'or ni l'argent ni les bois précieux. Débauche de richesse. Quittant l'ancienne demeure patricienne où il a pansé tant de blessures et tramé tant de complots, Mao résidera dans le somptueux au-dessus de l'immense poudrière de la citadelle. Ainsi en a décidé Lin Biao.

Fantasmagorie... La résidence fastueuse cache une machinerie guerrière qui elle-même recèle une énigme. Dans les tréfonds de la citadelle, il existe en effet un domaine enchanté, une piscine à l'eau claire, des parterres fleuris sur lesquels un soleil artificiel jette lumière et chaleur. Les lotus au cœur rouge dans les bassins. La senteur du jasmin... Tout cela, qui est royal, semble voulu pour Mao. S'il le fallait, il ne resterait qu'à faire descendre le Timonier, par un ascenseur, de son gîte magnifent d'au-dessus à son gîte magnifent d'en dessous. Il y trouverait son grand lit, de quoi barboter et des quartiers pour ses petites femelles, ses médecins et ses serviteurs. Mais qui ferait descendre Mao ? Et pourquoi ? Dans quelles conditions ? Le domaine enchanté sera-t-il un abri ? Ou une prison ? Des questions, toujours des questions qui embrument l'horizon.

Jiang Qing s'inquiète de plus en plus. Par Kang Sheng, des informations lui sont parvenues de Hangzhou, suscitant un regain d'angoisse. Mao sait-il ? Ne pas lui parler de ces travaux ahurissants est un crime. Mais peut-être les connaît-il et laisse-t-il faire par calcul, Jiang Qing n'arrive pas à le déterminer. A chaque entrevue, elle trouve Mao plus renfrogné, le visage hachuré de rides et de grimaces. Il ne l'appelle plus que l'espionne, la traîtresse, la bougresse, la salope, la putain. Mais il s'accroche à elle : qu'elle sonde les reins et les cœurs autour d'elle, qu'elle trompe, qu'elle mente, qu'elle feigne d'être acquise à Lin Biao, qu'elle essaie de le faire parler.

— Tout peut être un indice, tout est précieux. Abouche-toi plus encore avec Ye Qun, débrouille-toi.

LE CHIEN DE MAO

A la fin, Jiang Qing évoque les travaux de Hangzhou. Mao répond que Chou En-lai l'a prévenu, puis il la chasse en la couvrant d'injures. Alors elle court rue de la Famille au Poil Crochu auprès de Ye Qun. Confidences truquées. Sa chère amie lui verse une petite tisane de vérité, diluée mais suffisante pour compromettre Jiang Qing et l'obliger ensuite à se taire : des choses sont effectivement prévues pour le bonheur de Mao.

— Le camarade Lin Biao et moi, dit Ye Qun, t'aimons beaucoup. Nous aimons aussi Mao, mais il s'est mis dans une situation difficile. Il faudrait qu'il prenne une sorte de retraite, où il se soignerait.

— Mais c'est Lin Biao l'éternel malade.

— Il collectionne les bobos. Sans plus. Mao, lui, est atteint par l'âge. Sa tâche est écrasante, il est de notre devoir de le soulager. Mon mari veut lui offrir un refuge dans l'endroit du monde qu'il préfère. Crois-moi, il sera content, il n'aura plus à songer qu'à sa grandeur.

Jiang Qing, comme prévu, ne rapporte pas ces propos à Mao, ni d'autres de ce genre. Et l'abcès s'enkyste. Mao s'exacerbe et Lin Biao avec un enthousiasme forcené continue de déverser sur lui des tas de louanges, des tonnes de vénération pour l'expédier dans l'impuissance d'un firmament.

La canonisation de Mao, Lin Biao la propose lors d'un plénum à Lushan dans un discours aux phrases bien ciselées. Ses armes? Une époustouflante théorie du génie de Mao, un génie comme on en voit un par millénaire, et la proposition de rétablir le poste de président de la République, vacant depuis la destitution de Liu Shaoqi. Dans ses rêves, il imagine Mao président s'abandonnant avec grâce aux effluves d'encens, Mao enivré par son génie partout proclamé, devenu divine potiche, et lui le maréchal totalement aux affaires. A moins que le Timonier, jouant les modestes, ne refuse le titre pour le lui laisser. Songes dorés. Un gouvernement à deux... lui, l'héritier, peu à peu éclipsant l'ancêtre... Comme si Mao le despote était homme à partager le pouvoir!

Que Lin Biao ne s'est-il souvenu de la précédente conférence de Lushan! La même montagne sacrée, le même air pur, les mêmes esprits viciés, les mêmes petits groupes, les mêmes manipulations, les mêmes bavardages, les mêmes silences menaçants... et à la fin l'exécution publique du maréchal Peng Dehuai. Le carnage. Onze ans plus tard, le scénario se répète. Mao bondit, explose, crible de sarcasmes le génie dont on l'accable et rejette l'inutile présidence. Il est impressionnant le Vieux, parce que sa colère – l'assistance bluffée le sent bien – est très maîtrisée. D'ailleurs il ne s'en prend pas à Lin Biao, dauphin désigné et beaucoup trop puissant pour qu'on l'attaque bille en tête comme ce pauvre Peng Dehuai. Non, la cible c'est Chen Boda, l'homme lige, le fabricant d'éloquence. Lin Biao comprendra le message : à la niche, Tête chauve, tu t'es découvert trop tôt. Ta clique de généraux et ton épouse feront leur autocritique et ton nain favori sera châtié.

Le nain, de sa voix limoneuse trop chargée de l'accent de sa province natale, le Fujian, s'est lancé dans un fol éloge de Lin Biao et de ses résolutions. Mao le fustige, il étrille, il broie, enfin ramène à sa vraie taille ce produit de fausse couche qui naguère lui inspirait l'excès, tous les excès, l'approche de l'atroce. Et encore une fois, il menace de regagner sa montagne et de tout planter là. Chou En-lai, Kang Sheng, Jiang Qing, Zhang Chunqiao, Yao Wenyuan, tous les anciens du petit groupe de la Révolution Culturelle prennent le relais : évoquer le génie d'un homme qui n'a cru qu'à la masse, au Peuple, et qui sait que l'Histoire est faite par les esclaves, n'est-ce pas le crime absolu ? Ordinaire d'une curée chez les Rouges...

Chen Boda est durement frappé. On lit son autocritique – rédigée par Kang Sheng – pour que son incompréhensible parole n'écorche plus les oreilles des délégués, on lui enlève ses fonctions en particulier celle de chef de la propagande qui revient à Kang Sheng, bientôt il recevra l'ordre de ne plus se montrer dans les rues de Pékin. Assigné à résidence, il s'évanouit comme un cauchemar. On raconte qu'il a de graves problèmes cardiaques.

Cloîtré dans sa citadelle des Collines de l'Ouest, Lin Biao rumine. Sans doute se prépare-t-il contre lui quelque chose de monstrueux, d'incroyable, sous l'impulsion de Chou En-lai. A Lushan, Mao n'a-t-il pas ostensiblement demandé des nouvelles de Deng Xiaoping au Premier ministre ? Intolérable provocation... Chaque journée qui passe pèse plus lourd sur les épaules du maréchal. Et sa gorge se noue. Et des vapeurs noires emplissent sa cervelle. On l'écarte, on l'éloigne, Mao ne lui parle qu'à peine, demain il brandira le couteau ou bien il l'enverra moisir dans quelque geôle, comme tous ceux qui l'ont servi. Et que sont ses alliés devenus ? Kang Sheng a fait cause commune avec Chou contre lui. Il aperçoit parfois Jiang Qing lorsqu'elle vient minauder auprès de Ye

LE CHIEN DE MAO

Qun. Quand il pense à ce qu'il a fait pour elle ! Tous ces titres, ces discours énamourés. Conseiller culturel des armées... Quelle foutaise !

Pendant que Tête chauve se disloque, Chou En-lai continue à pousser ses pions. Et Mao laisse les mains libres à son Premier ministre qui vante toujours plus le rapprochement avec l'ex-tigre de papier américain. Le Grand Timonier est comme rapetissé, désormais il veut en finir avec l'utopie pour revenir dans le réel. Il a oublié son mépris du danger nucléaire, sa certitude que les innombrables Chinois enterrés dans les abris sortiraient vainqueurs de l'épreuve. Chou En-lai le convainc que la bombe à hydrogène chinoise ne suffira pas à calmer les Soviétiques, que l'entente avec les Etats-Unis est le seul et véritable moyen de les paralyser, d'échapper à une offensive de ce Brejnev qui rêve de jouer un rôle prépondérant en Asie. Comment oserait-il agresser une Chine dont les ports abriteraient les cuirassés américains ?

Lin Biao est outré par le projet dont il ne fait pourtant que deviner le contour. Mao, se dit-il, est gâteux. Hier encore ne lui recommandait-il pas d'englober dans la même exécration Américains et Soviétiques ? Quant à Jiang Qing, elle hésite. Un reste de vertu rouge, de détestation antiaméricaine, la fait pencher du côté de Lin Biao, mais pas trop. Qu'elle ne soit pas prise dans un engrenage !

A tout hasard, elle entretient le rituel des visites à la maison des Yu. Pêle-mêle d'allusions, de menaces voilées et de chatteries. Depuis longtemps, Lin Biao, donc l'armée, ne refuse rien à l'épouse de Mao, ni les avions, ni les voitures. Maintenant – ce sont les ordres – on la comble. Jusqu'à réquisitionner la ravissante demeure du Shandong qui avait abrité ses amours avec Yu Qiweï, pour la remettre en état et la lui offrir. Jiang Qing daigne y séjourner quelques heures et y accueillir Lin Biao et Ye Qun. Retrouvailles. Il y a de l'alliance dans l'air... Ou du moins un pacte de non-agression. Jiang Qing, qui se pique d'être remarquable photographe, fait un portrait de Lin Biao plongé dans la lecture du Petit Livre Rouge et elle enjoint à divers journaux de le publier avec cette légende : « Etudiant infatigable de la Pensée de Mao. » Une catastrophe. Le Grandiose Leader est en rogne ; le Peuple trouve que le maréchal a l'air égaré. Surtout, il n'a pas de casquette et ainsi expose la calvitie que depuis des années il cachait. La honte.

Et le doute : à quel calcul inavouable Jiang Qing obéissait-elle en sortant ce cliché ?

LE CHIEN DE MAO

Cependant la grande entreprise de Chou En-lai est commencée, tout d'abord petitement. Petits signaux, petites phrases, premiers contacts. Quelques balles de ping-pong, une rencontre anonyme entre une équipe américaine et une équipe chinoise. Tout est dans le moment : ce minuscule match, hier encore impensable, inconcevable, est un énorme événement, un jalon dans l'évolution et le changement du monde.

Tandis qu'à Varsovie reprennent d'obscures conversations entre diplomates chinois et américains, Mao lui-même se fend d'un petit pas : lors d'une liturgie rouge, il invite l'Américain qui, au temps de Yanan, a été son plus ardent propagandiste en Occident, Edgar Snow, l'homme d'*Etoile rouge sur la Chine*, l'homme qui l'a présenté à la planète comme un gentil, quoique opiniâtre, réformateur agraire. A ce cher Edgar, pendant le défilé au pied de la porte de la Paix Céleste, il raconte que le culte de la personnalité l'assomme : tous ces Grand dirigeant, Grand Timonier, Grand ceci, Grand cela sont grotesques. Il concède aussi qu'il ne trouve plus les Etats-Unis si malfaisants, que le peuple américain, comme tous les peuples du monde, est l'ami de la Chine. Ensuite, au cours d'un déjeuner à Zhongnanhai, il lâche que Nixon serait le bienvenu à Pékin. En touriste. Ou en chef d'Etat.

L'ennui, c'est que Washington se contrefiche d'Edgar Snow, le ravi de la crèche rouge. Chou En-lai continue donc ses travaux d'approche. Et soudain, à la Maison-Blanche et au Département d'Etat, cela répond. Parce que en ces endroits si longtemps hostiles, il y a un président, Nixon, et un chargé des affaires étrangères, Kissinger, qui sont des cyniques. Ne faut-il pas l'être pour désirer s'arranger avec la Chine rouge, la Chine échappée de la main des missionnaires pour tomber dans le communisme ? Depuis la guerre de Corée, l'état de belligérance n'a pas officiellement cessé, et la 7ᵉ Flotte croise toujours dans le détroit de Formose, entre le continent et l'île nationaliste, avec ses énormes canons qui peuvent constamment être braqués sur Shanghaï... Mais le temps des hostilités est révolu. Qu'au contraire se mette en place une diplomatie triangulaire entre les Etats-Unis, l'URSS et la Chine qui seule garantira la paix mondiale. Qu'aux pasteurs succèdent des hommes d'affaires à l'esprit crocheteur, c'est cela l'intuition, l'illumination de Nixon et de Kissinger, qui correspond aux souhaits de Chou En-lai. La Realpolitik... Alors tout suit, jusqu'à un voyage secret de Kissinger à Pékin. Il s'agit, en comité

LE CHIEN DE MAO

restreint, de faire le ménage, et de jeter au rebut les anciens griefs pour préparer l'arrivée de Nixon. Découverte. Séduction... Chou En-lai et Kissinger, ces deux artistes de la discussion philosophico-flibustière, se plaisent énormément.

Lin Biao n'est plus qu'un délire de pensées hagardes et contradictoires. Que va-t-il advenir de lui maintenant que Mao a choisi Chou En-lai? Le séjour de Kissinger est une gifle. Une offense atroce. Et pourtant il y a pire : tous ces journaux qui expliquent que dorénavant le Parti doit contrôler les fusils. Rien que d'y songer, le maréchal s'étrangle de fureur. A d'autres moments, il pleure. Sur lui, sur Mao qu'il a réellement aimé – du moins il s'en convainc –, sur la Chine qu'il va sauver. Il suffirait que les Soviétiques l'aident à contrer l'accord maudit qui se concocte. Peut-être devrait-il envoyer des émissaires à Moscou.

De son côté, Ye Qun harcèle Jiang Qing de sa grosse voix mitonneuse :

— Pourquoi Mao ne s'appuie-t-il pas plus sur nous? Il pourrait se laisser vivre tranquillement, tout en prenant part aux grandes décisions. Il vieillirait heureux... Toi-même, tu n'as pas la carrière que tu mérites. Tu devrais accéder maintenant aux plus hautes responsabilités, mon mari ne cesse de me le répéter. Tout pourrait être si simple et nous nous noyons dans ces billevesées d'entente avec l'Amérique. C'est un complot, et s'il se précise, mon mari devra en tenir compte, agir en conséquence.

— Comment?

— Il prendra des mesures, mais en respectant Mao.

— La vie de Mao?

— Mon mari n'est pas un assassin.

En effet, Lin Biao paraît on ne peut plus tranquille. Il a quitté sa forteresse pour aller se reposer dans son énorme demeure du bord de mer, à Beidaihe. Il lit, il médite, comme d'habitude, il se plaint d'être malade. Les espions de Mao sont formels : rien à signaler.

Rassuré, Mao décide de poursuivre ses grandes manœuvres contre Lin Biao. Il l'a dupé puis lâché sur la politique extérieure, il va maintenant saper son pouvoir à l'intérieur. Il veut se montrer au Peuple et que le Peuple l'adore, surtout il veut reprendre en main l'armée en jouant de ses divisions, en favorisant les adversaires de Lin Biao. Il est résolu à se rendre dans les principales garnisons de province, auprès des unités importantes. Il apparaîtra dans toute son aura, il se livrera à une besogne minutieuse de promotions, de renvois, de déplacements, et mettra des hommes à lui à la place des partisans du maréchal. Si Lin Biao avait des plans, ils seront détruits, ses ruses et ses stratagèmes seront anéantis, son emprise annihilée. Le voyage durera un mois, après quoi Mao ira à Hangzhou pour quelques jours d'oisiveté, puis il rentrera à Pékin après un arrêt à Shanghaï. La concubine Zhang Yufeng l'accompagnera, Jiang Qing, elle, restera à Pékin pour surveiller la situation en compagnie de Chou En-lai.

Car Mao n'est pas complètement guéri de ses inquiétudes. Depuis que le conflit latent avec Lin Biao est devenu une plaie ouverte, il ne cesse de déménager, au Palais du Peuple, dans sa résidence des Collines, à l'hôtel même. Nul, hormis Chou En-lai, ne sait jamais où il passe ses nuits. Dans cette démence, s'absenter c'est peut-être se livrer au péril : à Pékin le coup d'Etat, en chemin l'assassinat. Il ne devrait pas aller au-devant de tels risques, plaide Jiang Qing. Mais elle ne précise pas, pour ne pas paraître trop informée, pour ne pas se faire traiter encore de chienne et d'espionne. D'ailleurs, à quoi bon ? Quand Mao est déterminé, il est inébranlable.

Chou En-lai essaie lui aussi de retenir Mao. Des rumeurs recueillies par ses agents, d'autres parvenues à Wang Dongxing, le chef de l'unité de police 8341, le tracassent :

— D'après certaines sources, Lin Biao s'agite. Il aurait contacté les Soviétiques en se servant d'un Chinois du Guépéou que ses services n'avaient pas fusillé. Ils l'ont retourné, et renvoyé aux Russes en le chargeant de dire que le maréchal détestait l'idée de l'alliance américaine, et qu'ils devraient agir pour en détruire le projet. Il semble que le Kremlin n'ait pas répondu à cette offre. Pas encore.

Mao hausse les épaules :

— Même si Lin Biao désire s'acoquiner avec les Russes, ce dont je doute, ceux-ci refuseront. Ils ne voudront jamais d'un projet hostile aux Américains, auxquels ils ne cessent de montrer patte de velours. C'est trop contraire à leur politique, trop dangereux pour eux.

Mais Chou En-lai n'en a pas terminé. Toujours par Wang Dongxing est arrivé un autre renseignement : Lin Biao a invité à

LE CHIEN DE MAO

Beidaihe ceux qu'on appelle les « grands guerriers », des généraux qui ont servi sous ses ordres et lui doivent tout, ceux aussi qui ont été abaissés à la conférence de Lushan. Il les a convoqués tour à tour, et à chacun d'eux, de sa petite voix, sans circonlocutions, il aurait dit sa volonté de se débarrasser de Mao ou de le remplacer. Tous lui auraient prêté serment d'obéissance.

Mao, dans son obstination à aller faire sa promenade en train, remarque simplement que, dans ce cas, Lin Biao est bien maladroit :

— Que d'embarras ! Des serments comme à l'opéra, une conjuration couleur de muraille mais sous le regard de toutes les polices de Chine, réveillez-vous Chou En-lai. En tout état de cause, si Lin Biao éprouve le besoin de resserrer ses liens avec ses généraux, cela me conforte dans mon projet d'inspection de l'armée.

Tout bien pesé, le départ de Mao est décidé mais l'arsenal des précautions est encore renforcé. Le fameux train aux wagons blindés d'un luxe inouï sera augmenté de quelques wagons remplis de gardes du corps émérites. De plus, il sera encadré par deux convois de troupes, des hommes de l'unité 8341, des tueurs éprouvés, munis d'armes particulièrement efficaces. Enfin, horaires et itinéraires demeureront secrets.

A la gare, Jiang Qing contemple Mao pendant qu'on le soutient pour monter dans le train. Si Lin et les siens l'abattent, c'est sans doute la dernière image qu'elle aura de lui, un vieil homme lourd et qui tremble, un monstre au corps défait. Elle ne ressent envers lui ni remords, ni tendresse, à peine un peu de pitié. Et même un soulagement l'envahit à l'idée que son sort est scellé.

Mao a soixante-dix-sept ans. Il se sent faible, les journées sont devenues longues, sa concubine surveille son agenda, élague, trie, une lenteur s'installe partout, dans sa vie, ses gestes, ses phrases. Son entourage fait des mines, ses médecins imbéciles l'épuisent de recommandations, lui n'a plus qu'une obsession, tenir, tenir encore, piétiner la gueule de Lin Biao, et demain celle de Chou En-lai, et celle de Jiang Qing s'il le faut. Un homme comme lui n'a pas de successeur, il l'a dit à cet écrivain français qui est venu lui rendre visite, André Malraux. Donc, exit les prétendants, kaputt les ministres trop bêtes pour imaginer que leur simple existence lui est une insulte puisqu'ils lui rappellent sa mort. Se représenter Lin Biao ou même Chou En-lai saluant sa dépouille et conduisant des obsèques nationales lui donne des envies de meurtre. Et les airs

LE CHIEN DE MAO

coincés de sa femme, de son hystérique de femme, toujours perdue entre deux vengeances et trois accommodements avec le diable, l'exaspèrent. Il se promet qu'à son retour il lui interdira de venir au pavillon de la piscine. Ou alors sur rendez-vous.

Est-ce cette haine comme un grand feu au-dedans de lui? Cette passion d'être l'Unique? L'Immortel? Mao trouve la force de battre l'estrade pendant un mois. Il illumine la Chine de sa présence, de son éloquence, de son génie – ce génie trop vanté par Lin Biao. Plus que jamais, il célèbre la Révolution Culturelle, au milieu d'un enthousiasme et d'une adulation formidables. Les clameurs d'approbation. La cohue fantastique, l'excellente cohue qui régénère. En même temps, dans le secret des casernes, il mute ou casse les suppôts du maréchal. Les tractations...

Au bout de quatre semaines, Mao arrive à Hangzhou où il se repose de son périple avec sa concubine et quelques mignonnes recrutées alentour. La débauche du vieillard. Les fruits et les fleurs, la flotte de barques qui l'emmènent dans les félicités. Il demeure dans sa vieille résidence, à quelques kilomètres de la forteresse souterraine que Lin Biao fait construire. Mais celle-ci n'est encore qu'un chantier, une sorte de tumeur pas mûre, qui dans cet état ne le menace aucunement. Tout est bien. Lin Biao est effacé, ou du moins il n'est plus un péril. Il ne reste à Mao qu'à revenir à Pékin en passant par Shanghaï. Dans sa bonne humeur – qui lui rend toute sa confiance –, il renvoie les deux convois de troupes chargés de protéger son train.

C'est alors qu'à la Terrasse des Pêcheurs, Chou En-lai surgit auprès de Jiang Qing, pour lui annoncer que Mao est en danger et que ce n'est pas Lin Biao mais son fils, Lin Liguo, qui mène l'affaire. Jusqu'ici ses services avaient pressenti des intrigues, humé une atmosphère malsaine difficile à percer, maintenant les rumeurs sont devenues certitudes : Lin Liguo s'apprête à faire sauter le train de Mao, le projet a même un nom, le projet 571, des chiffres qui prononcés d'une certaine façon signifient « insurrection armée ». Ce sera un attentat scientifique. On fera sauter un pont pour immobiliser le train. Ensuite des canons le bombarderont, des rampes de lancement tireront des missiles et déchaîneront l'enfer. Si jamais Mao survivait, un commando de tueurs irait l'achever dans les débris.

— Et tout cela serait l'œuvre de ce crétin de Lin Liguo. Je ne peux pas le croire. Le père est-il impliqué?

— A ma connaissance, non. Il paraît que Lin Liguo veut le surprendre, se faire valoir auprès de lui. Mais il est possible que sa mère l'encourage...

— Elle aurait bien tort. Elle doit quand même savoir que son fils est un abruti.

Et il est vrai que Lin Liguo était une nullité, un beau garçon stupide, maladroit même avec les filles jusqu'à ce que sa maman, la truculente Ye Qun, humiliée d'avoir engendré pareille niqucdouille, prenne en main l'éducation de son fils. Pour cela, le grand jeu. Elle persuada Lin Biao de nommer son rejeton général d'aviation à Shanghaï, puis, en bonne maquerelle, elle recruta des lieutenants et des capitaines dégourdis, qui se chargeraient des dépucelages nécessaires. Ainsi fut créée l'Escadre de l'Union, organisation militaire et club de dépravés voué aux apprentissages de Lin Liguo. Curieusement, Lin Biao, qui ne couchait qu'avec ses ambitions, ne s'opposa pas à ces initiations. La réussite fut complète. A Shanghaï, le terrain de chasse, on rabattait sur Lin Liguo quantité de jolies femmes. La méthode était simple : les victimes étaient entraînées dans un appartement sous prétexte de recrutement pour un secrétariat d'état-major, interrogées, évaluées, enfin déshabillées et examinées par une doctoresse complice. Lin Liguo et ses comparses, derrière une glace sans tain, faisaient leur choix. Pour les élues, un « non » n'était pas une réponse. Bientôt, Lin Liguo fut couvert de femmes, il devint le viveur rêvé par sa mère. Il avait dix maîtresses et s'était mis à boire... Comment un pareil fantoche pourrait-il préparer un attentat contre le Grand Timonier ?

D'ailleurs le complot paraît fou. Trop de moyens. Un instant, Jiang Qing se demande si Chou En-lai n'a pas tout inventé, pour la piéger elle, pour observer ses réactions dans on ne sait quel dessein tortueux de son esprit de reptile. Elle reste impassible, tandis que le Premier ministre, comme s'il l'avait devinée, poursuit :

— Ce sont les camarades de noce de Lin Liguo, ses compagnons de l'Escadre de l'Union qui ont monté ce feu d'artifice. Il y a là-dedans des techniciens, des ingénieurs qui se comportent comme des gosses avec ces jouets terriblement mortels. Tous détestent Mao, tous sont fascinés par la légende épique de Lin Biao. Son fils a dû s'en servir. Peut-être même leur a-t-il raconté qu'il avait sa caution.

Chou En-lai parle toujours mais Jiang Qing est ailleurs : elle ronronne de soulagement. Si la conspiration est prouvée, elle est tirée d'embarras : plus besoin de dévoiler les projets qu'elle avait décelés chez Lin et Ye Qun. Elle n'a qu'à jouer l'épouse affolée, en état de choc, qui réclame secours et protection, avec un rien de morgue cependant. Un bon rôle, dans ses cordes, juge-t-elle en poussant une longue plainte.

— Camarade Chou En-lai, vous êtes un homme de ressources, toute votre vie vous l'avez prouvé. Qu'allez-vous faire? Le sort de Mao est entre vos mains.

Chou En-lai, impavide, continue ses explications :

— J'ai prévenu Mao en quelques phrases dont nous étions convenus avant son départ. Ne vous inquiétez pas, toutes ces conversations étaient codées. Mais à partir de maintenant nous entrons dans le silence. Je ne veux fournir aucun matériau aux chiffreurs de nos adversaires.

— Vous allez sauver Mao.

— Il faut l'espérer. Mais il est toujours au fond du piège et difficile à escamoter. Quitter Hangzhou par la route serait trop dangereux, la région est truffée d'agents de Lin Biao dont, au fond, nous ne connaissons pas les intentions. Même chose pour l'avion : n'oubliez pas que les conjurés appartiennent à l'armée de l'air, faire abattre un appareil en vol par la chasse ou par un missile ne présenterait guère de difficultés pour des hommes résolus. Il ne reste que le train.

— Alors bougez-vous, dépêchez-vous, donnez des ordres pour que l'armée nettoie les voies ferrées, repère et détruise les embuscades de Lin Liguo.

— Et ainsi faire exploser le cauchemar? Certainement pas. Il n'y a pas de troupes sûres dans la région. Non, j'ai conseillé à Mao d'écourter son séjour et de repartir sans délai. Sa seule chance est de passer avant que le dispositif meurtrier soit en place.

Mao traqué, Mao comme un rat sortant de son trou, Mao dévoré par les grandes langues cannibales du feu, Mao réduit à un mélange d'os calcinés et de chairs brûlées comme ces victimes d'attentats qu'elle a aperçues autrefois à Shanghaï, Mao démantibulé, carbonisé dans la clameur métallique des choses, ce Mao-là, Jiang Qing en a peur. Ses âmes errantes reviendront la hanter et sans cesse lui demanderont pourquoi elle n'a rien révélé des insinuations de Ye Qun. Tout d'un coup, de sa voix la plus sifflante, elle agresse Chou En-lai :

— Vous saviez. Vous saviez depuis toujours. Pourquoi n'avez-vous pas prévenu Mao? Pourquoi l'avez-vous condamné à mort? Vous voulez sa place?

LE CHIEN DE MAO

— Sa place ? Que non ! Je fais tout ce que je peux pour le sauver. Je l'ai averti dès que j'ai été mis au courant par Wang Dongxing, il y a de cela moins d'une heure.

Et Jiang Qing retrouve son plus ancien tourment : l'attente. Espérer, ne pas espérer, désespérer, guetter, se languir, s'exaspérer. Malgré elle, elle tend l'oreille, mais elle n'entend que l'été qui écrase la Terrasse des Pêcheurs. La chaleur. Ne pas penser aux flammes là-bas, à la déflagration. Faire parler Chou En-lai. Lui demander comment Wang Dongxing a découvert le complot.

— Par une jeune femme que Lin Liguo, enfin amoureux, voulait épouser. Son nom est Li Yamei. Plutôt que de se marier, elle l'a espionné. Non qu'elle n'aimât pas Lin Liguo, mais elle est patriote... C'est une étrange aventure, une de ces historiettes galantes qui parfois bousculent le destin du monde.

Yamei est une jeune fille d'une beauté merveilleuse, dotée de ce visage ovale, délicat et fin, si apprécié en Chine. Elle attire tous les regards mais elle est sage. Une fois qu'elle se baigne sur une plage, le hasard fait que Lin Liguo l'aperçoit. Aussitôt ébloui, il imagine pour elle, tant est grande l'impression qu'elle lui a faite, toute une stratégie : il veut conquérir Yamei, l'amadouer, lui plaire, se l'attacher, en même temps, il désire qu'on la façonne, afin qu'elle ait tous les talents pour devenir à la fois son épouse, sa maîtresse, son égérie, son hétaïre, sa conseillère et sa confidente. Elle reçoit à son domicile, c'est-à-dire chez ses parents, un formulaire pour la carrière militaire, passe l'examen chez la fameuse doctoresse et le dressage commence. On lui enseigne, outre les rudiments militaires comme le salut et le maniement des armes, d'autres activités. D'abord la cuisine et la sténographie, mais aussi l'art du massage. Puis, étonnamment, on lui donne des cours d'éducation sexuelle, mais sans exercices pratiques. Enfin, on lui fait voir des films érotiques et lire des revues pornographiques importées de Hong Kong. On annonce aussi à la jeune fille qu'elle sera la secrétaire d'un homme très important, qu'elle apprendra bien des secrets et n'en devra rien divulguer. Curieux service militaire... Vient la rencontre avec Lin Liguo. Une invitation à dîner, une cour en règle. Pas question pour Yamei de résister, ou de faire des manières, elle est trop intelligente pour cela. Mais, sans vraiment détester Lin Liguo, elle éprouve comme un ressentiment. Elle se tait, elle enregistre. Lin Liguo lui parle beaucoup sur l'oreiller, il parle trop. Sa haine de Mao trouble Yamei.

En effet la jeune fille est de bonne souche rouge et maoïste zélée. Dans les années vingt son grand-père était cadet de Whampoa, l'académie militaire dont Chou En-lai surveillait la couleur politique et qui a formé Lin Biao. Membre du Parti, blessé lors de la Longue Marche, il avait à Yanan assuré l'instruction de jeunes recrues illettrées comme Wang Dongxing.

Reconnaissance, liens éternels, Wang Dongxing ne perd pas son ancien maître de vue. Il est de toutes les fêtes, s'intègre à la famille, il regarde Yamei grandir, se dit qu'un jour il la mettra dans le lit de Mao, mais Lin Liguo le devance. Wang Dongxing est furieux : c'est un morceau de roi qui lui échappe. Pourtant il se console vite : bien pilotée, songe-t-il, la petite sera son œil et son oreille dans le milieu Lin Biao. Un entretien est fixé où Wang Dongxing n'emploie pas le vilain mot d'espionnage. Non, il parle de Mao, des sacrifices auxquels il consent pour le Peuple, des périls qui l'entourent. Yamei vibre d'adoration. Tonton Wang la félicite de sa ferveur : comme il comprend Lin Liguo de l'avoir élue ! Et puis il prodigue ses conseils, qu'elle reste une fille dévouée, que toujours elle dise tout de sa vie à ses parents et que l'amour de Mao ne la quitte jamais. Le bon apôtre.

Depuis le début, les parents de Yamei renâclent devant l'étrange promotion de leur fille dans l'armée. Elle sera nommée capitaine, dit-elle, eux pensent capitaine-putain. Elle épousera Lin Liguo, prétend-elle, eux sont sceptiques, flairant du crapuleux dans l'affaire. Wang Dongxing, à qui ils s'ouvrent de leurs doutes, les rassure. Sa recommandation ? Qu'ils restent très proches de leur enfant et surtout qu'à la moindre équivoque, la première inquiétude, ils contactent ses services, pour eux, il sera toujours joignable. Quant à lui, il promet d'inviter régulièrement Yamei. Ne se considère-t-il pas comme son oncle ?

Ainsi, peu à peu, la fiancée accomplie devient moucharde attitrée. Tout le monde l'apprécie, elle est la mascotte de l'Escadre de l'Union et elle rapporte fidèlement à Wang Dongxing combien Mao est détesté dans ce cercle et à quel point Lin Liguo souffre de voir son père le dauphin humilié par le Grand Timonier. Un climat. Rien de grave. Jusqu'au jour où Yamei a vent du projet 571. La stupeur. La tempête. Le branle-bas. Tel un fantôme diaphane et apeuré, terrorisée à l'idée d'être suivie, elle court chez ses parents et avec des sanglots de gamine, elle déballe tout, le complot, l'imminence du danger. Son père se précipite chez le représentant de Wang Dongxing à Shanghaï, dans l'antichambre, il bouscule l'huissier et les gardes, il se démène, il beugle tant qu'il est reçu.

LE CHIEN DE MAO

Sens des convenances? Guet-apens? En racontant tout le traquenard, quelles que puissent être ses préventions, Chou En-lai a traité Jiang Qing en alliée. Cet homme qu'elle déteste, la respecterait-il? Pour se donner une contenance, et l'impressionner par l'intensité de son chagrin, Jiang Qing réussit à pleurer. Quelques larmes. Et l'attente reprend. Lugubre. Chaque seconde comme l'éternité du temps... Chou En-lai a une expression sagace et aimable, difficile à interpréter, qui peut être aussi bien résignation à un deuil que résolution forcenée. Combien de gens ont-ils été pris à l'énigme de ce sourire? Le Premier ministre répète qu'il faut espérer, et Jiang Qing, tout à l'heure encore si lasse, si dégoûtée de Mao, n'est plus soudain qu'une formidable espérance, qu'il vive, qu'il vive, sinon elle est condamnée. Il y aura des enquêtes, on parlera de ses visites à Ye Qun, on ressortira des photos, des dossiers.

Chou En-lai reprend :

— Il sera sauvé.

Enfin le téléphone sonne : Mao est à Shanghaï, à l'hôtel Jinjiang. Il dort.

On apprendra plus tard, toujours par l'entremise de Yamei, que Mao n'a échappé à la mort que par miracle. Les préparatifs étaient achevés, les rampes de lancement dressées et tournées vers la voie ferrée, les conjurés en place, quand Lin Liguo, au moment même où le train apparaissait à l'horizon, avait reçu un message de Lin Biao. Désemparé, presque à la dernière seconde, il avait exigé qu'on arrête tout.

Panique dans le poste de commandement. Un homme crie qu'il veut tirer quand même. Lin Liguo crie plus fort encore. Bousculade. Poings brandis. Tourbillon. Larmes. Épargner Mao est un suicide, une aberration. Demain il saura tout. Et il se vengera. Lin Liguo explique que son père s'est formellement opposé à l'attentat, qu'il est contraint d'obéir, mais pour cette fois seulement. Le maréchal a sans doute de justes motifs pour les avoir ainsi retenus et il serait stupide de ne pas se conformer à ses prescriptions. Il va partir pour Beidaihe, où son père l'a convoqué de toute urgence, une autre embuscade pourra être tendue ensuite. Le Vieux, qu'entre eux les compagnons de l'Escadre appellent B 52, ne perd rien pour attendre. Pauvre Lin Liguo qui fait le bravache et qui n'ose pas avouer à ces fanatiques que jamais il n'a parlé du complot avec son père. Comment Lin Biao l'a-t-il appris? Et Mao? Que sait-il Mao?

LE CHIEN DE MAO

Baves, paroles, mensonges... Il est tard dans l'après-midi quand Lin Liguo monte dans le Trident à l'équipage sûr envoyé par son père. Une fois débarqué à Pékin, sans perdre une seconde, une voiture l'emmène, tous feux éteints. Au fond de la limousine, Lin Liguo frémit d'anxiété et il se répète son plaidoyer : s'il a monté ce coup, c'est pour porter secours à son père, par amour filial. Des kilomètres à se justifier et à argumenter... mais lorsqu'il arrive dans le grand bâtiment fortifié qui tient lieu de résidence balnéaire au clan Lin, le maréchal dort déjà. Serait-il malade ? Ye Qun le tranquillise, Lin Biao a une nouvelle manie, se coucher au crépuscule. Bizarreries de Lin Biao... Il est décidé qu'on ne le réveillera pas.

Le lendemain, les deux hommes prennent leur petit déjeuner ensemble. Lin Biao arbore un sourire heureux, épanoui. Ensuite ils vont marcher au bord de la mer et dans la quiétude du matin s'établit une sorte de tendresse entre eux. La clarté. Le roulement des vagues, le sable dur et humide, tant de fraîcheur, d'innocence... Des souvenirs, des images semblent refluer en Lin Biao :

—Je songe à la rémanence des choses, à l'immortalité. A mon retour au sein de la nature. Et toi ?

Lin Liguo, qui est plus habitué aux beuveries de l'Escadre qu'aux interrogations métaphysiques, reste muet et Lin Biao le félicite de n'être ni un philosophe ni un poète. Puis il ajoute quelques phrases obscures sur le temps, la nécessité de savoir choisir son moment. Lin Liguo se tait plus encore, il se rend compte que son père est en train de le jauger : peut-être un orage couve-t-il dans ces propos d'apparence anodine. Silence. Quelques pas encore et brusquement le maréchal demande à son fils s'il croit que Mao respectera sa parole, s'il le considère toujours comme son successeur. Suffoqué, Lin Liguo finit par articuler qu'il se méfierait.

— Tu as raison, reprend le maréchal, Mao déteste tous ceux à qui il a reconnu certains droits, à qui il a fait des promesses ou qui l'ont aidé. Il n'a épargné personne, hormis cette pute de Jiang Qing et Chou En-lai, mais celui-là aussi son tour viendra. Chou vit prosterné, qu'il relève la tête et il est mort. Moi, je suis depuis longtemps condamné.

—Je l'avais compris et je voulais vous apporter le cadavre de Mao, mais vous m'en avez empêché.

— Tu es un bon fils et tes intentions étaient excellentes mais ton projet était rudimentaire. Mao pouvait ne pas être dans le train, tes projectiles manquer leur cible. Tu aurais dû songer que ce démon bardé d'enfer ne se laisserait pas supprimer par un innocent comme toi.

Pas de grande remontrance, pas de mercuriale ni de semonce, tout juste une réprimande, Lin Liguo respire et s'enhardit :

— Mais comment avez-vous appris...

— Cela ne te regarde pas, mais tu imagines bien que j'ai des informateurs dans toutes les garnisons. Et comme toi et tes amis n'êtes pas particulièrement discrets, j'ai fini par savoir.

— Alors Mao sait aussi. Vous n'auriez pas dû m'arrêter.

— Il m'est venu au dernier moment, non pas un remords, non pas un scrupule, du reste je n'en ai jamais éprouvé, mais le sentiment qu'il ne fallait pas laisser faire, que cela se serait retourné contre moi. J'ai beaucoup réfléchi sur les coups d'Etat et sur les méthodes qui les rendent acceptables. Ici on serait remonté jusqu'à moi et j'aurais été considéré par tous comme l'assassin avoué, impudent, de celui que j'avais moi-même tellement traité de génie, pour qui j'avais prôné un culte absolu. J'ai eu peur que la Chine ne me considère avec horreur et ne me désavoue. Je ne voulais pas avoir le sang de Mao sur les mains, non je ne le voulais pas. En tout cas, pas de cette façon. Mais j'agirai bientôt de manière décisive.

Le plan de Lin Biao, en code le projet de « la Montagne de la Tour de jade », qu'il mijote depuis plus d'un an, est un plan complet, militaire, diplomatique, international, avec toute une stratégie des hommes et des événements. Une complexité pour lui banale. Car avec son air souffreteux, sa constante douceur, son maintien modeste, son indulgence pour les écarts et les folies des siens, la mort est son don et la victoire son attribut. Il cogite, construit son schéma, parachève l'idée, la grande idée jusque dans tous les détails que requiert une exécution parfaite, puis il donne un ordre et autour de lui, si petit, si paisible dans son uniforme, se déchaînent les carnages. Tant d'armées défaites, tant d'ennemis écrasés, tant d'arrogances piétinées par ses justes raisonnements. Toujours il a su déplacer ses pièces sur l'échiquier et triompher. Maintenant sa cible est un homme plus redoutable à lui seul que des milliers d'hommes. Mais Lin Biao, tout en connaissant le danger, l'abrupt, le terrible, le fourbe de Mao, est certain de l'anéantir... Parce qu'il a sécrété contre lui un processus qui lui semble parfait, allumé une mèche lente qui à la fin emportera la tête du roi.

Il faut tromper Mao, l'effrayer ; qu'à l'instigation du maréchal,

LE CHIEN DE MAO

les Russes entrent en Chine et que Pékin paraisse menacé, Mao ira se placer là où il croira trouver une protection, près de Lin Biao le commandant en chef, dans la citadelle des Collines de l'Ouest. Ils surveilleront ensemble le déroulement des hostilités et Mao attendra la victoire, puisque Lin Biao est toujours vainqueur. Ensuite la séquestration, l'infarctus, les gaz, on avisera. Puis une paix amicale avec les Soviétiques. On ne parlera plus d'un rapprochement avec l'Amérique. Au Peuple, on expliquera que le cœur du Vieux a lâché.

Ce qui est bien préparé se gâte à trop attendre. Dès le retour de Mao à Pékin, Lin Biao appuiera sur la manette. Avec les Soviétiques, et avec les grands guerriers qui lui ont juré fidélité.

Illusions. Lin Biao l'opiomane ne se rend pas compte qu'il n'est qu'un homme de guerre. Ses ruses sont mortelles sur un champ de bataille, mais dans la caverne où s'affrontent les géants de la politique, elles ne suffisent pas. Bien plus que lui, Mao et son serviteur Chou En-lai sont des artistes des combinaisons retorses, des passions sinueuses qui se nouent et broient comme les serpents de Laocoon. Lin Biao a son plan, eux ont le sens des crimes à la noirceur sublime. Et l'intelligence du monde.

Ainsi Lin Biao néglige-t-il certains aspects de sa position. Il préfère ignorer combien sa calamiteuse famille lui nuit, pire, il l'associe à toutes ses entreprises. Il a tout expliqué à Ye Qun son épouse du projet « La Montagne de la Tour de jade », maintenant, sur cette plage, il enrôle ce désastre qu'est leur fils :

— Repars pour Shanghaï, dit-il. Là-bas, plus d'enfantillages. Calme tes amis et dis-leur que l'occasion de me prouver leur allégeance approche. Toi, va présenter tes devoirs à Mao, sonde-le, tâche d'apprendre la date de son départ. Dès qu'il aura quitté la ville, reviens à Pékin avec le Trident, parque-le soigneusement sur l'aéroport de la banlieue ouest, fais faire un plein pour un long vol et laisse quelques hommes pour le garder. Lorsque Mao arrivera, il y aura quelques heures, peut-être quelques minutes critiques. Toute la question est de savoir s'il est au courant de ton entreprise. Si oui, il agira vite, et moi je n'aurai pas le temps de mettre mon plan en œuvre. Il faudra décamper...

— Vous n'auriez pas dû m'arrêter...

— Nous avons deux possibilités, soit se réfugier à Canton, où je me trouverai parmi les plus sûrs de mes partisans. Nous ferons sécession, nous créerons un gouvernement séparatiste et de là je pourrais reconquérir la Chine, en négociant avec Pékin de préfé-

LE CHIEN DE MAO

rence. Soit rejoindre l'URSS et avec son appui politique et militaire revenir chasser Mao.

De retour à Shanghaï, Lin Liguo s'est saoulé avec ses compagnons de l'Escadre de l'Union, et au milieu des borborygmes et des dégueulis, il les a réconfortés. Que tout soit joie, que l'on vive bien! Lin Biao ne les avait pas obligés à épargner Mao par amour. Plus que jamais, il le considère comme un scélérat à éliminer d'urgence. Le plan est prêt. Au pis aller, Lin Biao rejoindra des bases d'où il reviendra gagner la partie, par la guerre civile s'il le faut. Il faudra se battre mais Mao et sa pouffiasse de femme seront vaincus.

Ensuite Lin Liguo, éméché, se jette sur sa Yamei, il la prend dans toutes les étreintes possibles et, sur l'oreiller, il vomit tripes, boyaux et confidences. Comment Lin Biao sans trop le rabrouer s'est moqué de ses missiles, comment il a proféré des menaces contre Mao, comment il a fait allusion à certain grand projet très précis qu'il a de s'en débarrasser, comme il était heureux, détendu, plein de confiance. Evidemment la chère Yamei rapporte le tout à son père, le maoïste ardent, lequel ne manque pas de courir à son tour auprès du lieutenant de Wang Dongxing. C'est ainsi que Chou En-lai est informé.

Dissimulé au dernier étage du Jinjiang, là où il y a sept ans Jiang Qing et ses amis lui concoctaient sa Révolution Culturelle, le Grand Timonier se recueille. Du train, il a distingué les rampes de lancement, Yamei avait donc dit vrai : des Chinois, des soldats chinois emmenés par un dégénéré s'apprêtaient bien à le tuer lui, le Principe et l'Origine de Tout? Mais par quelle lâcheté, ou par quel hasard, ont-ils renoncé? La peur seule ne peut expliquer aussi incroyable effondrement. Et si Lin Biao était compromis là-dedans? Lui seul, le dauphin, le numéro 2 de l'Etat pouvait se faire entendre de son fils et de sa bande d'excités...

Dans son inquiétude, Mao écrit un poème qui est un testament, un adieu au monde. Il gémit sur sa jeunesse perdue, sur sa solitude, il voit des flots de sang, il se débat contre des monstres, la terre tremble, des milliers de cadavres jonchent le sol. Qu'en sera-t-il demain de lui? de son nom? de son Empire abandonné aux démons? Apitoiement sénile et plaisir rhétorique... Parce que loin d'être abattu, comme toujours, Mao se retrouve dans l'épreuve. Et quel adjuvant pour sa rancune que d'avoir enfin de bonnes raisons, non plus de soupçonner, mais d'accuser Lin Biao ! Un instant lui vient la tentation de la violence, ordonner aux milices de Zhang Chunqiao et aux polices de Wang Dongxing d'arrêter et d'abattre tous les affidés de l'Escadre de l'Union. Mais cela paraît trop risqué, pourrait tourner à l'affrontement avec la garnison de Shanghaï, avec l'armée, avec Lin Biao qui a encore la capacité de soulever des troupes dans toute la Chine.

Donc, papelardise et bon visage. Mao, même s'il a le cœur en haine, est excellent à la comédie, surtout à l'égard des criminels qui se sont attaqués à lui. Il aime les regarder, les flatter, les baigner dans toutes les hypocrisies. Et puis frapper. Son vieux procédé : tranquilliser, procurer du bonheur, liquider.

Pour commencer, il fait annoncer sa présence à Shanghaï et son désir de rencontrer les dignitaires locaux. Visites, réceptions. Pour Lin Liguo, qui a sollicité une audience, il peaufine : se déclarant un peu souffrant, il le reçoit dans sa chambre. Face à face de l'homme qui devait être assassiné et de son assassin manqué. Le vieillard et le veau. Mao joue au patriarche avec ce garçon engendré par Lin Biao, ce garçon qui sans doute veut toujours l'occire. Il susurre :

— Etre le fils de Lin Biao fait de toi mon héritier. Ton père me succédera à ma mort, et sans doute lui succéderas-tu lorsqu'il rendra l'âme. La Chine, mon œuvre te reviendront un jour.

Bien sûr, Lin Liguo se récrie. Guimauve. Mao ferme les paupières : s'abaisser à de pareilles pantalonnades quand un empire est en jeu, quand un amas de projets meurtriers le menace, jamais il ne le pardonnera. En attendant, il est contraint de mettre les formes, d'afficher des sentiments affectueux, de demander des nouvelles de la famille – pour vérifier au passage que tout le monde se repose à Beidaihe. Mao étouffe. L'irrite surtout l'attitude de Lin Liguo, son air faraud sous sa servilité affectée. A la fin, d'un ton détaché, il précise qu'il désire prolonger son séjour à Shanghaï de deux ou trois semaines, tant par amour de l'immense métropole qu'à cause de la multiplicité de minuscules problèmes à y régler. Les servitudes du pouvoir, n'est-ce pas.

Mao veut prendre de court Lin Liguo s'il était enclin à monter un nouvel attentat. A l'hôtel, le Timonier ne risque rien, les hommes de Wang Dongxing sont déployés partout, le quartier est bouclé. Mais reste à rentrer à Pékin, reste la voie ferrée. On a songé à un subterfuge, une ruse digne des *Trois Royaumes*. De Shanghaï, et même de la gare principale, lorsque la foule sera

LE CHIEN DE MAO

dense et le trafic à son comble, Mao fera partir son train cuirassé, mais officiellement sans lui, ostensiblement sans lui, pour aller, dira-t-on, chercher Jiang Qing à Pékin. En fait Mao sera là, caché dans un wagon réservé d'ordinaire aux serviteurs. Il y aura été amené de nuit, dissimulé dans un coffre. Lui, Mao, dans un coffre... En ville, on laissera entrevoir quelques instants un faux Mao installé dans une limousine noire, au milieu d'un convoi officiel.

Où est la menace ? Quand Lin Biao frappera-t-il ? Yamei n'a pas été assez précise. Alors Chou En-lai ranime une autre intrigue, une sale et belle intrigue qu'il a entreprise depuis des mois, des années même, dès qu'il a flairé une fissure au sein de la famille Lin. Evidemment, il y a là-dedans une histoire d'amour, que le Premier ministre distend et trafique à sa manière. Héroïne ? La fille de Lin Biao.

Née d'un premier mariage, cette fille, qu'on surnomme Doudou, c'est-à-dire petit haricot, à cause de la manie qu'avait son père de mâchouiller de ces graines à longueur de journée, est une proie facile. Ingrate, triste, dès l'enfance, elle déteste sa belle-mère, Ye Qun, et jalouse Lin Liguo : toute l'attention portée à ce crétin l'exaspère. Elle le dit, le clame et cette fille incasable qui affiche un mépris complet de la politique, des projets et de la gloire de son père commence à intéresser Chou En-lai : fatalement, elle en sait pas mal sur les desseins de Lin Biao. Son aigreur est une promesse, qu'on la surveille. Doudou grandit, on lui donne un grade dans l'armée de l'air, elle se trémousse en uniforme. C'est l'époque où Lin Liguo se lance dans la débauche ; par on ne sait quelle émulation, Doudou se met à collectionner les amants. Le nom de son père lui tient lieu d'hameçon. Il arrive que ses hommes ne plaisent pas du tout à Lin Biao, qui les soupçonne d'être des espions, en tout cas des malotrus. Il n'en discute pas avec sa fille, mais mystérieusement ces importuns disparaissent : accidents, maladies, mutations subites. Doudou pleurniche, proteste auprès de son père, puis elle se réconcilie avec lui. Jusqu'au prochain élu, bientôt disparu. Etranges jeux entre le père et la fille. Haine. Adoration.

Cela dura jusqu'à ce que Doudou s'entichât d'un certain Qian, un jeune médecin qui soignait Lin Biao de ses maux innombrables dont on ignorait toujours s'ils étaient véritables ou simulés. D'instinct, Qian comprenait les désirs de Lin Biao, guérissant une maladie pour dire ou non qu'une autre s'était déclarée, exacte-

LE CHIEN DE MAO

ment selon les besoins et nécessités de son patient. Le précieux toubib devint vite un intime. Il était beau, les traits réguliers, le rire gai et charmeur, Doudou en tomba éperdument amoureuse. Cette fois, Lin Biao, content de s'attacher davantage un homme aussi intelligent, ne s'opposa pas à l'idylle, on parla mariage.

Comme il se doit, on procède à une enquête sur le fiancé mais on ne trouve rien. Qian est impeccable. Par méthode, Chou En-lai, qui continue d'observer la famille Lin, se fait apporter le dossier ordinaire du médecin, celui que la police établit sur chaque Chinois dès sa naissance. Personne n'a rien découvert dans cette paperasse, mais lui décèle une faille : Qian se prétend fils de paysan pauvre quand ses manières raffinées, ses excellentes études annoncent une autre origine. Cette distorsion enchante le Premier ministre, il tient quelque chose, enfin. Qian est convoqué dans une demeure sordide, un antre de la Sécurité, un abattoir à aveux où officient les soudards de Wang Dongxing. Là deux brutes simiesques se relaient pour le fracasser de coups et de questions. Lui répète qu'il y a une erreur, qu'il est le médecin personnel de Lin Biao.

— Arrête tes salades, ça on le sait et on s'en fout. Et pendant que tu y es, arrête de trembler, c'est répugnant. Tu as trompé le Peuple, tu t'es introduit auprès du maréchal Lin Biao sous une fausse identité, avoue-le. Dis-nous le nom de ton véritable père.

Ainsi pendant des heures. Jusqu'à ce que Qian reconnaisse qu'en effet son père est un nationaliste aujourd'hui réfugié à Taiwan. Sa mère s'est remariée avec un paysan pauvre qui l'a reconnu comme son fils. Explication banale, misère ordinaire. Qian n'est plus qu'une loque que les interrogateurs assomment d'injures. Enfin il crache un nom, celui du colonel Wu. Encore deux ou trois gifles, des moqueries, peut-être n'est-il qu'un bâtard, sa mère, une putain. Qian proteste. A peine. On lui aboie qu'il sera fusillé. On viendra le chercher.

Assis par terre, recroquevillé, Qian attend. Au fond de lui, l'abîme. Son tour est donc venu. Il tremble, il transpire, il se liquéfie : dans quel cachot va-t-on l'enfermer ? Pour quel supplice ? Comme on dit que font les noyés, il revoit sa vie. La fin de la guerre. Son père qui se cache, qui s'enfuit. L'argent quand même. Et ensuite le dégoût que lui inspire son beau-père le cul-terreux. Sa mère qui explique qu'il doit changer de nom, que leur survie à tous deux en dépend. Comme il a navigué depuis ! Adolescent, il s'était juré d'entrer dans le monde des grands dirigeants, alors il avait tra-

LE CHIEN DE MAO

vaillé, flatté, charmé. A chaque instant. Sans débander. Et d'un seul coup, pfuitt, plus rien, terminé le beau docteur Qian, futur gendre du deuxième personnage de l'Etat. En prison, Qian. Au poteau.

La nuit est tombée et le silence s'est fait dans l'abattoir. Terrorisé, Qian écoute chaque bruit. Une voiture ne vient-elle pas de s'arrêter ? Il lui semble entendre des voix, et puis des pas. Soudain la porte s'ouvre. Entrent les deux interrogateurs précédant Chou En-lai qui demande qu'on les laisse seuls.

Qian s'est redressé et, sur un geste du Premier ministre, il s'est traîné jusqu'à une chaise où il s'affale. Chou vient s'asseoir en face de lui et d'une voix aimable, presque paternelle, avec son célèbre sourire qui est à la fois menace et séduction, poison et baume, il passe la corde au cou de Qian :

—Je me souviens de votre père, je l'ai rencontré autrefois à Chongqing. C'était un excellent militaire qui s'est bien battu contre les Japonais. Mais je crains qu'il n'ait aussi tué beaucoup de communistes. Pour autant que nous le sachions, Tchang Kaï-chek l'apprécie toujours. Vous n'avez, j'imagine, plus de contacts avec lui ?

— Il nous a abandonnés, ma mère et moi...

— Bien sûr, où avais-je la tête ? Reste que vous vous êtes fait passer pour un prolétaire, alors que vous êtes le fils d'un féodal, ce qui est un crime passible des pires châtiments.

Rhétorique, bla-bla-bla, considérations sur la bonté du Peuple. Chou En-lai ne peut arrêter l'enquête en cours mais, pour ce soir, au nom des temps anciens et parce que Qian lui est très sympathique, il a décidé de le faire relâcher. Le Premier ministre, qui est enchanté d'avoir établi avec lui des « relations transparentes », veillera personnellement sur son dossier.

Les jours s'écoulent. Prétextant une mission d'étude, le temps de soigner ses bleus, Qian s'est caché. Parfois il se dit qu'il devrait parler de cette affaire à Lin Biao, qui la réglerait à son avantage, mais il n'ose pas. Il est inquiet parce qu'il sait que les communistes n'oublient jamais rien. Revenu chez les Lin, il s'éloigne de Doudou, elle le relance, il hésite, tergiverse, puis il cède. Doudou s'épanouit, les noces sont fixées. Doudou évite de s'étendre sur les circonstances et modalités de son mariage avec son père, qui lui paraît préoccupé. Pas de contact non plus avec sa belle-mère Ye Qun et son demi-frère Lin Liguo, qui eux semblent surexcités. Doudou n'a qu'une hâte, les quitter. Pour commencer,

LE CHIEN DE MAO

elle fuit Beidaihe et s'installe à Pékin, avec son fiancé. Qian
s'abandonne.

Vient l'époque où Mao est piégé à Shanghaï. Soudain Chou
En-lai convoque Qian dans son beau bureau très civilisé de chef
de gouvernement, à Zhongnanhai. Le crime de Qian, dit-il, toujours souriant, est établi et sa condamnation inéluctable, à moins
qu'il ne se repente, qu'il ne donne des gages de sa fidélité à Mao.
Dans ce cas le dossier pourrait être camouflé, oublié, détruit
même.

Le fumier. La suave ordure. Qian a un vague réflexe de colère
mais en même temps une peur animale s'est emparée de lui,
comme naguère dans le bâtiment de la Sécurité. La sueur, les
tremblements, le ventre qui se noue. Il entend à peine Chou En-lai
qui maintenant pose des questions. Lin Biao tient-il des propos ca-
lomnieux sur le Grand Timonier ? Ye Qun jacasse-t-elle toujours
autant ? De fil en aiguille, lorsqu'il aborde l'hypothèse d'une hostilité active, Qian a pris sa résolution, il va mettre Doudou dans le
bain des dénonciations :

— Je crois, concède-t-il, que Lin Biao est las d'attendre. Mais je
ne sais pas grand-chose, je ne vis pas dans la maison principale et
l'on ne parle pas beaucoup devant moi. Lin Doudou est bien
mieux informée que moi. Curieusement, cette famille, qui vit un
peu repliée sur elle-même, partage tout.

Chou En-lai rit :

— Vous avez de la chance, Doudou est une heureuse nature,
tout occupée des plaisirs de la vie. Elle n'écoute pas trop ce qui se
dit de sérieux autour d'elle, mais enfin quand même... Persuadez-
la de venir tout à l'heure avec vous me faire une petite visite ici
même ! Elle seule peut vous sauver. Je ne vous fais pas accompagner, je compte sur vous.

Deux heures plus tard, le couple se présente chez Chou En-lai.
Doudou le salue comme un vieil ami, un parent, le bon oncle qui
l'a fait sauter sur ses genoux à Yanan quand elle était un bébé. Il
l'a vue grandir, souffrir, devenir une coureuse indifférente à la
politique, puis une femme éprise, et c'est en douceur, en se ré-
férant à leurs souvenirs, qu'il entreprend de la questionner. Mais
elle, avec enthousiasme, du premier coup, comme voulant se vider
de tout l'incommode, raconte tout. Elle se gargarise en laideronne
qui enfin a la vedette et aussi en créature habituée à trouver
simple ce qui est monstrueux. L'exposé est incohérent qui va de sa
belle-mère braque à Liguo le libidineux et à la prochaine attaque

418

des forces soviétiques. Au mot d'attaque, Chou a dressé l'oreille, voilà l'indice.

Tout d'un coup, le visage impénétrable, il explique aux jeunes gens que le rapprochement sino-américain voulu par Mao est réprouvé par certains grands dirigeants et qu'on examine les positions des uns et des autres, Lin Biao compris. On attend d'eux, ou plutôt Mao attend d'eux, une totale collaboration. Sinon... Doudou reprend tout, la fureur de Lin Biao, l'agitation de Ye Qun, leur ambition, celle de Lin Liguo, la guerre dont on ne cesse de parler et cette date du 25 septembre qui leur paraît si importante. Des bribes et encore des bribes que le Premier ministre écoute avidement, jusqu'à deviner une trame. Puisqu'il a obtenu une date il peut conclure : Mao veut avoir un entretien impromptu avec Lin Biao, le jeune couple va disparaître quelque temps :

— Comprenez-moi, le maréchal ne doit pas être averti, Mao désire le surprendre. Je vais vous faire conduire dans une villa discrète à Tien-tsin. Doudou, je vais aussi te donner de l'argent pour que tu puisses acheter une jolie robe de mariée lorsque tout sera fini.

On se sépare dans les embrassades. Doudou est si inconséquente qu'elle ne songe plus qu'à son trousseau.

Maintenant, Chou En-lai sait. La volonté du Ciel va s'accomplir. Par un message crypté, le Premier ministre donne le signal pour le départ de Mao. Selon le stratagème prévu. Le train est attendu dans la banlieue de Pékin, le 12 septembre à deux heures de l'après-midi. Deux heures, c'est important. Il garantit qu'il n'y aura pas d'attentat durant le trajet, mais il insiste sur le secret. Que rien ne filtre. Et pour commencer, que Mao garde la chambre.

L'ombre. Le temps suspendu. A Beidaihe, Lin Biao s'inquiète. De Shanghaï, un rapport lui signale que Mao aurait disparu. Peu après, Lin Liguo annonce qu'il rentre à Pékin avec le Trident. Affolement du maréchal : l'initiative lui échappe. Il téléphone à Chou En-lai pour s'enquérir de la date du retour de Mao afin qu'il puisse aller le saluer comme il sied. Mais le Premier ministre affirme ne rien savoir : que Lin Biao profite tranquillement des splendeurs de septembre au bord de la mer. Extraordinaire Chou En-lai, immense professionnel de la duplicité : il réussit à mettre dans son discours chaleureux assez de fausseté pour que Lin la perçoive, s'en alarme, à la fin tombe dans le piège et quitte Beidaihe pour Pékin.

LE CHIEN DE MAO

Le 12 septembre, à la petite gare, il n'y a que Chou En-lai et Jiang Qing pour accueillir Mao. Il descend de son wagon en s'appuyant sur l'épaule de sa concubine : il a la figure un peu rouge, le souffle court d'un homme qui a peiné dans des ébats. Intérieurement, Jiang Qing ricane : quel bouffon que ce vieux salace ! Mais peu importe. Du reste, Mao renvoie Yufeng et il se tourne vers sa femme, le mufle satisfait. Alors Jiang Qing s'offre une crise de nerfs heureuse. Elle pleure, elle geint, elle crie, elle est dans tous ses états, et Dieu sait qu'elle peut en avoir de nombreux ! Là, c'est un comble. Sort de ces transes une voix qui piaille :

— Je suis si contente, j'ai eu si peur !

Mao la toise :

— Parce que tu étais de mon côté ? C'est une excellente nouvelle. Et s'ils m'avaient tué...

— Je serais morte.

Mao n'en croit rien, mais il préfère batifoler :

— Quel bel été ! Quelle splendeur que tous ces feuillages et ces toits vernissés dans le lointain ! Dire qu'en mon nom on a pu interdire d'aimer les oiseaux et les fleurs... J'étais fou. Dorénavant je veux des fleurs, des bouquets et des bouquets de fleurs autour de moi. Et des filles-fleurs, et de la musique, et des livres.

Il y a en Mao comme une explosion de sève, la joie d'être encore de ce monde. Il rajeunit, sa peau se défripe, ses yeux sont gais, il exulte :

— Dans quelques minutes, je serai dans mon pavillon, et constamment je sentirai le temps venir me border, me choyer, me répéter que je vis. Tout à l'heure, chez moi, nous boirons à ma santé. Kampé ! Kampé !

Soudain Mao rit avec une jovialité sinistre :

— Nous porterons d'abord un kampé à Lin Biao. C'est un bon soldat, il m'a bien servi. Il a sa place au paradis des guerriers !

Le cortège des voitures glisse silencieusement dans un Pékin engourdi par le soleil de septembre. Aucun fanion, aucune protection, rien qui signale la présence de Mao. Dans la cité règnent la paix et l'assoupissement, pas de soldats, aucun signe qui annonce des événements. Juste l'odeur de la somnolence. Et puis l'or et la pourpre dans la vibration de la chaleur. A l'entrée de Zhongnanhai, quelques sentinelles hurlent qui va là, on leur répond : « Personne », et eux, reconnaissant l'anonymat impérial, laissent passer.

420

LE CHIEN DE MAO

Les limousines s'arrêtent devant le pavillon de la piscine et Mao, de sa démarche hésitante, appuyé sur la canne qu'il déteste, zigzague jusqu'au seuil. Jiang est à côté de lui et ils poursuivent leur perpétuelle conversation, mi-démons, mi-bambins chamailleurs. Derrière eux, Chou En-lai dans sa tunique d'humilité. A quoi pense-t-il Chou En-lai ? Aux couteaux que sur son ordre on affûte ?

Mao rabâche :

— Dire que j'aurais pu n'être que des bouts de chair dans les fracas du métal déchiré. Mais je suis là, intact, et pour longtemps, je crois.

Il regarde sa femme :

— Tu es une bonne vieille bien que tu trempes ton pain dans toutes les sauces. Je te le dis, tu vis un bon jour, celui de ma justice. Elle ne se retournera pas contre toi, au contraire elle fera appel à tes bons offices. Tu aimes ça, rendre la justice...

Jiang Qing le rabroue plaisamment :

— Et toi, combien d'hommes as-tu fait supplicier ? Des millions ?

Mao a un geste de bénédiction :

— Tout est cruel, dit-il, sauf moi désormais. J'accorde ma grâce à tous et à tout.

Jiang Qing sursaute :

— A Lin Biao aussi ?

— Non, pas à Lin Biao.

Les serviteurs apportent une collation, Mao mange de bon appétit, les autres mâchonnent nerveusement. Une fois Mao restauré, le trio passe dans un salon aux grands fauteuils de bois noir ajouré où l'attendent les experts de la mort, Kang Sheng plus guilleret que jamais et le pittoresque Wang Dongxing. Mao, posé sur un divan moelleux, paraît sommeiller quand brusquement il demande comment l'on tuera Lin Biao.

Chou En-lai prend la parole avec une autorité circonspecte :

— Je pense qu'il faudrait inviter ce soir Lin Biao et sa femme à un dîner amical. Ensuite, Wang Dongxing et Kang Sheng se chargeront de la besogne.

Longue délibération qu'interrompt un garde : le maréchal Lin Biao est à la porte, il insiste pour être reçu. Un Lin Biao digne, bien que la peur l'amène. La nouvelle de l'arrivée de Mao a filtré, sa fille a disparu, il s'est querellé avec sa femme et avec son fils qui voulaient déguerpir sans délai avec le Trident. Mais il a décidé de faire face, et d'abord d'aller humer la situation à Zhongnanhai.

421

LE CHIEN DE MAO

Mao éructe :

—Je ne veux pas le voir, sa figure me gâcherait mon plaisir. Wang Dongxing, allez-y ! Dites-lui que je me repose, que je ne peux pas le recevoir.

Mais Jiang Qing, saisie de frénésie, en furie d'autant plus avide qu'hier encore elle était du bord de l'accablé désigné pour le bourreau, insiste pour qu'on le fasse entrer :

—Laissez-le venir ! Profitez de sa visite pour le convier à ce dîner ! Charmez-le !

—Non. Qu'il mijote ! Nous n'avons pas encore arrêté le dispositif de son exécution. Tu lui téléphoneras tout à l'heure, quand tout sera réglé. Je te connais, tu seras toute mousseuse, tout aguichante. Je te laisse le plaisir de l'attirer dans le piège.

Cependant Wang Dongxing s'est rendu dans l'antichambre et incliné devant Lin Biao. Lorsqu'il se relève, le visage bouffi et souriant, il murmure que Mao n'est pas visible. Epuisé par son voyage, il s'est couché et Jiang Qing est à son chevet.

Lin Biao frémit... A l'apparition de Wang Dongxing, le soupçon l'a dévasté en un instant. Si Mao était souffrant, cette gargouille de cauchemar ne serait pas auprès de lui. Donc Mao traite une affaire, et même une affaire assez grave pour que le deuxième personnage de l'Etat soit éconduit, malgré le libre accès qui a toujours été son apanage. On l'insulte, on l'offense délibérément. Le souvenir lui revient de ce soir de l'été 66 où Mao avait refusé de recevoir Liu Shaoqi. Il dormait avait-il fait dire, alors qu'il tenait colloque avec Kang Sheng, Jiang Qing et, lui, Lin Biao. Le lendemain, des gardes avaient rapporté que Liu était resté caché dans le jardin sous les fenêtres de Mao. Comme ils avaient ri à l'époque...

Puis Lin Biao se tranquillise : Mao aurait pu le faire abattre sous ses yeux, quitte à inventer ensuite un bobard, et il ne l'a pas fait, ce qui dénote au minimum de l'irrésolution. D'autre part, il ne l'a pas convié pour l'embuer de son amabilité comme c'est son habitude avec les condamnés. La grossièreté de Mao semble indiquer que Lin Biao n'est pas promis à un mauvais coup dans l'immédiat. Ce rustre ne se gêne pas, c'est tout.

Il est quatre heures de l'après-midi et Pékin somnole toujours. Lin Biao se fait reconduire à sa demeure, où il raconte l'affront subi et les heureuses conclusions qu'il en tire :

—Je n'ai jamais vu Mao s'en prendre à quelqu'un qu'il va liquider aussitôt. Sa conduite montre qu'il nourrit contre moi une

LE CHIEN DE MAO

rancune, je ne sais quoi, mais elle n'est pas grave. Maintenant, je suis certain qu'il n'est pas averti de nos desseins. Sinon il m'aurait fait tuer sur-le-champ ou il m'aurait reçu pour me cajoler et me paralyser.

Mais Lin Liguo hurle :

— Mao sait! Mao sait! Pourquoi, mon père, m'avez-vous empêché de le pulvériser dans son train?

A ce moment, le téléphone sonne. Ye Qun décroche, puis elle tend l'appareil à son mari en lui murmurant que Jiang Qing souhaite lui parler.

Chante alors dans l'oreille du maréchal la voix de Jiang Qing, sa voix la plus captivante de fée perverse au comble de la séduction :

— C'est vous, camarade Lin Biao? Le Président vous demande de l'excuser. Il s'était assoupi et n'a appris votre visite qu'à son réveil. Il est désolé, et moi aussi. Pour réparer, voyons-nous vite. Venez dîner ce soir à vingt heures, avec Ye Qun! Ce sera intime, familial presque. Il y aura Chou En-lai.

Lin Biao accepte avec une extrême courtoisie mais l'entretien terminé, lorsqu'il se retourne vers Ye Qun, il est livide, il tremble :

— Trop de politesse, une politesse qui annonce le guet-apens. Un bon repas présage une bonne tombe, Mao connaît ses classiques, les annales sont pleines de festins annonçant des meurtres. Si nous y allons, nous n'en reviendrons pas.

Ye Qun balbutie qu'elle ne voit pas comment ne pas y aller. Sauf à fuir. Mais maintenant les avions doivent être cloués au sol, les gares et les routes surveillées.

Lin Liguo intervient avec fougue :

— Nous ne sommes pas désarmés. Allons au grand état-major, et là, discutons avec les généraux! On peut envoyer des parachutistes occire Mao, on peut aussi commencer immédiatement à appliquer le plan de la Montagne de la Tour de jade.

A cinq heures, Lin Biao et son fils rejoignent les grands guerriers dans la cave de béton qui sert aux réunions. Tout l'appareil des cartes, toute l'atmosphère des prochains affrontements, les faux rapports sur de prétendues incursions soviétiques en territoire chinois, les documents indispensables pour déclencher la contre-attaque... Le maréchal les regarde et, sans ciller, il ordonne que les unités chinoises attaquent les Russes sur-le-champ.

Rumeurs dans l'assistance. Brouhaha. Des voix crient qu'on ne peut démarrer pareille affaire sans davantage de préparation, que la date du 25 septembre n'a pas été retenue au hasard, que lui-même a toujours répété qu'on ne devait engager de bataille qu'à coup sûr. Face à cette réprobation, Lin Biao se défait brutalement. Hagard, ayant perdu tout contrôle, il se lance dans un tournoiement de phrases sibyllines sur sa folie, sur le rendez-vous de Zhongnanhai, sur les hommes de Wang Dongxing et l'heure qui tourne. Jamais, dit-il, Mao ne se réfugiera ici, sous notre coupe. Il m'attend dans ses jardins.

Personne ne comprend ce qui semble une fièvre, un délire. Lin Biao suffoque. Il est en sueur, il dégrafe sa veste, enlève ses chaussures, se passe un mouchoir sur le visage et il reprend plus clairement les faits, l'attentat manqué, le retour de Mao, l'invitation à dîner.

Un silence. Puis monte vers lui comme un bruissement de chuchotis :

— Cherchez une excuse ! Prétendez que vous êtes malade !

— Non, c'est impossible. Je viens de chez Mao. Il ne m'a pas reçu, mais il sait que je suis en bonne santé.

Sur ce, Lin Biao s'évanouit, ou presque. La tête vide, il s'appuie contre le dossier de son fauteuil, un peu d'écume lui monte aux lèvres, tandis qu'il feint d'écouter la longue litanie des gradés qui s'empoignent, se disputent, dénoncent le traquenard. Comme ils sont loin ! Et quelle est cette brume qui amortit leurs voix ? Soudain ils sont là, hurlants, déchirant l'air de leurs braillements. Tellement insupportables que Lin Biao trouve la force de les couper :

— Camarades, dit-il, taisez-vous. Parlez l'un après l'autre. Et d'abord rendez-vous compte que si à huit heures ma femme et moi nous ne sommes pas chez Mao, c'est une déclaration de guerre. Il est bientôt six heures. Nous n'avons que peu de temps pour nous décider.

Quelqu'un crie :

— Retranchons-nous ici et déclenchons un coup d'Etat militaire. Il n'y aura qu'à soutenir que des contre-révolutionnaires ont enlevé Mao. Rassemblons les forces cantonnées dans les Collines, attaquons la Cité Interdite.

— Des milliers d'hommes de l'unité de police 8341 sont déjà là-bas, disséminés dans les parcs ou stationnés dans les environs immédiats. On ne peut pas les encercler. Toutes les troupes que nous aurons pu mobiliser en deux heures seront insuffisantes. Et puis, je ne le veux pas.

— L'Escadre de l'Union est prête à tout pour vous soutenir.

LE CHIEN DE MAO

— Qu'elle attende les ordres.

Quelqu'un couine : « Si vous ne voulez pas... », tandis qu'un autre suggère : « Bombardons Zhongnanhai. » Lin Biao refuse encore :

— Non, les unités sont basées trop loin. Et puis, encore une fois, je ne le veux pas.

Silence malaisé. Ce maréchal qui se refuse à l'action, les grands guerriers ne le comprennent plus et son «Je ne le veux pas» les assomme et les décourage. S'en aperçoit-il? Sans doute pas. Il rêve. Il est à bord de son Trident, il est à Canton, à Markden, il fait la tournée des capitales provinciales, il recrute, il lance des armées dans une immense offensive contre Pékin.

Le songe l'a-t-il apaisé? Lin Biao a un visage rasséréné pour demander combien d'heures, au minimum, seraient nécessaires pour lancer des troupes contre les Soviétiques. « Deux heures pour un régiment, huit heures pour une division » lui dit-on. Toujours aussi calme, Lin Biao demande qu'on lui donne rapports et documents, il va réfléchir dans la pièce attenante. Une demi-heure, le maréchal reste enfermé dans son refuge. Ténèbres. Nuit de l'âme. Angoisse féroce qui sape toutes les arrogances. Sueurs froides... trente minutes de torture absolue, et Lin Biao se décide : il brûle les papiers. Et puis il réapparaît dans la salle de réunion et médite à voix haute :

— Peut-être suis-je trop tendu, trop méfiant, peut-être ai-je pris la maladie de la suspicion. Cette panique est ridicule. Au fond, quoi de plus simple que de dîner une fois de plus chez Mao, quand on y a dîné des centaines de fois?

Il est tout mince, très droit, pâle, presque transparent et avec un sourire charmant – ce qu'il a de mieux –, il annonce :

— Nous y allons. Vous, restez ici en alerte. Et placez des hommes en observation autour de Zhongnanhai, peut-être aurez-vous à improviser une action.

De retour chez eux Ye Qun et Lin Biao s'habillent et rassemblent les indispensables présents.

Dans le pavillon de Mao, où l'on prépare le grand repas, Jiang Qing frémit d'impatience. Déchaînée, enragée, elle ne cesse de grincer :

— Ils ne viendront pas, ils ne viendront pas.

Mao essaie vainement de l'apaiser :

— Ils viendront. Lin Biao est un faible, incapable de grandes

LE CHIEN DE MAO

résolutions en dehors des champs de bataille. En ce moment, il hésite, il est en train de se tourmenter avec toute sa maisonnée. Mais il cédera, il sera là à huit heures.

A la fin, pour la calmer, Mao demande à Chou En-lai de passer un ultime coup de téléphone de persuasion à Lin Biao. Le mandarin rouge prodigue des douceurs, brode sur le plaisir de se retrouver après tant de vacances et de voyages, mais malgré son talent, l'appel est superflu, trop insistant, maladroit, et Chou En-lai paraît brasser une infâme tambouille.

Lin Biao ne s'y trompe pas :

— Tu vois, dit-il à sa femme en raccrochant, ces gens nous guettent. Mais il est trop tard pour reculer.

Lin Liguo supplie encore :

— N'y allez pas, surtout n'y allez pas! Déclenchez un coup d'Etat! L'armée est avec vous, enfin la majeure partie de l'armée.

Lin Biao ne se laisse pas ébranler, et son refus résonne comme un défi. Alors Lin Liguo bat en retraite : il se contente de donner à sa mère une montre qui dissimule un émetteur. Ye Qun l'ajuste à son poignet avec un étrange sourire : si tout va bien, des patrouilles postées non loin de Zhongnanhai capteront un signal toutes les cinq minutes. En cas de malheur, si son pouls cesse de battre, l'alarme sera donnée.

A huit heures du soir, la limousine de Lin Biao et de Ye Qun pénètre dans la Cité Interdite. A l'entrée, la garde présente les armes. Magnificence des jardins, des pavillons, des cours dallées, des ponceaux au dos rond, partout la beauté et la paix... Comme si l'Empire Céleste subsistait dans sa splendeur, comme si le siècle n'avait pas été un charnier où a triomphé l'un des plus grands meurtriers connus depuis l'origine des temps, Mao Zedong. Car en lui, l'Empereur rouge, l'empereur au bout de sa vie et toujours puissant, s'incarne la Vertu, qui est la mère des horreurs et des hécatombes. Autour de lui, tout est rouge, rouges les colonnes de cèdre laquées et rouges les murs qui ceignent les sanctuaires, rouge le drapeau du peuple soumis, rouge le sang que le tyran et sa cour font couler à flots. Et rouges, ce soir, les lueurs du soleil qui déjà s'efface dans la nuit.

L'automobile remonte la grande allée. La quiétude, l'harmonie. Et pourtant dans ce labyrinthe de charme, dans ces bosquets et ces rocailles, sous ces arcades, le long des sentes-escaliers, dans la dou-

LE CHIEN DE MAO

cœur des fleurs qui referment leur corolle, dans le jaillissement des pierres et des marbres érigés en palais et en temples ne monte qu'une question : qui va tuer qui ? Lin Biao et sa femme, cœurs pourris imprégnés de leur propre dessein pourpre, celui d'exterminer le vieillard égrotant qu'est Mao, ne discernent rien. Ils n'ont pas de remords, ils veulent ignorer qu'ils ont été faibles et lâches et qu'ils ont raisonné en victimes. Maintenant, ils sont dans les mains de Mao, traités avec tous les honneurs, et si loin de leurs fidèles... Ils apportent en hommage la myrrhe et l'encens, et aussi des racines de ginseng qui redonnent la force aux ancêtres, mais Mao, dans son crépuscule, a-t-il encore besoin de force ? Et est-ce à eux de la lui offrir ? Ye Qun regarde la montre-émetteur, leur seul lien avec l'extérieur. Il faut avoir confiance, se répète-t-elle, ce banquet n'a rien d'exceptionnel. Et peut-être, après tout, survivront-ils pour tuer Mao.

Enigme sur fond de squelettes, les os rient et dansent. Les ombres sont blanches et, la nuit tombée, s'installe comme une pureté. Quand la voiture s'arrête devant le portail du pavillon de Mao, l'éclat des dents qui mordent les fruits de l'amabilité... Ambroisie et paroles suaves, gaieté mordorée qui scintille de plaisir ingénu. Que l'on aime Lin Biao et son épouse ! Sur les marches du perron, Jiang Qing dit son extraordinaire attachement, aussitôt reprise par Chou En-lai, Kang Sheng et Wang Dongxing, illuminés de joie. Les sourires s'ouvrent jusqu'aux oreilles, les yeux distillent la bienveillance, et tous gloussent de petits cris d'amitié. L'exquis des politesses. Le côté radieux de ces vieux compagnons qui encore une fois se retrouvent pour célébrer leurs heureuses accordailles... Leur route a été jonchée de cadavres de camarades, mais il s'agissait de traîtres et eux ont survécu, toujours liés par leurs serments, toujours unis dans leur attachement à Mao. Certes, la présence imprévue de Wang Dongxing étonne Lin Biao, mais serait-il là s'il préparait son assassinat ? Roucoulements de Jiang Qing. Elle jouit en regardant Lin Biao et Ye Qun, ses anciens amis, ses ex-complices, elle les flatte et elle s'enchante à se les représenter tels qu'ils seront tout à l'heure, des corps torturés, agonisants. Que l'existence est belle lorsqu'elle permet que ces imaginations s'accomplissent !

Le groupe se dirige vers l'intérieur du pavillon, jusqu'à une immense serre qui constitue le jardin d'hiver. Là s'épanouissent les plantes les plus rares, les essences exotiques aux parfums de jungle. Certaines semblent carnivores, surtout les orchidées aux teintes flamboyantes, pareilles à des mâchoires vénéneuses, prêtes à happer, et dont les pistils sont des dards.

Tout près a été aménagée une pièce d'eau, un grand miroir où tinte une cascatelle. Fugitivement, Lin Biao pense qu'il a fait mieux à Hangzhou puis il s'absorbe dans la contemplation des lotus écarlates et des poissons rouges aux énormes yeux exorbités qui nagent parmi le laqué des larges feuilles. Aveugles. Voiles palpitantes qui tournent sans but ni fin. Il regarde aussi un baobab nain, dont les racines s'amoncellent en un enroulement monstrueux comme un nœud de serpents.

Non loin du bassin, Mao est assoupi dans un fauteuil, mais il se réveille pour donner l'accolade à Lin Biao :

— Tu es mon compagnon d'armes, lui dit-il, le plus dévoué de tous, celui à qui je dois tant de victoires.

Et puis il salue Ye Qun, la compagne admirable du bon Lin Biao.

Alors un serviteur s'avance portant les cadeaux du maréchal, que Mao accepte avec le plus grand contentement. Il réclame un brûle-parfum pour l'encens et bientôt la pièce se remplit de son odeur épicée. Mao dit à Lin Biao :

— Ce parfum, c'est celui de ta fidélité, mais pourquoi ces racines de ginseng ? Me crois-tu donc si faible ?

Lin Biao répond vivement :

— Vous êtes un roc.

— Hélas ! je suis mortel, la fin de ma vie viendra, elle est peut-être proche.

— Vous êtes immortel, vous gouvernerez la Chine de longues années encore.

— C'est vraiment ton souhait ?

— La Chine sans vous serait un bâtiment sans pilote, qui s'échouerait sur les écueils. Vous vivrez toujours pour le bien de notre patrie.

— Fidèle Lin Biao, très fidèle Lin Biao, nous allons boire à ta fidélité.

Sur un geste de Mao, un majordome s'avance, tenant religieusement un flacon en cristal taillé dont le Timonier s'empare :

— Voici, dit-il, l'élixir de longue vie, un alcool qui a traversé les temps. Cette liqueur nous assurera l'immortalité à moi, à toi Lin Biao et à vous tous ici, mes amis.

Et il verse dans des coupes de porcelaine un liquide noirâtre,

LE CHIEN DE MAO

épais, comme fabriqué par les siècles, un jus d'éternité. Mao porte un toast :

— Que nous traversions ensemble les âges, qu'ensemble nous gravissions la montagne de la longévité !

Kampé ! Kampé ! Kampé ! Farandole de kampés ! Un mensonge, mille mensonges, dix mille mensonges pour le seigneur des dix mille ans. Jiang Qing se délecte de cette comédie funèbre. Surtout elle se dit que si tous ces menteurs qui viennent de trinquer se hâtaient de mourir, Mao en dernier, elle saurait bien être l'Impératrice veuve.

A neuf heures du soir, la petite société passe dans la salle à manger d'apparat, aux murs et aux meubles incrustés d'or vieilli qui luisent doucement. Les mets se succèdent, excellents. Mao se montre sous un jour lyrique pour évoquer son récent voyage, si merveilleux, si paisible :

— A toutes les étapes, je suis revenu à mes vies antérieures. A Shanghaï, je suis allé visiter l'école des filles où nous avions fondé le Parti et où je n'étais jamais retourné. Nos débats me sont revenus en mémoire, la salle crasseuse, les cigarettes... j'avais encore mal à la gorge de trop de tabac. Après nous avions dormi comme des brutes dans une espèce de dortoir au 309, rue Auguste Boppe, vous voyez, je me souviens encore du nom français de la rue ! Nous étions douze prêts à tout, mais nous n'imaginions quand même pas tant de drames et de souffrances... Combien ont lâché prise ou péri en route ? Moi seul ai continué comme un fier cheval. Je suis allé à Changsha, à Nanchang et j'ai pleuré sur nos défaites passées, sur mes amis morts dans des soulèvements ratés. Que de drames, oui que de drames, et que de noms oubliés mais qui pour moi vivent à jamais. Depuis, je me suis vengé de tous mes ennemis, et je continuerai à le faire. Je l'ai promis aux cent mille communistes fusillés par Tchang Kaï-chek. Mais passons... Heureusement qu'il y a eu Hangzhou où comme d'habitude le bercement des eaux du lac m'a consolé. Là aussi, que de souvenirs ! Avec vous, mes bons compagnons, avec toi, Jiang Qing, qui a su m'assister dans tellement d'épreuves !

Mao a saisi dans un plat des tendons de tigre qu'il présente à la bouche de Lin Biao, lequel, faisant de même, en porte également aux lèvres de Mao. Tous deux mâchent silencieusement après avoir levé leurs verres pour un kampé. Ainsi se reconnaissent-ils l'un l'autre comme étant de ces carnassiers qui rampent silencieusement dans les bois et soudain sautent sur leur proie.

LE CHIEN DE MAO

Mais avant tout, cet échange signifie qu'ils se jaugent comme des seigneurs, Mao étant le suzerain, et Lin Biao le vassal. Mao est Mao, et Lin Biao le compagnon d'armes.

Joutes. Lin Biao fixe intensément Kang Sheng... Lui aussi a des souvenirs, certaines offres de services par exemple, Kang Sheng cligne des yeux et se détourne avec une sorte de gêne. Mao, qui a surpris ce bref assaut n'est pas étonné : fatalement, se dit-il, Kang Sheng a encore une fois joué double jeu, et il était prêt à se rallier au vainqueur. Et mieux vaut ne pas pousser les investigations trop loin en ce qui concerne Jiang Qing. Quel poste Lin et Ye Qun avaient-ils promis à sa chère épouse ?

Onze heures approchent. Mao interroge d'un signe Wang Dongxing et celui-ci répond par un mouvement de menton affirmatif : tout est en place, tout est prêt.

Encore un peu de conversation dans un salon... Mao dodeline, ses paupières se ferment, on s'inquiète, mais il nie être fatigué et il continue à bavarder, jusqu'à ce qu'enfin il soit presque onze heures et demie, l'heure convenue. Il annonce alors à Jiang Qing qu'il va se retirer, qu'elle l'accompagne jusqu'à son lit pour l'aider à se coucher. Auparavant il embrasse Lin Biao, il le couve d'un regard presque tendre, il murmure :

— Nous avons fait tant de belles choses ensemble, nous en ferons d'autres, nous en ferons d'autres encore.

Cajoleries.

Une fois Mao et Jiang Qing disparus, le majordome se rend sur le perron et il appelle le chauffeur de Lin Biao. La nuit est splendide, une brise souffle, à la lumière des étoiles s'ajoute celle, blanche et mauve, de lampadaires qui illuminent le parc. Lin Biao et Ye Qun, après avoir pris congé, montent dans leur voiture qui démarre doucement et s'engage dans l'allée menant à la grille d'entrée. Lin Biao soupire d'aise :

— Nous avons eu peur pour rien, Mao n'a pas de doutes. Je vais déclencher le projet de la Montagne de la Tour de jade.

Cependant, Mao est revenu dans le salon tout éveillé et l'œil gai. Il demande à Wang Dongxing s'il faudra attendre longtemps.

— Une minute au plus, vous entendrez les détonations.

A deux cents mètres de la grille, des camions barrent le passage. A peine les a-t-il aperçus que Lin Biao, dans un râle, comme si ses poumons se vidaient s'écrie qu'ils sont morts.

Le chauffeur a freiné devant l'obstacle. La voiture s'arrête. Aussitôt c'est la foudre. D'une zone d'ombre, d'une tache de nuit,

LE CHIEN DE MAO

deux lance-roquettes ont craché des projectiles qui fracassent le véhicule. Presque en même temps, surgissent quelques hommes en uniformes verdâtres, les policiers de Wang Dongxing. Après avoir éteint un début d'incendie, ils retirent difficilement de l'amas de ferrailles fumantes les corps déchiquetés qu'ils reconstituent – ici une jambe, là un bras – pour les allonger côte à côte sur la chaussée. On reconnaît deux hommes et une femme aux visages figés dans les grimaces de la douleur et de la mort fulgurante.

Puis arrivent, au pas de promenade, Wang Dongxing et Chou En-lai. Le Premier ministre regarde pensivement Lin Biao, reconnaissable à ses épais sourcils toujours plantés sur ce qu'il lui reste de figure : il en a tant vu de ces gens qu'il a fait tuer alors qu'il n'est ni cruel, ni sanguinaire, mais le pouvoir est tellement exigeant... Wang Dongxing n'a pas de ces sentimentalités. Il est content du travail et il annonce aux exécutants qu'ils seront récompensés :

— Mais que pas un mot ne sorte de votre bouche à ce sujet ! Jamais ! Sous peine de mort !

Ensuite il ordonne de nettoyer les lieux, les corps sont photographiés, puis placés dans un fourgon et emportés dans un crématorium. On y jette les pauvres enveloppes charnelles de ces personnages qui ont été si grands. La combustion dure plus d'une heure. Tout est sinistre, le ronflement du feu, les craquements des os, les boîtes de carton pour les cendres. Et puis, au petit matin, le terrain vague où l'on disperse cette horrible poussière.

Le fourgon parti, Chou En-lai et Wang Dongxing sont retournés au pavillon de la piscine où les attendent Mao, Jiang Qing et Kang Sheng. Chou En-lai a l'oraison funèbre particulièrement sobre :

— Voilà, dit-il à Mao, vous n'avez plus de successeur.

A ce moment, Jiang Qing réprime le cri qui voudrait jaillir de toute sa personne : « Si, moi, je suis le successeur. » Toute sa vie, tant d'acharnement, tant d'amertume et de larmes culminent maintenant, dans ce moment où elle pourrait afficher son désir d'être la continuatrice de Mao quand il s'éteindra. Elle n'est plus que cela, l'immensité de l'envie, mais elle se contient, la route est encore longue et difficile. Qu'elle ne se trahisse pas trop tôt ! Qu'elle ne commette pas l'erreur du maréchal que Mao, elle en est sûre, a manipulé en faisant miroiter sa succession, puis en la dérobant, créant ainsi des desseins meurtriers... Devant Mao le Grand Manœuvrier, elle se taira donc. Pas question de lui rap-

431

LE CHIEN DE MAO

peler que son trépas créerait un vide qu'elle remplirait très bien, elle, son vrai, son meilleur compagnon d'armes.

Que rien ne se sache : Mao exprime sa volonté de voir la fin de Lin Biao demeurer mystérieuse, qu'on ne puisse pas lui en attribuer la responsabilité. Wang Dongxing répond qu'il ne reste de ces criminels qu'une photo qu'on vient de développer.

— Mes hommes, ajoute-t-il en regardant Jiang Qing, ont investi toutes les résidences de Lin et ils détruisent ce qui doit être détruit. Aucune trace ne subsistera de ses liens avec vous.

Mao, qui écoute à peine, s'est emparé du cliché :

— Cette photo, dit-il, je la garde avec moi, pour moi. Qu'elle ne soit jamais reproduite ! De temps en temps, je m'accorderai la satisfaction de la regarder. J'insiste, que toute cette affaire ne soit jamais éclaircie, ni pour la Chine, ni pour le monde ! Chou En-lai, vous trouverez bien une explication, vous qui êtes un vrai Machiavel.

Dans la cave de béton, Lin Liguo, les chefs de l'Escadre et les grands affidés ont attendu. A onze heures et demie, la montre de Ye Qun a cessé d'émettre. Puis sont arrivés des messages des guetteurs en faction autour de Zhongnanhai : on avait entendu des détonations, peu après un fourgon banalisé avait pris la route du crématorium...

Alors Lin Liguo a clamé vengeance.

Il exige l'offensive générale des armées de Lin Biao contre Mao. Mais autour de lui, les visages sont défaits. Figures de panique, masques de l'effroi. Les gouttes de sueur... Lin Liguo se débat contre la peur qui monte de ces généraux éprouvés, de ces colonels aguerris que l'éclat de Lin Biao étiolait et qui maintenant sont écrasés par sa possible fin. Les dernières paroles de son père lui reviennent en mémoire : « En cas de malheur, avait dit Lin Biao, ne cherche pas à persuader mes supposés grands guerriers, ces lâches ne penseront qu'à capituler. Laisse-les à leur merde. Toi, avec le Trident, fuis sans perdre de temps vers l'Union Soviétique, qui, j'espère, t'accueillera bien en souvenir de moi. Sauvetoi. Ne te préoccupe pas de Doudou. Au mieux, elle se moque de moi. Au pis, elle m'a trahi. » Lin Biao... Son père... Lin Liguo pleure, mais il ne s'en aperçoit pas.

Le flottement. L'indécision. Lin Liguo tente de téléphoner chez lui, à la maison des Yu. Un inconnu répond puis la communication est coupée. Pour une ultime vérification, dans une sorte de

LE CHIEN DE MAO

folie, il appelle le pavillon de Mao à Zhongnanhai et il demande à parler à son père. Conciliabules au bout du fil, enfin Chou En-lai, onctueux, vient expliquer que le dîner se prolonge et qu'il lui paraît impossible d'interrompre la conversation de Lin Biao et de Mao.

Lin Liguo a compris : il fait avertir l'équipage du Trident de se tenir prêt à décoller, et avec une poignée de fidèles, il s'engouffre dans une énorme limousine. Cap sur l'aéroport. A toute allure. S'il y a des barrages, on les forcera.

Que tout soit mystérieux, a recommandé Mao, et cela le sera, grâce à Chou En-lai. Son plan ? Laisser Lin Liguo s'échapper après un simulacre de bataille sur le terrain d'aviation, ensuite, loin de Pékin, faire abattre le Trident par la chasse. En même temps, lancer une vague d'arrestations dans l'armée ; s'emparer des militaires félons et les contraindre aux aveux en leur racontant que Lin Biao, incarcéré, a parlé ; appréhender Yamei ; mettre en résidence surveillée Doudou et son beau médecin. Et que le silence recouvre tout.

Le Trident s'est élevé au sein de la nuit rayonnante et calme, quatre chasseurs le suivent, monstres obscurs qui tout à l'heure vont cracher le feu. Sur ordre du Premier ministre, aucun autre avion ne survole le territoire. Le vide immense... Et puis ces quelques points sur les écrans radars, comme un jeu maléfique, irréel... Et, par téléphone, les nouvelles. Le Trident a été endommagé au décollage, il n'avait pas fait un plein complet, il n'y a ni copilote ni radio à bord, il se dirige vers l'Ouest, vers la Mongolie-Extérieure, il va franchir la frontière, les chasseurs l'abandonnent, une batterie de missiles sol-air entre en action, l'avion disparaît des écrans. Tous les quarts d'heure, Chou En-lai informe Mao qui, impavide, philosophe sur la fragilité de la destinée humaine et profère de grandes imbécillités sur la pluie qu'on ne peut pas empêcher de tomber.

Une aube morne envahit le salon quand Chou En-lai et Wang Dongxing annoncent qu'ils se retirent. Dans la lumière sale, Mao le terrible, l'Empereur qui fait trembler l'univers, n'est plus qu'une outre pitoyable toute plissée, dégonflée, répugnante, un vieux despote ridé que l'exercice de sa haine a épuisé. Sa fatigue est telle

433

LE CHIEN DE MAO

qu'il a des mots étranges chez lui, un regret, comme une compassion :

— Nos destins ont été noués. Sans Lin Biao je n'aurais rien été. Hélas! quand j'ai régné pleinement, il a voulu être moi.

Un instant de rêverie... et il se reprend :

— Je veux m'endormir heureux, je veux m'assoupir en pensant que je n'aurai plus de successeur, plus personne sur mes talons qui souhaite ma mort et essaie de la provoquer.

Jiang Qing murmure :

— Tu t'es trompé sur Lin Biao. Ne serait-ce pas un réconfort pour toi si tu avais pour te remplacer quelqu'un qui serait fier de toi, amoureux de ton œuvre?

Mao s'esclaffe :

— Toi! Evidemment toi! Mais pour qui te prends-tu? Tu n'es pas capable... D'ailleurs, je ne veux pas de successeur. J'aime imaginer que je suis immortel.

— Tu le seras dans le souvenir des hommes, si celui qui vient après toi ne salit pas ta mémoire.

— Ma mort t'excite, c'est bien cela? Eh bien! je te le concède, un jour je mourrai, et je me fous bien de ce qui viendra après. Pourtant, Jiang Qing, écarte les pensées qui déjà t'obsèdent, ne te laisse pas aller à des intrigues et surtout chasse Kang Sheng : il m'a presque trahi, il t'a poussée à te vendre à Lin Biao, qu'il s'en aille. Il est déjà riche de ses pillages, laisse-le à une vie oiseuse de prébendes. Eloigné du grand pouvoir, il ne tardera pas à crever. S'il te faut un mentor, je souhaite que tu t'appuies sur Zhang Chunqiao. Ce salopard accompli m'est resté fidèle et ses acolytes te rendront bien des services : il se peut que j'aie besoin de toi si mon chef de gouvernement venait à me déplaire.

Ainsi, malgré tout, Mao n'expulse pas Jiang Qing du jeu. Sa mission ? Avec ses dogues de Shanghaï, surveiller Chou En-lai qui désormais a tous les pouvoirs.

Là-dessus Mao a dormi pendant deux jours et deux nuits.

A son réveil, Mao aperçoit le Premier ministre qui sourit à son chevet. Tout s'est heureusement passé, la Mongolie vient de signaler qu'un avion chinois s'était écrasé dans un désert pour une raison inconnue. L'appareil s'est fracassé et ses occupants ne sont pas identifiables. Chou En-lai suggère qu'on enterre les restes sur place, sans tarder. Les journaux, il y a veillé, ne parleront de rien.

LE CHIEN DE MAO

Le peuple, qui n'a pas vu Lin Biao depuis des mois, ne s'étonnera pas. Lorsque des questions commenceront à circuler, on fera savoir que le maréchal et sa famille ont disparu dans un accident inexplicable, qu'ils fuyaient la Chine après un coup d'Etat manqué. Le monde bavardera, puis il oubliera.

Chapitre VII

Mao dure. C'est un long déclin, un grand apaisement. Plus rien ne le tourmente, et surtout pas ces résolutions farouches avec lesquelles il voulait changer les hommes et le monde. Il découvre le bonheur de l'oisiveté, d'une paresse essentielle, métaphysique. La cataracte voile son regard, ses organes se corrompent, ses artères se durcissent, ses pieds enflent, il marche à peine, il tremble, mais il s'entend respirer, il écoute battre son cœur, son unique joie est de se prolonger. La vie... La plupart du temps, il gît sur son lit, dormant, mangeant, caressant distraitement une fillette nue, quelquefois annotant un document d'une impériale encre rouge. Parfois il se risque hors de sa chambre, il s'étend sur des sofas et il se laisse envahir par le sentiment qu'il vit. Il sait bien que l'immortalité est une chimère, qu'il lui faudra rendre l'âme, il l'oublie dans la volupté de sentir le temps couler encore et toujours. Une gélatine béate...

Il est retiré de cette terre, mais les échos lui en parviennent, combien agréables. L'univers est en paix, la Chine tranquille, la Chine de l'Empereur Mao, génie reconnu dont l'immensité illumine la planète. Il a renoncé à la Pensée de Mao, et pourtant elle subsiste et continue de rayonner, les pèlerins se hâtent vers lui, les adorateurs l'invoquent, lui préfère la compagnie des gardes qui s'activent à le dorloter et rivalisent dans les flatteries. Il ne s'occupe plus guère des agitations d'ici-bas, qui lui semblent vaines, de minuscules intrigues suspendues à un geste, à un mot de lui, des hochets.

La tête d'un homme, sa cervelle comme champ de bataille... Autour de Mao qui dorénavant accepte de se rallier à d'autres pensées que la sienne, les combats font rage. Deux camps sont aux prises, dans une guerre à la fois ouverte et larvée, où toute blessure suinte mortellement, où un rien peut devenir une montagne d'où précipiter ses ennemis. D'un côté, Jiang Qing et ses Shanghaïens – son amant Zhang Chunqiao, Yao Wenyuan le scribe et Wang Hongwen l'énergumène –, leurs affidés et leurs créatures qui, se réclamant toujours de la Pensée de Mao et de la Révolution Culturelle, ne cessent de préparer des plans et de recruter des adeptes en vue de quelque grand jour. Partagée entre ses folies, ses manigances, ses coquetteries, ses plaisirs, Jiang Qing est étourdie mais redoutable puisque Mao l'écoute, fût-ce en se moquant.

Elle lui apporte ses humeurs, son acrimonie, ses rancunes, son acariâtreté, ses caprices. Elle le distrait. De temps en temps, quand elle s'est donné beaucoup de peine, il lui accorde une satisfaction : il lui jette une tête, il condamne un de ses prétendus offenseurs ou aggrave une peine. Un accord d'apparence se maintient entre la concubine Zhang Yufeng, installée dans un rôle de nounou, de bonne petite infirmière obnubilée par le rythme du cœur de Mao, la circulation de son sang, et l'épouse exaspérée qui guette ce qu'il peut y avoir de sentiment sous ses paupières closes, ce qu'il peut y avoir de danger dans ses songes. L'une épie son vivre, l'autre son mourir.

En face, il y a Chou En-lai et les anciens du Parti qui désirent changer la Chine, la reconstruire selon des équations nouvelles, Chou En-lai qui pense. Au cours de sa longue carrière, il a été l'ange et le tueur, l'arrangeur et l'exterminateur, le diplomate qui, avec une sorte de génie, adaptait toujours sa ligne aux meilleures solutions correctes, et voici qu'il en est arrivé à prôner pour le bien de la Révolution des monstruosités contre-révolutionnaires, de véritables outrages à l'idéologie maoïste : la « normalisation », « la porte ouverte », l'amitié avec l'Amérique... L'hérésie.

Au seul énoncé du nom de Chou En-lai, tout ce que Jiang Qing contient de haine se met à bouillir. Chaque jour elle l'exècre un peu plus, lui, son austérité, son dédain, sa simplicité ostentatoire, ses vêtements reprisés blanchis par les lavages, ses chaussures usées, tout cet étalage de bienséance. Et chaque jour, sans faillir, elle répète à Mao que son chef du gouvernement est le fossoyeur de la Révolution Culturelle et que Zhang Chunqiao serait un meilleur Premier ministre. Mais Mao ne veut rien entendre :

— Ton Zhang est un chef de bande. Peut-être mettra-t-il la Chine en coupe réglée, mais jamais de mon vivant. Supporte donc

LE CHIEN DE MAO

Chou En-lai, mon fidèle larbin ! Et de quoi ai-je besoin sinon d'un vieux clébard qui me protégera de tout, même de toi ? Mais rassure-toi, il s'épuise à la tâche.

En effet, Chou En-lai est maigre à faire peur, transparent. Les traits rabotés par le temps, il semble une petite chose écrasée sous le poids des dossiers, le fantôme de lui-même. Mais il travaille d'arrache-pied. Avec Jiang Qing, il est plus poli que jamais, même si son fameux sourire est fatigué. Lorsqu'elle le remarque, il concède que l'âge l'atteint, et ajoute aussitôt qu'il trouvera encore longtemps les forces pour servir le Président Mao. Une horreur pour Jiang Qing.

Chou En-lai aussi rend visite quotidiennement à Mao, qui s'ennuie à l'écouter. Pour s'en débarrasser, il lui donne raison, sauf quand il se fâche contre lui, selon sa vieille règle qu'un éclat est nécessaire de temps en temps. Mais désormais les éclats de Mao sont empâtés et mous. Chou En-lai le malin règne presque à sa place. Le Peuple n'a plus revu son Grand Dirigeant depuis les obsèques du maréchal Chen Yi où il était apparu à Babaoshan, le cimetière des héros, un manteau enfilé à la hâte sur un pyjama de soie, une quasi-épave mais qui avait tout de même réussi à gémir et à pleurer en marmonnant que le défunt, une victime de la Révolution Culturelle, avait été « un bon camarade ». Un changement de cap et des réhabilitations s'annonçaient-ils ?

Petit à petit, au moins dans les premiers cercles du pouvoir, la stupéfiante nouvelle de la mort de Lin Biao s'est répandue. La cavale noire de la rumeur parcourt le pays et le doute déchire les esprits : comment Mao l'infaillible a-t-il pu choisir pour dauphin et tellement encenser un architraître ? Fallait-il qu'il fût aveuglé... A moins que le Ciel ne lui ait ôté son Mandat... L'impensable.

Les saisons se succèdent et Mao ne désigne toujours pas de ministre de la Défense et encore moins de successeur. Tandis que s'enfle le brouhaha des ambitions, il continue de gaminer avec les prétendants plus ou moins déclarés, ne cessant de se contredire, à dessein. Au fond des palais, dans la douceur des parcs, l'on conspire et l'on s'entre-tue. Règlements de comptes. Un ministre de la Sécurité publique est abattu dans Zhongnanhai alors qu'il se promenait avec Jiang Qing. Mais peut-être était-ce elle qu'on visait ? Quelques mois plus tard, le nouveau ministre de la Sécurité, chargé de l'enquête sur l'affaire Lin Biao, est retrouvé pendu. Qui l'a suicidé ? Est-ce Kang Sheng ? ou des partisans de Lin – car il en reste dans l'armée ? Et qui, quel officier nostalgique et plein de

LE CHIEN DE MAO

rancœur, a tué Lin Doudou, la fille du maréchal, dans la résidence où le gouvernement l'hébergeait ?

Dans cette opacité, Jiang Qing se démène. Malgré la recommandation de Mao, elle voit beaucoup Kang Sheng qui a encore étendu ses réseaux en annexant ceux de Lin Biao et qui paraît toujours décidé à la pousser jusqu'au Trône. Le plus souvent possible, elle s'entretient avec ses Shanghaïens, ses associés-partenaires si prompts à soutenir ses fureurs accusatrices par de la bonne technique rouge, tous les procédés de la calomnie et du verdict impitoyable. Débats. Conciliabules. Ensuite elle retourne chez Mao pour tenter de lui arracher la phrase, les quelques mots qui la consacreraient. Mais ce couronnement, dans son crépuscule, Mao se délecte à le lui refuser. Au contraire, dès qu'il lui revient un peu de vivacité, d'un air guilleret, il nargue Jiang Qing :

— Comment toi, la collaboratrice de Lin Biao, sa chargée des affaires culturelles, as-tu pu l'abandonner ?

Abomination. Il rit, il rit encore, Mao. Ces plaisanteries ne sont pas graves, mais en même temps, Jiang Qing le sait, elles traduisent une aigreur, une rancune. Oui, Mao ne sera supportable que mort.

Dépendez les caricatures de l'Oncle Sam ! Débaptisez les rues au nom belliqueux ! Apprenez un peu d'anglais ! Souriez ! Air Force One va atterrir à Pékin avec dans son ventre ce que les Etats-Unis ont en principe de plus précieux, la troupe présidentielle. Alliance, alliance. Quand l'avion s'est posé et que s'ouvre sa porte, il claque du tonnerre, celui des clairons et des tambours, et tout autour reluisent des fusils au « Présentez, armes ! ». Le plus impressionnant, ce sont les faces glabres des soldats extraordinairement immobiles dans leur tenue verte, d'ailleurs tout ornementées depuis que l'austère Lin Biao a disparu. Mais ne parlons plus de ce Lin Biao... L'Amérique est grande, l'Orient est rouge, et les deux sont faits pour s'entendre. La Chine ne siège-t-elle pas maintenant aux Nations Unies ?

Au pied de l'appareil attend Chou En-lai, l'insubmersible Chou En-lai dont le sourire si doux et si chaleureux en ce jour-là, en cet instant-là, paraît distribuer au monde entier une bénédiction. A

440

LE CHIEN DE MAO

côté de lui, derrière lui, quelques dignitaires au respect inscrutable. Enfin apparaît Nixon, alerte et frétillant, un petit squale qui dans l'ordinaire des jours doit ressembler à un chef de rayon arrivé par sa vacherie. Mais son supermarché à lui, ce sont les États-Unis. Ce qu'il a dû lui falloir d'impudence, de culot, de forfanterie adroite pour s'en emparer! Sa gueule de tocard roublard, sa réputation d'ennemi acharné des communistes.

La caravane suit : la femme de Nixon, la chipie américaine type, de la guimauve sèche, puis un quidam graisseux aux lunettes d'assaut, Kissinger, le Secrétaire d'État, précédant la cohorte des négociateurs. Partout les visages de la réussite, le sérieux, le savoir-faire. Amidonnage chinois, repassage américain. D'un côté le dé-froissage des rides par la fausse candeur, de l'autre par la sincérité business. Puissance du symbole : au vu et au su de l'univers, Nixon tend la main à Chou En-lai, ce qu'il y a dix-huit ans, à la confé-rence de Genève, John Foster Dulles et les délégués américains avaient refusé de faire.

Enfin le cortège s'ébranle. Mais Nixon et les siens, qui rêvaient d'une parade triomphale, ont la surprise de traverser un Pékin dé-sert. Pas de foule délirante, pas un promeneur, le néant.

Pendant que les Américains s'installent dans les pavillons de la Terrasse des Pêcheurs qu'on a rénovés pour eux, Chou En-lai se précipite à Zhongnanhai, chez Mao. Le matin même, celui-ci a eu un malaise : peut-être était-il révulsé par la venue des Américains. Mais non, Mao va bien, Mao s'impatiente, Mao veut voir Nixon. Tout de suite.

Branle-bas de combat. On transforme la chambre. On prépare Mao comme s'il était une cocotte, des femmes le lavent, le récu-rent, un médecin lui fait une piqûre revitalisante, on le rase, on lui coupe les cheveux, on l'attife, on lui farde un peu les joues. C'est une sorte d'embaumement : on donne l'air vivant à un presque macchabée. Mao s'en amuse :

— Quel tripatouillage! Et pourquoi? Pour faire bonne impres-sion à un contre-révolutionnaire! Nous en sommes là, mon pauvre Chou En-lai, à nous faire faire une beauté pour ces ennemis du Peuple. Enfin, tu as raison, je n'ai plus toute ma tête, il faut en pas-ser par où tu décides.

Il a l'air calme, ses yeux brillent. Sa respiration est régulière, ce qui n'était pas arrivé depuis longtemps. Brusquement, ils sont là, Nixon et sa suite, cernés par une muraille de photographes. Chou En-lai fait les présentations nécessaires, et puis la communion,

Mao qui s'empare de la main de Nixon et la tient entre les siennes cependant qu'on prononce quelques mots... l'amitié entre la Chine et l'Amérique, la paix, la bronchite du Président Mao. La télévision enregistre tout, les excuses pour les rues vidées par crainte de manifestations d'opposants – voici pour les tenants de Lin Biao –, les plaisanteries sur ceux qui autrefois appelaient les communistes des bandits rouges – voilà pour Tchang Kaï-chek. Et encore des courbettes, et encore des ronds de jambe et des facéties, pendant une heure jusqu'à ce que les deux parties se séparent, enchantées l'une de l'autre.

Au même moment, dans son pavillon, Jiang Qing exhale sa bile auprès de Zhang Chunqiao :

— Mao est un vieux maquereau. A Yanan déjà il voulait que je charme ces satanés Américains pour qu'ils recommandent à Roosevelt de ne pas appuyer Tchang Kaï-chek. Il ne pensait qu'à une chose, les rouler dans la farine des bons sentiments.

— Vieille lune... En tout cas, ta séduction n'a servi à rien. Peut-être aurait-il fallu que tu couches.

— Arrête de blasphémer. Pense à la guerre de Corée, pense au fils de Mao, à la boucherie de nos armées...

— Et toi, ne fais pas semblant de pleurer Mao Anying. Et n'emploie pas le mot de boucherie. Il s'agissait de pertes patriotiques et minimes! Mets-toi au goût du jour. Ton numéro de flamme de la Révolution n'est pas de mise. Fais-toi belle pour le rigodon avec les ennemis convertis en alliés par la grâce de Chou En-lai, avec l'approbation de ton cher mari. Applaudis le miracle.

— Le pire, c'est que ce salaud est en train de présenter Zhang Yufeng à Nixon.

— Mais tu es folle. Si elle assiste à l'entretien, elle est reléguée dans un coin, comme une infirmière. Et encore...

— Tout de même, je suis la femme de Mao. Il m'humilie en le recevant avec sa concubine.

— Qu'il ne lui présente pas, je te l'affirme. Au surplus, je croyais que tu méprisais les Américains et leurs opinions. Ne t'inquiète pas, ils ne doivent pas comprendre grand-chose à ce qui se passe ici. Puisque Mao t'a ordonné de paraître et de jouer les hôtesses, contente-toi de les épater par ton hospitalité, toi qui as sans doute auprès d'eux la réputation d'un chameau carnivore !

Tandis que les diplomates s'affairent pour préparer un communiqué, Nixon est plongé dans un bain de réjouissances. Vi-

LE CHIEN DE MAO

sites, chants et musique au Palais d'été, sons aigres et doux, banquets interminables, gaieté convenue, amitié, amour, longévité, discours et kampés, dans une semaine le traité sera signé. Chou En-lai est le papillon de ces nuits où rien n'est épargné, pas même une représentation du *Détachement rouge*, le ballet concocté par Jiang Qing.

Dans l'auditorium du Palais du Peuple où sont entassés cinq mille spectateurs, c'est enfin l'heure de gloire. Jiang Qing s'est refait une laideur admirable, avec une tenue communiste de choc mais sémillante, pour ainsi dire gouleyante : ce Nixon doit la discerner sous son vrai jour, l'insurgée. Tellement plus forte, plus digne que son trognon de femme vêtu de lavande. Bonheur de Jiang Qing : Chou En-lai et son épouse sont derrière elle. Irritation de Jiang Qing : Kissinger l'a ignorée, mais à coup sûr il ne regarde que les femmes dûment estampillées « bas-bleu » par le Département d'Etat.

Enfin la représentation commence. Un cadre tropical, l'île de Hainan. Là-dedans une belle esclave enchaînée qui se libère de ses entraves et rejoint un détachement féminin rouge, prêt à attaquer son maître, un affreux propriétaire terrien. Fièvre de la révolte, bataille, victoire et grande fête populaire, l'intrigue est on ne peut plus simple. Nixon semble apprécier, il s'inquiète même du nom de l'auteur. Jiang Qing le toise :

— Il n'y a pas d'autre auteur que le Peuple. Ce ballet vient spontanément de l'âme du Peuple.

Nixon a-t-il compris ? En tout cas, il ne répond rien lorsque Jiang Qing, comme il sied, lui demande s'il a des critiques à faire ou des modifications à suggérer.

Ensuite, les galanteries. Nixon cherche ce qu'il peut dire de plus agréable à cette dame qui passe pour une enragée. Jiang Qing racle sa mémoire pour y retrouver les rudiments d'anglais acquis jadis à Shanghaï, entre autres avec un amant blanc. Ils minaudent, ils se lancent des choses aimables à la figure, ils sourient, ils ne cessent de se sourire, comme s'ils étaient empaillés. De dix et de vingt façons, elle raconte sa passion pour l'Amérique, sa civilisation, sa littérature. Elle adore Steinbeck et *Les Raisins de la colère*, raisins qui tombent sur un Nixon aimablement indifférent, car dans la bouche de Jiang Qing et avec sa manière de les mâchonner, ils lui sont inconnus. Laquelle Jiang Qing croit comprendre que Nixon l'invite à Washington, à la Maison-Blanche, en compagnie de son illustre époux, et même sans lui, qui ne se déplace plus. Joie. Jiang

443

LE CHIEN DE MAO

Qing va donc atteindre un de ses grands objectifs, celui de rattraper, de surpasser Meiling, l'épouse de Tchang Kaï-chek accueillie autrefois d'une façon si délirante aux Etats-Unis, où elle avait un lobby, où elle était considérée comme une sainte. Mais ce serait aller dans l'antre des dollars... Jiang Qing bredouille ce que Nixon prend pour un acquiescement. Peu importe. Dans quelques jours Nixon quittera la Chine persuadé que Madame Mao n'est pas le dragon de la Révolution, mais une personne très gentille sous ses dehors revêches. Une bonne épouse aussi, toute dévouée à son vieux mari qui a bien besoin d'elle. L'essentiel.

Nixon parti, Mao est retombé dans sa léthargie. Etirement du temps, les mêmes visages, les mêmes intrigues, l'ennui. Sa concubine Zhang Yufeng lui mesure les donzelles et dose les visites, on le masse mais il trouve les mains qui le pétrissent trop dures, on lui fait la lecture mais cela l'irrite. Alors, par dégoût de tout, il s'enferme dans le sommeil. Il ne mange pour ainsi dire pas, il ne fume plus. Parfois la concubine lui apporte un peu de maotaï, mais avec de telles mines qu'elles lui ôteraient jusqu'au désir de boire. Il s'y contraint pourtant, ne serait-ce que pour contrarier ses médecins. Il décline mais son esprit est clair. Avec Chou En-lai et consorts, il continue de travailler à la politique d'ouverture : puisque le merveilleux s'est effondré sur lui et que, dans le mouvement constant des choses, son utopie est passée au second plan, il n'a plus – en tout cynisme – qu'une obsession, faire entrer la Chine dans le concert des nations. On la reconnaît, il les reconnaît, c'est l'usage. Le prochain invité sera un autre ennemi des ennemis, le Japon.

Heureusement il a Jiang Qing, sa cervelle de guingois et ses humeurs cannibales. Elle est son cirque, l'éléphante qui monte sur un tabouret, la tigresse qui se jette à travers des anneaux enflammés, elle est Monsieur Loyal et vaut tous les clowns et tous les équilibristes. Sa théâtreuse.

Cependant des rois mages de toutes sortes, des émirs et des pachas, de grands et de petits potentats annoncent leur visite en Chine. Le grand machinateur de ces rencontres avec les pires engeances du monde est Chou En-lai, relayé par Kang Sheng plus

LE CHIEN DE MAO

ou moins revenu en cour et dont les services s'épuisent à suivre les fluctuations de la politique. Jiang Qing hurle pour dénoncer ces agapes inconvenantes, toutes ces festivités qui cachent des tractations, mais elle est fascinée. Et Mao le sait :

— Nixon t'a plu, quoi que tu prétendes, lui dit-il. J'ai donc décidé que tu recevrais nos hôtes étrangers. Tu les accueilleras à ma place, tu me représenteras. Imagine... tu seras presque moi! Tu laisseras les discussions d'affaires à Chou En-lai, mais tu seras l'impératrice aux banquets et aux réceptions, aux fêtes, à la noce. Sois rutilante, parée, pomponnée, couverte de pierres précieuses, encore mieux que Ts'eu Hi à la fin de ses jours.

Perversité de Mao. Il ne veut que s'amuser de Jiang Qing et de sa vanité, et elle donne dans l'attrape. Elle convoque des armées de tailleurs, de couturières, de coiffeurs et des joailliers, non qu'ils aient une marchandise digne d'elle, mais pour mieux sertir tous les joyaux dont la Chine rouge s'est emparée. Cela donne des merveilles, un peu rédhibitoires et voyantes sur les flasqueries et les rides de Jiang Qing, mais Mao l'exhorte :

— Tu es belle, tu es digne de moi, tu es digne de la Chine! Tu es une antique autruche, non, mille fois plus superbe avec ton regard de velours et tes plumes. Tu es, me dit-on, une folle empanachée. Ne crie pas! Je plaisante. Te souviens-tu de ce que tu as fait subir à Wang Guangmei, la femme de Liu Shaoqi, parce qu'elle arborait un petit tralala de rien du tout et un minuscule collier de perles? Sa coquetterie était pourtant bien décente à côté de tes grands airs, de tes falbalas, de tes cabochons, de tes façons d'emmerdeuse. Il paraît que la prison l'a beaucoup abîmée, tant pis pour elle. Ton tour est venu de te lancer dans les galipettes diplomatiques. Mais rappelle-toi que je te surveille. Et Chou En-lai aussi.

Et de toutes les terres arrivent des adulateurs. Ne parlons pas de la piétaille des journalistes et des politiciens de plus ou moins haut rang; abondent aussi les chefs d'Etat, à la tête d'énormes délégations. Il y en a de blancs, comme cet archevêque barbu qui gouverne un Etat insulaire dont le nom est inconnu à Jiang Qing. Il y en a de jaunes, et surtout beaucoup de noirs, à la queue leu leu, certains habillés de drôles de toges, d'autres en costume occidental, qui viennent du cœur de l'Afrique – Jiang Qing sait ce qu'est l'Afrique. L'archevêque bénit, Jiang Qing fait son affriolante, même avec les Noirs qu'elle tient pour des singes. Comment résisterait-elle à la tentation d'être une vedette, à

445

l'immense joie des flatteries, au ronronnement des caméras ? Jouant l'impératrice, elle pense qu'un jour elle remplacera Mao tout à fait. Zhang Chunqiao serait son chef de gouvernement, à moins qu'il ne fût tombé en disgrâce...

Désormais Jiang Qing est inféodée à ses rêves de gloire. Elle se veut une grande dirigeante, le successeur de Mao, même si celui-ci ne lui a toujours pas remis son héritage ; elle est la femelle qui a dompté les mâles, qui les a subjugués, qui matera bientôt un Mao tombé dans la sénilité ; elle est aussi la princesse adonnée aux délices de ce monde, si haut placée qu'elle peut satisfaire toutes ses envies. Elle flotte dans ces nuées lorsque enfin elle accueille une femme selon son cœur, la toute-puissante Imelda Marcos, l'épouse du président des Philippines. Eblouissement. Marcos est un tyran qui pourchasse les Rouges et Imelda se moque bien du Peuple, mais Jiang Qing n'y songe pas.

L'entente immédiate. A peine Jiang Qing et Imelda se sont-elles aperçues, flairées, qu'elles tombent dans les bras l'une de l'autre. Elles sont de même essence, deux insatiables. Imelda, ancienne reine de beauté, ancienne chanteuse de cabaret, ancienne de tous les métiers, est une créature superbe, charnue, pulpeuse, un fruit tropical. Ses charmes fracassants ont conquis Marcos, le dictateur, l'être le plus contre-révolutionnaire du monde qui pour elle pille son archipel. Qu'elle ait des milliards et des milliards ! Elle est un joyau couvert de joyaux, sa garde-robe est fabuleuse, elle court les grands couturiers de l'univers et ses petits pieds ont besoin de centaines de chaussures. Son mari est béat, il ne gouverne que pour satisfaire ses désirs et ses caprices. Elle a une cour, des favoris, elle fait tomber des têtes. Elle est la garce au pouvoir, fardée, rieuse, amusante, terrifiante. La « Rose carnivore ».

Tous les trésors pour Imelda, tous les palais, d'autant plus qu'elle représente son pays – Marcos, craignant sans doute quelque douche froide, est resté à Manille à fumer des cigares. Bien à tort : car en Chine, quand on vous reçoit, on vous reçoit, même si vous êtes le plus infâme des truands. Grand traitement donc pour la plénipotentiaire, avec même une audience de Mao qui bredouille de sombres considérations : « Plus haut vous montez, plus les autres vous jetteront des pierres », dit-il. Comme si de tels propos pouvaient concerner une battante du genre d'Imelda ! Ensuite Jiang Qing se jette à corps perdu dans le travail officiel : réceptions, dîners, discours, visites d'usines, d'universités, de coopératives – il s'agit dans son esprit de faire oublier un épisode

LE CHIEN DE MAO

particulièrement fâcheux, la tournée triomphale, il y a plus de dix ans, de Wang Guangmei avec Mme Soekarno. Elle seule y songe, mais c'est ainsi.

Ces corvées terminées, les deux commères se retrouvent seules dans un salon, dans un boudoir, à s'enivrer de paroles, de confidences, à se comprendre si bien. En mangeant des fruits confits, elles pépient sur le grand thème de leur existence, comment elles ont attrapé les hommes, comment elles sont arrivées au faîte... Elles rient, elles sont gaies, elles s'admirent. Ne sont-elles pas toutes deux des impératrices des temps modernes? Au comble de l'excitation, Jiang Qing annonce ses projets : venir à bout de Chou En-lai, supplanter Mao, lui succéder. Imelda dans sa sagesse confie que Chou En-lai lui a fait mauvaise impression, trop jolie gueule de bon apôtre. Rire de gorge satisfait, chez elle cela ne traînerait pas.

Aux derniers jours de leur idylle, Jiang Qing obtient d'Imelda qu'elle reporte son départ : elle lui a ménagé une surprise. Le lendemain, elle l'emmène à Tien-tsin pour une grande démonstration de pouvoir : un million de Chinois acclament Imelda. Mais elle a mieux encore pour impressionner la souveraine des îles de corail et de palmes : « son » village-modèle, Xiaojinzhuang. Là, quelques milliers de paysans célèbrent le culte de Jiang Qing. Adoration perpétuelle. Utopie. Ils chantent, ils dansent, ils écrivent des poèmes, ils jouent des saynètes édifiantes tout en continuant de travailler la terre. Leur rendement est extraordinaire, tant Jiang Qing les galvanise : elle les abreuve de discours, les couvre de cadeaux et ne cesse de répéter que Xiaojinzhuang est sa maison, l'endroit, entre tous, où elle est heureuse. Une vraie Marie-Antoinette rouge qui dans son enthousiasme va parfois jusqu'à moissonner quelques épis, pourvu qu'il y ait un photographe. Mais lorsque tombe la nuit, la reine retourne dans sa belle demeure, et finis les plaisirs de la campagne : il faut que les gueux s'évanouissent, que le bétail disparaisse, le moindre bruit empêcherait Sa Majesté de dormir.

Qu'a pensé Imelda de ce royaume agreste et de ces culs-terreux transformés en marionnettes? A-t-elle compris un mot de la harangue de Jiang Qing débordant d'allusions aux impératrices d'autrefois? Ce folklore communiste l'a-t-il divertie? La soirée en tout cas a été merveilleuse. La douceur et les rires. L'extrême intimité.

Impératrice... Depuis des mois, depuis des années, depuis les jours lointains où à Yanan elle séduisait Mao, l'idée rôde dans la tête de Jiang Qing. Au début, c'était une brève chimère, une petite note vite étouffée, presque une plaisanterie. Mais quelque chose en demeurait qui s'est incrusté, a grandi et dorénavant la régente tout entière : dans un monde où les femmes accèdent rarement au pouvoir suprême, elle sera cette exception, une souveraine. Et aujourd'hui que la Camarde frappe à la porte de Mao, elle sent que son heure est venue.

Dans son désir éperdu, elle s'imagine que pour préparer les masses à son destin grandiose, elle doit apporter la preuve de la capacité des femmes, de certaines femmes du moins, à gouverner. S'inscrire dans une lignée. Du néant des âges, du VIIe siècle exactement, elle tire alors la prodigieuse Wu Zetian, une concubine qui avait réussi à évincer la maison impériale des Tang pour créer sa propre dynastie. L'histoire de cette Wu enivre Jiang Qing. N'a-t-elle pas reculé les limites de l'Empire en menant des guerres victorieuses ? N'a-t-elle pas abaissé les aristocrates ? N'a-t-elle pas, dans un souci d'équité, inventé les concours mandarinaux pour recruter les fonctionnaires ? N'a-t-elle pas bâti d'orgueilleuses cités ? N'a-t-elle pas apporté au Peuple la prospérité ? Jamais le pays n'avait connu pareille concorde que sous son joug béni. Dès qu'elle avait pris le sceptre, elle avait été un chef exemplaire, qui maîtrisait tous les rouages du bon gouvernement et savait commander, récompenser, châtier avec un discernement inégalable. Même si à sa mort, à quatre-vingt-trois ans, les Tang ont été restaurés et son clan massacré, Wu, qui se faisait appeler Zetian, « Conforme à la volonté du Ciel », demeure illustre.

Kang Sheng, consulté, trouve excellente l'idée de la ressusciter. Aussitôt, écrivains, journalistes, plumitifs stipendiés redécouvrent l'impératrice et la célèbrent dans un chahut indescriptible. Toutes les ressources de la propagande au service de la souveraine moyenâgeuse : dans les gazettes, dans les livres, dans les discours, une gigantesque adoration. Pendant des mois, la Chine résonne de panégyriques de Wu. Le but de cette campagne délirante est de suggérer que Jiang Qing pourrait être une autre Wu qui régnerait, non plus en communion avec le firmament et ses étoiles, mais en

LE CHIEN DE MAO

complète harmonie avec le Peuple, ce Peuple auquel Mao a apporté la félicité. Nouveau monarque des Dix Mille Années, c'est elle qui poursuivrait l'entreprise du bonheur rouge sur cette terre.

Jiang Qing est si imprégnée de Wu qu'elle convoque des couturiers de Tien-tsin à la Terrasse des Pêcheurs pour qu'ils lui dessinent des tenues d'apparat dans le goût ancien. Les soies, les brocarts... elle veut tout. Et, inlassablement, elle se pavane devant des glaces vêtue des robes brodées de symboles fastes que les tailleurs, stupéfaits mais dociles, lui ont confectionnées. Une seule personne aura droit à cette vision féerique, Imelda, bien que celle-ci, pour la mode, préfère Paris ou New York à la cour des Tang. Cela ne décourage pas Jiang Qing, au contraire. Elle décide que toutes les femmes de Chine participeront à son plaisir. Comme il y a une tenue Mao, ce sac informe, il y aura une tenue Jiang Qing, une robe qu'elle juge superbe avec son ample jupe et son corsage moulant, un croisement du style Tang et du new-look. Pas une minute, elle ne songe que la robe est incommode, prétentieuse et beaucoup trop chère, elle l'impose. Fiasco et rigolade, aucune Chinoise dans son bon sens ne se soumet à cette dictature vestimentaire, sauf les officielles en représentation.

Si les laudateurs de Wu, pour plaire à Jiang Qing, ne cessent pas de se pâmer devant son génie, ils se gardent bien de révéler toute la vérité, l'épopée de lubricité et de sang que fut sa vie. Concubine d'un vieil empereur, elle l'avait saoulé de tant de caresses qu'il en mourut. Mais déjà elle avait asservi son fils en l'affolant de sensualité. Au décès du monarque, on avait, comme le voulait la coutume, enfermé Wu dans un couvent : le fils, devenu souverain, l'en avait arrachée d'une façon sacrilège. De retour au palais, elle accomplit son dessein de s'attacher le jeune dynaste et de perdre l'impératrice épouse. A la naissance de son premier enfant, une fille, elle l'étrangla de ses mains et accusa du crime l'innocente impératrice, qui fut suppliciée : elle lui fit couper les pieds et les mains avant de la plonger dans une cuve d'alcool de riz, afin, dira-t-elle, que sa moelle et ses os s'y dissipent dans l'ivresse. Promue impératrice, elle interdit à l'empereur tout commerce avec ses concubines. Après lui avoir donné deux enfants mâles, elle se fit ériger un trône aussi haut que le sien, mais caché par un rideau de soie pourpre, et de là elle se mit à gouverner. La vie et la mort de tous dépendaient d'un mot tombé de ses lèvres : sa sœur qui avait eu le malheur de charmer l'empereur fut empoisonnée, les dignitaires qui s'étaient opposés à elle assassinés.

LE CHIEN DE MAO

A la mort de son époux, elle évinça ses fils et se proclama « Empereur », de son propre droit – elle avait transcendé son sexe. Elle organisa la délation jusque dans les bourgs les plus reculés, elle régna par la torture, le meurtre et le bannissement, elle eut plus d'amants qu'aucun chroniqueur ne pourrait l'imaginer, dont surtout un moine fou, un ancien lutteur de place publique qu'elle aimait pour son membre énorme. Cependant elle le trompait. Il s'en irrita, incendia le Temple du Ciel pour se venger. Alors elle décida de le faire tuer et chargea sa fille adoptive de la besogne. La princesse procéda avec quelques fortes gaillardes de ses servantes. L'impératrice septuagénaire ne s'en émut pas outre mesure, la légende dit qu'elle prit aussitôt pour amant un médecin confucéen, bientôt abandonné pour deux frères à la beauté étonnante qu'elle partageait avec sa fille. Selon la chronique, elle tira tant de plaisir de ses favoris qu'il lui poussa de nouvelles dents de sagesse et de nouveaux sourcils. Dans son ravissement, elle décida de créer pour eux un bureau des assistants impériaux, un véritable vivier de débauchés. Le scandale fut tel que même ses petits-enfants la critiquèrent. Offensée, elle les fit fouetter à mort. A la fin pourtant, ses excès la perdirent : en 705, Wu fut renversée et contrainte d'abdiquer. Elle mourut quelques mois plus tard, sans regret.

De plus en plus, Jiang Qing s'extasie devant la splendide Wu, en qui elle voit une révolutionnaire, une féministe en lutte contre l'oppression masculine, une référence, la femme qui toujours et en tout sut se choisir, elle et sa jouissance. Mais les petites plaisanteries, les farces et attrapes de cette créature sans pareille sont trop connues pour qu'on puisse la louer sans péril. Bientôt, dans certains cercles, on n'appelle plus Jiang Qing que la nouvelle Wu Zetian. Sarcasmes. N'est-ce pas en gorgeant Mao de ses appâts qu'elle a réussi à se faire épouser ? Et maintenant la voilà vieille, piaillante et desséchée, qui prétend lui succéder.

Finalement, le brouhaha parvient aux oreilles de Mao, qui ne manque pas de glouglouter son petit compliment à Jiang Qing :

— Félicitations à toi et à ton amie Wu pour toute cette publicité. Mais elle était plus douée que toi, qui ne m'as vidé que les couilles, pas la moelle ni la cervelle. Toi, pour te débarrasser de moi, tu devras recourir à tes Shanghaïens et à leurs suppôts. Mais avant d'aller plus loin, réfléchis que d'un mot je peux me défaire de toi. Réfléchis bien et sanctifie moins ton impératrice.

Mao est-il réellement courroucé ou bien plaisante-t-il ? On le di-

450

rait au-delà des choses, plutôt gai, mais d'une gaieté parfois menaçante. Le tranchant de son regard quand il persifle... Jiang Qing ne sait plus quel moyen employer avec lui. Discuter, raisonner? Il balaie tout d'un geste, d'un mot : « Tais-toi, tu es stupide! » Ses charmes? Il s'en moque, depuis le temps qu'il y a renoncé. La colère? Dangereux avec ce rhinocéros ramolli, comme bouilli, mais qui peut encore frapper.

Quoi qu'il en soit, on tempère la campagne en faveur de Wu. Mais Jiang Qing ne tarde pas à s'enticher d'une autre impératrice, une certaine Lü, de mille ans plus ancienne. Certes, cette Lü n'avait été qu'une régente toujours gouvernant au nom d'un enfant, mais avec quel talent! Les tambours de la propagande clament partout la gloire de Lü, la grande bâtisseuse. Elle édifia les remparts de sa capitale, Xian, elle irrigua le pays avec un système de canaux, construisit des routes dallées à travers tout l'Empire. Elle annula l'édit de proscription des livres promulgué par l'empereur Qin Shihuangdi et, durant les seize ans de son règne, elle apporta l'abondance et la paix.

Hélas, l'élévation de Lü au titre de parangon de la vertu impériale suscite de nouveaux ricanements chez les adversaires de Jiang Qing. Car cette Lü n'est guère plus édifiante que Wu. Bien née, elle avait été mariée à un fonctionnaire de petite extraction mais qui avait un front de dragon et portait à la cuisse soixante-douze grains de beauté annonçant un grand destin. En effet. De rébellions en insurrections, de guerre en guerre, l'homme, nommé Liu Bang, devint en 202 avant J.-C. le premier empereur de la dynastie Han. Il avait huit fils, dont un de Lü, qu'il trouvait inconsistant. Comment celle-ci, quand l'empereur mourut, déposséda ou tua héritiers et prétendants pour placer sur le trône son rejeton est un classique des annales. Mais elle se distingue surtout dans la façon de traiter une concubine jalousée : après avoir empoisonné le fils de cette malheureuse, elle la fit jeter dans une porcherie, yeux arrachés, oreilles brûlées, pieds et mains coupés. Comportement inspiré dont Wu devait se souvenir... Le supplice eut aussi pour effet de terroriser l'empereur. Il allait avoir seize ans, l'âge dangereux des ambitions, il pouvait vouloir se débarrasser de Lü, celle-ci avait préféré lui montrer de quoi elle était capable. Horrifié par le spectacle de la porcherie, l'adolescent renonça au pouvoir, l'abandonnant entièrement à sa terrible mère pour se livrer à la débauche et à l'ivrognerie. En trois ans, il était

LE CHIEN DE MAO

mort. Lü sélectionna ensuite un joli garçonnet qui périt très opportunément d'un mal mystérieux lorsqu'il s'éveilla à l'intrigue. Un autre mioche lui succéda, une marionnette qui fut massacrée à la mort de l'impératrice en même temps que tous les membres de la famille Lü, hommes et femmes. Un des fils de Liu Bang que Lü avait eu la faiblesse d'épargner devint alors empereur – une anecdote à méditer.

Cependant Mao se moque de Jiang Qing et de sa cohorte de fantômes, toutes ces mégères impériales qui, avec leurs petites mains et leurs petites dents, ont été les plus grandes meurtrières de l'Histoire :

— Tu devrais plutôt t'inspirer de Ts'eu Hi, voilà un vrai modèle, une héroïne géante qui a tenu la Chine sous son joug plus que ta Wu ou que ta Lü. Et je ne te parle pas de tes admirations étrangères, de Catherine II de Russie ou d'Elisabeth 1re d'Angleterre.

— Mais Ts'eu Hi était une réactionnaire, une féodale maudite, l'esprit des ténèbres.

— Comme tu parles bien ! Qu'est-ce que tu crois être, toi, la putain de Shanghaï devenue première dame en t'engouffrant dans les circonstances ?

— Ts'eu Hi a échoué dans son œuvre, elle n'a pas délivré le pays des Barbares.

— Elle a fait ce qu'elle a pu. Mais personne n'aurait résisté aux Chiens Puants, à leur argent, à leurs canons, à leur science. Dis-toi que je procède d'elle, de son sens du pouvoir et de ses échecs. Etudie son règne, cela te sera profitable.

Et Jiang Qing s'éprend de Ts'eu Hi. Que de crimes magnifiques, que de gens égorgés, que d'artifices, subtils et honteux ! Quelle superbe ! Sa vie commence dans un Moyen Age, elle est la concubine maudite, cloîtrée dans un pavillon de la grande solitude, rongée par le temps éternel. Le souverain est un pédéraste mélancolique qui ne supporte la vie que grâce à ses mignons. Aucune femme ne l'approche, pas même l'impératrice couronnée, qui reste une vierge moquée par les gitons. Ts'eu Hi semble condamnée à périr dans le désespoir quand elle a le génie de faire que le grand eunuque, le castré surveillant des femmes, tombe amoureux d'elle et que par lui, au moyen d'un subterfuge, elle soit livrée au monarque. Charmante intrigue de palais... L'empereur est laid, scrofuleux, écailleux, il a une tête de lézard mais cela

452

LE CHIEN DE MAO

ne dégoûte pas Ts'eu Hi, qui réussit à l'amadouer et parvient à un rapprochement charnel, comme pour sceller l'étrange sentiment qui les unit. Pour lui, à qui tout est dérision, c'est un pacte qui le console d'être, et même d'être le souverain des Dix Mille Années.

Son membre crochu pénètre Ts'eu Hi par le fondement, jusqu'à ce qu'un jour, par une merveilleuse prestidigitation, elle fasse glisser le tortueux appendice dans sa vallée des roses. Bientôt elle est engrossée. Alors l'avorton impérial, par une moquerie féroce et pour déchaîner l'angoisse en Ts'eu Hi, se résout à dépuceler l'Impératrice, qui elle aussi se trouve enceinte. Commence une compétition énorme et aveugle, le concours des ventres : qui des deux femmes accouchera la première ? Qui aura un fils, un rejeton du Ciel ? Le sort, qui parfois est juste, donne la victoire à Ts'eu Hi : elle met au monde un garçon, et l'Impératrice une fille.

A ce moment, l'univers éclate en circonstances fantastiques : la horde des Barbares blancs venus de la mer, des répugnants Barbares au long nez et au poil roux, débarque dans le golfe de Petchili et marche sur Pékin. L'orgie de feu, l'anéantissement. Vains sont les supplices promis par le Fils du Ciel, les Barbares s'emparent de la capitale et, sous l'influence de ses chéris, l'empereur s'enfuit lamentablement avec sa cour. Ts'eu Hi est restée en arrière pour contempler les destructions et mieux s'emplir de haine. Enfin elle rejoint le pêle-mêle des fuyards impériaux qui se reposent de leur peur dans les ronflements, et là elle comprend qu'elle a perdu. A moins que... Dans le verre d'eau où doit se désaltérer l'empereur, elle verse du poison.

Mort le Dragon, Ts'eu Hi traite avec les conquérants pour qu'ils se retirent de la Cité Sacrée, puis elle se précipite dans la capitale avant que les mignons n'arrivent avec le cortège funéraire. Ces gitons de sang impérial prétendent aussi au Trône, encore une fois Ts'eu Hi agit et frappe. Il ne reste aux princes qu'à s'étrangler avec une cordelette de soie qu'elle leur a fait porter. Tout est consommé : Ts'eu Hi est régente au nom de son enfant.

Ce conte noir et sublime, ce bijou accroché au sein de l'Histoire, Mao ne s'en lasse pas :

— Ts'eu Hi, dit-il, a eu du génie dans sa manière de profiter de la panique causée par l'apparition des démons blancs. Il n'y avait pas de meilleure heure pour tuer l'empereur, elle a su la saisir. Comme elle saura plus tard utiliser les Blancs qu'elle détestait pour écraser les masses en révolte.

LE CHIEN DE MAO

Mao décrit toujours Ts'eu Hi. A Pékin, cent ministres et mille amants, qui souvent finissent assassinés. Enfermée dans les murs de la Cité Interdite, au centre de tout, cette frêle créature gouverne un Empire en proie au chaos, à l'immense soulèvement dévastateur. Le Grand Chariot aurait-il abandonné la dynastie céleste ? Dans sa sublimité, Ts'eu Hi fait exterminer des millions et des millions de rebelles, et la Chine retrouve son harmonie.

— Une fausse harmonie, reconnaît Mao, qui dissimulait mal l'effritement des choses. Mais tant de temps restait à s'écouler avant que je surgisse et que je prenne le pouvoir... Moi, j'ai soulevé le Peuple, elle, elle l'a écrasé. Elle a anéanti les Taïping qui portaient un turban rouge annonciateur des drapeaux rouges. L'insurrection avait pour chef un homme étrange, du nom de Hong, qui se proclamait le « frère cadet de Jésus-Christ » et prêchait les Sept Cieux du Fils de l'Homme, du Père, de l'Esprit Saint et de la cohorte des anges mais sa chimère chrétienne était empreinte d'une grande vérité : la détestation des riches. Dans un sens, Hong était mon prédécesseur et des millions de pauvres avaient entendu sa voix.

Ses terribles armées s'étaient emparées de Nankin et de la moitié de la Chine. En face de lui, il y avait Ts'eu Hi, adonnée aux arts, à la luxure, à toutes les délicatesses de la vieille civilisation, mais qui n'hésiterait pas, s'il le fallait, à utiliser le pire. Egaré dans son orgueil, Hong ne l'avait pas mesuré. Pendant qu'il parlait à Dieu son père, Ts'eu Hi suscitait des généraux à la bravoure inspirée pour lutter contre lui et ses guenilleux. Ensuite elle s'était adressée aux Barbares exécrables, aux businessmen et aux compradores qui avaient fondé Shanghaï dans la boue, afin qu'ils lèvent pour elle une armée avec des soldats et officiers venus de tous les coins du monde. Ce devait être « l'armée toujours victorieuse » du général Gordon, elle liquida les Taiping. Hécatombes, pas de pitié. Hong préféra se suicider : quelques feuilles d'or dissoutes dans une coupe de vin firent l'affaire.

Mao regarde Jiang Qing avec une sorte de compassion :

— Tends-moi la main ! Que tu es vieille... tout entière vieille, mais j'admire que tu ne renonces pas. Ah ! si tes yeux étaient des poignards... Pourtant tu n'oses pas. Il y a tellement de choses que tu n'as pas osées dans ta vie. Ç'aura été ton défaut : il a fallu que tu te décharnes pour commettre de véritables forfaits. Et encore... Tu as le crime vulgaire, rassis, chère impératrice du temps rouge. Chez Ts'eu Hi, c'était un don, une fleur de jeunesse. Pense à ce

LE CHIEN DE MAO

qu'elle a su faire contre son propre sang! Elle, elle était vraiment de la trempe des Wu et des Lü.

Ts'eu Hi abomine son fils, qui a une tête de lézard, comme son père. Il est sinistre, pis il approche de sa majorité, l'âge où il pourra faire d'elle ce qu'il veut, même la tuer. Pour essayer de parer la menace, Ts'eu Hi le marie à une jeune fille très belle et très sage, en qui elle a toute confiance. Mais la fiancée, une fois épousée, devient une furie, tempêtant contre le lézard pour qu'il se révolte contre sa mère. De plus, cette femme exaspérée est grosse d'un petit lézard, d'une couvée de lézards. La sagesse impose de détruire cette engeance. Mais Ts'eu Hi veut le faire subtilement, sans épée ni poignard, sans ces venins qui marbrent la peau ou donnent des convulsions. Elle sait que son fils l'empereur, cloîtré dans la Cité Interdite, est un rogaton qui n'aime pas le pouvoir et dont l'immense concupiscence n'est pas satisfaite par sa femme enceinte, ni par sa kyrielle de concubines. Ce qu'il désire, c'est connaître l'univers des voluptés ordinaires, celui auquel ont droit ses sujets. Elle va le lui donner. Ts'eu Hi s'abouche avec le chef de ses eunuques, lequel vaut une bonne matrone. Compréhension mutuelle. Le « coupé » s'insinue dans les faveurs du jeune lézard, compatit à son regret des amusements du monde, et enfin lui propose de l'emmener subrepticement hors du palais, là où s'esbaudissent les licencieux. Un soir donc, déguisés en honorables lettrés, ils franchissent sans ennui les enceintes rouge et or – évidemment la garde a été prévenue – et ils se rendent anonymement dans les quartiers des plaisirs, où claquent les oriflammes promettant la gamme infinie des succulences dans les maisons de thé, dans les maisons de jeux, dans les maisons galantes, sanctuaires de toutes les débauches. Etal des sensations. Saleté. Rumeur de la paillardise, bruits, musiques, voix, les claquements des taels d'argent dont on vérifie le poids et la teneur, le charivari de la Chine heureuse. Les bas-fonds. A de vieilles maquerelles aussi dignes que des douairières, on passe commande de délices. Il y a des chanteuses à la voix envoûtante, des « petites fleurs » aux visages fardés, des enfants mâles, peints eux aussi, et attifés comme des filles. Tout est à vendre... L'empereur, que l'on prend pour un riche jeune homme, est conseillé dans ses fornications, ses beuveries et ses rêves d'opium par l'eunuque qui se montre un expert en jouissances.

Enfin, Ts'eu Hi, qui les guettait, voit sur le visage de son fils une jonchée de boutons roses qui bientôt fleurissent en pus. Douleur,

LE CHIEN DE MAO

cris maternels, flot de médecins impuissants, ridicules, effrayés. Malgré leurs soins, et au grand chagrin de sa mère, l'empereur trépasse, sans doute emporté par quelque vérole foudroyante. Après l'enterrement magnifique à la Plaine des Tombeaux, après les chants des bonzes et toute la dignité funéraire, la belle-fille veuve, sur le point d'accoucher, disparaît à jamais, probablement empoisonnée ou coupée en deux par un sabre, et ses restes jetés dans un puits.

Mao rit :

— Ainsi Ts'eu Hi a su donner la mort à son fils de la façon la plus maligne. Si nous avions eu un fils, je me demande si tu ne l'aurais pas considéré, tes penchants impériaux aidant, comme un rival, un ennemi à faire disparaître ? Grâce au ciel, notre fille est stupide, même pas bonne à tuer. Tu as de la chance, le seul de mes enfants que j'aimais, m'a été enlevé. Pour les autres, conviens que je t'ai laissée faire. Depuis des années, tu as bien déblayé la place... Et tes manœuvres avec mon neveu m'amusent. Il t'est tout acquis, paraît-il. Mais es-tu certaine que, le moment venu, il ne se retournera pas contre toi ? Il y a des exemples...

Eternelle question des descendants. Jiang Qing n'a pas cessé de persécuter ceux de Mao, d'accumuler sur eux drames et malheurs avec d'autant plus de fureur que sa propre fille, Li Na, la décevait. Dans sa crainte d'être éclipsée, elle ne la souhaitait pas brillante, mais elle ne la voulait pas terne à ce point. Li Na ne sait pas plaire aux hommes, Li Na n'a pu s'imposer nulle part, Li Na vacille, incertaine, irrésolue, déprimée, médiocre. Les postes qu'on lui a trouvés, comme celui de rédactrice en chef du journal de l'armée, elle les a reçus comme des coups de poing. Jiang Qing a quand même essayé de l'aider, mais Mao était indifférent à pareille bagatelle, le naufrage de sa fille. Finalement Mao a parqué Li Na dans une campagne pour une session de rééducation. La fille impériale s'y est entichée d'une nullité, un serveur qui ne s'élèvera jamais au-dessus du fumier. Mao n'est pas intervenu, Jiang Qing n'a pu empêcher. Tout de même, la désinvolture de Mao la blesse. Elle ne décolère pas. D'autant plus que Li Na a bientôt accouché d'un fils. La maternité allait-elle guérir Li Na ? Non. C'est une chose égarée, sans âme ni sentiments, un paquet que Jiang Qing finit par récupérer à Pékin. Elle la pousse au divorce, sans la convaincre ; folle de colère, elle le fait prononcer d'autorité. Elle a trouvé pour sa fille un veuf décrépit, un petit dirigeant, un sous-ministre qui,

LE CHIEN DE MAO

malgré son âge, se veut encore un avenir, mais Li Na refuse et le vieil ambitieux se décourage. On oublie Li Na.

Toutes ces dernières années, parce que Li Na était si lamentable, Jiang Qing a tremblé à l'idée que Mao ne rappelle auprès de lui les enfants qu'elle avait éloignés. Alors elle les a éloignés encore plus. Li Min, la seule rescapée de la nichée perdue de He Zizhen, noyée dans la nouillerie conjugale, a été accusée d'être une contre-révolutionnaire. Zhang Chunqiao et ses acolytes, si doués en ces matières, ont arrêté Li Min et son époux. La suite, on l'imagine, la prison, les mauvais traitements, la critique, l'autocritique, les techniques du remords. Quand on les tira de leurs cellules, ils étaient broyés. Mao n'avait rien tenté pour arrêter Jiang Qing.

D'un même élan, celle-ci s'était attaquée à Songlin, la veuve de Mao Anying, le bel officier si heureusement tué en Corée. Avec les années, son chagrin s'était apaisé et Mao qui l'aimait bien l'avait autorisée à se remarier. L'élu, un certain Zhao, est un jeune officier de l'armée de l'air et Mao se montre bienveillant avec lui. Immédiatement, transes de Jiang Qing qui devine un complot : Zhao, dit-elle, est un intrigant. Il a épousé Songlin pour remplacer auprès de Mao son fils disparu. Interdiction est notifiée au couple de circuler librement dans Zhongnanhai et Jiang Qing les dénonce régulièrement dans les meetings. Les purges qui suivent la mort de Lin Biao précipitent la catastrophe. Sur ordre de Jiang Qing, Songlin et Zhao sont jetés en prison à Shanghaï. Commence le grand interrogatoire, mené selon les consignes de Jiang Qing : elle veut savoir avant tout ce que Mao a pu leur dire d'elle, quels sont ses sentiments envers elle, ses projets pour elle, Jiang Qing. Eux, face à cette grêle de questions, répètent et répètent encore leur ignorance, que jamais Mao ne s'est confié, que jamais ils n'auraient pensé aborder ce terrain délicat qui ne les concerne pas. Trois mois de vaines tortures. Dépitée, Jiang Qing envoie auprès d'eux un de ses hommes de confiance, un des sbires de Wang Hongwen. Lui non plus n'aboutit à rien et il leur prescrit de rédiger une confession où ils avouent tout, sinon ils ne seront jamais relâchés, ils sombreront dans la pourriture des cachots. Dix fois, cent fois, la confession est refusée, et ils doivent la recommencer. Enfin, ils signent un texte dicté par leur bourreau, où ils reconnaissent leur projet de saccager les relations entre Mao et Jiang Qing. Une fois extorqués ces terribles aveux, le couple est libéré, et il s'évanouit dans l'anonymat d'une campagne. Quatre fois de sa prison Songlin avait écrit à Mao pour implorer sa clémence. Mais il n'avait pas répondu. A moins que les lettres ne lui soient pas parvenues... Toujours est-il que Mao ne s'est jamais enquis du sort de sa bru pendant toutes ces années.

Restait Mao Anqing, le second fils. Longtemps Jiang Qing ne s'était pas trop tourmentée à son sujet, tellement il était mentalement déficient. Le regard fixe, il semble perdu en lui-même, inconscient, incapable de parler ou lâchant de petits mots incohérents, des cris et des râles, comme s'il était emporté par un cauchemar. Et soudain il éclate d'un rire grinçant, il trépigne, la bave lui monte aux lèvres. Sans doute cette dégénérescence provient-elle de son enfance épouvantable, sa mère exécutée, lui et son frère sans asile, livrés à la misère et à la faim. Cela n'émeut pas Mao. Quand Anqing n'est pas à l'hôpital, il vit enfermé dans un pavillon éloigné, car son père ne veut pas contempler son silence, ni entendre ses hurlements. Mais un miracle s'est produit : une femme. Ce pauvre garçon rencontre une femme ! Son nom est Shaohua. Beaucoup plus jeune que lui, très saine d'esprit, équilibrée et raisonnable, elle se porte à son secours, le console si bien qu'il lui propose des épousailles. Tout en connaissant ce qui le ravage, ses détresses, ses mélancolies, elle accepte et elle parvient à le rendre heureux.

Or, cette Shaohua est la sœur de Songlin. La preuve selon Jiang Qing que ce clan maudit noyaute bien la maison impériale. Ses cris et ses imprécations n'ayant pu prévenir le mariage, elle entame une féroce campagne de dénonciation. A l'université de Pékin, Shaohua est traînée dans la boue, accusée d'avoir partie liée avec tous les ennemis de la Chine... mais rien n'y fait. Un jour d'horreur, on apprend même que Shaohua vient de mettre au monde un fils à l'hôpital n° 301 de Pékin. L'enfant est-il de Mao Anqing ? Jiang Qing en doute, mais comment démontrer le contraire ? La menace est énorme. Mao ne sera-t-il pas attendri par ce petit-fils, par ce descendant de Yang Kaihui, la frêle épouse qu'il n'a toujours pas oubliée, à laquelle il a consacré ses pages les plus prenantes, celles où il la découvre partout, dans le souffle du vent, dans le clapotis des lacs, dans la verdoyance des bois ? Il ne faut pas que Mao voie le bébé, ni Mao Anqing tellement amélioré, ni la femme qui l'a tiré de ses abîmes. Ordre est donné par Jiang Qing à Wang Dongxing d'interdire toute visite à l'hôpital. Que surtout l'on cloître Anqing, qu'on le sépare des siens dont on ne lui parlera plus, qu'on coupe le téléphone, qu'on l'abandonne dans le silence. Les jours passent. Cent en tout. Evidemment Mao An-

LE CHIEN DE MAO

qing, persuadé que sa femme et son bébé sont morts, rechute. Lorsqu'il est libéré, il est trop tard, Mao Anqing est du bois flottant, une épave qui cette fois ne s'améliorera plus. Jiang Qing a atteint son but : Mao ne s'intéressera plus à ce demeuré, géniteur d'un bébé certainement idiot.

Le plus étrange, c'est que Mao connaissait tout du sort de son fils et qu'il ne s'est pas interposé : changer le cours des destins, serait-ce pour épargner la chair de sa chair, le fatiguerait trop. Et puis peut-être est-il ravi par la perversité obstinée de Jiang Qing.

C'est ainsi que Jiang Qing a achevé d'évincer la progéniture de Mao, lequel ne s'inquiète aucunement de cette épuration même s'il feint parfois de menacer :

— As-tu songé, dit-il à Jiang Qing, que le dégoût pourrait me prendre de tes manœuvres, de ce que tu as si bien su jouer avec mon égoïsme et mon équanimité? Je pourrais me débarrasser de toi comme tu t'es débarrassée de ma famille.

Jiang Qing regarde Mao avec effarement :

— Il y a entre nous trop de choses...

— Il y a que tu es la grande aventurière de ma vie, plus ou moins idiote, mais qui sait m'inspirer. Or j'aime les grandes aventurières, j'aime Ts'eu Hi, même si elle a tout pour que je l'abomine. Tu ne la vaux pas, tu n'as pas sa simplicité de conception, son tour de main, sa délicatesse, sa grâce infinie, tu es de ton époque, une parodie, une dérision, du moins tu es là.

Mao se délecte à faire de longs récits à Jiang Qing. Il ne parle pas de philosophie, ni de doctrine, ni même de lui, de ce qu'il a fait, de l'épopée du communisme, il préfère en revenir au tournoiement infini des choses, au chaos de l'existence. Et surtout au « vieil homme » – comme on appelait Ts'eu Hi dans son âge mûr :

— Tu pourrais croire que je sens derrière moi le poids de Tchang Kaï-chek, mais il ne pèse pas assez lourd. Il a gâché tous ses succès et maintenant il attend la mort dans son île. Non, derrière moi, proche de moi, il y a Ts'eu Hi, qui avant de devenir blette s'était établie en formidable divinité.

Pour succéder à ce fils qu'elle avait si bien envoyé au royaume des ombres sans l'occire, Ts'eu Hi avait évidemment mis un enfant sur le trône. Choisi dans sa parenté tout de même... Un petit-neveu. Pendant des années encore, elle resta souverainement belle, s'évadant dans l'infini des plaisirs. Beauté des filles d'honneur, grâce des cérémonies, brûle-gueule, tortures de la chair et de la

LE CHIEN DE MAO

matière, fatigues heureuses de l'orgie... au Palais d'Eté qu'elle avait fait reconstruire, il n'y avait pas de limites à ses caprices. Les marbres, les ors, les jades... La garde impériale arborait des uniformes somptueux, et le reste du pays était en loques. Comme flotte de guerre, elle n'avait toujours que des navires en bois, qui furent envoyés en quelques minutes au fond des mers par les navires en fer que les Japonais, ces Jaunes peints en Blancs, avaient construits à l'instar de ceux des Barbares. Sa stupéfaction devant ce désastre...

La Chine sombrait et la vermine barbare grouillait. Du quartier des Légations, près de la Cité Interdite, montait l'odeur affreuse des diplomates blancs. Partout se répandaient des missionnaires. Ah! les couper en morceaux... Mais sauf exception, c'était impossible, parce que derrière les saints hommes venaient les consuls chamarrés, et les canonnières. Il fallait céder, toujours signer des traités infâmes, des traités inégaux. Peu à peu, l'Occident s'infiltrait dans le pays, le remodelait, les chemins de fer réveillaient les dragons de la terre, les douanes et les postes étaient capturées, et se créaient ces concessions où l'ignominie régnait. Cela dura jusqu'à ce que l'empereur, avec l'âge, se révélât adepte de la civilisation des Barbares, et projetât d'assassiner sa vieille tante pour leur livrer l'empire. Mais il fut dénoncé, et Ts'eu Hi, dans le paroxysme de sa plus belle colère, le fit enchaîner et décida de le garder à jamais à côté d'elle dans des fers. Le tuer, recommencer avec un troisième enfant? Il était trop tard. Son immémoriale sagesse lui proposa une juste solution : le massacre. Exterminer les Blancs en un gigantesque carnage.

A la vérité, l'idée ne vient pas de Ts'eu Hi, mais de manants, les sectateurs de la société secrète des Poings de la Fleur de Prunier, qui est née dans le bas peuple du Shandong. Les Boxers... Eclairs des épées, danses magiques, incantations, la suprême horreur, la géhenne. Ts'eu Hi, l'antique dame qui a tant vécu, répugne à se jeter dans ces aventures. Les Blancs ne se révéleront-ils pas une fois de plus indestructibles? S'ils survivent, jusqu'où ne se vengeront-ils pas? Et puis se liguer avec cette tourbe illuminée, qui en général s'attaquait au trône, est contraire à la tradition. Pourtant Ts'eu Hi ferme les yeux, elle tergiverse... et les Boxers surgissent dans la grande plaine du Nord détruisant, massacrant tout ce qui sent l'Occident. Ainsi jusqu'à Pékin et jusqu'aux Légations où les excellences se sont retranchées.

Le siège. Il faudrait donner l'assaut mais Ts'eu Hi hésite encore,

460

LE CHIEN DE MAO

un jour fulminant contre les Barbares et enjoignant aux Boxers de les tuer, le lendemain leur faisant porter des glaces et des fruits. Les bombardements. L'épouvante. Car le monde s'est ému et les Puissances se sont unies contre la ténébreuse Chine. Au milieu des charniers, dans un cauchemar de supplices, des détachements étrangers se frayent un chemin vers Pékin. Les combats. La chaleur. L'infection. Cinquante-cinq jours ont passé, les Légations résistent de plus en plus difficilement, elles sont sur le point de succomber quand les colonnes alliées entrent dans la ville. Comme quarante ans plus tôt, Ts'eu Hi s'enfuit. Mais maintenant elle est déguisée en paysanne, et elle traîne l'empereur en laisse.

Bientôt, au milieu des tracas de cet exode, il appert que tout va bien pour la douairière : les vainqueurs ont pillé la Cité Interdite, mais pas trop ; diplomates et généraux se disent qu'il est inutile d'annihiler la Chine, qu'elle est déjà assez soumise, qu'il suffit de bien la museler. Ts'eu Hi, toujours à la hauteur des circonstances, comprend qu'elle peut retourner dans sa capitale. Ce qu'elle fait, en prenant le train, le premier train de sa vie. Ravissement. Ensuite, à Pékin, diplomateries, réceptions. Dans sa Cité Interdite, Ts'eu Hi offre le thé aux dames blanches, tout en s'excusant de la frugalité du service, « Mais, dit-elle, j'ai récemment été un peu volée ». Elle renouvelle ses galas, elle est prise en photo, elle est laide. Il ne lui reste qu'à mourir, ce qu'elle fait en 1908, paisiblement, rituellement, le visage tourné vers l'Orient. Mais avant de rendre l'âme, l'Auguste a ordonné la mort de l'empereur, toujours prisonnier de ses chaînes, et désigné pour le trône un autre enfant de trois ans, Pu Yi. L'Empire n'y survivra pas.

Mao insiste :

— Ts'eu Hi a préparé la Chine pour moi. Elle a exalté le plus ancien et, en même temps, elle n'a pas su résister à la modernité. Ainsi se sont créées des tensions dont j'ai fini par profiter.

Jiang Qing écoute ces discours d'une oreille distraite. Parfois elle se rebiffe un peu pour relancer les radotages du Vieux : qu'a-t-elle de commun avec cette forcenée ?

— A tous les étages de la société, on trouve des femmes prêtes à n'importe quoi qui les serve ; Ts'eu Hi et toi, vous êtes des génies de la corporation, capables de s'acharner jusqu'à la splendeur incommensurable ou de s'abandonner au caprice le plus idiot. Tu rêves du pouvoir absolu et tu t'ébats dans des milliers de petits frémissements, tu es fantasque, odieuse, incapable de réprimer une envie. Tu ferais battre à mort une servante pour une bagatelle...

LE CHIEN DE MAO

Toujours tes ongles, toujours tes yeux, toujours tes cris, toujours toi comme une fureur allumée, sauf quand tu fais du charme et que tu lèches comme une chienne. Allez, décampe, tu me fatigues...

Plus que jamais, avec une violence convulsive, Jiang Qing hait Chou En-lai, toujours plus maître de Mao, toujours plus maître de la Chine, toujours plus doué pour les grands sacrilèges. Il y a eu Nixon, il y a ce Kissinger qui ne cesse de revenir, il y a tous ces visiteurs... Certes elle a fait l'aimable, elle a miaulé comme de plaisir, mais c'était son privilège : au prochain blasphème de Chou En-lai, elle interviendra pour sauver le pays. Dorénavant sa ligne est claire : la Révolution quand même, la Révolution grâce à Jiang Qing, par Jiang Qing.

Les hostilités se poursuivent donc, à l'immense joie de Mao qui les observe et les attise, tapi dans son repaire de gisant. Ses humeurs de vieillard s'écoulent comme une morve corrosive qui gangrène tout autour de lui et il s'enchante des dégâts. La Cité Interdite est noyée dans un brouillard de propos qu'on lui prête et dont nul ne sait s'il les a réellement tenus. Le soufre de ces phrases-mystères... Si elles sont authentiques, il importe de se ruer pour parler et agir comme il faut, mais comment percer l'oracle ? Les dits de Mao se présentent sous la forme de potins. Un potin erroné, si on le croit, peut être mortel, mais ne pas ajouter foi à un potin vrai est aussi dangereux. Et puis il y a des énigmes à tiroirs, des formulations variables. Brumes meurtrières. Jiang Qing navigue au plus près. Non sans risques – il arrive que Mao lui refuse sa porte. Zhang Chunqiao la prévient :

— Fais attention, tu te contredis trop. Ainsi avec les étrangers. Tu les aguiches, et puis tu les qualifies d'ordures. Tu dois réfléchir davantage.

Lorsque Mao la réadmet en sa présence, lui aussi la rabroue :

— Alors mon petit oiseau, on se prend pour un aigle ? On voudrait monter jusqu'au soleil ? Calme-toi. Chou En-lai a ma confiance et j'approuve sa politique, à l'intérieur comme à l'extérieur. En te dressant contre lui, tu te dresses contre moi. Comment pourrais-je, dans ces conditions, te laisser ma succession ?

462

LE CHIEN DE MAO

Mais il en faut plus pour abattre Jiang Qing qui s'est découvert une nouvelle passion : peaufiner son image, avoir, comme les princes, un historiographe. Mao à Yanan avait élu le journaliste Edgar Snow pour expliquer ses projets à l'univers, elle choisit une universitaire américaine qui enquête sur les femmes chinoises, Roxane Witke. Le génial Chou En-lai autorise un entretien avec ce qu'il faut d'interprètes et de scribes. Tout sera noté, enregistré, surveillé : si Jiang Qing oublie que l'individu n'est rien et que seul compte le combat des masses, malheur à elle. Et bien sûr, Jiang Qing oublie. Au vu des transcriptions, Chou En-lai la rappelle à l'ordre, elle s'emporte, quitte Pékin pour sa résidence de Canton où elle convie sa mémorialiste. L'avion privé. Les broderies des draps de soie rose pâle. Les fleurs. Les bavardages. Les cadeaux. Jiang Qing chante pour son invitée, elle lui offre une jupe, elle organise une projection de son film préféré, *La Reine Christine*. L'impudence. Les photos qu'elle dédicace à l'encre rouge. Demain, dans huit jours, Chou En-lai saura tout cela et l'utilisera. Sans parler de la prétention et de la sottise des discours.

La Révolution quand même... Jiang Qing continue dans sa superbe, tantôt déesse guerrière, tantôt diva pour de nouveaux camps du drap d'or. La prémonition de son fabuleux destin l'habite tout entière, Mao ne vient-il pas de lui annoncer d'un air goguenard une grande, une merveilleuse nouvelle : Chou En-lai a un cancer. Comme le Grand Timonier ne croit pas aux bienfaits de la médecine moderne, il a interdit qu'on opère son Premier ministre et même qu'on le soigne. Il recommande aussi qu'on lui cache son état, on lui épargnera de l'angoisse et sa fin sera plus douce.

Mais rien ne se passe comme Jiang Qing l'imaginait. Chou En-lai travaille plus que jamais. Le pire, c'est qu'il fait ouvrir les « écoles » où l'on rééduque les cadres, qu'il arrache à la faiblesse de Mao la libération et le retour aux affaires du vieux roi de la contre-révolution, Deng Xiaoping, le plus dur, le plus remuant, le plus doué, le plus influent des dirigeants répudiés. Increvable, ce fétu! Sévices, relégation, sa famille persécutée, un fils jeté par une fenêtre et paralysé, Deng a tout supporté, tout surmonté. Lui n'a pas pour Jiang Qing les ménagements de Chou En-lai, il est mordant, il la méprise. Lorsqu'elle fait entrer ses Shanghaïens au Bureau politique, il s'étouffe de rire. La promotion rapide de Wang Hongwen, la belle petite frappe révélée par la Commune de Shan-

LE CHIEN DE MAO

ghaï, le déchaîne : une ascension en hélicoptère, dit-il. En effet. Wang est à trente-huit ans le troisième homme du Parti, avec pour seule qualification d'être accroché aux basques de Zhang Chunqiao, donc de Jiang Qing. Elle, Deng la raille dans les termes les plus grossiers : « Elle ne produit rien, même quand elle s'assied sur la lunette des chiottes », clame-t-il. Paroles dangereuses qui font s'esclaffer tout Zhongnanhai.

Alors Jiang Qing ne quitte pas le chevet de Mao toujours adonné à sa fainéantise heureuse et qui la turlupine :

— Si tu penses qu'à force de simagrées et de mignardises, tu me feras céder, tu te trompes. Quelle surenchère pourtant. Félicitations ! Bientôt tu te croiras obligée de t'occuper de moi, de me toucher, ma pauvre Jiang Qing. Et je pue, je sens le vieux, le bouc suri. J'ai des dartres, les dents pourries, des bouchons de cérumen dans les oreilles, régale-toi ! Paie pour la brillante carrière de Wang Hongwen ! Mais souviens-toi que si je pue, tu pues encore plus que moi. Je t'épargne, Chou En-lai aussi, laisse-nous compérer tranquillement et cantonne-toi aux bras de Zhang Chunqiao.

La confusion totale. Mao s'est retiré sur sa montagne et il regarde les tigres s'entre-déchirer. Parfois il sort de sa réserve pour critiquer l'un ou l'autre, encourager celui-ci ou celui-là. Nommer Deng à la Commission militaire, critiquer Chou En-lai, encenser Wang Hongwen, condamner encore et toujours Lin Biao, flatter sa femme, puis refuser de la recevoir si elle n'a pas envoyé une demande d'audience... le Vieux distribue en alternance des médailles et des coups, puis il se rendort, jusqu'à la prochaine foucade. Bien sûr, il se garde de nommer un numéro deux.

Sept ans ont passé depuis qu'éclatait la Révolution Culturelle. Selon le Grandiose Timonier, le temps est venu où les monstres et les démons vont resurgir, où derechef un chaos bénéfique doit saisir le pays afin qu'émerge un nouvel ordre. Annonce épatante reproduite religieusement par *Le Quotidien du Peuple*. Au Xe Congrès, le mirobolant Wang Hongwen chante les louanges d'un mouvement baptisé « Aller à contre-courant », à côté de lui, avec ses coups de chapeau à la direction centralisée du Parti, Chou En-lai paraît terne. Et malade. Tout gronde et grince, frémissements, bruits de bottes, odeur de poudre... Jiang Qing piaffe : la Révolution recommence.

Une vétille, n'importe quoi, tout est prétexte à l'apprentie

LE CHIEN DE MAO

impératrice pour ouvrir un champ de bataille. Beethoven, Debussy, Antonioni, tout ce qui vient de l'étranger, entendez tout ce qui a été autorisé par Chou En-lai, est condamné. Imprécations, charivari, affiches, manifestations, on crie à l'humanisme bourgeois, à la décadence, à l'obscénité, on maudit, on exècre, on menace... une merveille.

Il y a un meilleur terrain : l'école. Chou En-lai et les siens y ont, tant bien que mal, ramené l'ordre, la discipline règne, les maîtres sont respectés, le grand labeur et les compétitions d'antan révérés. Asphyxiés par ces méthodes, les vrais Rouges vont regimber. Un lycéen rend-il une copie blanche en critiquant le système des examens d'entrée à l'université ? Cela devient une prouesse qui enthousiasme Mao Yuanxin, le neveu du Président que Jiang Qing aime tendrement. « Je suis plus sûr de moi qu'un bœuf », braille l'étudiant, et le pays reprend en chœur. A nouveau, on célèbre les travailleurs illettrés, à nouveau on fustige les intellectuels et les gens instruits, Mao se déclare enchanté.

Arrive miraculeusement au *Quotidien du Peuple* la récrimination d'une fillette de douze ans que le journal, cependant, hésite à imprimer, tant la matière en est inflammable. Mais Zhang Chunqiao est averti de cette anicroche et il décide Jiang Qing à faire publier la missive, comme un défi jeté à la Chine révisionniste. Qu'écrit la gamine ? Elle se plaint de la dureté de son professeur, de ses cruautés, de ses punitions. Ce tyran a obligé la classe à la faire passer en jugement parce qu'elle est fidèle à la pensée de Mao et qu'elle s'oppose à la ligne réactionnaire en vigueur dans son établissement. Elle est accablée par la sévérité, l'autorité, le gavage : « Qu'ai-je fait de mal ? s'écrie-t-elle. On m'a tournée en dérision, on s'est moqué de moi. J'en ai perdu l'appétit et je pleure dans mon sommeil. »

Sur ces puérilités, on bâtit un scandale : énorme raffut, titres dans toute la presse, la gentille frimousse de la fillette partout, sur tous les murs comme une hantise. On s'empare d'elle, on lui apprend ce qu'elle doit dire, et comment. Elle est dans toutes les émissions de radio, elle apparaît dans des dizaines de meetings. Critiques, autocritiques, repentir des professeurs... tempête à propos d'une enfant manipulée. A Pékin, les écoles sont saccagées. Jiang Qing, grisée, compare les lycéens révoltés aux ouvriers anglais qui au XVIIIᵉ siècle avaient cassé leurs machines. Historiquement hasardeux mais efficace.

La machine à slogans tourne à plein. La vieille formule, « La

Révolution, pas la production » réapparaît. Mais on lui en adjoint de nouvelles, où la bêtise le dispute à la vulgarité. S'intéresser aux techniques étrangères devient « Renifler les pets des étrangers et dire qu'ils embaument »; il va de soi que « Les mauvaises herbes socialistes sont préférables à une bonne récolte capitaliste » ou que « Mieux vaut un retard socialiste qu'une ponctualité révisionniste ». Des troubles éclatent dans les usines, Jiang Qing frétille d'aise.

Mais point trop n'en faut. Vient le jour où Mao demande à Jiang Qing de mettre un terme au sabbat.

— Est-ce un ordre de Chou En-lai?

— Disons une requête.

— Tu n'as pas à obéir à l'homme qui liquide les acquis de la Révolution Culturelle. Et moi non plus. Il se croit le maître, ton maître.

— C'est mon chef de gouvernement.

Jiang Qing sourit, de ce sourire qu'elle a pour arracher une faveur :

— Tu devrais contrebalancer son influence. Avec Zhang Chunqiao...

Mao hoche la tête doucement :

— Non, encore une fois non! Je ne veux pas de ton étalon. Je te l'ai dit, c'est un triste sire, qui demain se retournera contre toi. Si j'étais sage, je suggérerais à notre ami Wang Dongxing de s'occuper de lui.

Et Mao reprend sa sempiternelle analyse : Zhang Chunqiao n'est pas un être vivant mais une machine de guerre, une intelligence froide, implacable, effrayante car elle ne connaît que son profit.

— J'ai eu des passions, dit-il, qui ont fait de moi Mao. Tu en as. Lui en est dépourvu. Tu le crois attaché à toi, il n'est attaché qu'à lui, et souverainement. C'est un bloc, une massue qui t'écrasera.

— Je sais cela et je me tiens sur mes gardes. Le moment venu, je l'anéantirai mais pour l'instant, il me sert.

— Ma petite Jiang Qing, évite de m'agacer! Je t'aime telle que tu es, obstinée, féroce, injuste, géniale à tes heures, et tellement maladroite que je dois te protéger. Mais tu es ivre de toi-même, c'est une faille. Cela t'obscurcit le jugement.

Qu'ils crèvent! Que Chou En-lai crève et que Mao le rejoigne en enfer! Qu'ils aillent au diable avec leurs appels à la prudence et

LE CHIEN DE MAO

leurs avertissements ! Que leur bile fétide les étouffe ! C'est une Jiang Qing écumante qui, en sortant de chez Mao, se fait conduire auprès de Kang Sheng. Lui seul la comprend, lui seul pourra la conseiller.

La résidence du Jardin des Bambous est d'une beauté déchirante. Tant de perfection. Une harmonie qui serre la gorge et rejette. A chaque fois qu'elle traverse ces cours et ces jardins pour entrer dans les salons où survit la Chine ancienne, Jiang Qing, comme agrippée par l'impérissable, est saisie de malaise. Et aujourd'hui encore, malgré sa fureur, le charme douceâtre, maléfique opère. Cette maison est un conservatoire, un musée, une morgue.

Kang Sheng se tient là en maître des secrets, aigu, inquiétant. Pourtant quelque chose a changé. Une hâte nouvelle peut-être, une gravité. Et même une vague détresse. Au point que Jiang Qing le remarque :

— Que se passe-t-il ? Je te vois pâle et triste, tu as énormément maigri...

Kang Sheng a un petit sourire amer :

— L'ironie des choses ne va pas t'échapper : j'ai un cancer. Comme Chou En-lai. C'est la vessie, ma chère, si tu veux tout savoir, et moi non plus je n'ai pas le droit de me faire opérer : ton mari m'autorise parfois une petite cautérisation, sans plus. Mais laissons, tu n'es pas venue pour me plaindre et j'ai encore quelques années devant moi. Que puis-je pour te plaire ?

Soulagement de Jiang Qing : après la tentation de la pitié, on revient au seul sujet qui la passionne, elle. Déluge de mots, d'explications où se mêlent les avanies que lui fait subir Mao, son désir de relancer la Révolution Culturelle, ses ambitions impériales et sa haine de Chou En-lai. Le fatras habituel. Comment ce Kang Sheng à l'intelligence si perverse supporte-t-il ces niaiseries ? Comment un homme aussi puissant, aussi redoutable a-t-il besoin de cette femme hystérique ? Par quel goût exacerbé du pouvoir de l'ombre veut-il encore et toujours la mettre sur le Trône ? Quel ascendant exerce-t-elle ?

Soudain Kang Sheng interrompt Jiang Qing :

— Je sais tout cela, avançons.

— Tu as encore fait poser des micros ?

— Cela ne te regarde pas. L'important est que je sache. J'ai réfléchi à tes difficultés, je ne vois qu'une solution, discréditer définitivement Chou En-lai. J'ai mobilisé l'Ecole du Parti et mon groupe d'écrivains, le résultat te satisfera, je te le garantis. Mais souviens-toi que cet ennemi-là, même malade, est bien plus retors que ne l'était Liu Shaoqi.

Merveilleux Kang Sheng, si expert à déterrer les cadavres, si bon connaisseur de l'Histoire : il avait exhumé et sublimé les impératrices, il trouve mieux. Quel meilleur cadavre en effet que celui d'un homme dont l'ombre immense domine le pays depuis plus de deux mille ans, d'un homme qui a façonné l'esprit des Chinois, qui les a asservis à son implacable morale et a fait d'eux des résignés, quel meilleur cadavre que celui de Confucius ? Ce sage, le plus grand des sages, avant même l'éclosion du communisme avait été voué à l'exécration. Il revient pourtant, il est là, il se pavane dans son sanctuaire du Shandong et des temples innombrables diffusent son culte pestilentiel. Malheur à ceux qui révèrent à nouveau ce prétendu saint, propagateur d'une pensée de la soumission, malheur à qui, au sommet de l'Etat, ressuscite Confucius ou est persuadé d'en être la réincarnation. Le grand coupable n'est pas nommé, mais c'est bien sûr Chou En-lai, Chou En-lai le révisionniste qui répand sur la Chine le poison mortel de la restauration, un choléra qui fera d'elle une fange infecte.

Bientôt monte une formidable rumeur contre le maître des Dix Mille Générations. La presse n'est qu'anathèmes et éructations pseudo-savantes. Evidemment l'ignorante Jiang Qing se tient coite : Kang Sheng et les Shanghaïens, qui eux sont instruits de l'Ancien comme du Nouveau, dirigent l'orchestre de la haine. La vie du nouvel ennemi de classe, les anecdotes, les images que le temps a accumulées sont passées au crible, les essais critiques sont relus, repris, magnifiés, tout le vieux, tout le mauvais est qualifié de confucéen, le saint homme en robe fourrée et bonnet de soie est réduit à un personnage de fourbe, ami des féodaux, englué dans le respect des traditions et des hiérarchies, hypocrite par excellence. Enfin, on lui attribue le crime des crimes : le phallocratisme.

Cette dernière accusation lancée, Jiang Qing peut apparaître dans toute sa splendeur et prendre la tête de la campagne. Mao approuve. Dans toutes les écoles, dans toutes les unités de travail, on consacre des heures à critiquer le « menteur suave » qui, sous des dehors bienveillants, cachait une volonté maladive d'asseoir une politique mangeuse d'hommes. Le délire culmine par un meeting géant où Yao Wenyuan, le chef de la propagande, prononce une interminable allocution ; de la bouillie empoisonnée pleine de

LE CHIEN DE MAO

perfidies sur Chou En-lai. Mais l'accusé fait son jocrisse : il n'a rien entendu, rien compris, et le premier, il incite la foule à hurler « Prenons exemple sur la camarade Jiang Qing ». Le chef du gouvernement devenu chef de chœur, directeur de la manécanterie rouge... Wang Dongxing et les gauchistes sont partagés entre le rire et le mépris : décidément Chou En-lai est un pantin que sa lâcheté perdra.

Madame Mao aurait dû se méfier. Car le ci-devant pantin les surpasse tous en ruse et en dextérité. Pendant qu'ils s'épuisent en criailleries, Chou En-lai, à petites touches, infléchit la campagne. Contre quel courant faut-il aller? Qu'on précise... Et que devient dans ces marches et contre-marches la discipline du Parti à laquelle Mao tient tellement? Plus audacieusement encore, il parvient, dans une fantastique acrobatie, à faire démontrer que Lin Biao poursuivait les mêmes buts que le Grand Sage désormais si justement décrié. Dénoncer Confucius équivaut donc à dénoncer le maréchal. De la haute voltige. Mais de sauts périlleux en contorsions conceptuelles, la campagne, déjà fumeuse, se perd dans l'inanité. Ce qui se voulait éclair et tonnerre n'est plus que fumerolle : quelques flèches partent encore contre le traître Lin Biao, des figures de style. Et puis plus rien. Chou En-lai a détourné l'orage. Le Peuple semble indifférent. Pour se protéger des coups du Pouvoir, les gens ont critiqué qui on leur disait de critiquer, sans y croire. Comme d'habitude? Plus que d'habitude.

Dans son palais des Nuages, l'empereur Mao convoque une dernière fois son épouse :

— Pourquoi travailles-tu toujours à m'exaspérer? Tu m'épuises avec tes querelles. Et pourquoi, maintenant que tu joues à être une pure rouge bien austère, te couvres-tu des parfums capiteux de l'Occident? Non seulement tu es laide, mais tu sens la cocotte rancie. Tiens! je parie que tu n'aimes pas Confucius parce qu'il t'aurait interdit de puer aussi bon.

Eternel Mao, éternellement entre deux humeurs, la grinçante et la plaisante. Il ne faudrait pas le rembarrer, mais Jiang Qing, stupide dans son acharnement, part à l'assaut :

— Mais Confucius, toute la presse dit que c'est Chou En-lai, et les articles concluent qu'il faudrait au moins raser son temple au Shandong. Imagine-toi que la Révolution Culturelle l'a épargné, ou plutôt oublié! On ne pensait pas qu'il puisse revenir au goût du jour.

LE CHIEN DE MAO

— Arrête, arrête tout de suite. Il n'est pas question de démolir ce temple. D'ailleurs la campagne anticonfucéenne est terminée, grâce à Chou En-lai. Calme-toi, calme tes compères, sinon vous me le paierez. Je veux que plus rien ne paraisse contre Chou En-lai, directement ou indirectement, sinon j'ordonne à Zhang Chunqiao de rester à Shanghaï, loin de toi, de tes bras décharnés et de tes pensées saugrenues. Et, si l'envie m'en vient, je le ferai mettre dans une de ces prisons où l'on torture un peu. Tu auras le droit de lui rendre visite, de lui apporter des friandises, car il se pourrait qu'il soit affamé.

Jiang Qing s'indigne :

— Mais tu avais donné ton aval. Tu m'as nommée directrice de la campagne...

— Eh bien, tu n'es plus directrice de rien et je te retire ma caution. Et puis, réfléchis ! Etant donné que j'ai raté « l'homme nouveau », il n'est peut-être pas mauvais qu'on recoure un peu à « l'homme ancien » de Confucius pour rétablir l'ordre dans la société chamboulée par la Révolution Culturelle.

— Tu blasphèmes.

— Pourquoi pas ? Moi seul, ici, ai le droit de le faire. J'en use, j'en jouis même, et si tu n'es pas contente, sors d'ici.

Soudain Mao a un éclair dans l'œil, il fuse, comme emporté par une joie, ragaillardi, désénébré :

— Je t'ai laissée écrabouiller les miens et tu t'y es adonnée de bon cœur. Mais je t'avais avertie que je pourrais être écœuré par le plaisir que tu prenais à détruire ma famille et, dans un coup de colère, te réclamer une rétribution...

Jiang Qing s'est figée, foudroyée : quel piège mortel ce gâteux si roué est-il en train de lui tendre ? Mais Mao continue benoîtement :

— N'aie pas peur, je ne vais pas te faire arrêter. Je voulais simplement te parler de notre fille, Li Na. Li Na, c'est toi qui, l'aimant ou ne l'aimant pas, par tes regards de succube, avec tout ce qu'ils comportaient à la fois d'exigence non satisfaite, de fausse tendresse et de mépris, l'avais rendue complètement stupide, une coquecigrue. Mais notre bêtasse a été remise à flot par les minuscules avanies de l'existence : la médiocrité, loin de l'avoir vaincue, lui a réussi. Elle est quelconque, ce qui est étonnant puisqu'elle provient de deux êtres exceptionnels comme toi et moi, mais son quelconque est de bonne qualité, d'un grain qui m'aide à supporter mes perspectives de cercueil, son quelconque me convient, m'enchan-

470

LE CHIEN DE MAO

te. Que veux-tu, elle a ce que nous n'avons pas, ce dont je n'aurais pas voulu auparavant, de la vraie bonté. C'est une bonne fille, entends-tu, une brave fille, et elle rend la vie douce à l'agonisant au long cours que je suis. Elle me fait du bien, pas pour les grandes choses dont je n'ai plus rien à fiche, mais pour toutes les petites qui sont désormais mon lot. Elle est dévouée. Je la veux auprès de moi. D'ailleurs elle s'entend merveilleusement avec Yufeng.

— Evidemment, ta concubine est une imbécile.

— Rends-toi compte que Li Na n'est pas si sotte. Et toi aussi, sers-toi d'elle. Elle connaît tout le monde, et on l'aime, Chou En-lai le premier! Ne l'engage pas à comploter, mais qu'elle rende des services! Laisse-la être la mémère qu'elle est, la mémère qui, quoique encore enfantine, s'est établie un peu comme notre mère à tous!

Cet appel, ce n'était donc que cela! Dans sa terreur de vieillard incapable de prendre congé, Mao se raccroche à sa descendance, à l'ineffable Li Na! Pour un peu Jiang Qing soupirerait de soulagement, mais elle se contient et même approuve : que Li Na baragouine avec son père, qu'elle bonjourise avec Chou En-lai et consorts, qu'elle se tortille d'amabilité – une velléitaire courtisant des débris, l'affaire est trop grotesque pour la préoccuper.

Cependant un vent s'est levé, a grandi, souffle depuis quelques jours, un vent qui mugit un nouvel édit du Timonier : « Faites avancer l'économie nationale! » Phrase capitale, déterminante, qui signifierait que Mao approuve la grande restauration en cours. Reniement... Toujours plus de reniement! Jiang Qing dément de ses mille voix en affirmant que ce soi-disant édit a été inventé de toutes pièces par Chou En-lai et par le président de la Compagnie des Rumeurs, Deng Xiaoping. Mais rien n'y fait. L'heure est à la pseudo-réfection, Deng s'apprête à brader la Chine : il veut s'allier aux Barbares puants, leur acheter des usines clefs en main, fonder des entreprises mixtes avec eux, commercer avec eux, faire venir leurs experts sur la terre chinoise. La Chine traitée comme une pute, la Chine ensemencée par les odieux et les traîtres...

Jiang Qing exige des explications, mais les gardes de Mao ne la laissent pas entrer; on ne l'a pas mandée. Le lendemain, les mêmes l'informent que Mao, se sentant tout guilleret, s'est extrait de son lit, qu'il s'est habillé et que, pour la première fois depuis longtemps, il est sorti de Zhongnanhai. Accompagné de Li Na, de Zhang Yufeng sa concubine et de Mao Yuanxin son neveu, il est parti pour Changsha.

LE CHIEN DE MAO

Avant de mourir, Mao a eu besoin de se repaître de lui-même, de son enfance, de ses certitudes de jeune homme, il a voulu retrouver ses marques, flairer son essence, goûter une dernière lampée de son génie. Pèlerinage, retrouvailles. Coins et recoins de Changsha, la caserne où il a été soldat, l'Université, la bibliothèque où il a étudié, où il a eu la prescience de la Révolution, l'école où il a enseigné, la maison où il vivait avec Yang Kaihui, son fier peuplier, son unique amour. Ensuite Mao se rend à Shaoshan, dans la demeure familiale transformée en sanctuaire. Il se remémore son soudard de père. Leurs querelles. Sa mère qui pleurait. Et le vieil instituteur qui prônait la transformation des temples en écoles parce que, disait-il, il n'y avait pas de Dieu. Combien en a-t-il anéanti de ces idoles enfantées par l'imagination des hommes à la recherche d'un peu de félicité, de l'illusion d'un paradis? A-t-il jamais eu d'autre désir que de donner aux hommes le pouvoir d'être heureux sur terre, en s'agrégeant en une communauté harmonieuse? Il a échoué, mais dans son Hunan natal, avant de s'engouffrer dans le néant, il boit l'ambroisie. Le Peuple l'aime. Tellement d'encens...

Offert à l'adoration de la foule, grisé, il s'aperçoit néanmoins que la mort a fait son œuvre : les gens de sa jeunesse ont disparu, il ne reconnaît plus personne. Une inquiétude le point : combien de ses amis, de ses anciens partisans ont-ils été tués par la Révolution Culturelle? Et celle-ci n'a-t-elle pas laissé un pays exsangue? On lui dissimule la vérité, les meurtres, les démolitions, le dénuement. Dans ce désarroi, le meilleur informateur de Mao, c'est Li Na, Li Na et sa bonne bouille, sa bonne présence ronde. Li Na a été mêlée à la vie des masses, elle en sait tout, et questionnée par Mao, elle répond naïvement :

— Non, il n'y a pas de pain, non, il n'y a pas de riz, oui, les usines tournent au ralenti, quand elles tournent.

Mao est obligé de se dire que Chou En-lai a raison : tout a été défait, il faut tout refaire.

Ainsi sa propre fille, que Jiang Qing croyait trop sotte pour être un danger, est une rivale et même une rivale inconsciente. Absurdité des fins de règne... L'immense vieillard est devenu un bébé

472

LE CHIEN DE MAO

qu'il faut langer, biberonner, câliner, dorloter et qui se laisse gouverner par la première idiote venue. De Changsha, Mao Yuanxin écrit régulièrement à sa tante pour lui raconter l'inimaginable, comment cette pâte molle de Li Na refuse de se laisser modeler. Sa petite voix déterminée quand elle explique qu'elle doit la vérité à son père, ses prises de bec avec Zhang Yufeng, les bagarres de nurses, la Putasserie déguisée en dame d'œuvres, le neveu note tout.

Bien sûr, Jiang Qing entre en fureur. Et puis elle réfléchit qu'à s'enliser dans son pitoyable jardin d'enfants, Mao lui laisse le champ libre. Et elle repart de plus belle au combat : elle s'institue dirigeant national, le vrai, le seul numéro 2 du régime.

La folie...

Cascade de directives contradictoires, escarmouches avec Chou En-lai et Deng Xiaoping. Jiang Qing est partout, à la télévision, dans les journaux qu'elle inonde de ses articles, de ses poèmes et de ses photos. Les panégyriques des anciennes impératrices reparaissent, la robe Jiang Qing aussi – mais les femmes n'en veulent toujours pas. Chou En-lai a-t-il autorisé l'installation d'œuvres d'art et de meubles nouveaux dans les édifices publics ? Elle les fait saisir, organise une exposition et hurle à l'art noir, malsain, cosmopolite. Encore une fois le vacarme et les proscriptions. Encore une fois les ministres qui tremblent.

La folie...

Est arrivé un ordre mystérieux, de source absolument inconnue, apporté par des messagers incolores, qui enjoint à tous les diplomates de se rendre au crépuscule à l'hôtel des Collines Parfumées, ils y entendront un message. Convocation inouïe, on ne sait de qui, on ne devine pas pourquoi. Rien n'a filtré. S'agit-il d'un coup de barre dans la politique extérieure ? Chou En-lai se tait, et Mao est toujours en villégiature à Changsha. Sa voix aurait pu être enregistrée, mais quelqu'un dans l'entourage aurait parlé. Est-ce Jiang Qing ? Certains y pensent. Mais non, elle s'est trop laissé enjôler par les délices capitalistes, elle sort tout juste des étreintes d'Imelda et de son monde... Ce serait un trop grand chamboulement.

A l'heure dite, tous les camarades des Affaires étrangères sont là, un carnet à la main pour prendre des notes, l'immanquable carnet qui signifie la peur de la tempête, le désir de se couvrir, d'avoir un témoignage. L'assemblée retient son souffle, et c'est Jiang Qing qui apparaît sur la scène, la Jiang Qing des grandes

LE CHIEN DE MAO

vociférations, la bouche tordue dès ses premières paroles. Elle déclare, elle glapit qu'elle vient exprimer la pensée du Président Mao. Pendant plus de deux heures, de sa voix écorchée, elle crie que la Chine est restée la Chine rouge du Président, qu'elle n'est pas à vendre, qu'elle refuse l'obscénité et la pourriture capitalistes. Des étrangers infâmes sont venus, ils ont été choyés par des camarades corrompus qui rêvaient de dépecer le pays pour leur bénéfice, en profitant de ce que le Président Mao était malade, mais le Président est rétabli, il a retrouvé le printemps de sa vigueur, il va chasser les impérialistes aux noirs desseins, et tous les traîtres qui ont mis le pays sur l'étal des bouchers. Les ouragans de la Révolution Culturelle sont prêts à se lever. Alors les Barbares méprisables s'enfuiront dans la liesse du Peuple et la Chine reprendra sa marche en avant.

L'homélie terminée, les diplomates se dispersent l'oreille basse, gênés et anxieux : quel camp vont-ils choisir maintenant que la guerre est déclarée officiellement entre Jiang Qing et Chou En-lai, entre l'épouse de Mao et son chef de gouvernement ? Et comme il sera difficile de rester dans l'ombre.

La folie...

Après les fulgurances des Collines Parfumées, Zhang Chunqiao rejoint Jiang Qing chez elle pour essayer de la modérer par les moyens habituels : longue baisade et sermons entre les galanteries, du beau travail de professionnel :

— Ne mets pas notre entreprise en péril, rabâche-t-il. Dis-toi que Mao est toujours un vieux caïman philosophe dissimulé dans le secret des eaux, prêt à refermer ses mâchoires sur un impudent ou une impudente. Cela vaut même pour toi. Ne laisse pas ce tyran chevronné dévorer le moindre bout de ta chair ni le jeter dans la gueule de Chou En-lai, qui, aussi mielleux que puisse être son aspect et courtoise sa bouche, est également un crocodile. Fais attention ! Crie un peu moins, songe que tu peux mourir étouffée par tes crachats ! Et promets à notre cher Président d'être bien mignonne.

Car Mao ne cesse d'écrire à sa femme pour lui recommander l'étude et la sagesse. Elle a offensé trop de monde. Qu'elle se montre moins, qu'elle apprenne la réserve. Ces lamentations séniles et ces conseils font rire Jiang Qing, jusqu'au jour où Mao Yuanxin l'avertit que tout ce courrier est dicté à Zhang Yufeng, la concubine dont le pouvoir ne cesse de croître : dorénavant l'hôtesse des chemins de fer régente la petite cour de Changsha.

474

LE CHIEN DE MAO

Quelle arlequinade ! En attendant cette Yufeng tient Mao sous sa coupe, elle choisit les traitements, les menus, les lectures, les films, les visiteurs. Elle décide, tranche, juge de tout. C'est une sainte, un poison. Il y a pire : la gorge du Grandiose Leader se paralysant peu à peu, ses discours deviennent difficiles à suivre, et la concubine prétend être la seule à pouvoir lire sur ses lèvres. Elle lit donc. Ou bien elle interprète. A moins qu'elle n'invente. Par fatigue ou par goût de la dérision, Mao la laisse faire. Bientôt, il avise Jiang Qing qu'elle dépense trop d'argent et qu'il a chargé sa favorite de gérer ses comptes. Elle recevra une mensualité conforme à ses mérites, son train de maison sera réduit, surtout elle ne pourra engager aucune dépense sans l'approbation préalable de la chère Yufeng.

La folie...

La Chine est en ruines mais dans les villes ont réapparu des « chiens puants » qui parlent argent et contrats avec des hauts fonctionnaires obséquieux. Agapes somptuaires, restaurants à mille plats où l'on boit à toutes les prospérités, enclaves munificentes, concussion. En ces épanouissements si contraires à l'idéologie qu'elle prône, Jiang Qing ne veut discerner que de la jouissance, et elle désire l'éprouver parce qu'il lui faut tout éprouver. N'a-t-elle pas apprécié Imelda Marcos, cette fleur de la corruption ? Ensuite, si les circonstances l'exigent, elle n'aura qu'à dénoncer. Zhang Chunqiao, qui connaît ses curiosités et ses tentations, lui propose de découvrir la Chine la plus moderne, la plus désirable, celle du pétrole. N'est-ce pas le fluide magique des temps modernes, le sang même d'une nation ? Ainsi verra-t-elle le genre de monde que préparent Chou En-lai, Deng Xiaoping et leurs alliés blancs.

La partie est décidée. Attifée comme une pionnière de l'aventure, casque et vêtement de cuir, figure d'atlante, Jiang Qing se présente à la plate-forme pétrolière n° 2 dans le golfe de Petchili. Elle est accompagnée de son benêt du ministère des Sports et de son ministre de la Culture, un musicien encore jeune qui a sa faveur et ses faveurs. Sur l'embarcadère, ils plaisantent, rient légèrement, tout joyeux à l'idée de la promenade en mer qui les attend. Jiang Qing n'est pas innocente, elle va jouer son jeu de provocation, celui qui mêle les frivolités et les imprécations d'une prophétesse de la Révolution. En attendant, elle se moque du cochon du Sichuan, c'est-à-dire de Deng Xiaoping qui patronne l'entreprise.

LE CHIEN DE MAO

La plate-forme, au large d'une plage sale, semble flotter sur une mer écumeuse. Pour y arriver, on doit être chahuté, cabossé, avoir la frousse, quasi rendre l'âme dans un gros canot à moteur rouillé et crasseux. La blancheur des vagues. La nausée. Enfin le groupe est hissé à bord de l'étrange radeau formidablement tenu par des haussières et des chaînes, encombré de treuils, de câbles, de filins, de machines, dévoré de vrombissements et de tremblements, ceux de la foreuse qui à deux mille mètres en dessous cherche un gisement. Aucun espace, juste la place pour des hommes en cirés, tassés les uns contre les autres, musculeux et harassés, tout à leur travail et qui n'accordent pas beaucoup d'importance à la visiteuse. Jiang Qing aboie :

— Vous obéissez à des ingénieurs étrangers. Sont-ils là ? Où se cachent-ils ?

— Ils sont partis après nous avoir formés, nous laissant tout le matériel, qui est allemand.

— Pourquoi ne fabriquons-nous pas de ce matériel ?

Personne ne répond. Les foreurs sont manifestement horripilés par cette femelle et ses galants. Jiang Qing sort donc son atout maître :

—Je vous apporte le salut du Président Mao. Je suis son épouse.

Mais cette grande phrase est un flop. Ici, on snobe le président décati et sa harpie. Pourtant ingénieurs et ouvriers d'un air maussade se mettent au garde-à-vous, et leur chef explique :

— Excusez-nous, nous sommes impatients, il y a des indices selon lesquels nous approchons d'une bonne nappe. On saura dans quelques heures, c'est à pile ou face...

Jiang Qing gronde :

— Des indices c'est bien, mais vous sacrifiez tout à la production et vous oubliez la Révolution. Arrêtez-vous, le temps de chanter un chant révolutionnaire !

Le silence s'abat et Jiang Qing désigne un géant barbu, maculé de boue et de graisse, qui tient à la main une énorme clef à molette. Il ouvre la bouche, mais aucun son n'en sort. Enfin il dit en pouffant :

—J'ai oublié. Trop de travail.

Tous ont oublié. Un contremaître déclare que le pétrole a la priorité. Alors Jiang Qing explose :

— Vous êtes des capitalistes, des contre-révolutionnaires !

Ce à quoi les gens de l'équipe répondent :

476

LE CHIEN DE MAO

— Nous sommes des prolétaires, et pour la besogne que nous faisons, nous sommes mal payés.

Si grande est la colère de Jiang Qing qu'elle préfère changer de sujet :

— Je ne vois pas de femmes parmi vous, pas de travailleuses.

— Elles n'ont pas assez de force.

— Elles sont la moitié du ciel et le Président Mao a ordonné qu'elles accomplissent les mêmes tâches que les hommes. Elles sont aussi capables. Recrutez-en dans les villages proches !

Sourires ironiques. Un contremaître va jusqu'à narguer :

— Pour une plate-forme ? Vous n'y pensez pas ! Ce serait le bordel, je veux dire le complet désordre. Il faudra leur construire un dortoir et des toilettes. Cela coûtera cher.

Jiang Qing prend sa voix de commandement :

— Le Président Mao exige des femmes qu'elles travaillent comme vous, avec vous. J'y veillerai.

Mais le ministre glisse à Jiang Qing de ne pas insister, car cela pourrait mal tourner. Et puis ne voit-elle pas que le vent s'est levé ? Les vagues sont devenues énormes, la plate-forme n'est plus qu'un bouchon, Jiang Qing manque de tomber à l'eau, elle doit déguerpir en vitesse.

A Changsha, Mao a été informé de l'escapade. Le lendemain, il écrit à Jiang Qing qu'elle cesse de se comporter en greluche qui ne soupçonne même plus ce que sont des travailleurs. N'importe. Elle a participé à la production. Et pour se garantir contre des débordements ultérieurs, la compagnie a engagé quatre femmes. A l'hilarité générale.

La folie...

Guerre, guerre plus que jamais dans ce temps de l'attente. Jiang Qing, conseillée par ses Shanghaïens, attaque l'« empirisme » de Chou En-lai, les partisans du mandarin rouge rétorquent en stigmatisant le « dogmatisme » de l'ultra-gauche. Du fond de sa retraite, Mao – ou est-ce Zhang Yufeng ? – joue les arbitres. Les émissaires, les courriers... A la petite cour sont venues s'adjoindre deux interprètes, deux jeunes femmes, Nancy Tang et Wang Hairong, qui, elles aussi, grenouillent. Comme d'habitude, plus que

LE CHIEN DE MAO

d'habitude, Mao ondoie. Il autorise enfin l'hospitalisation de Chou En-lai, ce qui revient à lâcher la bride à Deng, et puis il se reprend. Il se méfie. Il supplie sa femme de ne pas constituer une faction, une Bande des Quatre avec ses séides, mais il est toujours charmé par Wang Hongwen, l'« hélicoptère » honni de Deng.

La santé du Président s'est encore détériorée, désormais son vieux corps est un musée pathologique. La cataracte l'a rendu presque aveugle, la maladie de Charcot lui dévore les neurones et lentement le paralyse, son cœur s'affole, ses jambes ne le portent plus, sur ses fesses et ses talons s'ouvrent des escarres. Mais il tient bon et rudoie la cohorte de ses médecins pour mieux s'abandonner aux soins de sa concubine. Celle-ci multiplie les prescriptions aberrantes que dans la peur d'être châtiée la faculté autorise. Le désastre. Tout de même, Mao consent à ce qu'on opère sa cataracte : au préalable les diverses techniques d'intervention seront expérimentées sur des vieillards cardiaques, des paysans misérables qu'on fait venir à Pékin pour servir de cobayes, le Grand Dirigeant choisira sa méthode en fonction des résultats.

Qu'a-t-il dans l'âme en ces moments ? Parfois il écrit à Jiang Qing pour se plaindre des maux de l'âge et de l'indifférence qu'elle lui témoigne. Heureusement il a Zhang Yufeng, son Phénix de Jade. La concubine est toujours aussi belle mais de plus en plus acariâtre. Mao la tue de ses mille exigences, dit-elle. Un titre de secrétaire particulière l'apaiserait sans doute mais ce serait lui donner officiellement accès à tous les secrets. Comme il l'avait fait autrefois à Yanan pour la petite garce qui est devenue sa femme... Elle était si charmante à l'époque, si excitante. Mao songe. Il sourit. Le fausset de Zhang Yufeng le ramène sur terre. Mao Yuanxin le neveu raconte qu'elle l'injurie.

Avec cette mort qui plane, jamais Jiang Qing n'a été aussi maniaque, dans une exigence insatiable et récriminatoire sur toutes choses. Elle est tendue, nerveuse, ravagée de tics. Elle sait encore prendre les accents de la douceur, mais sa voix est de plus en plus impérieuse et métallique. Elle est à tout ce qui l'obsède et n'écoute plus rien. Elle ne cesse de ruminer, s'asseyant puis se relevant pour marcher de long en large en faisant des gestes abrupts, saccadés. Il est très difficile de lui parler car ses réponses sont incohérentes, des reflets de ses idées fixes qui n'ont aucun rapport avec l'objet de la conversation. Que quelqu'un l'entreprenne sur n'importe quel

LE CHIEN DE MAO

thème, les arts ou le cinéma, elle geint et énumère ses maladies, les flatulences de son ventre, ses ganglions, l'acidité de son estomac. D'où ne souffre-t-elle pas? L'autre hantise, ce sont les gens qui lui ont fait du mal. Elle n'arrête pas de crier à l'outrage et de promettre les pires vengeances. A l'entendre l'univers entier l'offense, et pourtant son entourage est à ses pieds et la comble d'éloges. Mais quel éloge pourrait la satisfaire, quand ils cachent tous des intentions perverses?

En même temps, sa manière de vivre est sacrée, ses petites habitudes un rituel sacro-saint. Lorsqu'elle se réveille, il lui faut d'abord longuement écouter la radio, le bulletin météorologique qui déterminera sa journée. Il lui faut savoir la direction et la force du vent, s'il pleuvra ou si le soleil chauffera, pour décider de son habillement et de l'emploi de son temps. La température doit être la même dans toutes les pièces de son pavillon, elle désire qu'il y règne une fraîcheur un peu ombreuse. Chaque matin, les domestiques vérifient. Ensuite les premières ablutions, le bain, les premières colères. Le siège de ses toilettes est rembourré de fourrure pour ne pas offusquer son postérieur; comme elle redoute les microbes, les serviteurs désinfectent tout, toujours. Elle avale son petit déjeuner occidental en ayant peur d'être empoisonnée, c'est même là une crainte permanente. Contre tous ses maux, elle absorbe une quantité énorme de médicaments, mais en appréhendant qu'on eût glissé parmi les remèdes une mauvaise pilule. Elle a fait juger et jeter en prison une infirmière qui avec son accord lui avait donné un soir une double dose de somnifères, parce que le lendemain, elle était nauséeuse. Après le petit déjeuner, elle se recouche pour travailler: elle lit des scénarios, prend des notes, rédige, bien qu'elle n'en ait pas le droit, des directives qui auront leur importance dans le cours des événements. Quand elle s'adonne à cette activité, même Zhang Chunqiao ne doit pas la déranger, à moins qu'elle ne veuille le questionner spécifiquement. Enfin elle se maquille et s'habille, ce qui demande beaucoup de réflexion. Zhang Chunqiao donne son avis, le personnel aussi. La garde-robe est innombrable mais elle a une dizaine de tenues préférées pour telle occupation ou pour telle autre. Ainsi, il y a dix Jiang Qing, celle pour un meeting, celle pour un débat, celle pour se présenter à Mao, celle pour éblouir, celle pour humilier... L'accoutrement choisi, elle part, pleine de son importance, consciente qu'un sourire d'elle est une récompense infinie, qu'une grimace de désapprobation peut briser une

LE CHIEN DE MAO

vie, et que, si elle se sent incertaine, tout l'appareil attendra sa décision.

Elle ne supporte autour d'elle que quelques courtisans et son singe chéri, lequel est plus en faveur que jamais, et auquel on doit plaire pour lui plaire à elle. Elle tente d'éviter les banquets, parce que la foule qui se goinfre lui fait horreur, mais s'il le faut, elle tient son rang. Ou du moins, elle croit le tenir – à un dîner en l'honneur de Sihanouk, elle a porté des toasts au maotaï et elle s'est saoulée. Elle recommande la sobriété comme une vertu rouge, et les convives autour d'elle évitent les rots, les claquements de mâchoires et les bruits de déglutition, si appréciés en Chine, pour ne pas la dégoûter. A la vérité, elle a bon appétit, mais elle prend ses repas en compagnie de ses intimes. Sa table est sublime, extraordinairement raffinée. Là encore, elle a peur : des serviteurs goûtent les plats.

Chaque jour ou presque, elle voit un film : quand il n'y en a pas à censurer, quand aucune nouveauté étrangère n'est parvenue de Hong Kong, elle se fait projeter *La Reine Christine*. Cent fois, mille fois *La Reine Christine*... Elle aime danser, ce qui pose problème : comment la décider à ouvrir les bals, comment savoir quand et par qui elle désire être invitée, si elle est lasse ou si elle a encore envie de gigoter ? Son état-major choisit ses partenaires. Certains, elle les dédaigne d'une façon blessante, ce qui équivaut à une disgrâce. Avec d'autres, elle marque son contentement, ce qui est peut-être une promesse.

Le soir, rien ne doit troubler son entrée dans le sommeil. Personne ne marche alentour, les gardes du corps sont des statues muettes et les sentinelles ont appris le silence absolu. Sur le toit, les serveurs des mitrailleuses anti-aériennes qu'elle a fait installer sont pétrifiés. A part quelques tourterelles, elle a fait occire tous les oiseaux du jardin. Portes et fenêtres sont barricadées par prudence, et aussi pour empêcher que parviennent les rumeurs du dehors. Imaginez que le vent se lève, agite un feuillage, courbe un buisson, imaginez la pluie dans les allées, un orage, des éclairs... L'horreur. Cela jusqu'à l'aube, où un serviteur entrouvre les volets, car Jiang Qing aime bien sentir arriver vers elle le premier rayon du soleil encore timide. En fait de bruit, elle ne tolère que les longues plaintes, les siennes, quand elle fait l'amour avec Zhang Chunqiao ou quelque amant d'occasion. Zhang Chunqiao n'a pas le droit d'être jaloux, et il ne l'est pas ; bien sûr il lui est interdit d'avoir, même passagèrement, une maîtresse.

Tout cela ne suffit pas à Jiang Qing, en son fond elle demeure

480

LE CHIEN DE MAO

accablée. Lorsqu'elle se regarde dans un miroir, elle voit une vieille femme au visage équarri par l'âge, un visage ingrat dont les traits se dissolvent dans la laideur. Depuis longtemps, elle tâche de faire de cette laideur un attrait, un appel, mais n'est-ce pas vain quand s'approchent les ténèbres? La mort est là et l'assassinat rôde. Du communisme triomphant, il ne reste que deux géants prêts à expirer et qu'agitent des sentiments troubles. O hommes immenses, que subsiste-t-il en vous hormis la peur du néant où vous vous engouffrez, et de complexes ressentiments contre les remugles de l'existence qui s'enfuit? Et elle, Jiang Qing, que va-t-elle devenir dans ce crépuscule? Elle, détestée de tous, partout, elle, si affreusement solitaire. Les étoiles ne luisent plus au ciel, ou bien leur rayonnement est un leurre. La Voie lactée n'est qu'une nébuleuse trompeuse, et toujours les astres se couchent. Disparus les cadavres de ses amours qui n'ont jamais été des amours. Elle n'a jamais aimé Mao, et Mao ne l'a jamais aimée – ne les a unis autrefois que la sensualité, et plus récemment le sang versé ensemble lors de la Révolution Culturelle. Mais celle-ci est morte.

Jiang Qing se contemple encore dans le miroir. Quelle femme s'est emparée d'un empire à son âge? Jeune était Wu, jeune était Lü quand elles sont montées sur le Trône du Dragon. Elle, Jiang Qing, a soixante ans et elle est abandonnée. Qu'est-ce que sa cour? Qu'est-ce que sa bande? Qu'est-ce que Zhang Chunqiao? Des exécuteurs des basses œuvres. Le rire de Mao, le sourire de Chou En-lai, le rictus de Deng Xiaoping l'ont déjà condamnée. Certes, il y a l'enthousiasme du Peuple pour elle, mais il est factice, une simagrée; la masse la déteste et lui souhaite malheur. Comme on la hait... Des intrigues se dessinent autour d'elle, contre elle, et le colifichet de sa superbe n'empêchera personne de dire qu'elle est une mégère, une sorcière, une prostituée capable d'inventions dans la cruauté, mais incapable de tenir le char de l'Etat. L'art de gouverner, elle ne sait pas ce que c'est.

La nuit est lourde et Jiang Qing tombe dans le puits de ses cauchemars. Morts les dieux, la Chine s'écroulera, et elle sera entraînée dans ses ruines, dans la vacuité pleine de complots que deviendra le pays. Peut-elle remplir ce vide par ses propres moyens, par la capacité de détestation, si forte en elle? Elle n'a pas d'armée, autour d'elle bavent les crapauds et sifflent les serpents. La partie qui s'annonce est redoutable, et si elle ne vainc pas, la guettent toutes les ignominies de la déchéance, le pal et le carcan. N'a-t-elle pas déjà perdu? Mais non. Vieille sorcière, elle appellera

LE CHIEN DE MAO

à elle tous les enchantements. Elle fera l'effort d'avoir de l'espoir, de s'acharner dans l'espoir, même si elle est désespérée et, pour que sa longue et dure vie culmine en apothéose, elle mènera sa campagne tambour battant.

Inlassable Jiang Qing... Sa vie comme une succession de duels. On aiguise les lames, elle est déjà debout, véhémente, virulente, prête à tous les tournois. Profitant d'une hospitalisation de Chou En-lai, lors d'une réunion du Politburo, elle attaque furieusement Deng Xiaoping. Elle a, dit-elle, levé un lièvre fabuleux : Deng préfère acheter ou louer des bateaux à l'étranger plutôt que de développer les chantiers navals chinois. A la vérité, la Chine a bien tenté de construire un navire de ligne, mais le bâtiment était si mal conçu qu'il a fallu le détruire. Deng le pragmatique en a tiré les conclusions : l'autosuffisance, dans ce domaine comme dans tellement d'autres, n'est encore qu'un rêve.

Ecumante, Jiang Qing s'est dressée pour dénoncer la servilité du camarade Deng. Mais celui-ci, nullement impressionné, lui tient tête. Et puis, fou de colère, il quitte la salle. L'injure suprême.

Alors Jiang Qing convoque sans délai ses Shanghaïens à la Terrasse des Pêcheurs. Elle veut agir, et vite. Empêcher surtout que Mao ne nomme premier vice-Premier ministre cet avorton qui brade le pays. Sans balancer, elle propose qu'on le détruise dans l'esprit du Timonier. Qu'à l'aube, Wang Hongwen parte pour Changsha, que là-bas il circonvienne la concubine afin d'obtenir une audience, qu'enfin il dépeigne à Mao comment Deng porte atteinte à son autorité et travaille à la ruine de l'Etat, qu'il l'inquiète, qu'il lui enflamme la bile, qu'il l'enrage. Tout sera bon.

Wang Hongwen se conforme au plan. A Changsha, il rend d'abord visite au neveu de Mao qui lui annonce la venue prochaine de Deng et du Premier ministre danois. Puis, pendant des heures, il écoute les doléances de Zhang Yufeng qui se dit épuisée par ses tâches de garde-malade, déçue de ne pas voir ses soins appréciés. Sans elle, Mao ne serait-il pas mort? Wang Hongwen approuve, compatit, promet à la concubine de recruter quelques domestiques pour son service personnel, décroche enfin un rendez-vous avec Mao auquel il représente avec force un Pékin gros de chicanes et de conspirations, livré déjà à la sédition. L'atmosphère, dit-il, est la même qu'autrefois celle de la conférence de Lushan. Sur son lit d'hôpital, Chou En-lai feint d'être mourant, mais il passe des nuits entières à consulter, à téléphoner.

LE CHIEN DE MAO

Dans ces séances nocturnes, Deng Xiaoping, qui ne quitte pas son chevet, mène les conversations. Avec qui? Et pour quelle besogne sinon de trahison?

Mais ces paroles n'alarment pas Mao, au contraire. A peine Wang Hongwen a-t-il terminé sa diatribe, qu'il le congédie :

— Retourne à Pékin. Si tu as des questions à poser, pose-les directement au Premier ministre. Je le sais incapable de complot. Surtout ne te solidarise pas avec Jiang Qing, elle n'a d'ambition que pour elle et ne connaît rien à la politique. Et souviens-toi que j'interdis qu'on se mêle de ma vie privée. Qui interfère sera proscrit.

Au fur et à mesure qu'il parle, Zhang Yufeng traduit. Qu'a-t-elle raconté au Grandiose Dirigeant pour qu'il achève par cette menace?

L'échec de la mission ne décourage pas Jiang Qing. Elle décide simplement d'utiliser d'autres messagers, les deux petites interprètes que Mao apprécie tellement. Celles-ci doivent accompagner Deng et le Danois à Changsha, qu'après l'entrevue, elles aient un aparté avec Mao et qu'elles le mettent en garde contre Deng.

Et la manœuvre encore une fois capote : elle fait rire Mao, qui ensuite s'empresse de critiquer sa femme :

— Méfiez-vous de Jiang Qing. Elle est ivre d'elle-même.

— Elle vous respecte.

— Mais non, je ne suis rien pour elle. D'ailleurs, elle n'aura bientôt plus aucun lien avec qui que ce soit, ce qui m'inquiète. Aujourd'hui on se contente de se moquer d'elle, mais que se passera-t-il après ma mort?

Quelques jours plus tard, Mao nomme Deng premier vice-Premier ministre et chef d'état-major, puis il le fait élire vice-président du Parti. Pis, Chou En-lai, la colonne sur laquelle s'appuie la Chine, le grand régulateur de Tout Ce qui Est, fait une apparition spectrale à l'Assemblée nationale, et, de cette voix douce et mesurée avec laquelle il a depuis si longtemps guidé le pays, il annonce qu'il l'engage dans la voie des Quatre Modernisations. Cet élan nouveau apporté à l'agriculture, à l'industrie, à la défense nationale, à la science et à la technologie, c'est le testament de Chou En-lai, et les députés, debout, l'applaudissent à tout rompre.

Jiang Qing paraît évincée, elle ne l'est pas. Car Mao veille. Mao qui a approuvé ce discours lorsque Chou En-lai est allé le lui soumettre à Changsha, mais Mao qui, dans son ambiguïté, dans sa

LE CHIEN DE MAO

peur de laisser les pleins pouvoirs à un dauphin dangereux, a nommé Zhang Chunqiao second vice-Premier ministre. Ainsi, quoique de façon molle et incertaine, Deng est-il placé sous contrôle.

Mao est de retour à Pékin. Malgré sa lassitude, il a convoqué Jiang Qing. Et elle est là, face à lui, et elle gronde :

— Tu abandonnes la Révolution, tu la livres à Chou En-lai et à Deng Xiaoping, ces renégats qui souhaitent ta mort, qui demain la précipiteront pour donner la Chine en pâture aux impérialistes.

Mao, de son bras si faible, tente de l'interrompre :

— Ne dis pas qu'ils veulent me tuer. J'ai confiance en eux.

— Comme tu avais eu confiance en Liu Shaoqi et en Lin Biao. Mais hier tu avais su réagir, recouvrer tes esprits, maintenant tu es à l'âge de la crédulité. Je te le répète, ils te haïssent et détruiront ton œuvre.

Mao regarde Jiang Qing avec reproche : cette harpie ne l'épargnera donc jamais ! Il est si fatigué. Cependant, il essaie encore de s'expliquer :

— Laisse... Que puis-je faire que de m'en remettre à eux ? La Révolution, je l'ai servie de toutes mes forces mais je n'ai pas métamorphosé les êtres. Il me faut bien admettre que les gens sont restés ordinaires, qu'on doit leur donner des biens ordinaires, les employer ordinairement. Les Quatre Modernisations serviront à cela, elles apporteront l'abondance et feront de la Chine une grande nation.

Jiang Qing crie :

— Tu avais dénoncé l'économisme comme un crime, et maintenant tu t'y rallies.

— Ne hurle pas, mes oreilles sont fragiles.

— Tu acceptes que la Chine soit un pays comme un autre, pire qu'un autre parce qu'il sera infesté par les étrangers. Je te le répète, tu abandonnes la Révolution, tu la trahis, tu nous trahis tous.

— La Révolution change sans cesse de forme, mais elle est toujours la Révolution. Ne sois pas dogmatique.

— Tu emploies les mots de mes pires ennemis.

— N'es-tu pas, toi aussi, mon ennemie ? Je m'efforce de t'ouvrir les yeux, de te protéger contre toi-même et contre tes molosses et tu ne m'écoutes pas. Jiang Qing, l'heure est grave. Ne brandis pas trop l'étendard de la Révolution. Ne te pare pas de mes défroques.

484

LE CHIEN DE MAO

Même usées, elles sont trop grandes pour toi. Et maintenant, va-t'en. Appelle Zhang Yufeng, elle au moins me comprend.

Tenir, tenir toujours. Jiang Qing est sortie furieuse de la chambre de Mao mais, d'une certaine façon, ragaillardie : au fond ces passes d'armes la comblent. Surtout, Mao lui est apparu bien inconsistant dans ses défenses. Comme s'il désirait qu'elle pousse ses avantages. D'ailleurs ne lui a-t-il pas ouvert une brèche en nommant Zhang Chunqiao ? Oui, c'est cela, c'est un signe. Deng n'est qu'une péripétie, elle doit continuer la lutte. Elle doit lancer de nouvelles campagnes, harceler le nabot, l'attaquer sans relâche, ne reculer devant rien, ni la grève, ni l'émeute. Dès demain, elle préviendra Zhang, et Yao Wenyuan, et Wang Hongwen, ses molosses comme dit le Vieux, et l'on verra de quoi ils sont capables.

Le sort de Jiang Qing se joue entre deux agonisants, à qui mourra le premier de Chou En-lai ou de Mao. Si le Grand Timonier remporte cet étrange marathon mortuaire, c'en est fait d'elle. Mais si Chou En-lai disparaît d'abord, tous les espoirs sont permis. Jiang Qing le sait, Deng Xiaoping aussi. En ce mois de janvier 1975, leur combat redouble. Deng avance à marche forcée, verrouille tout ce qu'il peut verrouiller, Jiang Qing fait obstacle, contre tout ce qu'elle peut contrer.

Les Shanghaïens se déploient et bientôt l'agitation repart, relayée par les journaux et les revues. Au printemps, Hangzhou est paralysée, ses huit usines arrêtées. Wang Hongwen, dépêché dans la ville des mille grâces pour y rétablir l'ordre, s'empresse d'accroître les troubles et Deng Xiaoping doit envoyer l'armée. Est-il pour autant désarçonné ? Non. Rien ne l'abat et il rend coup pour coup. Jamais il ne cesse de railler Jiang Qing, jamais il ne cède sur une réhabilitation ou sur un point de son programme. Et il paraît gagner des points. Mao s'étant irrité de l'affaire de Hangzhou, Jiang Qing et Wang Hongwen sont contraints d'écrire leur autocritique ; prose exquise que Deng ne veut pas voir réservée au seul Bureau politique : il donne à leurs lettres un maximum de publicité.

A la Terrasse des Pêcheurs, Jiang Qing remâche ses humiliations. On ne joue plus ses opéras, on ne cite plus en exemple son village-modèle, Deng Xiaoping a fait libérer sa vieille ennemie Ding Ling et l'a autorisée à écrire, surtout Mao ne l'a pas soutenue dans son juste combat contre *Pionniers*, un film où l'on compare les

485

LE CHIEN DE MAO

grands dirigeants à de vieilles femmes bavardes. Comme s'il n'avait pas voulu comprendre que c'était elle, et elle seule, qu'on insultait. « Une vieille femme bavarde », voilà ce qu'elle est désormais, pour lui et pour la Chine entière. Une vieille qui s'effondre, même si, chaque soir, ses dogues tentent de la réconforter. Qu'elle ne plie pas, qu'elle ne s'abandonne pas à ses angoisses, l'échéance est proche, Mao ne va pas tarder à se lasser de Deng Xiaoping. Déjà il s'agace de sa précipitation. Il suffit de patienter, le nabot commettra bien un faux pas.

— En attendant, gémit Jiang Qing, il se moque de nous, de ce qu'il appelle notre bande. Il prétend que je devrais m'inspirer de la nature, oreilles ouvertes et bouche fermée.

Zhang Chunqiao soupire :

— Tu devrais y être habituée. L'important est ailleurs. Mao va bien, très bien même. Et les nouvelles de Chou En-lai sont catastrophiques.

Mais dans le jeu de la mort, les dés sont truqués. Ce n'est pas Chou En-lai, ce n'est pas Mao qui part le premier : ils sont précédés par Kang Sheng qui a tenu si longtemps une si grande place dans la vie de Jiang Qing, Kang Sheng qui l'a connue enfant, qui l'a métamorphosée et extraordinairement aimée avant de l'offrir à Mao. Kang Sheng son père, son amant, son allié.

Depuis la fin de la campagne contre Confucius, Kang Sheng s'est évaporé de la mémoire de Jiang Qing. On lui a raconté que pendant des semaines, errant dans sa résidence du Jardin des Bambous, il avait revu sa vie et hurlé comme une litanie qu'il n'avait pas trahi. Non, il n'avait pas trahi en 1920, en 1921, en 1922, il n'avait pas trahi. Et en 23, en 24, en 25, en 26 non plus. En 1927, il avait sauvé le Parti, et en 1928 encore, et en 1929 au péril de sa vie. Jamais il n'avait trahi. Ni à Shanghaï, ni à Moscou, ni à Yanan, ni à Pékin, jamais il n'avait trahi. Indéfectible Kang Sheng...

Maintenant le maître des ténèbres se consume à petit feu sur un lit d'hôpital. On le soigne en vain, il ne cesse de maigrir, il n'est déjà plus qu'un squelette. Ses yeux vitreux, aux cils collés voient-ils ses milliers de victimes ? Est-ce pour s'en repaître ou s'en affliger ?

486

LE CHIEN DE MAO

Il est le grand inquisiteur, le plus terrible des bourreaux et il souffre comme un damné. Tant d'hécatombes, tant de fleuves de sang répandus par lui... et son propre sang se caille dans ses veines, n'est plus qu'un liquide saumâtre et épais. Tout ce qu'il fait, c'est de somnoler dans une sorte d'engourdissement quelquefois coupé de râles. Sur son visage flotte encore parfois un sourire de méchanceté cependant qu'une verve allume son regard. Mais ce sont de brefs instants. La plupart du temps, il ne lui reste qu'une mornerie. Hormis un vénérable bouddhiste qu'il interroge fiévreusement sur la réincarnation, personne ne se rend à son chevet, tellement il inspire encore d'horreur.

Jiang Qing a eu le projet de visiter le ministre des agonies sur sa couche de moribond, elle lui aurait apporté un de ces rouleaux de peinture qu'il aimait tant et quelques bonnes paroles, et puis elle a renoncé. L'existence n'est-elle pas faite d'abîmes où l'on jette jusqu'au souvenir des hommes qui ont compté ? Que pourrait-elle tirer de ce presque cadavre, même si autrefois il l'a bien servie ? Et les mots de pitié ou d'hommage n'ont pas cours entre eux. Au surplus Jiang Qing, qui a présidé tant de jugements populaires où l'on a condamné à mort, souvent avec Kang Sheng comme comparse et animateur, ne supporte pas la mort ordinaire, l'idée la dégoûte de la mort au travail sur un corps, sur ce corps-là, un pauvre corps qu'elle se représente efflanqué, avec des côtes saillantes et des os qui déjà veulent trouer la peau.

Le bruit de la défaveur de Jiang Qing est parvenu jusqu'à la chambre de Kang Sheng, lui causant une joie indicible, parce qu'il ne se nourrit plus que d'une seule passion : une haine inexpiable envers elle, un besoin frénétique de se venger d'elle avant son trépas. Toutes ses pensées l'ont abandonné, sauf celle-là, une tempête en lui qu'il veut faire exploser à la face de l'univers pour abattre enfin son ancienne protégée, une femme qui lui doit tout, même d'être Madame Mao, et qui l'a laissé devenir un rebut du monde, un déclassé du Parti. Avant de mourir, il veut la détruire. Une destruction complète, intégrale qui la fera maudire par Mao, qui la privera du trône tant rêvé et la réduira à son véritable état, celui de criminelle.

Lorsque la disgrâce est confirmée, Kang Sheng, quoique toujours plus exsangue et livide, toujours plus lugubre en son rabougrissement de malade, Kang Sheng fœtus de la Camarde, s'anime. Il exige de sortir immédiatement de l'hôpital, d'être transporté chez lui et là il fait savoir à Mao qu'il a des secrets à livrer, des secrets capitaux – il y va de la gloire du Grand Timonier et de sa sécurité.

Et Mao, pour complaire à Kang Sheng, lui expédie ses deux petites interprètes favorites. L'amusement d'envoyer de jolies femmes auprès d'un mourant en train de se décomposer et qui croit une dernière fois ébranler la planète... Comme s'il ne savait pas, Mao, ce que Kang Sheng veut lui révéler! Ah, l'imbécillité de l'âge... Kang Sheng, le démon des ruses et le grand connaisseur de la nature humaine dans ses perversités, Kang Sheng le clairvoyant, le juge des situations, est soudain tombé dans la naïveté des illusions qu'apporte la maladie... Mao songe au verbe de Kang Sheng... Autrefois la foudre, aujourd'hui le souffle baveux d'un vieillard aigri...

Les péronnelles sont là, avec des carnets de notes. Elles disent à Kang Sheng qu'elles sont venues auprès de lui par la volonté du Président Mao, pour recueillir son témoignage. Alors Kang Sheng se redresse, ses tempes battent, il revit. Il tend une main ravagée vers les donzelles, il plaisante avec elles :

— Vous êtes ravissantes pour des anges de la mort. Maintenant, écoutez-moi!

Sa parole vient difficilement à travers sa poitrine caverneuse, mais il y met son restant de forces. Il exulte. Il halète et s'arrête. Il reprend. Ses yeux sont piqués de taches rouges comme des pointes de feu qui le brûlent. Ce qu'il dit... Tout se ramène à Jiang Qing. Celle-ci, lors de la Révolution Culturelle, a envoyé à Shanghaï des policiers zélés pour retrouver et détruire les traces de son passé pourri. Mais lui, Kang Sheng, a conservé des documents, des lettres, des preuves qu'il peut apporter au Président Mao. Et puis, il y a ses souvenirs. Car il a connu Jiang Qing longuement et intimement, dans ses saletés et ses ordures. Là-dessus il a rédigé des fiches qu'il tient à la disposition du Président.

La vieille nature délatrice de Kang Sheng est remontée, il arrive à gargouiller une liste d'amants et les noms des communistes que Jiang Qing a dénoncés et qui ont été fusillés. Mais tout cela n'est que fiel suri et scandales éventés et Kang Sheng, dans sa transe, ne s'aperçoit pas de l'innocuité de ses propos. Le temps a passé qui arase tout. C'est impressionnant un homme qui meurt dans une fureur de révéler et d'accuser, mais là, dans cette dégoulinade de mots, Kang Sheng n'atteindra pas Jiang Qing. Et pourtant il s'y évertue. Quand il tombe en faiblesse, on lui fait

LE CHIEN DE MAO

des piqûres et il se relève pour dénoncer l'accord de Jiang Qing et de Lin Biao.

Il a cru voir entrer l'ombre de son ancienne maîtresse et il s'adresse à elle :

— Tu étais complice des plans criminels de Lin Biao et tu t'es ravisée au dernier moment, parce que toujours tu trahis. Tu as trahi Yu Qiweï, tu m'as trahi, tu as trahi Mao, tu as trahi Lin Biao, et maintenant, si Zhang Chunqiao te proposait de tuer Mao, le dieu auquel je t'ai donnée, tu accepterais. A Yanan, je t'ai crue repentante, régénérée, mais je me suis trompé, tu es l'âme même de la trahison. Cependant, méfie-toi, j'ai des dossiers, sur toi, sur Zhang Chunqiao. Te voilà associée à un tueur du Kuomintang mais je veille. J'ai mes dossiers, des dossiers impressionnants, avec toutes les pièces que tu as cherchées, de beaux dossiers qui me consolent de tout.

Et Kang Sheng s'apaise... L'ombre a disparu, les jouvencelles aussi. Ses paupières sont closes et il a sur le visage une expression sereine, celle du grand acquiescement. Que s'achève sa vie de fracas, s'il a réussi à tuer l'espoir en Jiang Qing. Parfois il murmure encore quelques mots, pour dire qu'il n'a pas trahi, pour répéter qu'il veille, qu'il constitue des dossiers. Inlassablement il regarde Jiang Qing dont les images se succèdent par vagues. La fillette révoltée, la petite actrice, l'épouse méprisée, la superbe égérie de la Révolution Culturelle, la femelle traquée par le désir et par la peur de la souveraineté. Grâce à lui qu'elle a tellement dédaigné elle finira dans la fosse des réprouvés. Son ultime joie... Tout est noir maintenant et Kang Sheng est heureux. Devant ses yeux aveugles danse une silhouette blanche. Une jeune fille nue, que dans le grand autrefois il appelait Grue des Nuages. Il était, disait-elle, son bon génie.

Le soir, Mao accueille Jiang Qing avec une amabilité particulière. Il a un bon sourire, celui où la chair de sa figure se rassemble sur les pommettes en un pavois bienveillant, ses yeux sont chauds d'amitié. Il est content, très content, lui qui maintenant sort rarement de la léthargie où il s'enveloppe pour durer plus longtemps. Sa bonhomie, qui a souvent été le moyen de tromper le monde, ce soir-là est authentique, un fleuron de moquerie gaie et gentille. Il cajole sa femme :

— Ton Kang Sheng... A son instante demande, j'ai envoyé à son chevet deux de mes mignonnes, Nancy et Hairong, deux filles

LE CHIEN DE MAO

sûres, pour qu'elles me rapportent ses propos des heures où l'on ne ment plus. A leur retour, elles ont à peine osé se présenter à moi avec ce qu'elles avaient appris.

— Qu'a-t-il encore inventé?

Mao est de plus en plus réjoui, il se dilate dans la délectation. Au lieu de flotter dans les limbes d'une vie qui s'en va, il se sent en bonne santé, des poils ont poussé sur sa verrue, des poils pas du tout funèbres. Il fait venir des graines de pastèques qu'il décortique avec les dents avant de les avaler. On apporte aussi du maotaï dans de petits gobelets et Mao suggère à Jiang Qing de trinquer à Kang Sheng et à l'amitié.

Jiang Qing, le visage terni d'angoisse, fait un effort pour avaler l'alcool qu'en général, dans sa délicatesse de malade professionnelle, elle refuse. Alors Mao, tout bénin, l'embobeline :

— Dans son dernier souffle, ton ami me prévient que tu avais partagé les desseins de Lin Biao et qu'aujourd'hui encore tu aurais l'intention de me tuer. Je ne peux pas le croire.

— C'est absurde.

Mao se pourlèche :

— Ma vieille compagne... Depuis bientôt quarante ans... Tu as raison, Kang Sheng déraisonne. Tu ne me tueras plus maintenant, ce serait idiot. Tu as trop besoin de moi. Mais comme tu aimerais te débarrasser de Chou En-lai! Chaque jour davantage, tu en as l'envie.

Jiang Qing déglutit les phrases de Mao. Enfin elle soupire :

— Quand même, Kang Sheng... un si vieil ami. De sa part, je ne l'aurais jamais cru.

Mao se goberge de plus en plus :

— Tu aurais pu aller auprès de ton ancien amant lui souhaiter bon voyage dans l'au-delà. Ç'aurait été décent après tant d'années. Normal qu'il se soit fâché. Il devait t'aimer.

— Il est méchant jusque dans la mort.

Mao est hilare :

— Remarque qu'il ne m'a rien appris. Tu étais sulfureuse et maléfique quand je t'ai rencontrée et je le savais. Le mystère, c'est que je t'ai épousée. Ou que lui, Kang Sheng, dont la mission était d'éliminer les traîtres, n'ait pas écrasé ta tête de vipère.

Mao s'est tu. Subitement il est devenu sombre. Dans la chambre rôdent des fantômes, fantômes du passé, fantômes de la vie, fantômes issus de tant de drames, d'événements tragiques, de tant de gloire et de bonheur aussi, fantômes qui ont jalonné la

LE CHIEN DE MAO

route de la victoire, fantômes de ce besoin de s'entre-tuer que donne le pouvoir conquis, jamais assez conquis, fantômes de l'épopée, fantômes de géants écrasant le peuple de toutes les soumissions, fantômes de cadavres illustres, de cadavres avilis, fantômes de ces héros soudain proclamés félons, hérétiques, ennemis des masses, fantômes de la légende...

Tant de fantômes... et Mao qui vit toujours.

Le Président est de plus en plus mélancolique, opaque, comme enfermé dans une méditation poisseuse. Le décès imminent de Kang Sheng lui est un encouragement : il durera plus que lui, plus que tous les autres. Déjà l'on vient d'annoncer la mort de Tchang Kaï-chek là-bas dans son île, on dit Zhu De malade et Chou En-lai finira bien par être emporté par les myriades de cellules mortifères qui le rongent. Pourtant Mao ce soir ne se contente pas de ces pensées heureuses. Inlassablement il se demande combien de grands dirigeants respirent encore. Et de quel souffle incertain ? Il y a si peu de survivants et la mort est entre eux, sur eux. Dans toute la Grande République Populaire, le trépas agite ses clochettes funèbres, la flamme s'éteint. Ne reste que ce ludion de Deng Xiaoping, si pressé de lui arracher le sceptre des mains. Et puis Jiang Qing qu'il ne se décide toujours pas à introniser.

Mao jette un coup d'œil à sa femme, elle aussi abîmée dans le silence. Pourquoi Kang Sheng et lui se sont-ils tant attachés à elle, au point de la porter presque à la cime ? Encore quelques pas et, par-dessus leurs dépouilles, elle atteindra le sommet. Une fois de plus, Mao s'étonne de cette ascension : il n'a pas trouvé en Jiang Qing le rabot du génie, l'instrument souverain qui trace une voie impériale à travers les grouillements hasardeux du monde. Elle n'est pas, comme les Lü et les Wu dont elle se réclame, dévorée par les passions hallucinées de l'intelligence. Son limon était moins noble, mais ce qu'elle possédait et qui lui servait d'art, c'était d'être la salope sublime, la grande putain dont rêvent les hommes. Ses faiblesses, ses lâchetés, ses stupidités, une certaine bêtise fangeuse n'ont fait que la rehausser. En elle, les défauts et les qualités les plus ordinaires sont portés à l'extraordinaire, devenant rares par leurs alliages. Sa vulgarité est magnifique, sa médiocrité fulgurante, sa méchanceté admirable. Et puis il y a ce ressort stupéfiant et qui la rend finalement vulnérable : quels qu'aient été ses fautes, ses dégoûts, ses pertes de face et ses capitulations, elle n'a jamais rendu les armes, jamais pardonné. Telle a été sa loi pour dompter l'adversité. Cul passe-partout, avec l'âge elle est devenue vomitoire

LE CHIEN DE MAO

de l'imprécation, une exaltée de la tuerie, par appétence, par conviction et, pourrait-on dire, par facilité. Ainsi a-t-elle plu à Kang Sheng et plu à Mao.

A quoi songe-t-elle maintenant cette femelle impitoyable qui se comporte comme si elle participait de la nature de Mao, alors qu'elle n'en est que le reflet ? Pense-t-elle à Kang Sheng ? A leurs amours ? Mao se perd dans ses rêveries. Peut-être serait-il distrayant, ou satisfaisant, de désigner comme successeur cette caricature aux mamelles taries, cette pauvre femme de Jiang Qing, en proie à toutes les concupiscences et qui a peur malgré son forcené...

Mao est une tombe où la vie continue. Dans le dénuement de sa faiblesse, il se porte bien. Sa cataracte a été opérée, ses maux paraissent en sommeil, il se distrait avec la gestion de son héritage. Il regarde autour de lui, il se réjouit des pirouettes de Jiang Qing, il se divertit des entreprises de Deng Xiaoping et de Chou En-lai, mais son humeur est plus volatile et incertaine que jamais, un mot, une confidence bien distillée suffisent à la faire changer. Au pavillon de la piscine, règnent la flatterie et l'insinuation portées à l'extrême de leur venin. Tout y est cabale et machination pour échauffer l'esprit du Timonier, entrer dans ses délires, en jouer. Zhang Yufeng la concubine a ses partisans, Li Na et Jiang Qing aussi, Wang Dongxing le super-policier s'agite dans l'ombre, tout comme les interprètes, les médecins et les gardes, et chaque jour ou presque ce petit monde s'empoigne insidieusement, monte des manœuvres, noue des alliances souvent traîtresses. Mao en est-il conscient ? Quoi qu'il en soit, il laisse faire.

Dans ces combats de chevet apparaît bientôt un vainqueur, Mao Yuanxin, le neveu, un très fidèle et très enthousiaste partisan de Jiang Qing. Onctueux, servile, arguant de son sang, il éloigne les deux jeunes interprètes qui en savent trop, il s'institue truchement, chambellan, il ne bouge plus de la chambre de Mao et, téléguidé par la Bande des Quatre, il entame un prodigieux travail de sape. Excellent Yuanxin. Il laisse entendre, susurre, jette des lueurs, potine, médit. Ses brouillements sont d'une merveilleuse efficacité : Jiang Qing sort de l'opprobre et Deng Xiaoping est de plus

LE CHIEN DE MAO

en plus nettement critiqué. L'insolent ne passe-t-il pas tout son temps libre auprès de Chou En-lai alors qu'il ne rend même plus de visite de courtoisie au Grand Timonier? D'ailleurs il n'évoque ni Mao ni la Révolution Culturelle dans ses discours. C'est un signe.

Sentant le vent, Kang Sheng a réussi la prouesse de se lever et il s'est fait conduire au pavillon de la piscine afin de donner un ultime conseil à Mao : qu'il se débarrasse de Deng Xiaoping, l'ami, l'émanation de Chou En-lai. Tous deux complotent pour précipiter le Président dans les poubelles de l'Histoire, lui, Kang Sheng, le modèle de fidélité au Timonier, peut le prouver. A ces mots, Mao émerge de sa léthargie et ricane :

— Toujours vos écoutes?

— Mes réseaux, Président Mao, mes réseaux.

—Je sais... Le divin écheveau... Le pouvoir de l'ombre...

Une dernière fois, les deux hommes se jaugent. Oubliant son propre état, sa maigreur hideuse, ses douleurs, ses délires, Kang Sheng dévisage Mao, il se repaît de sa dégradation, jouit enfin de l'effet de ses propos. Sous le choc, les lèvres du Président ont bleui, la sueur a perlé à son front, son cœur bat la chamade, une grimace désespérée tord sa bouche. Submergé par un mélange de colère et de terreur abjecte, il trouve pourtant la force de remercier Kang Sheng. Et puis il fait appeler son neveu. La main posée sur la poitrine, dans l'espoir, semble-t-il, de supprimer une souffrance atroce, il balbutie quelques ordres : que Mao Yuanxin suscite une réunion du bureau politique, qu'on y examine la conduite de Deng Xiaoping, que les étudiants se mobilisent, comme hier, plus fort qu'hier

De retour au Jardin des Bambous, Kang Sheng s'est enfoncé dans la mort sans plus prononcer un mot. A l'annonce de son décès, Jiang Qing saute de joie. Pas un regret pour cet homme qui lui a appris la volupté et lui a apporté Mao, elle suggère même qu'on lui donne une sépulture quelconque. Mais Mao refuse, parce que Kang Sheng a été jusqu'à la fin un des grands dignitaires du Parti et que des obsèques mesquines seraient contraires à l'étiquette rouge. Sans compter qu'elles pourraient susciter des rumeurs gênantes, réveiller des souvenirs inutiles.

A la grande contrariété de Jiang Qing, les funérailles seront magnifiques. Trois jours d'hommage. Toute la gloire du régime. Les marches funèbres, les gerbes de fleurs, la délégation des grands alliés albanais en pleurs, les discours, les masses de peuple qu'on a

LE CHIEN DE MAO

réquisitionnées... et, statufiés dans le froid, les prétendants aux aguets. Mao n'est pas là, Chou En-lai non plus.

Enfin la dépouille est conduite pour y être incinérée à Babaoshan, le cimetière des Huit Collines Précieuses. Le soir même, dans toutes les ruelles de Pékin, on rapporte que Chou En-lai sur son lit d'hôpital aurait prévenu qu'il ne voulait en aucun cas être enterré auprès du maître des ténèbres. « Babaoshan est le lieu de repos des héros de la Révolution, aurait-il dit, Kang Sheng n'y a pas sa place, car il a déshonoré la Révolution. »

Décembre est venu. Nuits de glace. Ailes noires des corbeaux. Laque des cercueils. Danse des dieux infernaux. Malgré les rémissions, les survies, les instants où la Camarde semble relâcher la main, la mort appelle. Chou En-lai... Mao... Le trépas gouverne la Chine, l'attente de deux trépas. Lequel le premier ? Jiang Qing s'exaspère, les manifestations contre Deng Xiaoping ne suffisent pas à l'occuper, ce qu'elle voudrait c'est contrôler les médecins, tous les médecins qui ont la tromperie dans la peau. Une inquiétude la tourmente : n'aurait-elle pas attrapé une des maladies de Mao ? Il en a tant, et de si répugnantes.

Décembre est venu et la Chine est une plaine nue où deux titans se décomposent. Rien d'autre ne compte. Mausolées immenses, tombeaux des empereurs, caveaux souterrains où la vie entoure les trépassés, où êtes-vous ? Des victimes, concubines et serviteurs, ont été sacrifiées au souverain embaumé, il est entouré de l'armée de ses cavaliers qui, sur des chevaux aux naseaux fumants, décochent leurs flèches. Les mandarins s'inclinent et les courtisans offrent l'encens. Trésors funèbres, tant de terres cuites, de statuettes, de peintures qui proclament la splendeur du défunt... Mais le temps est révolu des dynastes qui s'ensevelissaient en croyant toujours vivre.

Décembre est venu et la valse mortuaire à présent est insidieuse et la mort un pourrissement sans faste ni espoir d'éternité. Elle coule dans les veines de Mao, corrompant son sang, cheminant lentement, respectueusement, presque innocemment. L'une après l'autre, elle investit toutes les cellules de Chou En-lai en un patient et inexorable labeur.

LE CHIEN DE MAO

Longtemps Zhang Chunqiao et Wang Hongwen ont contrôlé le comité chargé de superviser le traitement du Premier ministre, cette affaire d'Etat. La mission était simple : interdire ces opérations qui déplaisent tant au Président Mao, au moins les retarder, en particulier éloigner un chirurgien éminent qui peut-être aurait pu le sauver. Jiang Qing avait trouvé un juste motif, les origines bourgeoises du praticien. Impossible n'est-ce pas de confier la précieuse vie de Chou En-lai à des mains aussi noires ? Mao, qui aime peu porter assistance, avait approuvé. Ensuite ? Ensuite, lorsque la sommité put procéder, il était trop tard. Une fois, deux fois, six fois on a opéré. Trop tard.

Chou En-lai repose sur un lit de l'hôpital 305, assiégé de tuyaux, de seringues, d'appareils à gueules d'insectes. Autour de lui, qui est blanc comme un suaire, quantité d'infirmières, une horde de médecins perdus dans des querelles boutiquières. S'est constitué un cénacle de fidèles qui le veillent et écartent autant que possible les Shanghaïens et leurs séides dont on peut tout craindre. Périodiquement l'un ou l'autre de ces assassins vient voir mûrir le cadavre. A moins que la hyène Jiang Qing ne téléphone : elle exige de parler au Premier ministre en personne, même s'il faut pour cela interrompre des soins, même s'il dort. Chou En-lai réussit encore à bredouiller des remerciements et des vœux pour le Président Mao. Voici des mois qu'il a écrit au Grandiose Leader pour le prévenir de son état. Celui-ci ne lui a pas répondu. Pas un mot, pas un geste de compassion pour ce second dont il éprouve qu'il ne se comporte pas assez en subalterne. Rien pour le mourant qui s'est dégagé de son joug afin d'édifier une Chine qui n'est pas la sienne. Rien.

Chou En-lai est toujours conscient, mais comme perdu dans un lointain. Les choses se détachent de lui et il est indifférent. Ce qu'il aime, c'est que son épouse, la femme de sa vie, sa compagne à travers tant d'événements, si discrète, si digne dans les dangers et les épreuves, lui tienne la main. Elle est sa force, sa vie. Il a demandé qu'on joue dans sa chambre un air de la Longue Marche que Mao et lui appréciaient autrefois. Jiang Qing, consultée, a refusé : ce chant, selon elle, rendait hommage à des traîtres. Elle prescrit mieux, tellement mieux pour le Premier ministre : un poème de Mao, un tombereau de grossièretés, dénonçant Khrouchtchev et les révisionnistes. Qu'on l'apporte au malade, qu'on le lui mette entre les mains, qu'on le lui hurle aux oreilles, il comprendrait le message.

LE CHIEN DE MAO

Un monstre dévore Chou En-lai, une hydre rusée qui étend secrètement ses tentacules et s'installe chaque jour davantage dans les organes. Elle ne profère pas de menaces, n'a pas d'oriflammes, aucun pontife n'annonce son règne, celui de la grande mort noire, mais la troupe de ses soudards et de ses sbires est innombrable. Prolifération. Germination infâme. Le chancre. L'éponge grasse et molle des polypes. Le magma de l'ignominie. Viendra la longue douleur. Les muscles auront disparu et les nerfs écorchés crieront à la misère. Si l'on avait opéré à temps... Mais Jiang Qing, mais Mao ne l'ont pas voulu. Enfin, on ne sait comment, après une dernière accalmie, les métastases bombarderont le corps qui se décharnera en un bûcher, en un brasier de souffrances d'une telle sauvagerie que tout s'abolira en un hurlement fou.

Durant des semaines les médecins se sont empressés, injectant dans le corps de Chou En-lai des substances qui apaisent, les sucs de l'opium, les poisons dont les hommes disposent contre les serpents qui dansent dans le corps, cobras, pythons aux anneaux enroulés, aux écailles lisses. Quelquefois, très courtoisement, le Premier ministre se réveille et des phrases montent de lui, un hochet de phrases incohérentes. Et puis l'esprit s'envole, il ne reste plus qu'un moribond assommé par la drogue. La souffrance... et aussi l'humiliation, la perte des fonctions, les incontinences sordides, des mains qui tendent le bassin, la descente dans les souillures, les ordures. Pour finir, ouvrir une fois de plus, constater que le pullulement a tout infesté, que le ventre est une boue excrémentielle, et refermer par une dernière décence. Alors encore injecter de la drogue pour faire durer ce corps qui n'a plus d'existence que par la torture, qui n'est plus qu'un saccage.

Les corbeaux croassent, les mâchoires des crânes s'ouvrent en un sourire hideux, la nuit tombe qui n'aura pas d'aube. Il n'y aura plus jamais de lumière, le printemps disparaîtra et le soleil ne sera plus qu'une orbe vide. Plus de soleil, jamais, jamais. Parfois, en mourant, dans une éclipse fulgurante, vient une dernière pensée, la phrase qui après tant et tant de milliards de phrases en quelques mots résume une vie. Celle de Chou En-lai est pour sa femme tant adorée. Et puis il réclame une ultime piqûre qui lui est refusée.

Enfin le moment vient où la face n'est plus qu'une divagation, un rictus qui soudain se pétrifie.

LE CHIEN DE MAO

Tel un oiseau plongeant ses serres dans la chair morte, Jiang Qing est au comble de la joie : ce décès, ce bon décès, est un merveilleux présage. En 1976 son destin flambera. N'est-ce pas une de ces années qui ne reviennent que tous les soixante ans, l'année du dragon de feu ? Depuis la nuit des temps, le dragon de feu préside à d'immenses catastrophes et à des bouleversements inouïs, et déjà Jiang Qing entend sonner les trompettes qui annonceront la mort du Grand Empereur et sa propre intronisation.

Dans le pavillon de la piscine où elle a rejoint Mao, elle évite pourtant de rire et de gambiller, car le visage de son mari est une énigme. Depuis qu'on lui a appris que le néant s'était emparé de Chou En-lai, il n'a pas prononcé une phrase. A-t-il seulement compris ce qu'on lui disait ou bien joue-t-il encore une comédie ? A côté de lui, Jiang Qing guette passionnément un mot, une réaction. Enfin le Grandiose Leader murmure qu'il a froid. A croire que le soleil ne s'est pas levé et que la Chine est pour jamais prise dans les glaces de janvier.

Jiang Qing intervient avec allégresse :

— Le soleil s'est levé et il se lèvera pour toi encore des milliers de jours. Mais il s'est éteint pour Chou En-lai.

Mao qui semble plongé dans une nouvelle méditation ne répond pas. Tout à coup, il reprend :

— Au cours de ma vie, j'ai toujours été trahi. Chou En-lai était le dernier de mes fidèles... mais peut-être était-il le plus habile et le plus perfide.

— Il avait commencé à te trahir.

Mao se referme dans son mutisme, face impénétrable, hostile, rides creusées. Encore un long silence, puis la conversation, chaotique, dangereuse, redémarre :

— Il paraît qu'il vous a accusés, toi et ta meute, de l'avoir assassiné en retardant une intervention capitale.

Jiang Qing regarde Mao avec dureté. Décidément, ce soi-disant vénérable n'est plus qu'un ramollissement, un pauvre vieux qu'il faut rappeler à la réalité :

— Nous avons suivi tes ordres. Alors maintenant n'en fais pas une histoire, ne te livre pas aux regrets, aux remords, à toutes ces choses veules et ignobles, indignes de toi. Chou En-lai avait renoncé aux acquis de la Révolution Culturelle, ne l'oublie pas. Il tablait sur ta maladie pour s'emparer du pouvoir et t'éliminer. Il a perdu la partie, point final. Et peu importe que nous l'ayons peut-être aidé à la perdre.

La mort à l'affût... sa propre mort... Mao est toujours enseveli dans ses pensées. Combien de temps lui reste-t-il? Combien de mois? Combien de jours? La tristesse l'étreint. Comme autrefois l'Empereur Qin Shihuangdi, il a rêvé d'éternité, mais il sait bien la vanité de son désir. Les îles des immortels et leur palais d'or sont un mirage, l'herbe qui prolonge la vie une invention de bonne femme, demain il sera mort, lui le titan, il sera précipité dans le vide immense, livré à la goule incolore du non-être.

L'esprit de Mao vagabonde. Il rêve à l'éternelle respiration de l'océan, il contemple la pérennité du ciel étoilé et, le cœur serré, il revient à son corps perclus et condamné. Autour de lui encore vivant mais qui sera sous peu un cadavre, se déploient, comme des membranes de chauve-souris, les ambitions les plus énormes, les plus monstrueuses, et d'abord celles de sa propre épouse. Une rancune lui vient contre elle :

— Peut-être étais-je furieux contre Chou En-lai. Sa gloire en effet m'irritait. Et tu as profité de mon humeur. Pourtant tu ne l'as pas fait périr pour moi, ni pour mon bien, mais pour toi, pour tes desseins. Si je l'avais précédé dans la tombe, tu n'aurais plus rien été qu'une veuve écartée du pouvoir. Maintenant qu'il n'est plus, tu veux que je vive et que je meure seul et tout-puissant pour te léguer mon empire. Encore faut-il que je me dépêche, sinon toi et les tiens disposerez de moi. Je sais maintenant que votre scélératesse est infinie.

Jiang Qing ne veut pas écouter plus longtemps ces radotages. Qu'on appelle Zhang Yufeng, puisqu'elle a encore le courage de les supporter. Qu'elle organise une projection pour le Vieux, quelque chose de simple comme *La Mélodie du bonheur*. Ou plutôt un mélodrame, puisque ce débris se dit plein de larmes, *Love story* sera parfait. Pour elle, elle doit voir Zhang Chunqiao, il y a des décisions à prendre, des instructions à donner : la Bande des Quatre ne souhaite pas que Chou En-lai soit pleuré. Ou à peine.

Visites interdites à l'hôpital 305, pas question pour l'armée ou les officiels d'arborer des brassards de deuil, un nombre restreint d'invités aux obsèques... dans la villa de la Terrasse des Pêcheurs, les consignes claquent. Face à son état-major, Jiang Qing est fière, elle se sent la souveraine qui mène les événements. Sera-t-elle l'égale des héroïnes qui ont dominé l'histoire chinoise? A cette heure de la nuit, entourée de ses dogues, elle n'en doute pas.

LE CHIEN DE MAO

Pourquoi cette meute se serait-elle ralliée à elle, si elle ne sentait pas sa force? Deng le nabot peut bien faire courir le bruit que Chou l'a désigné comme successeur, il est trop tard.

Tout de même, il faut sauvegarder les apparences, exposer le corps du Premier ministre dans un palais à l'ouest de la Cité Interdite, accepter une cérémonie d'hommage. Impossible d'y échapper. Puisque la télévision sera là, Jiang Qing décide de frapper un grand coup : la Chine découvrira en cette occasion l'allure, le panache de la future impératrice. Son plan est simple, revêtir sa tenue la plus martiale, être ferme, digne, imposante, surtout ne pas s'incliner devant le cadavre de son ennemi et, casquette sur la tête, défier la veuve du regard. Que ces gens sachent qui détient désormais l'autorité et qu'ils ne sont plus rien.

Mauvais calcul : les caméras enregistrent tout et la scène fait scandale.

Le jour des funérailles, Jiang Qing aggrave son cas : sous sa veste, elle porte un chemisier rouge, la couleur faste, la couleur du pouvoir, la couleur du bonheur. Mauvais calcul encore. Parce que l'assistance ne retient pas sa désapprobation, et que les caméras, les terribles caméras sont toujours là.

Il y a plus inquiétant pour la Bande : on a eu beau interdire les rassemblements, les manifestations de deuil, les crêpes et les fleurs, le long de la route qui mène au crématorium, une foule énorme a surgi pour célébrer le défunt. Deux millions de personnes qui pleurent et se désolent, qui ne sont pas venues là sur ordre pour une cérémonie des rites rouges, mais d'elles-mêmes, emportées par leur émotion. Deux millions d'individus pour honorer l'homme, le Premier ministre, qui dans les temps de la ténébreuse cruauté a essayé d'être bon. Leur silence. Leur insupportable silence.

Au fond de sa limousine, Jiang Qing étouffe de colère car ce qu'elle contemple est extraordinaire, inimaginable : même mort, Chou En-lai se révèle une menace. Disparues les têtes figées par la dialectique, ses obligations et ses commandements, tous ces visages semblables aux traits uniformisés. Sous le portrait de Chou En-lai au sourire fameux, les masques sont tombés. C'est la révolution du genre humain.

Encore heureux que dans un geste que Jiang Qing juge ridicule le Premier ministre ait demandé à ce que ses cendres soient dispersées d'avion au-dessus de sa terre chinoise tant aimée : au moins le Peuple, ce Peuple ingrat et versatile, n'aura-t-il pas une

LE CHIEN DE MAO

tombe sur laquelle se recueillir. Alors très vite il oubliera, Jiang Qing en est persuadée. Il suffit de tenir encore un peu, tenir lors de l'ultime cérémonie au Palais de l'Assemblée du Peuple, tenir pendant le discours de Deng Xiaoping, tenir... et ensuite balayer cette racaille pour l'éternité.

Pékin tremble de froid et patiente. Muré dans le silence de Zhongnanhai, Mao médite. Il doit désigner un nouveau Premier ministre mais personne ne lui convient. Ni Deng dont la hâte et l'arrogance doivent être châtiées, ni Zhang Chunqiao derrière qui il voit sa terrible épouse, babines retroussées, prête à la curée, ni aucun de ses ministres qui puent la brigue. Il arrive que fugitivement, il caresse un nom; par jeu, il le lance à son neveu qui ne manque pas de le déchirer : lui aussi ne jure que par Zhang Chunqiao. Mao s'amuse bien avec lui, il est si dévoué, si prompt à démolir Deng et à vanter Jiang Qing. Ce sera drôle de le décevoir.

Cette riante pensée ayant éclairé sa journée, Mao retombe dans sa longue somnolence. Parfois, Yufeng sa concubine lui donne un peu de riz et du poisson mandarin puis elle le contraint à se lever. On le porte dans un salon ou dans la salle de projection. Une grande querelle a éclaté entre Jiang Qing et les médecins à propos des films : ne risquaient-ils pas de perturber l'illustre patient? Jiang Qing tenait subitement que oui, les docteurs et Zhang Yufeng croyaient que non : la dispute a été atroce.

Et le temps dure. Enfin, en février, Mao annonce sa décision. C'est le camouflet prévu pour Deng mais un camouflet aussi pour Jiang Qing et ses séides : Hua Guofeng sera Premier ministre par intérim. Personne ne le connaît? Et alors? Les services de la Propagande n'ont qu'à entrer en action et lui fabriquer une légende. Ne suffit-il pas d'ailleurs que le Président l'apprécie? Hua Guofeng est un néant, un parangon de la servilité que Mao a rencontré en 1959 au Hunan où il était allé se ressourcer avant d'affronter les déchaînements de la conférence de Lushan. Depuis, ce vermineux a fait une étonnante carrière de carpette qui l'a mené jusqu'au ministère de la Sécurité. Son coup d'éclat? Avoir transformé Shaoshan, le village natal de Mao, en un lieu de pèlerinage. Son art suprême? Surnager, avoir su se déclarer à temps contre

500

LE CHIEN DE MAO

les Gardes Rouges, puis contre Lin Biao. Kang Sheng ne pouvait que distinguer un tel talent, il l'a fait. Car cette nomination est d'abord une victoire posthume du maître espion. Hua, ce personnage falot, était son candidat, celui que mourant il était venu recommander au Timonier, le piège qu'il avait installé sur la route de Jiang Qing. Sa vengeance.

Deng, Jiang Qing... d'élimination en élimination, il ne reste plus qu'eux et ils fourbissent leurs armes pour l'inéluctable confrontation. Dans ces préparatifs, Jiang Qing est bien sûr la plus acharnée. La nomination de Hua ne l'a pas freinée, au contraire ce piteux obstacle la stimule. Sous l'impulsion de ceux qu'on n'appelle plus que la clique du Palais, la campagne contre Deng Xiaoping et le vent déviationniste de droite redouble d'ampleur. Toujours les mêmes cris et les mêmes méthodes. Affiches et articles fleurissent dénonçant ce nouveau Khrouchtchev coupable de tous les crimes et même d'avoir quitté avant la fin une projection d'un des films approuvés par Jiang Qing. Mao Yuanxin l'obligeant neveu diffuse les comptes rendus de ses entretiens avec le Vénérable Timonier à propos de Deng. Un carnage.

Cela ne suffit pas à Jiang Qing : Wu et Lü ses modèles ne se seraient pas contentées, juge-t-elle, d'une aussi modeste victoire. Dans la lutte qui s'annonce, elle doit songer à tout. Et d'abord au coup d'Etat. Depuis dix ans, Wang Hongwen entretient à Shanghaï une milice populaire forte de cent mille hommes, elle lui ordonne de la maintenir sous armes. Et que les deux usines de munitions qu'il contrôle tournent à plein régime. Désormais les soirées à la Terrasse des Pêcheurs ressemblent à des réunions d'état-major. On évalue les forces, on tire des plans. Quelques points paraissent acquis : l'armée de Mandchourie ne refusera rien à Mao Yuanxin, celle de la région de Nankin non plus. Ailleurs, on peut surtout compter sur les milices ouvrières et les hommes de la Sécurité. Dans dix villes au moins ils oseront défier les commandements militaires. A Pékin l'appui de l'unité 8341 serait bienvenu, mais nul ne sait plus si Wang Dongxing son chef est un homme sûr. Il faudrait l'approcher discrètement, l'inviter à dîner. Jiang Qing promet de lui faire du charme : le gros policier sera forcément flatté.

Complots. Pendant que la Bande des Quatre s'étourdit de projets, le clan adverse s'organise et, cette fois, l'armée est prête à bouger. C'est Zhu De, le vieux soldat recru d'honneurs et de

501

LE CHIEN DE MAO

fatigue qui a tout déclenché. Lorsque Jiang Qing a refusé de se découvrir et de s'incliner devant la dépouille de Chou En-lai il a explosé de colère : la garce allait trop loin, si l'on n'y mettait un frein, demain elle et ses ultras s'empareraient de la Chine. Alors les vétérans se sont réunis et ils sont convenus que le meilleur choix pour le pays était l'un des leurs, Deng Xiaoping.

Zhu De, trop âgé, malade, ne peut plus rien. Mais il s'en remet à l'un de ses compagnons, le maréchal Ye qui depuis des années surveille les Quatre. Ye le merveilleux stratège, Ye le cadet de Whampoa, Ye le chic type qui avait su plaire au général Stilwell, Ye le séducteur, le meilleur danseur de Yanan, Ye l'ami intime de Chou En-lai s'est senti investi d'une mission, sauver la Chine. La Révolution Culturelle qui l'avait un temps convaincu, l'a horrifié : trop de sang, trop de massacres... Les mains de son gendre broyées parce qu'il jouait du piano... Lentement, patiemment, Ye est parti en opération. Le grand maillage... Devenu ministre de la Défense et numéro deux du Parti, région par région, il a tout verrouillé. Ou presque. Et aujourd'hui, ce superbe vieillard qui porte encore très beau, se met sur le pied de guerre. Dans la citadelle des Collines de l'Ouest, il reçoit beaucoup, des militaires de haut rang, des grands cadres. Son message est simple : la tourmente s'annonce, les patriotes doivent aider Deng Xiaoping et par tous les moyens entraver l'action de la clique du Palais et de la funeste Jiang Qing, sinon la Chine reculera de cent ans. Le maréchal change tous les soirs de résidence. Cette vie l'émoustille. A soixante-dix-huit ans, il rajeunit.

Etrange hiver. Le pavillon de la piscine est entré dans le grand silence. Mao, soleil noir, gigantesque et déliquescent, survit. Autour de Zhongnanhai, au-delà des murailles pourpres, le pays semble calme, comme engourdi dans l'étau gris de l'attente. Mais qui sait écouter peut discerner les mille bruissements, les rumeurs, les craquements d'un ouragan sur le point de déferler. Une pluie de météorites est tombée au septentrion. Est-ce un présage ? Le signe que le Grand Timonier s'apprête à rejoindre les Fontaines Jaunes ? Le peuple le croit.

Ces superstitions font rire Jiang Qing. Elle ordonne qu'on intensifie encore la campagne contre Deng Xiaoping et même qu'on attaque nommément Chou En-lai, que les choses enfin soient claires... Elle est gaie, sûre d'elle, toute gonflée du sentiment vertigineux de sa proche victoire, plus stridente et exaltée que ja-

LE CHIEN DE MAO

mais. Une nouvelle surtout la ravit : Deng Xiaoping prend peur ; il se serait réfugié dans les Collines de l'Ouest sous la protection des militaires.

Dans le bleu d'avril, l'adoration déploie ses ailes. Il y a comme une exultation dans l'air, le rêve d'un miracle. En cette fête des morts les phénix se nichent dans les rameaux des grenadiers et l'astre du jour invite à la joie, la joie funéraire, la joie des sanglots, la joie de déplorer un homme aimé, Chou En-lai. Ruissellement des pas, flots des êtres, la foule en un ressac immense, la clameur muette de la glorification universelle... Pendant trois jours, venues de toute la Chine, des milliers de personnes ont défilé sur la place Tiananmen devant le Monument aux Héros du Peuple. Elles ont déposé des couronnes de fleurs en papier crépon blanc auxquelles étaient accrochés des poèmes, des cantiques pleurant Chou En-lai. Les bannières, la montagne de couronnes, les psaumes et les litanies, les chants d'amour et, dans le soir, le chœur à mille voix qui reprend *L'Internationale*...

De la terrasse du Palais de l'Assemblée du Peuple, Jiang Qing surveille cette tourbe idolâtre avec des jumelles. Les abrutis. Elle voudrait faire donner l'armée contre eux, mais Hua Guofeng s'y oppose ; trop risqué : une fois entrée dans la ville, la troupe appelée en renfort repartirait-elle ? C'est ainsi qu'éclatent les coups d'Etat militaires. Non, il faut temporiser, calmer le jeu. Qu'on noyaute la foule pour identifier les meneurs et qu'on se contente cette nuit d'enlever les couronnes et les poèmes puis de placer des miliciens en faction sur Tiananmen.

Le lendemain, 5 avril, devant la porte de la Paix Céleste où tant de fois s'est joué le sort du pays, des étudiants, des paysans, des cadres, des ouvriers, des soldats se sont amassés. Ils sont des dizaines, des centaines de milliers, peut-être plus, venus célébrer le Premier ministre bien-aimé et qui maintenant hurlent leur colère parce que les couronnes ont disparu. Dès sept heures du matin, les miliciens postés autour du Monument aux Héros sont chassés par la foule et un portrait de Chou En-lai est hissé en haut de l'obélisque, comme un défi à celui de Mao, là-bas, sur la porte. Des garçons et des filles armés de pinceaux collent sur des panneaux des affiches aux caractères énormes qui annoncent la fin de l'empereur Qin Shihuangdi et de son système féodal-fasciste. Des orateurs prennent la parole pour vilipender la nouvelle Ts'eu Hi tandis qu'apparaissent d'autres couronnes, bientôt enlevées par la police.

LE CHIEN DE MAO

A huit heures, la bourrasque se lève. Les manifestants se ruent vers le Palais de l'Assemblée du Peuple où seraient, dit-on, entreposées les fleurs. Mais le Palais est gardé par la troupe. Des bagarres éclatent. Les miliciens sont chahutés, les policiers assaillis, les soldats molestés. Bientôt on renverse et l'on incendie des voitures de la Sécurité publique. Au sud-est de la place, une caserne brûle.

Quittant son poste d'observation par une porte discrète, Jiang Qing s'est ruée auprès de Mao pour lui raconter l'affront, l'inadmissible affront dont Tiananmen est le théâtre. Mais le Grandiose Leader réagit à peine :

— Je suis plus mort que Chou En-lai, dit-il. Il a été aimé. Moi, jamais.

Son visage est gonflé, ses yeux tristes et lourds, et il geint :

— Toute ma gloire pour aboutir à cette impuissance... Tant de gens m'ont oublié, dans leur délire pour ce cadavre. Je suis encore vivant mais je n'existe plus.

Et Mao ajoute :

— Tu as eu raison de faire tuer ce Chou En-lai. Il a perverti mon peuple, mes sujets.

Jiang Qing essaie d'agripper ce tas mou, englué dans une sorte de paix mélancolique.

— Pourquoi laisses-tu les masses se galvauder dans ces débauches contre-révolutionnaires ?

— Le vent. Le vent du large. Il vient des horizons lointains et souffle en rafales destructrices sur tout ce que j'ai voulu faire, sur ma Révolution. Comment calmer cette bise ? J'ai essayé de donner la liberté rouge, et les hommes se révoltent contre elle, au nom d'une liberté effrénée, surgie en eux comme une tempête.

Mao se laisse aller à une étrange volupté de découragement :

— Quand je serai mort, que deviendrai-je, que restera-t-il de moi à part le corps, qui sera enterré somptueusement ? Et même lui, qui dit qu'on ne l'exhumera pas pour le jeter au fumier ?

Jiang Qing se récrie avec violence :

— Tu seras toujours le seigneur des Dix Mille Années !

— Je serai dans le néant et je ne saurai rien de ce qui m'arrivera outre-tombe. Probablement, ma mémoire se couvrira-t-elle peu à peu de poussière, elle se ternira, elle s'effrangera, elle n'inspirera plus que répulsion ou condamnation. Le temps me précipitera dans l'opprobre.

— Mao, tu vis, tu es Mao, le maître de Tout, et la Chine est à

LE CHIEN DE MAO

toi. Donne l'ordre à l'armée de tirer sur les réfractaires de la place Tiananmen !

Mais de sa tête fatiguée, Mao fait non :

— Paix à Chou En-lai ! Nous ne sommes plus à l'époque des saines hécatombes.

Jiang Qing s'exaspère :

— Ton Premier ministre est partout représenté sur la place mais il n'y a pas de portrait de toi, aucune affiche. Si l'on parle de toi, c'est pour te comparer à l'empereur Qin et demander le retour au vrai marxisme-léninisme. Tu es, paraît-il, un bouffon de l'Histoire entouré de méchants plumitifs qui ont émasculé la bonne doctrine. Moi, on m'appelle la nouvelle Ts'eu Hi, on me caricature, je suis un vampire, une sorcière. Cela ne peut pas durer.

Alors Mao a un geste de résignation :

— J'espérais que ce tumulte cesserait de lui-même. Puisqu'il ne se dissout pas dans la lassitude des heures, je vais le réprimer. Pas de soldats, mais des miliciens et les gardes de l'unité 8341. Pas de fusils, mais des bâtons, des gourdins, rien que des gourdins, je ne veux pas de la grande mort, simplement une correction où il y aura quelques accidentés. Transmets ces consignes au Bureau politique.

A la nuit tombante, c'est la bastonnade. Près de la place Tiananmen, toutes les avenues sont barrées par la police. La foule a diminué, ne restent que les irréductibles, mais chez eux plus que jamais la sédition, les poings brandis, les vociférations, les visages exorbités, le cratère et la lave de la haine. Et soudain apparaissent des milliers de miliciens formés en dix colonnes qui encerclent la place, des hommes durs, impassibles, venus juste pour frapper, mais frapper à mort parfois. Les chefs de section lancent un ordre et les matraques cognent. Le ballet des matraques. Elles s'élèvent, puis, rythmiquement, toutes ensemble, elles retombent sur le grouillement humain qui s'enchevêtre et se débat. La cadence d'une faux qui fait sa moisson d'hommes et de femmes. Des crânes sont fracassés, des cervelles giclent, des corps s'effondrent. Terreur. Les cordons de la répression, poursuivant leur besogne, se concentrent vers le milieu de la place, au pied du Monument aux Héros du Peuple. A minuit, la tâche est achevée. Le sol de Tiananmen est maculé de sang, des cadavres gisent sagement immobiles, et une quantité de blessés se tordent et gémissent, appelant vainement au secours jusqu'à ce qu'ils entrent en agonie. Puis c'est

LE CHIEN DE MAO

la noria des camions emportant les morts vers la fosse commune et les survivants vers des hôpitaux où l'on fera semblant de les soigner. Enfin on lave la place à grande eau. Tiananmen a retrouvé sa beauté mais tout Pékin murmure contre le roi-bandit et la sorcière qui ont imposé leur loi.

La Chine de Jiang Qing... Des dizaines de milliers de miliciens patrouillent sur la place, matraque à la main. L'unité 8341 et neuf bataillons sont stationnés aux alentours. Une immense vague d'arrestations a été décidée, *Le Quotidien du Peuple* appelle à lutter contre l'ennemi de classe et partout sont organisés des meetings pour célébrer la superbe victoire de la révolution sur la réaction.

A la Terrasse des Pêcheurs, Jiang Qing vibre de bonheur.C'est la guerre, toutes les sortes de guerre où elle va s'épanouir : les intrigues du Parti, les conspirations, les déchirements dans les congrès, les camps aux prises, les dénonciations et les condamnations. Le sang... Elle donne réception sur réception pour ses dogues et sa garde rapprochée. En buvant du maotaï, à tous elle répète qu'ils ont gagné, qu'elle va être un gourdin, prêt à cogner. Une seule ombre à sa joie : Deng Xiaoping. Les géants ont disparu, mais l'encombre encore cet individu qu'elle déteste de toute sa force méchante et redoute tout autant. Dès le 7 avril, ce nabot qui a été l'inspirateur, l'éminence grise de Chou En-lai a été destitué de ses fonctions et Hua nommé Premier ministre à titre définitif, mais il reste dangereux : Mao a commis l'imprudence de lui garder sa qualité de membre du Parti, « à des fins d'observation ». Comment le Vieux ne comprend-il pas qu'il fallait l'exclure, l'arrêter, le faire exécuter ?

Chaque soir ou presque, au pavillon de la piscine, elle entreprend Mao à ce sujet :

— Deng Xiaoping a fomenté l'incident de Tiananmen. Il a cherché à exploiter pour lui le deuil de Chou En-lai, dont il avait été l'âme damnée. C'est maintenant l'occasion de détruire à jamais ce serpent.

Mao a son sourire de complaisance narquoise : cette Jiang Qing furibarde l'amuse. Vient le moment où elle s'entend répondre que Deng n'est pas pour grand-chose dans ces fracas.

LE CHIEN DE MAO

— Le responsable, c'est le cadavre de Chou En-lai, le mort qui soulève les foules. Les gens se sont révoltés d'eux-mêmes.

Jiang Qing ne se contient plus. Elle est emportée par une rage qui l'étouffe, en sorte qu'elle vagit plus qu'elle ne crie :

— Ne te rends-tu pas compte que toi, Mao, tu as été méprisé, traité comme une vieille outre, un sénile baveux, un mannequin défraîchi ! Le cadavre de Chou En-lai, certes, mais Deng en est le complice, il doit être châtié.

Mao a toujours son expression insolite. Il dit doucement :

— Je châtierai Deng puisque c'est ta volonté.

Jiang Qing hurle, déchaînée, en vraie mégère de la justice :

— Je veux qu'il meure. Il faut l'expédier dans un endroit d'où personne, absolument personne ne revient et où il périra rapidement.

Mais Mao, sous la bouffissure de ses traits, demeure énigmatique, comme rencogné dans on ne sait quel contentement, quelle jubilation ronronnante. Soudain, il glisse en chattemite :

— Tes services de renseignements sont nuls, Deng est parti. Le maréchal Ye l'a fait sortir de Pékin avec sa famille. A mon avis, il les a envoyés à Canton, auprès de Xu la barrique, un général qui ne te porte pas dans son cœur. Non seulement Deng ne va pas mourir, mais il resurgira, frais et dispos, requinqué pour la bataille de la succession, quand la situation sera mûre pour lui.

— Il ne resurgira jamais, car je t'aurai succédé et en ton nom, comme si j'étais toi, je gouvernerai la Chine.

Mao la regarde avec malice :

— Mais tu n'es pas moi.

— Je suis ton compagnon d'armes.

Mao caresse doucement l'épaisse chevelure de Jiang Qing.

— Que tu as été belle jadis.

— Et toi, tu as été si beau.

Mao passe sa langue sur ses lèvres avec gourmandise, comme s'il goûtait les paroles qu'il va prononcer :

— Je ne te l'ai jamais dit, je l'ai même nié, mais je t'avais remarquée dès Luochuan. Tu étais très mignonne avec tes nattes, tes rubans et ta taille si fine. Maintenant notre amour est une soupe tournée. Notre couple n'est pas très ragoûtant, moi vieille vesce, toi antique catin... Alors c'est à cette jeune femme-là que je veux songer désormais, le reste m'est indifférent. Mon temps est fini, mon œuvre terminée.

— Ne parle pas comme ça. Tu es Mao et après toi, je serai Mao.

507

LE CHIEN DE MAO

Il y a comme une incrédulité chez Mao, une incrédulité bonasse, un peu paternelle, légèrement méchante. Il dit :

— Tu n'es qu'une femme, et avec beaucoup de faiblesses.

— Mais j'ai été ton compagnon d'armes, et au pouvoir je ne serai pas moi, mais toi, toi survivant en moi.

Mao bâille d'un air ennuyé :

— Quelle nécrophagie répugnante! Mais pourquoi pas? Je ne m'oppose pas à ce que tu essaies de me succéder, mais je ne te léguerai pas la Chine. Tu devras t'en emparer toi-même, avec ta Bande comme haut commandement et mon nom pour viatique. Je te l'ai déjà dit, je me moque de ce qui adviendra après moi. Et pourtant... Je me plais à organiser le combat autour de ma dépouille. De Canton, Deng va bien s'amuser lui aussi. Il y aura des pouilleux, des lamentables, des rustres, comme Hua Guofeng, que j'aurai intronisé d'un compliment du genre « Tu n'es pas le plus bête ». Il y aura toi, évidemment, les yeux injectés de sang, te croyant supérieure à la médiocrité ambiante. Avant même que je sois refroidi, vous tous, ridicules prétendants, vous serez pareils à des hyènes essayant d'avaler un morceau de mon cadavre, chacun se revendiquant du plus gros morceau pour avancer ses prétentions.

— Tu délires. La seule personne qui puisse se réclamer de toi, c'est moi. Quand tu seras mort, je te prolongerai, Mao succédera à Mao.

— C'est toi qui délires. Mais je te remercie, grâce à toi et à ton avidité je vais aller vers la mort avec satisfaction. Toi et tes rivaux, vous m'aurez donné du beau spectacle, une meute de corniauds enfonçant leurs crocs dans ma chair et s'étranglant avec. Tu vois, j'ai de quoi jouir...

Que se passe-t-il dans l'esprit de Mao? Quels relents de rancune? Quelle énorme espièglerie de gâteux? Pourquoi cette joie sur sa gueule de vieillard mitonné et ranci qui hypocrise encore :

— Ce ne serait pas te rendre service que de te laisser la totale souveraineté, l'Histoire montre que les dernières volontés d'un monarque ne sont jamais respectées. Elles condamnent plutôt qu'elles ne soutiennent. Pourtant je te laisse dans une situation où peut-être, peut-être, tu peux vaincre. Méfie-toi de Hua Guofeng, il est très rusé et très dur. Son passé à la Sécurité publique en fait l'allié naturel de Wang Dongxing et de ses polices. Quant à Deng Xiaoping, il est dangereux, mais à ta portée, destructible par toi s'il sort trop tôt de son refuge cantonais. Dans quelque temps je ne

LE CHIEN DE MAO

te verrai plus et je le regrette. J'aurais aimé te regarder dans tes furies, tes empoignades, tes démences. Tu veux ma Chine ? Alors fais attention, très attention.

— Je gagnerai la partie.

— Je l'espère pour toi. Parce que si tu es vaincue, tu rouleras dans l'abîme, l'immense abîme. Sois victorieuse, je te le conseille Sinon tu finiras carne en prison.

Et Mao rit d'un rire énorme, un rire qui monte des tréfonds et éclate dans tout son être, un rire formidable, un rire fantastique, un rire qui contient toute la blague des choses, le rire en soi, le rire bruit du monde.

Face à ce rire qui n'en finit pas, Jiang Qing se raidit dans sa ferveur et sa résolution : Qu'il crève, ce vieux bouc ! Elle sera victorieuse, toujours victorieuse, un million de fois victorieuse, bien plus grande que ne l'a jamais été Mao.

Chapitre VIII

Jiang Qing triomphe et le peuple gronde. En juillet 1976, le Ciel s'émeut de ces tumultes et la terre tremble. Alors tous comprennent que Mao va mourir et ils se ruent au chevet du géant pour épier ses balbutiements et ses râles. L'ignoble de cette agonie, les larmes de crocodile, l'avidité insondable... Enfin le Grand Timonier, après avoir recommandé aux prétendants assemblés d'agir selon les principes établis, entre dans la grande énigme.

Le Président Mao est mort. Immense hommage et aussitôt les bruits de bottes, la conspiration, la traîtrise. Jiang Qing hurle qu'elle a été intronisée, Hua Guofeng également, la Bande s'active, l'armée aussi : c'est à qui réussira le premier son coup de force et chacun bat le rappel de ses alliés, fait la course aux indécis pour les persuader, aux indifférents pour les enrôler. Tout s'éboule autour de Jiang Qing, ses troupes se dérobent, le nombre de ses partisans s'amenuise mais elle ne renonce pas. Elle est et restera la statue du maoïsme, la Vestale. La puissance chez elle de l'illusion... Jusqu'à ce petit matin d'octobre, où Wang Dongxing, le policier rondelet qui était son favori, lui passe les menottes.

En une nuit, la Chine entière a été recouverte des os de Jiang Qing. Partout, sur des millions d'affiches, elle est représentée comme un spectre, une goule, la sorcière aux os blancs. Elle est squelette qui danse, fantôme escorté d'une meute de carnassiers,

LE CHIEN DE MAO

créature de l'enfer qui se livre aux pas d'une ignoble séduction, elle est la grande criminelle, la prostituée aux lèvres voraces et à la queue de renarde, elle est le stupre et la mort.

Cet excès devrait la divertir mais pour l'instant la démone pleure d'épouvante. Les heures sont loin où elle voyait en son désastre une apothéose : l'ultime combattante de la Révolution n'est plus qu'une loque dévastée par la peur. Désormais qu'elle semble vaincue, devant le retournement des choses, Wang Dongxing ne jugera-t-il pas plus sûr de se débarrasser rapidement d'elle ? Quels ordres a reçus cette brute ? Un rire secoue Jiang Qing : combien de fois l'a-t-on prévenue contre Wang Dongxing et sa propension à la trahison ? Dire qu'elle était heureuse d'être arrêtée par lui, persuadée qu'il y mettrait comme une tendresse ! Il était ému, oui, parce qu'il tremblait de frousse : une erreur, une bavure, et ses nouveaux maîtres, Hua Guofeng et Deng Xiaoping l'exécuteraient. Il n'y a pas eu d'incident et maintenant, elle en est sûre, on l'emmène dans une geôle terrible, un endroit souterrain à moitié rempli d'eau. Elle se souvient des puits de la Cité Interdite, des oubliettes sulfureuses, empestées, avec leurs condamnés enchaînés, assis ou accroupis boulets aux pieds, si étroitement enfermés qu'ils ne peuvent ni se lever ni s'étendre. Dans ces caveaux ourlés de désespoir, les prisonniers en haillons, la peau squameuse, se recroquevillaient en appelant la mort libératrice. Réclamer le massacre, voilà son destin. Une antique mémoire la hante : comment jadis, dans le long jadis de Shanghaï, elle avait joué de ses charmes, dénoncé pour échapper au cachot. Elle voulait vivre alors, elle le voulait tellement... Quarante ans plus tard le trou noir, la bouche immonde de ses rêves à nouveau la guettent et cette fois elle va y plonger. Etre engouffrée.

Jiang Qing pleure avec une sorte d'obstination. Pourtant une part d'elle veille, une part qui soudain constate que le fourgon la conduit plus loin, ailleurs, vers le nord de Pékin, là où l'on survit. Et la force mystérieuse qui la mène depuis les origines, sa certitude de l'emporter quoi qu'il en soit lui reviennent.

Sur les murs fleurissent toujours plus d'affiches et de caricatures, ce qui maintenant la réconforte : on ne se livrerait pas à une campagne si violente, si dispendieuse, si elle était déjà ensevelie dans la mort...

... Si l'on me hait tant, se dit-elle, si l'on me fait tant haïr, c'est que j'existe encore. Et si j'existe, pourquoi ne retrouverais-je pas un premier rôle, une tâche à ma taille ? Le peuple imprégné de

LE CHIEN DE MAO

mon image voudra mon retour au timon. Sur le pavois. Il suffit d'attendre que le monde change. J'en suis capable. On n'assassine pas comme cela la veuve de l'Empereur.

Dans la citadelle de la grande paix s'exerce une cruauté d'essence subtile : tout y est silence et solitude. Rien n'existe plus, on plonge dans un infini lacérant, le cauchemar incolore de la durée. Il n'y a rien. Rien. Et les pensionnaires de l'institution, ceux du moins que la folie n'a pas mangés, s'épuisent à chercher un moyen de se suicider. Depuis son entrée à la prison Qincheng, Jiang Qing est soumise à cette atrocité. Les éternelles, les interchangeables Parques de l'écrou l'ont prévenue : elle n'aurait plus de nom, plus d'identité, trois personnes se relaieraient en permanence pour la surveiller. Qu'elle soit convenable, qu'elle ne crie pas, qu'elle ne tombe pas dans des transes, on ne viendrait pas à son secours. La nourriture lui serait passée par un judas, de même les chiffons indispensables au ménage. Qu'elle n'essaie pas d'échanger un regard, encore moins une parole avec un gardien, elle serait punie. Et qu'elle ne compte pas sur la nuit pour y trouver refuge : l'électricité serait constamment allumée dans sa cellule et les ouvertures obturées. Ainsi, dans un lieu dédié à la méditation et au repentir, retrouverait-elle la quiétude. Jiang Qing avait ricané, clamé qu'elle était l'épouse de Mao et que le Peuple ne permettrait pas qu'on la maltraitât. Elle avait hurlé et brusquement était arrivé l'inimaginable : une gifle, une fantastique gifle l'avait suffoquée et on l'avait entraînée.

Le temps, toujours le temps. Des jours de cendres, la torture de l'attente. Que lui veut-on ? Pourquoi ne la met-on pas à mort comme dans les grands opéras ? Des semaines et des semaines se sont écoulées et Jiang Qing résiste à tout ! Elle s'est habituée aux yeux de l'implacable scrutage, à la lumière qui la dénude. Dans son angoisse, pour s'assurer que la catastrophe ne l'abîme pas trop, elle ne cesse de s'examiner, millimètre par millimètre ; au prix d'incroyables contorsions, elle s'observe, elle se tâte, elle se masse, elle se flaire, enfin elle décide avec délice qu'elle est toujours la même, prête pour toutes les parties qui vont s'offrir à elle. Quelque chose se produira bien... Même si elle n'a pas de glace, la toilette est son moment de dilection. Elle aime aussi les repas, le bouillon, les boulettes, les petits pains à la viande et, plus encore, le retour des misérables nécessités de sa carcasse : l'obscur acharnement de son corps à survivre la fascine et la console.

Comme à son insu, Jiang Qing s'est mise à pourchasser les bruits qui arrivent jusqu'à elle malgré l'épaisseur des murs. Il y a les bruits réguliers, ceux de la routine carcérale, les verrouillages et déverrouillages des portes, les raclements de pieds des matons, à l'heure des repas le grincement des roues des chariots, le claquement de l'ouverture des guichets. Parfois elle discerne le bruit d'un corps qu'on traîne dans le couloir, des râles étouffés. Et puis il y a des rumeurs surprises : un écho très faible lui apporte des paroles prononcées loin, très loin et qui la concernent. Elle intervient, elle répond. Peu à peu la cellule se peuple d'ombres familières, entrent les courtisans, ressuscitent les amants. Elle bavarde, elle tient salon, elle s'imagine régner comme naguère à la Terrasse des Pêcheurs. Elle voit Mao qui est là, qui lui sourit, Mao dont on n'a même pas affiché un portrait. Pourtant à la fin tout s'efface et Jiang Qing vacille. Sa vie avec Mao n'a-t-elle pas été un songe, elle-même une chimère ?

Ce qu'elle souhaiterait, c'est être critiquée, non pas dans la jobardise forcenée où elle se délectait, mais avec sérieux et méthode, par de vrais clercs. On lui ferait recommencer cent fois ses aveux, et cela ferait passer le temps. Surtout elle lutterait, elle se distinguerait, elle démolirait le château d'arguments opposés à elle et sortirait de la bataille, magnifique et purifiée. Mais on ne lui envoie aucun théoricien auquel s'opposer, pas même un gardien. Dans sa solitude inconcevable, elle rêve d'une petite araignée tissant sa toile amicale, mais il n'y a rien. Rien que le béton, cette propreté lourde, agressive, le béton pire que l'ordure des antres d'autrefois.

Cependant, tout l'indique, on veut que Jiang Qing vive encore. Pour quoi ? Elle n'a reçu aucun message, aucun ordre, personne n'est apparu, jamais. On la regarde, oui, mais pour quoi faire ? Et que peut-elle montrer à ses surveillants ? Son cul protestataire ? Mais à quoi bon ? Son supplice, elle le connaît maintenant, on veut l'ensevelir dans l'immense sommeil de l'amnésie. Et tout sera dit.

Et puis le temps ne s'use plus. Il n'a pas de relief. Il est durée

LE CHIEN DE MAO

insipide, stagnation infinie, marécage sur lequel Jiang Qing flotte comme privée de sens. Sait-on encore si elle existe, si elle vit ? Elle-même, malgré les battements de son cœur, l'ignore. Elle gît hébétée dans la grande flasquerie, dans l'oubli de ce qu'elle est. Elle ne se regarde plus, elle ne guette plus les rumeurs qui étaient les petits trémas de son interminable agonie, songes et réalité, présent et passé s'enroulent autour d'elle en une pourriture qui parfois fermente : elle gémit, elle crie, mais nul ne se manifeste. Un jour, exténuée, l'écume aux lèvres, elle se jette contre le mur pour s'y casser la tête. Alors les gardes entrent. Ils la ceinturent, la conduisent dans une autre cellule, la ligotent sur un bat-flanc. Plus tard, sans un mot, ils la ramènent chez elle : les parois et le plafond ont été revêtus d'un épais caoutchouc. Mais la lucarne est dégagée et l'on a disposé sur sa couverture un ouvrage en trois volumes intitulé *Les Crimes de la Bande des Quatre*.

La deuxième année... Jiang Qing est perdue dans le puits du temps, mais elle ne se noie toujours pas. Puisque dorénavant elle peut épier l'alternance du jour et de la nuit, elle fait de cette scansion une arme. Chaque matin elle se dresse pour se préparer au combat. Quelque chose va arriver, sinon pourquoi lui aurait-on donné ces livres, ou plutôt ce ramassis d'inepties ? Pour lui ouvrir les yeux ? Pour qu'en elle le repentir fasse son chemin comme une termite et qu'ensuite elle se laisse abattre sans se rebeller ? C'est mal la connaître. Non, on ne pourra pas l'anéantir, et dût-elle aller au supplice, elle y marchera droit. Plus que jamais elle se soigne : la gymnastique, le taïjiquan, et de longs exercices pour entretenir sa mémoire. Méthodiquement, elle se souvient, elle appelle des images, elle reconstitue des conversations, des visages, la figure débonnaire de Mao, le rire acéré de Kang Sheng, sa drôle de petite moustache, elle revit les éclats de Yanan, les conversations secrètes de Shanghaï et les grand-messes de la place Tiananmen. Ces fantasmagories l'endorment.

Enfin le Quelque Chose si longtemps espéré, une merveilleuse anormalité rompt la monotonie. Un déclic, et le temps se remet en

LE CHIEN DE MAO

marche. Tout d'abord entre une matonne volumineuse qui inspecte la cellule avec attention, puis sourit à Jiang Qing et lui recommande, sur un ton très sirupeux, de se rendre présentable pour le lendemain. Va-t-elle au moins, cette virago, l'appeler camarade Jiang Qing ? Elle ne le fait pas, mais qu'importe, elle a dans la main des trésors, du vrai savon, un nécessaire de toilette, et même un miroir. Jiang Qing se jette avidement sur son reflet, elle s'étudie avec passion : miracle, elle n'a pas trop l'air d'un oiseau de bagne. Qu'elle se retape un peu et elle sera la douairière inoxydable, intacte dans ses défenses.

Les heures passent, la nuit se défait, et dans le matin sale se présentent deux gardes d'une catégorie certainement très supérieure, des quidams nickelés, au bleu de chauffe correct, à la bille ronde et bien nourrie, qui la prient poliment de venir avec eux, lui font suivre des couloirs, encore des couloirs, et puis grimper un étage. Tout à coup ils pénètrent dans un autre monde. Le ciment est caché derrière des tentures, il y a là des fauteuils, des tables, des bureaux, des estampes. C'est un endroit seigneurial, l'état-major de la prison.

Vient vers elle un homme d'une beauté scrupuleuse, la tête et la voix du chef. Aussitôt, elle n'est plus un matricule :

— Camarade Jiang Qing, j'ai étudié ton dossier, mais je n'y ai vu aucune trace de remords.

Le directeur, un malin, le contremaître des géhennes et des disgrâces, est surtout bon suiveur de la ligne. Il parle avec une gravité qui n'émeut pas la prisonnière parce qu'elle est au comble de la joie : on s'occupe d'elle, elle est redevenue importante, la vie se renoue, la vie est beauté. Fulgurantes sensations que Jiang Qing se garde bien de montrer. Sans doute pour mieux marchander, elle prend même sa mauvaise figure et fulmine :

— Quels remords veux-tu que j'exprime, moi qui n'ai jamais fait qu'obéir. Je suivais en tout les directives du Président Mao.

Le directeur de l'établissement jappe :

— Laisse-moi te conseiller, camarade Jiang Qing : réfléchis, reconnais tes erreurs, et ton destin sera changé. Que dans une semaine ton autocritique soit achevée ! Rédige-la avec soin.

Jiang Qing est revenue dans sa cellule où l'on a apporté une table, une rame de papier blanc, des stylos. De jour comme de nuit, elle se met à tracer des caractères. Elle ne dort pour ainsi dire plus, elle est en proie à la maladie de l'inspiration, dans un bonheur fou. Elle subodore qu'un énorme conflit s'engage en Chine et

LE CHIEN DE MAO

qu'elle en sera une des héroïnes. Evidemment, pour le moment elle ignore les données, elle est aveugle, mais bientôt, elle le sent, on fera appel à elle, elle saura tout, elle dominera tout.

Comme le directeur l'a préconisé, Jiang Qing réfléchit. Elle se porte au sommet de sa pensée, puis écrit sans relâche. Elle accumule les pages, les relit, les déchire, recommence inlassablement; elle veut la perfection. Enfin, au bout d'une semaine, elle a terminé. Une autocritique? Non. Un panégyrique. Des louanges pour elle et pour Mao éternellement associés. Tout le reste est vilenie, hypocrisie, mensonge. Au lieu d'endosser les oripeaux du coupable, elle repousse loin d'elle la saleté, la corruption, la lâcheté, l'ignominie, tous les êtres infects et puants qui ont osé trouver des faiblesses à Mao et qui l'ont presque fait périr, elle, dans le plus vil des emprisonnements.

Les corridors, les escaliers, l'état-major. Avec son air le plus provocant, Jiang Qing remet ses textes au directeur et l'individu, comme elle le désirait, blêmit. D'une voix de peur, il lui ordonne de recommencer :

— Et cette fois, avoue! Avoue que tu as été emportée par l'orgueil, viens à résipiscence! Sinon tu le paieras cher, tu seras châtiée, jusqu'à ce que tu cèdes ou que tu meures.

Jiang Qing oppose un refus absolu. Refus d'autocritique, refus de remords, refus de repentir. Au lieu de s'effondrer, elle continue de babiller une extraordinaire apologie d'elle-même. Défi exorbitant, qui doit attirer toutes les cruautés et toutes les morts. Car il ne peut y avoir de plus grande abomination au sein du monde rouge que de voir un accusé ne pas jouer le jeu de la contrition. Mais elle, Jiang Qing, est au-delà des règles, au-delà des normes, prête à n'importe quoi pour sortir du temps carcéral où elle s'étiolerait jusqu'à l'extinction. Mieux vaut affronter ce qui se présentera, quelle que soit l'hydre, quelle que soit l'horreur.

Ainsi Jiang Qing persiste à chanter ses vertus. On porte les feuillets au directeur, celui-ci ne se manifeste plus, ni pour réprimander, ni pour encourager. Jiang Qing retombe dans la trame affreuse du silence. Elle ne se vante plus, elle attend. Parfois on lui donne un journal : elle suit les aléas de la carrière de Hua Guofeng aux prises avec un Deng Xiaoping revenu tout frétillant de Canton. Hua, dorénavant paré du titre ridicule de Président Clairvoyant, mesure-t-il combien Deng est dangereux? Elle apprend que l'action de Mao est réévaluée, à l'instar de celle de Staline,

LE CHIEN DE MAO

70 % de bon et même de très bon, 30 % d'erreurs. Ces calculs la révoltent et l'inquiètent.

De nouveau l'ouate du temps étouffe Jiang Qing et de nouveau elle est attaquée dans ses certitudes. Ne devrait-elle pas faire sa paix avec ce rat de Hua Guofeng ? A la mort de Mao, cet usurpateur lui avait offert de l'associer à son pouvoir pour éliminer Deng Xiaoping... Comme elle l'avait méprisé, rabroué, insulté, lui et ses ouvertures à la noix ! Pourtant s'il l'a cloîtrée sans la faire tuer, c'est sans doute pour, à l'occasion, se servir d'elle...

Et l'occasion est arrivée. Le rat réapparaît tout persuasif, tout tentateur :

— Camarade Jiang Qing, cette fois écoute-moi bien ! Il y va de ta vie. Avoue, redeviens un être intègre. Tu ne t'en rendais pas compte, mais jusqu'ici je t'ai protégée pour t'éviter le pire. Deng Xiaoping, lui, prépare un procès qui se terminera par ta condamnation à mort et ton exécution. Ces assises truquées souilleront aussi Mao. Si nous ne faisons pas cause commune, ton sort sera terrible.

Jiang Qing retrouve tout Hua Guofeng, mêmes mines, mêmes chatteries, même maquerellage enjôleur :

— Nous sommes liés et Deng Xiaoping nous hait également, parce que nous sommes restés proches de Mao, de sa pensée et de la Révolution Culturelle. Lui voudrait faire des décombres de ce passé si beau, moi pas. Tu es réduite au silence, et ce silence on le fait parler contre toi.

— Si tu désires que je m'exprime, fais-moi libérer. Un président aussi clairvoyant que toi ne peut pas rater cela.

— Ce n'est pas possible, à cause du Parti. Il faudrait que tu fasses une confession, même petite. Et puis l'on pourrait revenir sur les dernières volontés de Mao, en particulier sur les paroles par lesquelles il me désignait comme successeur.

L'éternelle fausseté de Hua Guofeng !

Jiang Qing hurle :

— Encore un piège, encore des chausse-trapes ! Mao ne t'a jamais donné le pouvoir. Il m'avait choisie, moi, mais tu as falsifié ses propos et tu m'as évincée de la manière la plus criminelle. C'est toi, et non pas Deng, qui m'a désignée à la Chine entière comme la sorcière aux os blancs. C'est toi, et non pas Deng, qui as inventé de me mettre au secret pour que je sombre dans la démence. Et maintenant tu viens vers moi avec des mots fleuris à la

518

LE CHIEN DE MAO

bouche et des propositions plein les mains... Eh bien, je vais te dire la vérité : je préfère Deng Xiaoping à toi. Deng Xiaoping, je le hais tout comme il me hait, d'une haine vraie, pure, totale, mais en quelque sorte loyale. Face à lui, je livrerai une belle bataille, même si je dois en crever. Mais avec toi, je ne pourrais jamais que me prostituer dans un couchage sordide, et tu me donnerais tes sales maladies. Et en quoi Deng Xiaoping pourrait-il me faire plus de mal que toi ? Que maintenant il te croque, je m'en réjouirai.

— Malheureuse ! Tu ne te rends pas compte.

Hua Guofeng s'affole : comment expliquer à cette hystérique que désormais ils sont du même bord, maoïstes tous deux et engagés dans une lutte à mort contre Deng et ses partisans ? Jiang Qing ne l'écoute pas :

— Toi ou Deng Xiaoping, crie-t-elle, osez me relâcher ! L'un et l'autre, vous avez peur que je vous élimine en quelques mois. Vous avez peur du Peuple qui, je le sais, est prêt à se soulever contre vous. Pour moi, avec moi.

Hua Guofeng trépigne :

— Toi, aimée des masses ? Elles t'abominent ! Si tu sors de prison, des millions de mains se tendront pour te déchirer. En une demi-heure, tu seras réduite en bouillie. De la viande hachée, voilà ton avenir politique.

Au bout d'un mois, Hua Guofeng est de retour à la prison, un Hua Guofeng tremblant, boursouflé, malade. On lui amène Jiang Qing. Du plus loin qu'il l'aperçoit, il crie :

— Deng Xiaoping met tout en branle pour me supplanter, j'ai dû faire mon autocritique et ton procès est annoncé. Déjà tu es jetée en pâture, les journaux hurlent à la mort. Regarde leurs énormes titres couleur de sang ! Ils annoncent ta comparution prochaine et un verdict fatal. Moi seul peut déjouer cette énorme machination. Je te ferai passer devant un tribunal révolutionnaire ordinaire, il me sera soumis et il rendra une sentence clémente ! Dépêche-toi de m'écrire un mot de repentir, tout de suite ! C'est ton devoir vis-à-vis du Parti, vis-à-vis de Mao. Protège-le, protège ton mari. Sauve le maoïsme. Sinon il sera trop tard, Deng Xiaoping m'aura remplacé et il te livrera aux grands inquisiteurs qui te préparent un jugement affreux. Toutes tes actions te seront imputées à crime. Or tu en as commis de si nombreux, de si horribles que les révisionnistes de Deng n'auront aucun mal à t'écraser. Ils dénonceront tes forfaits dans une justice implacable imitée de celle

519

LE CHIEN DE MAO

de l'Occident. La télévision s'emparera de tes grimaces mensongères pour que tu apparaisses telle que tu es : une pute, une meurtrière capable de tous les assassinats, même de celui de ton mari. Jiang Qing, je te parle durement pour que tu prennes conscience de ce que tu risques.

Mais Jiang Qing est dans le ravissement :

— Tu dis que le procès sera télévisé ? Le camarade Deng Xiaoping ne peut me faire de plus beau cadeau. Je subjuguerai les hommes et les femmes de tous les continents, mon message sera diffusé dans le monde entier tandis que tu mèneras la plus pauvre, la plus misérable des vies.

— Tu as fait des centaines de milliers de victimes, on les ressuscitera contre toi.

— Disparais, Hua Guofeng! Laisse-moi à la gloire qu'on va m'apporter!

Jiang Qing a retrouvé sa superbe. Les faits, tout ce qu'elle a ordonné, les cadavres qu'elle a accumulés, lui importent peu, puisqu'elle va remplir la terre du grondement effrayant de la Révolution Culturelle. Certes, dans le tribunal constitué contre elle, les hyènes vomiront des accusations, les prétendus martyrs gémiront, les magistrats chercheront à l'accabler, mais elle, la comédienne sans pareille, saura désamorcer ces hargnes et ces injures, échapper à la traque des questions et des interrogations. Elle aura la voix tantôt douce, tantôt dure, la voix de la défense et la voix des agressions, elle aura ses postures de sincérité, ses sourires d'ingénuité, ses étonnements feints, le rauque de son insolence, la drôlerie de ses reparties, la beauté de ses défis. Elle rappellera les zigzags et les infamies de ses assaillants, tous ces traîtres qui, après avoir été à sa botte, jouent les Justes et la dénoncent. Ses lunettes et sa vareuse noire tellement ordinaires sembleront spirituelles, sa laideur, tour à tour arrogante et modeste, éblouira. Sur ses traits abîmés, elle répandra la jeunesse d'une flamme indocile, elle séduira, elle persuadera, elle régnera. Deng Xiaoping comprendra rapidement son erreur de l'avoir laissée monter sur les tréteaux. La mort après cela ? Une bagatelle. D'ailleurs sera-t-elle exécutée ? N'est-elle pas la veuve de Mao, une épouse qu'il n'a jamais reniée, même dans son agonie ? Si, dans ces nouveaux temps, l'on peut se permettre de rogner un peu la grandeur du Timonier devenu encombrant, il ne s'agit pas de passer les bornes. L'accusation se heurte à une grave difficulté : comment souiller la femme sans trop

520

LE CHIEN DE MAO

déshonorer l'homme ? Jiang Qing a compris sa chance, elle élabore donc sa tactique et sa stratégie : se réclamer de ses étreintes, idéologiques et autres, avec le Président défunt.

Cependant l'on va vers l'énorme machin, une justice comme il n'y en a jamais eu en Chine. Deng Xiaoping, l'éternel survivant, le malin des tours et des détours, des intrigues et des conjurations, s'attache à fabriquer un appareil judiciaire qui paraisse moderne, et même honnête : on forge des trousseaux complets de codes, avec classification des crimes et délits et leurs tarifs, le carrousel des lois et le cérémonial des procès élimineront les anciens arbitraires, décrets du Ciel ou décisions du Parti. Dans ce cadre la création d'une cour spéciale va de soi. Elle permettra de démaoïser tranquillement, d'éliminer Jiang Qing et sa clique contre-révolutionnaire avec toute la pompe démocratique souhaitable et, en coulisses, de renvoyer le triste Hua Guofeng à l'obscurité. Pour que la fête soit plus grandiose, on décide de juger aussi cette crapule de Chen Boda, le théoricien des ensanglantements, l'inénarrable secrétaire qui pourrit dans un hôpital-prison. Et l'on ajoute cinq généraux survivants de la clique de Lin Biao, des linceuls de militaires chancis en forteresse.

De son côté, Jiang Qing se prépare. Elle étudie son allure, révise ses gestes, cherche la touche de vieillerie revitalisée, méchante et drolatique qui parachèvera son personnage. Elle est tout aussi soigneuse lors des interrogatoires, lorsque les magistrats nouvelle façon viennent l'entreprendre. Elle se montre complaisante, racontant beaucoup mais gardant pour elle l'essentiel, ne laissant pas deviner la personne qu'elle sera ni ses arguments. Au vrai ses examinateurs ne la pressent pas trop. Ils ne veulent rien d'autre que les apparences des choses avec lesquelles les procureurs pourront godiller dans la direction voulue par Deng Xiaoping.

Dehors on joue le grand air du changement. Les réhabilitations se succèdent, Wang Guangmei, l'épouse de Liu Shaoqi, est tirée de prison et l'ancien président sacré héros national ; Peng Zhen, l'ancien maire de Pékin, reprend du service ; rappelée à Pékin, Ding Ling, l'ennemie jurée, prononce une critique de la politique culturelle récente devant le congrès des écrivains. Pis, aux yeux de

521

LE CHIEN DE MAO

Jiang Qing, le discours de cette diablesse est publié dans *Le Drapeau rouge*. On travaille l'opinion, on lui lance des coupables, Wang Dongxing le superpolicier est révoqué, une commission enquête sur les crimes de Kang Sheng, le conseiller noir, il est dégradé, chassé du Parti à titre posthume et ses cendres retirées du cimetière des héros. Et chaque jour Jiang Qing, la mère des serpents, est un peu plus salie. Chen Yun, l'homme qui à Yanan voici plus de quarante ans lui avait refusé l'entrée du collège Lu Xun, est en charge de l'affaire. Bien que Hua Guofeng ait annoncé que la monstresse ne serait pas exécutée, dans des meetings, des réunions de cellule, des journaux, des millions de fois par jour, les dengistes se déchaînent contre elle.

Jeux, contre-jeux, turbulences souhaitées... Toute la Chine tressaille et s'agite. Des campagnes affluent des milliers de déportés, anciens Gardes Rouges et jeunes instruits qui réclament justice. A Pékin, l'espace d'un court printemps, des garçons turbulents appellent à la lutte pour la démocratie. Extravagante présomption, la prison aura vite raison de ces naïfs. Cahin-caha, Deng modernise et règle ses comptes. Et soudain une bombe fracasse la gare centrale de Pékin, dix morts, une centaine de blessés. Sont-ce les prémices de l'insurrection ? Les hordes de l'ombre, les vestiges de la bande maudite ne vont-ils pas surgir, se soulever en prononçant le saint nom de Mao et en se revendiquant de sa veuve martyrisée ? Attentat mystérieux, peut-être attentat opportun... cela permet de boucler le pays. Sentinelles, patrouilles, perquisitions, des gens fusillés, le célèbre dazibao « Feu sur le Quartier général » avec lequel la Révolution Culturelle avait débuté est condamné comme texte antimarxiste... L'atmosphère est créée, le procès peut commencer.

... Ce procès m'amuse : à quels extrêmes ne sont-ils pas obligés d'aller pour m'abattre ! Le tribunal siège, paraît-il, au 1, rue de la Justice, une rue qui n'existe pas. En fait ils ont si peur que le Peuple ne veuille m'approcher qu'ils ont transformé en prétoire une salle de réception du complexe de la Sécurité Publique, tout près de la place Tiananmen. Là-dedans huit cent quatre-vingts représentants des masses sélectionnés on ne sait trop comment, de

LE CHIEN DE MAO

prétendus camarades-n'importe-qui, évidemment des militants triés sur le volet. Et puis, les magistrats, trente-cinq juges, des boursouflures et des godelureaux arrivistes capables de tout perpétrer même par ce qui leur semble le plus incompréhensible, la soi-disant voie légale. Le président me plaît bien, c'est un gros, un podagre, un chapon déplumé qu'il sera divertissant de contrer. Car, bien sûr, j'ai décidé de me défendre moi-même. Je peux le dire sans vanité, j'ai réussi mon entrée. Avec un sens du spectacle que je salue, ils m'ont appelée en dernier, ne suis-je pas la vedette? Après la friperie de mes supposés complices, j'ai marché le plus dignement du monde vers l'espèce de cage qu'ils m'avaient réservée. On m'avait collé aux basques deux femmes policiers qui affectaient de me maintenir. Pourquoi pas me soutenir? J'ai l'habitude des meetings, moi, et de la scène, et des caméras. Ah, le bonheur de les entendre à nouveau ronronner! Le bonheur de fendre cette atmosphère chargée de vibrations et de murmures! J'ai subjugué mon public, surtout les parties civiles que je devine si avides de mon sang... J'ai aperçu Wang Guangmei et ses yeux d'aspic, elle m'a paru esquintée, usée. Je l'ai toisée : qu'elle ne se méprenne pas, j'ai de l'allure, elle n'en a pas. La camarade veuve d'un président, la camarade héritière d'un président, c'est moi.

La seconde partie était moins drôle. A peine assise, j'ai ajusté mon écouteur et j'ai fait signe au procureur qu'il pouvait commencer. Une erreur. Cet abruti s'est mis à lire l'acte d'accusation, le galimatias habituel, conspiration, sédition, persécutions, tentative d'insurrection... J'ai même, prétendent-ils, voulu faire tuer Mao. Tout cela était terriblement ennuyeux, un vrai gâchis. J'ai essayé d'interrompre cette énumération fastidieuse, de bâiller pour signifier au procureur que les spectateurs allaient décrocher, mais non, il continuait ses insanités. Plusieurs fois, je me suis levée, on m'a fait rasseoir, j'étais censée entendre la litanie jusqu'au bout. Encore heureux qu'on m'ait épargné la liste des 34 800 péquenots que j'aurais plus ou moins trucidés! On s'en est tenu à un martyrologe chic, 420 dirigeants traînés de supplices en supplices par moi et ma clique. Rien que des augustes, des fondateurs du communisme chinois. Comment sont-ils arrivés à ces chiffres? En tout cas, à contempler cette vermine, une évidence me frappe, nous avons été trop bons, Mao et moi.

Comme j'étais au bord de succomber de lassitude, ce débris de Chen Boda m'a devancée : il s'est évanoui et il a fallu lui faire des

LE CHIEN DE MAO

piqûres pour le ranimer. La présence de ce petit tas verdâtre m'exaspère, cet abcès éclaté n'est pas des nôtres. Il ne sert qu'à renforcer l'amalgame entre Lin Biao et moi, donc à souiller la Révolution Culturelle. Le moment venu, je protesterai. D'autant que cette chiffe est prête à avouer n'importe quoi.

On ne me donne plus de journaux mais les gardiennes me disent tout : mon comportement est jugé écœurant. Est-ce ma faute à moi si la cystite m'oblige à quitter souvent la salle ? J'avais souhaité des audiences courtes et ils me les avaient accordées, naturellement ils n'ont pas tenu parole et je suis contrainte de hurler que j'ai mal au ventre pour sortir. C'est humiliant. Il y a des jours où tout se mêle en moi, je suis malade, j'ai de la fièvre. On prétend que Deng Xiaoping suit le déroulement du procès dans une petite pièce adjacente au tribunal et qu'il sélectionne lui-même les extraits à diffuser en Chine et dans le monde. Je vais lui concocter un petit sketch spécial : la prochaine fois que le président me refusera l'autorisation de sortir, je me déshabillerai.

Je me suis déshabillée. Alors le président a fait couper le chauffage, au risque en cette fin novembre d'enrhumer ses chères victimes. A la fin, on m'a emmenée. J'ai inventé une autre façon de faire de l'obstruction, je reste des heures un bras levé comme pour prendre la parole : je ne crois pas qu'ils osent me filmer indéfiniment dans cette position.

Le plus étrange de cette farce, c'est de retrouver ma bande, ma meute comme ils disaient. L'ensemble n'est pas brillant. Wang Hongwen n'en peut plus de soumission. La correction de ses propos est extraordinaire, il est tout aveux et repentance, accusé modèle, traître modèle. Même physiquement, il est laminé. Quand je pense que j'ai failli avoir des faiblesses pour lui ! Yao Wenyuan a dû s'arranger pour être bien traité, cela se voit à son aspect florissant, à son ventre prospère ; du moins a-t-il encore le courage d'ergoter lorsque le procureur le charge de crimes par trop abominables. Seul Zhang Chunqiao a de la grandeur. Depuis le début de cette mascarade, il refuse de parler. Il se tient droit et son visage est un défi. Ce mépris en impose à la cour. A moi aussi, d'ailleurs. Dommage qu'il ne se coiffe pas et qu'il se soit laissé pousser une barbichette ridicule. Il me vient des idées idiotes. Je songe à notre rencontre, à nos étreintes. A mon âge et dans ces circonstances !

524

LE CHIEN DE MAO

Le défilé des témoins continue, preuve que j'ai moins fait tuer qu'ils ne le prétendent. En tout cas, j'insiste, pas assez. Ils ne m'épargnent rien, ni la concubine de Mao ni ces petites garces d'interprètes, tout cela pour prouver que Mao était capable de me critiquer. Les abrutis ! Comment pourraient-ils comprendre ce qui se passait entre Mao et moi, son élève, son compagnon d'armes ? Ils me distraient avec leurs exhumations. C'est d'un convenu cet échafaudage de témoignages ! Et d'une fragilité incommensurable. Ils le verront demain quand je ferai souffler dans cet édifice les vents coulis de la politique.

Ces collabos qui hier étaient les premiers à hurler contre Liu Shaoqi se sont procuré des documents signés de ma main, des enregistrements de ma voix, confondants, affirment-ils. Mais je ne reconnais rien. En toute hypothèse, si je suis coupable, ils le sont aussi. Je l'ai crié le plus fort que j'ai pu et ils m'ont expulsée.

Je suis fatiguée, les gardiennes m'ont blessée en m'emmenant et, à nouveau, tout s'embrouille dans ma tête. Ils continuent avec leurs enregistrements... Faut-il qu'il y ait eu des micros dans Zhongnanhai et partout... Le président ne contrôle pas le procès, on m'insulte et l'assistance rugit de joie. Tout remonte, tout est exposé, ma vie à Shanghaï, mes amis d'autrefois, ma femme de chambre et même ce traître de Liao Mosha qui n'a jamais pu écrire un livre convenable. Il m'a traitée de salope... « Ta gueule, salope » est en passe de devenir un des leitmotivs des audiences.

Mon rôle dans ceci, mon rôle dans cela... ces contre-révolutionnaires n'ont que ces interrogations à la bouche. Il était simple pourtant, mon rôle : j'étais le chien de Mao et je mordais qui il me disait de mordre. Mais cela, ces petits avocassiers ne peuvent pas l'entendre. Alors ils continuent de produire des témoins, encore des témoins, ... jusqu'au fils d'un vidangeur d'élite, un héros de l'engrais humain que j'aurais fait liquider parce que Liu Shaoqi lui avait serré la main. Comme si je me souvenais de ces détails !

Comment osent-ils m'accuser, moi qui pendant trente-huit ans ai été la femme de Mao ? Auprès de qui étaient-ils couchés quand je dormais près de lui ? Qui l'a suivi dans toutes ses traverses ? Sur tous les champs de bataille ? Aujourd'hui ils me demandent de payer ses dettes. Comment ces minables pourraient-ils com-

525

LE CHIEN DE MAO

prendre que je suis heureuse et même honorée de les payer ? Les gardiennes affirment que Hua Guofeng est définitivement sur la touche. Bravo, ce semblant de légataire n'avait que trop trahi. Mao m'avait prévenue que s'il me choisissait ouvertement, ce serait la ruée contre moi. Hua devait balayer le terrain, évacuer les immondices qui s'accumulent lentement, secrètement sous toute grandeur, même sous la grandeur suprême, puis me céder la place, il s'est contenté de me proposer des arrangements grotesques qui m'auraient réduite à l'état de fantôme. J'ai, je le concède, fait appel au peuple de Chine, soulevé des régiments, agité des provinces entières, mais c'était pour obéir au Président Mao, mon mari.

Ils ne cessent de brandir la loi contre moi. Mais je n'ai ni Ciel ni loi. Je suis une loi à moi seule. Je méprise cette cour qui ne respecte pas les principes du Président Mao, donc je sème la pagaille.

Flamboyante, je résiste à tous les assauts. Le but de ce procès, c'est de m'avilir et, à travers moi, le Président Mao et les centaines de millions de Chinois qui ont pris part à la Révolution Culturelle. Je ne m'abaisserai pas aux arguties d'une plaidoirie, je lirai simplement un de mes poèmes et ainsi je ferai retentir sur ces marionnettes le plain-chant de la Révolution. Ils ont enfoncé leurs épées dans le corps de mon bien-aimé, ils menacent de les enfoncer dans le mien, mais à la fin le Bien triomphera. Je n'ai pas peur de mourir. Je suis l'amie du Singe pèlerin, faites-le venir, il m'apportera des têtes de rechange, tellement de têtes que vous ne pourrez pas les couper toutes. Je vous mets au défi de me faire exécuter au milieu de la place Tiananmen devant un million de spectateurs. Ou alors vous appellerez sur la Chine la nuit éternelle des hyènes et des serpents. On a raison de se révolter ! A bas les révisionnistes conduits par Deng Xiaoping ! Il est juste de faire la révolution !...

C'est le grand froid. Le vent glacé venu du désert souffle sur Pékin. Depuis trois semaines, les débats sont terminés et dans la prison Qincheng, Jiang Qing attend le verdict. Lors de la dernière audience, après avoir, en quelques phrases, évoqué et évacué les

LE CHIEN DE MAO

fautes de Mao, le procureur a requis la mort et les journaux ont repris leurs clameurs : à nouveau la monstresse, à nouveau la sorcière aux os blancs, à nouveau le chacal à peau humaine, le fléau national, le plus grand bourreau du XXᵉ siècle à qui mille vies ne suffiraient pas pour payer ses crimes. Et puis – sur quel ordre ? – ils se sont tus. Deng et ce qu'il reste de maoïstes négocient. Le Politburo va juger.

La plupart du temps, Jiang Qing est plongée dans un abrutissement crasseux. L'hystérie l'a quittée, sauf pour de brefs instants où elle redevient mégère écarlate, grimaçant de toutes les lèpres de la colère et de la peur. Elle mange bien, elle dort bien, même si parfois dans ses rêves elle voit sa tête se détacher d'elle et rouler sur le sol. D'autres fois, elle entend les ordres d'un officier, elle imagine les soldats taciturnes, les balles, son corps déchiré, et toujours son sang en ruisseaux noirs dans la blancheur du monde. Curieusement ces cauchemars ne l'effraient pas. Elle chantonne qu'elle est Mao et quand ses gardiennes la rappellent à la modestie, elle répond que personne ne peut rien contre elle. Le bruit court qu'elle est devenue folle.

Et pourtant, peu à peu, elle émerge. Un matin elle se sent la force de regarder le jour se lever et le ciel prendre le bleu impitoyable de janvier. Elle songe aux rues désertes, aux gens de l'hiver empaquetés dans d'énormes hardes, à la luisance des toits de la Cité Interdite. Trop de lumière, trop de pâleur... Quelle place les étoiles lui ont-elles assignée dans cet univers translucide ? Tiananmen où des tueurs torturent et décapitent ou bien une résidence discrète de Zhongnanhai, où tout pourrait recommencer ? Non, ce sera plutôt l'infecte uniformité de la prison. La disparition. L'abîme, comme disait Mao.

Le 25 janvier 1981 sonne l'heure de la loi et les dix accusés font leur entrée. Les militaires de Lin Biao ne sont même plus des détritus, mais de petites raclures innommables, Chen Boda est une misérable boule de misère qu'il faut porter, Yao Wenyuan et Wang Hongwen, gras de larmes, défigurés par l'humus de la peur, de la chair broyée refaçonnée en mannequin coupable et repentant. Les regards se tournent sur Zhang Chunqiao, sobre, inattaquable, aveugle qui ne veut voir ni les justiciers ni les victimes, emmuré. Enfin arrive Jiang Qing, avec sa vieille tête de vieille bête encore somptueuse, le visage ciselé de défi, Jiang Qing la clownesse, Jiang Qing la vestale qui des yeux cherche une proie.

527

LE CHIEN DE MAO

Ce sera la même, toujours la même, Wang Guangmei, la veuve de Liu Shaoqi qu'elle injurie au passage :

— Pourquoi es-tu toujours là ? Pour voir rouler ma tête ? Tu ne verras rien du tout. Souviens-toi du beau collier que je t'avais offert et remercie-moi. Et puis songe à venir me voir, je te donnerai des conseils, tu commets encore des fautes de goût : le bleu de ta robe est impardonnable.

Jiang Qing est sur la crête du monde mais les policières la frappent durement pour la faire avancer jusqu'à sa cage où elle s'affale. Le président peut commencer la lecture du verdict. Longueur des attendus, équivoques, escamotages... les observateurs de la vie chinoise auront de quoi se régaler. De temps à autre, Jiang Qing, toujours dans son méli-mélo, le dévergondage de sa cervelle et l'afflux des bons souvenirs, retrouve son air de gronderie sarcastique et crie qu'on a raison de se révolter.

Et puis tombent les sentences, toutes sans appel : de seize à dix-huit ans de prison pour les militaires, dix-huit ans pour Chen Boda, vingt ans pour Yao Wenyuan, la perpétuité pour Wang Hongwen ; la mort pour Zhang Chunqiao mais avec une période probatoire de deux ans. Merveilleuse bonté du Peuple qui veut bien donner à chacun la possibilité de se repentir ! Et chacun à son tour s'effondre de joie, seul Zhang Chunqiao reste debout telle la statue du refus. Quant à Jiang Qing elle s'est mise à hurler avant même que le président ait prononcé son nom. Celui-ci s'empourpre et clame que, coupable sur tous les chefs d'accusation, elle est condamnée à mort...

— On a raison de se révolter.

Jiang Qing vocifère et ses feulements remplissent le tribunal tandis que le président ajoute qu'elle aussi bénéficie d'un sursis de deux ans « pour voir comment elle se conduit ».

— Jamais je ne me repentirai.

Jiang Qing continue de fulminer. Echevelée, dépoitraillée, elle rit pendant que les caméras plongent sur la laideur de sa démence. Par précaution, on a coupé le son et nul ne l'entendra réclamer le supplice tandis qu'on lui passe les menottes. Dans un murmure, elle demande encore qu'on la fusille immédiatement.

Ensuite, elle ne se souvient de rien.

LE CHIEN DE MAO

... Dix ans que le verdict est tombé, bientôt quatorze que je suis enfermée et mon corps n'est plus qu'une douleur. J'ai soixante-dix-sept ans et je suis dissoute dans l'âge. Ma voix même me quitte ; j'ai, disent-ils, un cancer de la gorge. Ils proposent de m'opérer mais je refuse : je sais de quelles ignominies ils sont capables avec leur cobalt. Surtout je les ai percés à jour, ils ont décidé de détruire ma voix, cette voix qui les a tant troublés, tant dérangés, et puis ils me tueront. Au début je voulais que ma survie soit éclatante. J'ai convoqué à la prison deux de mes soi-disant victimes, Peng Zhen l'ancien maire de Pékin et ce nain fasciste de Deng Xiaoping. Ils sont venus mais je n'ai pas pu écouter leurs discours sucrés et leurs boniments sur le repentir tant ma colère était grande. Cependant j'ai feint de me calmer et l'on m'a mise à faire des poupées de chiffon. Moi... des poupées... moi, la Veuve de Mao. Encore une fois j'ai joué la décence, la discrétion mais j'ai brodé mon nom sur ces poupées : ainsi, en les vendant, ils diffuseraient mon souvenir, ils me rappelleraient au monde. Mais très vite, ils se sont aperçus de mon stratagème : ils m'ont dit qu'ils brûlaient mes poupées. Un autre de mes amusements était d'écrire sur les murs : qu'ils sachent bien que je n'avais pas peur de la mort ! Les gardiennes effaçaient mes graffitis, le lendemain je recommençais, et puis je me suis lassée du manège. Il y a quand même un point sur lequel je n'ai jamais cédé : j'ai toujours refusé de rédiger mon autocritique. Chaque mois ils me l'ont demandée, chaque mois je me suis insurgée.

Deux ans ont passé et, bien sûr, je n'ai pas été exécutée. Par quelle aberration ai-je cru alors qu'ils me remettraient en liberté ? Rien n'a changé. J'avais été l'âme de Mao, il fallait m'enfermer dans le grand silence. Encore une fois je me suis révoltée, j'ai écrit. Ecrit au Comité central, écrit à Deng Xiaoping qui me répondait des banalités polies. Mon régime s'est assoupli, j'avais des livres, des journaux, la radio, la télévision... et le droit de recevoir des visites. Mais qui serait venu voir une criminelle comme moi ?

LE CHIEN DE MAO

Eh bien, un jour quelqu'un est venu, Li Na ma déplorable fille, toujours aussi bêtasse, aussi conventionnelle. A nouveau divorcée, elle envisageait de se remarier et tenait à me présenter l'élu, comme si de rien n'était. Cette placidité m'a stupéfiée. Du coup, je les ai invités à dîner avec moi et le directeur ne s'y est pas opposé. Mon gendre me plaît. C'est un remarquable calligraphe. Un flic aussi, naturellement. Avec ma complicité, ils m'ont enfouie dans la mesquinerie. Je me suis comportée en détenue modèle, non pas domestiquée, mais résignée, ne cherchant plus que de petits avantages et ayant renoncé à un grand rôle. Passive. Comme amortie. La discipline autour de moi s'était relâchée, les gardiennes ne notaient même plus mes propos. J'ai estimé l'heure venue de demander mon retour à Zhongnanhai, dans un pavillon isolé. De quoi ont-ils eu peur ? Ils ont refusé. Là j'ai compris que la manne du pouvoir m'échappait à jamais et, comme autrefois en Russie, j'ai voulu mourir. Cinquante comprimés de somnifères. Sans doute étais-je plus surveillée que je ne le pensais : ils m'ont sauvée. Et mon naufrage dans l'insignifiance a continué.

Quelque chose s'était rompu en moi. Moi qui m'étais tellement attachée à l'existence pour lui faire rendre tout son suc, je n'avais plus d'appétit. Mes rêves s'étaient dissipés, tout me semblait vain, ma révolte, mes imaginations, mes inventions. Je n'avais plus rien à conquérir, personne à aimer, personne à détester et l'ennui, le terrible ennui a refermé ses mâchoires sur moi. Je me suis abandonnée au vague sans trouver la force de crier ma détresse ou de quitter la partie.

Je n'avais plus de lendemains. Lorsqu'ils en ont été sûrs, ils m'ont sortie de prison et placée en résidence surveillée sous la responsabilité de Li Na et d'une horde de gardes. Chaque mois, mon lieu de séjour changeait. Pour empêcher quoi ? Que craignaient-ils d'une recluse à la chair flétrie barricadée dans son avachissement ? Je ne m'occupais que de surveiller mon déclin. Mes cheveux ont blanchi, les rides ont mangé mon visage, ma peau s'est desséchée, mes muscles ont fondu tandis que mes os se tassaient... L'horreur de marcher à tout petits pas, l'horreur de ne voir qu'à travers les rideaux d'une cataracte... Ils ont été très convenables, ils m'ont hospitalisée, soignée et mon ardeur s'est ranimée.

De nouveau me parvenait l'écho du monde et je sentais vibrer la ville autour de moi. En appelant les Chinois à s'enrichir, Deng

LE CHIEN DE MAO

Xiaoping creusait sa tombe et celle du communisme. Les chiens courants du capitalisme veillaient, le pays n'était plus que misère, mauvais instincts déchaînés, goguenardise satisfaite des prébendiers. Par Li Na, j'ai fait prévenir Deng : qu'il injecte d'urgence un peu de maoïsme dans cette nation détériorée, guettée par l'anarchie. Il m'a entendue, je crois. Mais mal. Il a continué de louvoyer. Alors j'ai dit qu'il ne suffisait plus d'agiter le fantôme de Mao, qu'on devait faire entendre sa parole et que j'étais l'incarnation de cette parole. D'après Li Na, mon message a fait rire le petit Timonier. L'imbécile... Quelques mois plus tard, au nom de la démocratie, le pays s'embrasait et Deng s'apercevait qu'un peu de sang ne nuirait pas à son régime. L'univers n'étant plus qu'un hurlement contre lui et son petit massacre, j'ai voulu l'aider : qu'il se serve de moi et de ma célébrité pour expliquer au monde la nécessité dans laquelle il s'était trouvé et le tollé s'apaiserait. Deng a encore repoussé mon offre. Sans doute Li Na n'avait-elle pas su la lui présenter. J'ai prévenu ma fille qu'elle serait la cause de ma mort.

Depuis deux ans, j'écris mes Mémoires. Qu'adviendra-t-il de ces feuillets? Je ne sais, mais j'aime l'explosion des mots dans ma tête et le torrent impétueux des souvenirs me tient lieu de vie. Chaque matin, je lis un texte de Mao ou je récite un de ses poèmes, ensuite je me livre au courant. Le grand silence des morts me tourmente, alors je ne cesse de l'interroger. Je pense beaucoup à ma mère, la pauvre Lotus, si veule et si charmante et qui ne se respectait pas. Kang Sheng m'apparaît quelquefois, le jeune Kang Sheng de mon adolescence ; je sens ses mains, sa chair dure, impérieuse, je vois son visage malicieux, ses airs de propriétaire, il me fait rire. Mao est là aussi, le Mao de Yanan, celui des orages et celui des défaites, le Mao endormi dans son affreux mausolée et celui, si beau, qui un jour m'a entraînée dans la montagne.

Ils sont revenus me parler de mon cancer. Ils veulent me bâillonner mais je ne me laisserai pas faire. Je n'ai que ma voix, je ne suis plus qu'elle, ils ne me l'ôteront pas, ils ne feront pas de moi un objet de dérision qui parle dans un souffle caverneux. Je suis résolue à franchir le portail mais ce sera à mon heure et selon mes conditions. Je suis ma loi, qu'ils ne l'oublient pas! Et qu'ils sachent tous, Li Na la première, qu'ils auront mon sang sur les mains et que mes âmes errantes reviendront les hanter!

LE CHIEN DE MAO

Le mois de mai est enfin arrivé. Il y a vingt-cinq ans se créait le Groupe de la Révolution Culturelle et pour célébrer cet anniversaire, j'ai décidé de me pendre. J'ai accompli tout ce que j'avais à accomplir et j'ai fait résonner mon nom sur la terre entière, Lotus peut être fière de moi. Hier j'ai déchiré le manuscrit de mes Mémoires et j'ai commencé à fabriquer une corde avec des mouchoirs. Je meurs en martyre d'une Révolution volée. Président, ton élève, ton compagnon d'armes va maintenant te rejoindre. Ouvre-moi les bras, accueille-moi. Je suis là, déjà. Prends-moi.

J'espère être découverte par Li Na.

CHRONOLOGIE

1893 – Naissance de Mao Zedong.
1898 – Naissance de Kang Sheng. Naissance de Chou En-lai.
1900 – Révolte des Boxers.
1908 – Mort de Ts'eu Hi.
1911 – Sun Yat-sen est élu président de la 1ʳᵉ République de Chine.
1912 – Abdication de Pu Yi. Fin de la dynastie des Qing.
1914 – Naissance de Jiang Qing.
4 mai 1919 – Mouvement insurrectionnel contre le traité de Versailles qui accède aux revendications japonaises sur la Chine.
1921 – Fondation du Parti communiste chinois.
Avril 1927 – Tchang Kaï-chek massacre les Rouges à Shanghaï.
1927-1937 – Décennie de Nankin : gouvernement nationaliste présidé par Tchang Kaï-chek.
1929-1934 – République soviétique du Jiangxi fondée par Mao.
1932 – Les Japonais, entrés en Mandchourie, y créent l'Etat du Manchoukouo dont Pu Yi devient l'empereur.
18 octobre 1934 – Début de la Longue Marche. Un an plus tard les Rouges aboutissent à Yanan dans la province de Shaanxi.
1937 – Offensive japonaise.
1938 – Le gouvernement nationaliste se replie à Chongqing où il restera jusqu'en 1945. Mariage de Mao et de Jiang Qing.
1939-1945 – Seconde Guerre mondiale.
9 décembre 1941 – Pearl Harbor. Entrée en guerre des Américains qui arrivent en « Chine libre » à Chongqing.
1942 – Causeries de Yanan sur la littérature et sur l'art.
6 août 1945 – Hiroshima. Le Japon capitule le 14 août.
1947-1949 – Guerre civile en Chine.
1ᵉʳ octobre 1949 – Proclamation de la République populaire de Chine. Les Nationalistes se réfugient à Taiwan.

LE CHIEN DE MAO

Juin 1950-juillet 1953 – Guerre de Corée.

5 mars 1953 – Mort de Staline.

1956 – Rapport de Khrouchtchev sur les crimes de Staline.

1957 – Les Cent Fleurs. Campagne contre les « droitiers ».

1958 – Le Grand Bond en Avant. Institution des Communes populaires.

1959 – Liu Shaoqi élu président de la République. Conférence de Lushan : Peng Dehuai est limogé, Lin Biao le remplace au ministère de la Défense.

1960-1962 – Famine. Entre 25 et 40 millions de morts.

1963 – Redressement agricole. Rupture avec l'Union Soviétique.

1964 – Etablissement de relations diplomatiques avec la France. Première bombe atomique chinoise.

1965 – Premiers bombardements américains au Vietnam du Nord. Purges dans l'armée chinoise. Suppression des grades.

1966 – La circulaire du 16 mai établit un Groupe de la Révolution Culturelle dirigé par Jiang Qing et Chen Boda. Le 16 juillet, Mao nage dans le Yang Tse-kiang, le 5 août, on placarde son dazibao « Feu sur le Quartier général ». Purge de Liu Shaoqi puis de Deng Xiaoping.

1967 – Première bombe H chinoise. Le pays est au bord de la guerre civile.

1969 – Lin Biao est élu vice-président du Comité central du PCC (et successeur de Mao). Mort de Liu Shaoqi.

1970 – Reprise des relations diplomatiques avec l'URSS. Chen Boda est condamné, Lin Biao mis en minorité.

1971 – Mort de Lin Biao. Entrée de la Chine aux Nations Unies.

1972 – Visite de Nixon. Rétablissement de relations diplomatiques avec le Japon.

1973 – Retour de Deng Xiaoping.

1974 – Campagne contre Confucius.

1975 – Les Quatre Modernisations. Mort de Tchang Kaï-chek. Mort de Kang Sheng.

8 janvier 1976 – Mort de Chou En-lai.

Avril 1976 – Manifestations de Tiananmen. Hua Guofeng nommé Premier ministre, Deng Xiaoping est écarté.

6 juillet 1976 – Mort de Zhu De.

28 juillet 1976 – Tremblement de terre.

9 septembre 1976 – Mort de Mao Zedong.

6 octobre 1976 – Arrestation de la Bande des Quatre.

Juillet 1977 – Retour de Deng Xiaoping.

LE CHIEN DE MAO

Mars 1978 – Répression du mouvement démocratique. Arrestation de Wei Jingsheng.

Novembre 1980 – Ouverture du procès de la Bande des Quatre et des complices de Lin Biao.

Janvier 1981 – Jiang Qing est condamnée à mort avec une période probatoire de deux ans.

1982 – Hua Guofeng exclu du Bureau politique.

1989 – Mouvement pour la démocratie. Emeutes de Tiananmen et répression.

14 mai 1991 – Mort de Jiang Qing.

NOTES

1. La traduction du poème de la page 252 est empruntée au « Madame Mao » de Ross Terrill (Ramsay – 1984 – Traduction de Claude Yelnick).

2. Le même ouvrage de Ross Terrill reproduit textuellement le dialogue entre Wang Guangmei et le chef des Gardes Rouges évoqué et résumé pages 330, 331 et 332.

Au lecteur désireux de s'informer sur le cadre historique dans lequel se déroule ce roman, je recommande la lecture des quelques ouvrages suivants :

Henry BAUCHAU, *Mao Zedong*, Paris, Flammarion, 1982.

Jasper BECKER, *Hungry Ghosts. China's secret famine*, Londres, John Murray, 1996.

Marie-Claire BERGERE, *La République populaire de Chine de 1949 à nos jours*, Paris, Armand Colin, 1987.

Claudie et Jacques BROYELLE, *Apocalypse Mao*, Paris, Grasset, 1980.

John BYRON et Robert PACK, *The claws of the dragon*, New York, Simon and Schuster, 1992.

CHENG Ying-hsiang, Claude CADART, *Les deux morts de Mao Tse-Toung*, Paris, Le Seuil, 1977.

Jean-Luc DOMENACH, *Chine. L'archipel oublié*, Paris, Fayard, 1992.

Jean-Luc DOMENACH, Philippe RICHER, *La Chine 1949-1985*, Paris, Imprimerie nationale, 1987.

Roger FALIGOT, Rémi KAUFFER, *Kang Sheng et les services secrets chinois (1927 – 1987)*, Paris, Robert Laffont, 1987.

Jacques GUILLERMAZ, *Histoire du Parti communiste chinois*, Paris, 2 vol. de la « Petite Bibliothèque Payot », 1975.

HAN Suyin, *Le siècle de Zhou Enlai*, Paris, Stock, 1993.

Horace HATAMEN (traducteur et présentateur), *Pékin : un procès peut en cacher un autre. Les minutes du procès de Jiang Qing, la veuve de Mao*, Paris, Christian Bourgois éd., 1982.

HSIA Chih-yen, *Un hiver froid à Pékin*, Paris, Alta, 1978.

HUA Linshan, *Les années rouges*, Paris, Le Seuil, 1987.

Harold R. ISAACS, *Epitaphe pour une Révolution*, Préface de Francis Deron, Paris, Gallimard, 1989.

JUNG Chang, *Les cygnes sauvages*, Paris, Plon, 1992.

David KIDD, *Le pavillon des pins vénérables, Pékin 1946-1950*, Paris, Métailié, 1991.

KEN Ling, *La vengeance du ciel*, Paris, Robert Laffont, 1981.

Simon LEYS, *Les habits neufs du Président Mao*, Paris, Livre de Poche, Biblio, Essais, 1989.

LE CHIEN DE MAO

— *Images brisées*, Paris, Robert Laffont, 1976.

— *Ombres chinoises*, nouvelle édition augmentée, préface de Jean-François Revel, Paris, Robert Laffont, 1978.

— *La forêt en feu*, Paris, Hermann, 1983.

— *L'humeur, l'honneur, l'horreur*, Paris, Robert Laffont, 1991.

Les essais sur la Chine de Simon Leys sont réunis en un seul volume dans la collection « Bouquins », Robert Laffont, 1998.

LI Zhisui, *La vie privée du Président Mao*, Paris, Plon, 1994.

LIN Yutang, *L'impératrice de Chine*, Paris, Philippe Picquier, 1990.

MAO Tse-Toung, Textes traduits et présentés par Stuart Schram, Paris, Armand Colin, 1963.

NIEN Cheng, *Vie et mort à Shanghaï*, Paris, Albin Michel, 1987.

QUAN Yanchi, *Mao intime*, Paris, Editions du Rocher, 1991.

Robert ROTHSCHILD, *La chute de Chiang Kaï-Shek. Souvenirs d'un diplomate en Chine. 1944-1949*, Paris, Fayard, 1972.

Patrick SABATIER, *Le dernier dragon. Deng Xiaoping, un siècle de l'histoire de la Chine*, Paris, J.-C. Lattès, 1990.

Harrison E. SALISBURY, *The new emperors. China in the era of Mao and Deng*, Boston, Little, Brown and Company, 1992, et Londres, Harper & Collins.

— *The long march (The untold story)*, Londres, Macmillan, 1985.

Edgar SNOW, *Etoile rouge sur la Chine*, Paris, Stock, 1965.

Helen Foster SNOW (Nym Wales), *Inside Red China*, (avec une préface de Harrison Salisbury), New York, Da Capo Paperback, 1979.

Jonathan D. SPENCE, *The gate of Heavenly Peace*, New York, Viking Penguin, 1981.

TANG Qiao, *Jiang Qing, l'impératrice rouge*, Paris, Albin Michel, 1997.

Ross TERRILL, *Madame Mao*, Paris, Ramsay, 1984. La réédition américaine de 1992 (Touchstone) comporte une très intéressante postface.

— *Mao. A biography*, New York, Harper & Row, 1980.

Anne F. THURSTON, *Enemies of the people. The ordeal of the intellectuals in China's Great Cultural Revolution*, Cambridge, Harvard University Press, 1988.

Barbara W. TUCHMAN, *Stilwell and the american experience in China 1911-1945*, New York, Macmillan, 1971.

WEI Jingsheng, *La cinquième modernisation et autres récits du printemps de Pékin*, Paris, Christian Bourgois, 1997.

Roxane WITKE, *Camarade Chiang Ch'ing*, Paris, Robert Laffont, 1978.

YANG Jiang, *Sombres nuées* et *Six récits de l'école des cadres*, Paris, Christian Bourgois, 1992.

YAO Ming-Le, *Enquête sur la mort de Lin Biao*, avec une préface de Simon Leys, Paris, Robert Laffont, 1983.

Wojtek ZAFANOLLI, *Le Président Clairvoyant contre la Veuve du Timonier*, Paris, Payot, 1981.

Cet ouvrage a été réalisé par la
SOCIÉTÉ NOUVELLE FIRMIN-DIDOT
Mesnil-sur-l'Estrée

et relié par Diguet-Deny
à Breteuil-sur-Iton

Édition exclusivement réservé aux adhérents du Club
Le Grand Livre du Mois
15, rue des Sablons
75116 Paris
réalisée avec l'aimable autorisation des éditions Grasset

Imprimé en France
Dépôt légal : juillet 1998
N° d'impression : 43449
ISBN : 2-7028-1977-X